SANS LAISSER DE TRACES

Val McDERMID

SANS LAISSER DE TRACES

Traduit de l'anglais
par Matthieu Farcot

Flammarion

Titre original : *A Darker Domain*
Éditeur original : HarperCollins*Publishers*

ISBN : 978-2-0812-4905-9

Ce livre est dédié à la mémoire de Meg et Tom McCall, mes grands-parents maternels. Ils m'ont montré ce qu'était l'amour, ils m'ont enseigné l'esprit de communauté, et ils n'ont jamais oublié l'humiliation que l'on ressent à faire la queue à la soupe populaire pour nourrir ses enfants. Grâce à eux, j'ai appris à aimer la mer, la forêt, et les livres d'Agatha Christie. Une dette non négligeable.

Mercredi 23 janvier 1985 ; Newton of Wemyss

La voix est douce, comme l'obscurité qui les entoure. « T'es prêt ?

— Plus que jamais.

— Tu lui as dit ce qu'elle devait faire ? » À présent, les mots se bousculent et tombent dans un même mouvement.

« Ne t'inquiète pas. Elle sait à quoi s'en tenir. Elle ne se fait pas d'illusions sur qui devra porter le chapeau si ça tourne mal. » Des mots durs, un ton acerbe. « Ce n'est pas elle qui m'inquiète.

— Qu'est-ce que c'est censé vouloir dire ?

— Rien. Ça veut rien dire, d'accord ? On n'a plus le choix. Plus ici, plus maintenant. On fait juste ce qui doit être fait. » Des paroles creuses, prononcées d'une voix faussement assurée. Impossible de savoir ce qu'elles cachent. « Allez, finissons-en. »

C'est comme ça que tout commence.

Mercredi 27 juin 2007 ; Glenrothes

La jeune femme traversa le hall d'entrée d'un pas rythmé, ses talons plats foulant le sol en vinyle terni par le passage de milliers de pieds. Elle avait l'air d'une personne en mission, pensa l'employé à l'accueil alors qu'elle approchait de son bureau. Mais à vrai dire, ils donnaient presque tous cette impression. Ils ignoraient invariablement les affiches de lutte contre la délinquance et les avis d'information publique qui tapissaient le mur, perdus dans le sillage de leur détermination.

Elle arriva vers lui avec un air menaçant, les lèvres serrées. Pas vilaine, se dit-il. Mais comme la plupart des femmes qui se présentaient là, elle ne se montrait pas vraiment sous son meilleur jour. Elle aurait pu se maquiller un peu plus pour faire ressortir ces yeux bleus étincelants. Et mettre quelque chose de plus avantageux qu'un jean et un sweat à capuche. Dave Cruickshank afficha son sourire professionnel figé. « Que puis-je faire pour vous ? » demanda-t-il.

La femme redressa légèrement la tête, comme pour se préparer à se défendre. « Je veux signaler une disparition. »

Dave s'efforça de ne pas montrer son irritation lassée. Quand ce n'étaient pas leurs horribles voisins, c'étaient des personnes soi-disant disparues. Celle-ci était trop calme pour qu'il s'agisse d'un gamin, et trop jeune pour un ado en fugue. Une dispute avec le petit copain, à tous les coups. Ou un grand-père sénile en cavale. La foutue perte de temps habituelle. Il fit glisser un bloc de formulaires sur le comptoir, le plaça bien droit devant lui et attrapa un stylo. Il laissa le bouchon dessus ; avant de noter le moindre renseignement, il lui fallait la réponse à une question-clé. « Et depuis combien de temps cette personne a-t-elle disparu ?

— Vingt-deux ans et demi. Depuis le vendredi 14 décembre 1984, pour être exacte. » Elle abaissa le menton, et son visage prit un air de défi. « Est-ce que ça fait assez longtemps pour que vous preniez ce cas au sérieux ? »

Le sergent détective Phil Parhatka regarda la fin de la vidéo puis ferma la fenêtre. « Crois-moi, lança-t-il, si un jour ça a pu valoir le coup d'être aux affaires non classées, c'est du passé. »

L'inspecteur en chef Karen Pirie leva à peine les yeux du dossier qu'elle était en train de mettre à jour. « Comment ça ?

— C'est évident. On est en pleine guerre contre le terrorisme. Et je viens de voir le député de ma circonscription s'emparer du 10 Downing Street avec sa bourgeoise. » Il se leva d'un bond pour se rendre au mini-frigo perché sur un meuble à tiroirs. « Qu'est-ce que tu préférerais ? Résoudre des affaires non classées et qu'on te passe de la pommade pour ça, ou essayer de t'assurer que les barbus ne fassent pas péter une bombe en plein sur nos toits ?

— Tu crois qu'avec Gordon Brown comme Premier ministre, le Fife est devenu une cible ? » Karen marqua de l'index l'endroit où elle en était dans le document et accorda toute son attention à Phil. Elle se rendait compte que depuis trop longtemps, son esprit était trop préoccupé par le passé pour évaluer les possibilités du présent. « Ils ne se sont jamais intéressés à la circonscription électorale de Tony Blair quand il était au pouvoir.

— Tout à fait vrai. » Phil sondait l'intérieur du frigo, hésitant entre un Irn-Bru et un Vimto. À trente-quatre ans, il n'arrivait toujours pas à se passer des sodas qui avaient été les gâteries de son enfance. « Mais ces types se font appeler djihadistes islamistes, et Gordon est fils de pasteur. Je voudrais pas être à la place du directeur de la police s'ils décident de la ramener en faisant péter la vieille église de son père. » Il choisit le Vimto. Karen eut un frisson.

« Je sais pas comment tu peux boire ce truc, dit-elle. Tu as déjà remarqué que c'était presque une anagramme de vomi ? »

Phil en ingurgita une longue gorgée en retournant à son bureau. « Ça fait pousser les poils du torse, répliqua-t-il.

— Dans ce cas, tu ferais mieux d'en prendre deux. » La voix de Karen trahit une pointe de jalousie. Phil semblait se nourrir uniquement de boissons sucrées et de graisses saturées, mais il était toujours aussi mince et sec qu'à l'époque où ils étaient entrés ensemble dans la police. Pour sa part, il suffisait qu'elle regarde un Coca 100 % sucre pour sentir son tour de taille augmenter. C'était vraiment injuste.

Phil plissa ses yeux foncés et lui adressa une grimace amicale en incurvant la lèvre. « Sans commentaire. Le bon côté des choses, c'est que le grand patron peut piquer peut-être encore un peu de fric au gouvernement s'il arrive à le persuader que la menace a grandi. »

Karen secoua la tête, désormais en terrain connu. « Tu crois que le sens moral laisserait Gordon se lancer dans quoi que ce soit qui paraisse aussi intéressé ? » Tout en prononçant ces paroles, elle tendit la main vers le téléphone qui venait de se mettre à sonner. Il y avait d'autres agents moins gradés dans la grande pièce du commissariat qui accueillait l'Équipe de Révision des Affaires Non Classées (Eranc), mais l'avancement n'avait pas modifié les habitudes de Karen. Elle n'avait par exemple jamais perdu celle de répondre aux téléphones qui sonnaient près d'elle. « Eranc, inspecteur Pirie à l'appareil, annonça-t-elle distraitement, toujours en train de réfléchir à ce que Phil avait dit et se demandant si, au fond de lui-même, il ne rêvait pas d'être au cœur de l'action.

— Dave Cruickshank du hall d'accueil, inspecteur. J'ai une personne ici, je crois qu'il faut qu'elle vous parle. » Cruickshank ne semblait pas sûr de lui. C'était suffisamment inhabituel pour éveiller l'attention de Karen.

« De quoi s'agit-il ?

— Une personne portée disparue, répondit-il.

— C'est quelqu'un de chez nous ?

— Non, elle veut signaler une personne disparue. »

Karen retint un soupir d'irritation. Depuis le temps, Cruickshank devrait mieux connaître son boulot. Ça faisait assez longtemps qu'il était à l'accueil. « Alors elle doit parler à la brigade criminelle, Dave.

— Oui, d'accord. Normalement, c'est vers eux que je l'aurais dirigée. Mais vous voyez, c'est un cas un peu particulier. C'est pour ça que je me suis dit que ce serait mieux de vous le confier, vous comprenez ? »

Viens-en au fait. « On s'occupe des affaires non classées, Dave. On n'ouvre pas de nouvelles enquêtes. » Karen roula des yeux en direction de Phil qui eut un petit sourire devant son ras-le-bol évident.

« Ce n'est pas vraiment nouveau, inspecteur. Le type a disparu il y a vingt-deux ans. »

Karen se redressa sur son siège. « Il y a vingt-deux ans ? Et on vient le signaler seulement maintenant ?

— C'est ça. Alors c'est une affaire non classée ou pas ? »

Techniquement, Karen savait que Cruickshank aurait dû envoyer la femme voir la brigade criminelle. Mais elle avait toujours eu un faible pour tout ce qui faisait secouer la tête aux gens tant ils n'en revenaient pas. Les cas désespérés lui mettaient l'eau à la bouche. Elle avait reçu deux promotions en trois ans grâce à cet instinct, dépassant ses collègues, ce qui en mettait quelques-uns mal à l'aise. « Faites-la monter, Dave. Je vais lui parler. »

Elle raccrocha le téléphone et s'écarta du bureau. « Pourquoi attendre vingt-deux ans pour signaler une personne disparue ? » lança-t-elle, plus à elle-même qu'à Phil, tout en fouillant son bureau en quête d'un carnet vierge et d'un stylo.

Phil ouvrit les lèvres à la manière d'une énorme carpe. « Peut-être qu'elle était à l'étranger. Peut-être qu'elle vient seulement de revenir et de se rendre compte que cette personne n'est pas où elle le croyait.

— Et peut-être qu'elle a besoin de nous pour établir une déclaration de décès. Le fric, Phil. Ça se résume généralement à ça. » Karen eut un sourire sarcastique, qui parut flotter en l'air derrière elle comme si elle était le chat du Cheshire. Elle quitta la pièce d'un air affairé et se dirigea vers les ascenseurs.

Son œil expert examina et catalogua la femme qui apparut sans montrer une once de timidité. Un jean et un sweat à capuche Gap de faux sportif. La coupe et les couleurs du moment. Des chaussures en cuir, propres et sans éraflures, de la même couleur que le sac qui pendait de son épaule au niveau de sa hanche. Ses cheveux châtains étaient coiffés en une longue coupe au carré réussie et commençaient juste à faire des fourches. Pas RMIste, donc. Ne vivant probablement pas aux crochets du système. Une femme respectable de la classe moyenne, préoccupée par quelque chose. Entre vingt-cinq et trente ans, des yeux bleus dotés du reflet pâle de la topaze. Maquillage ultraléger. Soit elle n'essayait pas, soit elle avait déjà un mari. La peau autour de ses yeux se tendit lorsqu'elle se rendit compte que Karen la sondait.

« Je suis l'inspecteur en chef Pirie, indiqua celle-ci, écartant ainsi la possibilité que les deux femmes restent là à se toiser mutuellement. Karen Pirie. » Elle se demanda ce que son interlocutrice pensait d'elle : une femme grassouillette engoncée dans un tailleur Marks and Spencer, avec des cheveux châtains en attente d'une visite chez le coiffeur, qui pourrait être jolie si on arrivait à deviner le dessin de ses os sous la chair. Quand Karen se décrivait ainsi à ses copines, celles-ci riaient, lui disaient qu'elle était superbe, estimaient qu'elle manquait d'amour-propre. Elle n'était pas de cet avis. Elle avait une assez bonne opinion d'elle-même. Mais lorsqu'elle regardait dans le miroir, elle ne pouvait contester ce qu'elle voyait. De jolis yeux, quand même. Bleus avec des traces noisette. Peu communs.

Que ce fût grâce à ce qu'elle avait vu ou entendu, la femme parut rassurée. « Dieu soit loué ! » s'exclama-t-elle. Elle avait clairement l'accent du Fife, bien qu'il eût été atténué par des études ou par une période d'absence.

« Pardon ? »

La femme sourit, révélant de petites dents régulières semblables à celles d'un enfant. « Ça veut dire que vous me prenez au sérieux. Que vous ne vous débarrassez pas de moi en me confiant au subalterne chargé de faire le thé.

— Je ne laisse pas mes subalternes perdre leur temps à faire du thé, répondit sèchement Karen. Il se trouve juste que c'est moi qui ai répondu au téléphone. » Elle fit demi-tour, lança un regard en arrière et dit : « Si vous voulez bien me suivre ? »

Karen la conduisit par un couloir annexe jusqu'à une petite salle. Une large fenêtre donnait sur le parking et, au loin, sur le green artificiellement uniforme du terrain de golf. Quatre chaises revêtues de tweed gris institutionnel entouraient une table ronde dont le bois de cerisier aux couleurs gaies était terni. Il n'y avait pour indiquer la fonction de cette pièce que la galerie de photos encadrées au mur, montrant toutes des officiers de police en action. À chaque fois qu'elle utilisait cette salle, Karen se demandait pourquoi les huiles avaient choisi le genre de photos qui apparaissaient généralement dans les médias après un événement vraiment moche.

La femme regarda autour d'elle d'un air incertain tandis que Karen tirait une chaise et lui faisait signe de s'asseoir. « C'est pas comme ça à la télé, remarqua-t-elle.

— Il n'y a pas grand-chose qui le soit au commissariat du Fife », répondit Karen en s'asseyant de façon à se trouver à quatre-vingt-dix degrés de la femme plutôt que directement face à elle. C'était habituellement en évitant de se placer de front qu'on obtenait les meilleurs résultats lors d'un interrogatoire de témoin.

« Où sont les magnétophones ? » La femme s'assit sans rapprocher sa chaise de la table en gardant son sac sur les genoux.

Karen sourit. « Vous confondez interrogatoires de témoin et de suspect. Vous êtes ici pour signaler quelque chose, pas pour être interrogée à propos d'un crime. Vous avez donc le droit de vous asseoir sur une chaise confortable et de regarder par la fenêtre. » Elle ouvrit son bloc-notes. « Il me semble que vous êtes là pour signaler une personne disparue ?

— C'est exact. Il s'appelle…

— Un instant. Revenons un peu en arrière. Pour commencer, votre nom ?

— Michelle Gibson. C'est mon nom de mariage. Mon nom de jeune fille est Prentice. Mais tout le monde m'appelle Misha.

— Très bien, Misha. Il me faut également votre adresse et votre numéro de téléphone. »

Misha débita des coordonnées. « C'est l'adresse de ma mère. Je suis là en son nom, en quelque sorte, si vous voyez ce que je veux dire ? »

Karen reconnut le nom du village, mais pas celui de la rue. C'était un des anciens hameaux construits par le *laird*[1] du coin pour ses mineurs, quand ceux-ci lui appartenaient autant que les mines elles-mêmes, avant de devenir un village-dortoir pour des inconnus sans aucun lien avec le lieu ou son passé. « Peu importe, répliqua-t-elle, j'ai aussi besoin de vos coordonnées. »

Misha fronça les sourcils un instant, puis elle donna une adresse à Édimbourg. Celle-ci n'évoquait rien pour Karen, dont la connaissance de la géographie sociale de la capitale, à seulement quarante-cinq kilomètres de là, était limitée par esprit de clocher. « Et vous voulez signaler une personne disparue », reprit-elle.

Misha renifla sèchement et hocha la tête. « Mon père. Mick Prentice. Enfin, Michael, en fait, pour être précise.

— Depuis quand a-t-il disparu ? » C'était là, se dit Karen, que ça risquait de devenir intéressant. S'il y avait une chance pour que ça le devienne.

« Comme je l'ai dit au type d'en bas, il y a vingt-deux ans et demi. On l'a vu pour la dernière fois le vendredi 14 décembre 1984. » Les sourcils de Misha Gibson se froncèrent de nouveau, cette fois avec un air de défi.

« Ça représente un bon moment d'attente avant de signaler une disparition », indiqua Karen.

Misha soupira et tourna la tête de sorte à pouvoir regarder par la fenêtre. « On ne pensait pas qu'il avait disparu. Pas exactement.

— Je ne vous suis pas. Qu'est-ce que vous entendez par “pas exactement” ? »

Misha se retourna et rencontra le regard insistant de Karen. « Vous avez l'accent du coin. »

Karen se demanda où cela devait mener, mais elle répondit : « J'ai grandi à Methil.

1. Laird : titre héréditaire pour les propriétaires terriens en Écosse. (*N.d.T.*)

— Bien. Alors, ne le prenez pas mal, mais vous êtes assez vieille pour vous souvenir de ce qui se passait en 1984.

— La grève des mineurs ? »

Misha hocha la tête. Son menton resta haut, son regard menaçant. « J'ai grandi à Newton of Wemyss. Mon père était mineur. Avant la grève, il travaillait à la Lady Charlotte. Vous vous souvenez de ce que les gens disaient par ici : que personne n'était aussi engagé que les mineurs de la Lady Charlotte. Malgré ça, une nuit de décembre, neuf mois après le début de la grève, six mineurs ont disparu. Enfin, je dis disparu, mais tout le monde savait la vérité. Qu'ils étaient partis à Nottingham pour se joindre aux briseurs de grève. » Son visage se renfrogna comme si elle luttait contre une douleur physique. « Pour cinq d'entre eux, personne n'a été tellement surpris qu'ils trahissent la grève. Mais d'après ma mère, tout le monde a été estomaqué en apprenant que mon père en faisait partie. Elle notamment. » Elle lança à Karen un regard implorant. « J'étais trop petite pour me souvenir. Mais tout le monde raconte que c'était un syndicaliste pur et dur. Le dernier qu'on puisse s'imaginer devenir un jaune. » Elle secoua la tête. « Et pourtant, qu'est-ce qu'elle était censée penser d'autre ? »

Karen ne comprenait que trop bien ce qu'une telle désertion avait pu impliquer pour Misha et sa mère. Dans le bassin houiller radical du Fife, la solidarité était réservée à ceux qui se battaient. Le geste de Mick Prentice avait dû instantanément conférer à sa famille un statut de paria. « Ça n'a pas dû être facile pour votre mère, dit-elle.

— Dans un sens, il n'y a rien eu de plus facile, expliqua amèrement Misha. En ce qui la concernait, c'était clair. Pour elle, il était mort. Elle ne voulait plus entendre parler de lui. Il envoyait de l'argent, mais elle en faisait don au fonds de secours. Ensuite, quand la grève a été terminée, elle l'a donné au centre social des mineurs. J'ai grandi dans une maison où l'on ne prononçait jamais le nom de mon père. »

Karen ressentit un pincement dans la poitrine, quelque part entre la compassion et la pitié. « Il ne vous a jamais contactées ?

— Juste l'argent. Toujours des billets usés. Toujours avec le cachet postal de Nottingham.

— Misha, je ne veux pas jouer les rabats-joie, mais je n'ai pas vraiment l'impression que votre père ait disparu. » Karen avait pris une voix aussi douce que possible.

« Je ne le pensais pas non plus. Jusqu'à ce que je parte à sa recherche. Croyez-moi, inspecteur. Il n'est pas là où il est censé être. Il n'y a jamais été. Et il faut que je le retrouve. »

Karen fut prise de court par le désespoir non déguisé de la voix de Misha. Pour elle, c'était plus intéressant que de savoir où se trouvait Mick Prentice. « Pourquoi cela ? »

Mardi 19 juin 2007 ; Édimbourg

Il n'était jamais venu à l'esprit de Misha Gibson de compter le nombre de fois où elle était sortie de l'Hôpital Royal pour les enfants malades avec un sentiment d'indignation dû au fait que le monde continuait de tourner malgré ce qui se passait dans le bâtiment derrière elle. Elle n'y avait jamais pensé, car elle s'était toujours interdit de croire que cela pourrait être la dernière fois. Depuis le jour où les médecins lui avaient expliqué la cause des pouces difformes de Luke et des taches café au lait qui constellaient son dos étriqué, elle s'était accrochée à la conviction qu'elle pourrait d'une façon ou d'une autre aider son fils à dévier la balle que ses gènes avaient tirée sur son espérance de vie. Mais il lui semblait à présent que l'excès d'épreuves avait finalement eu raison de cette conviction.

Misha resta sur place un moment, hésitante, gênée par le soleil, désireuse que le temps soit aussi maussade que son humeur. Elle n'était pas encore prête à rentrer chez elle. Elle avait envie de hurler, de jeter des choses en tous sens, et un appartement vide la pousserait peut-être à perdre le contrôle d'elle-même et à faire ce genre de choses. John ne serait pas à la maison pour la serrer dans ses bras ou la calmer ; il était au courant de son rendez-vous avec le spécialiste, alors évidemment un problème insurmontable que lui seul pouvait résoudre se serait présenté à son boulot.

Au lieu de se diriger vers Marchmont pour rejoindre leur immeuble en grès, Misha traversa la route et entra dans le parc des Meadows, le poumon vert du sud du centre-ville où elle adorait se promener avec Luke. Un jour où elle avait cherché leur rue sur Google Earth, elle avait aussi regardé les Meadows. Vu de l'espace, on aurait dit un ballon de rugby bordé d'arbres ; les allées qui s'entrecroisaient ressemblaient à des lacets qui maintenaient la balle en place. Elle avait souri en s'imaginant en train de courir avec Luke à sa surface comme des fourmis. Mais ce jour-là, il n'y avait pas de sourires pour consoler Misha. Ce jour-là, elle devait affronter l'idée qu'elle ne pourrait peut-être jamais plus s'y balader avec Luke.

Elle remua la tête pour essayer d'écarter ces pensées larmoyantes. Du café, voilà ce dont elle avait besoin pour reprendre ses esprits et dédramatiser. Une marche dynamique à travers les Meadows, puis jusqu'au pont George IV, où chaque devanture appartenait désormais à un bar, un café ou un restaurant.

Dix minutes plus tard, Misha était installée dans un box, une réconfortante tasse de latte posée devant elle. Ce n'était pas la fin de l'histoire. Ça ne pouvait pas être la fin de l'histoire. Elle ne la laisserait pas se terminer ainsi. Il existait forcément un moyen de donner une autre chance à Luke.

Elle avait su que quelque chose clochait dès le premier instant où elle l'avait pris dans ses bras. Même assommée par les médicaments et épuisée par l'accouchement, elle avait su. John était resté dans le déni et avait refusé de faire cas du faible poids de leur fils à la naissance et de ses petits pouces boudinés. Mais la peur s'était transformée en froide certitude dans le cœur de Misha. Luke était différent. La seule question qu'elle s'était posée, c'était à quel point.

L'unique aspect de la situation qui semblait vaguement réjouissant était qu'ils vivaient à Édimbourg, à dix minutes à pied de l'Hôpital Royal pour les enfants malades, un établissement spécialisé régulièrement mentionné dans les histoires de « miracles » dont raffolaient les tabloïds. Il n'avait pas fallu longtemps aux spécialistes de l'hôpital pour identifier le problème. Ni pour expliquer qu'il n'y aurait pas de miracle cette fois-ci.

Anémie de Fanconi. Prononcé rapidement, ça ressemblait au nom d'un opéra italien ou d'un village des collines toscanes. Mais la musicalité charmeuse des mots dissimulait leur message mortel. Tapis dans l'ADN des deux parents de Luke, des gènes récessifs s'étaient combinés pour créer une condition rare qui allait condamner leur fils à une vie courte et douloureuse. À un moment donné, entre trois et douze ans, se développerait très certainement une anémie aplasique, un dysfonctionnement de la moelle osseuse qui finirait par le tuer, à moins de trouver un donneur compatible. Le verdict était le suivant : sans une greffe de moelle réussie, Luke aurait de la chance s'il dépassait la vingtaine.

En apprenant cela, elle avait reçu une mission. Rapidement, elle avait appris que, sans frères et sœurs, la meilleure chance pour Luke de recevoir une greffe de moelle viable viendrait d'un membre de la famille – ce que les médecins avaient appelé une transplantation de parent partiellement incompatible. Dans un premier temps, cela avait déconcerté Misha. Elle avait lu qu'il existait des registres de donneurs de moelle osseuse et supposé que leur meilleur espoir était d'y trouver une personne parfaitement compatible. Cependant, d'après le spécialiste, un don d'un membre incompatible de la famille partageant certains des gènes de Luke entraînait un moins grand risque de complications qu'un don d'une personne totalement compatible n'appartenant pas à leur famille élargie.

Depuis lors, Misha avait péniblement étudié le patrimoine génétique des deux côtés de la famille pour ensuite user de persuasion, de chantage affectif, jusqu'à offrir une récompense à des tantes âgées et à des cousins éloignés. Cela avait pris du temps, s'agissant d'une mission en solo. John s'était retranché derrière une barrière d'optimisme irréaliste. Des chercheurs feraient une découverte capitale dans l'étude des cellules souches. Quelque part dans le monde, un médecin découvrirait un traitement dont le succès ne reposerait pas sur des gènes communs. On dénicherait un donateur parfaitement compatible dans un registre. John collectionnait les belles histoires aux fins heureuses. Il épluchait Internet en quête de cas flagrants d'erreurs médicales. Chaque semaine, il recueillait des récits de miracles de la médecine et de guérisons en apparence inexplicables. Et cela lui faisait garder espoir. Il ne voyait pas l'intérêt des recherches incessantes de Misha. Il savait que les choses allaient s'arranger d'une manière ou d'une autre. Sa capacité à nier la réalité était prodigieuse.

Ça lui donnait envie de le tuer.

Cependant, elle avait continué à escalader les branches de leurs arbres généalogiques en quête du parfait candidat. Elle s'était trouvée dans l'impasse seulement une semaine environ avant le terrible verdict de ce jour-là. Il ne restait qu'une possibilité. Et c'était précisément celle qu'elle avait prié de ne pas avoir à envisager.

Avant que ses pensées ne puissent aller plus loin dans cette direction, une ombre arriva sur elle. Elle leva les yeux, prête à rembarrer cette personne qui voulait l'importuner. « John, fit-elle d'un ton las.

— Je me suis dit que je te trouverais par ici. C'est le troisième endroit où je te cherche, expliqua-t-il en se glissant dans le box puis en pivotant maladroitement sur lui-même jusqu'à se trouver à angle droit par rapport à elle, assez près pour qu'ils puissent se toucher si l'envie leur en prenait.

— Je n'étais pas prête à faire face à un appartement vide.

— Non, je vois bien. Qu'est-ce qu'ils avaient à dire ? » Son visage anguleux se crispa d'inquiétude. Non pas, pensa-t-elle, par rapport au verdict du spécialiste. Il continuait de croire que son fils était d'une certaine manière invincible. C'était sa réaction à elle qui le rendait anxieux.

Elle lui prit la main, par désir de contact autant que de consolation. « Le moment est venu. Six mois maximum sans une greffe. » Sa propre voix lui parut froide. Mais elle ne pouvait se permettre d'être chaleureuse. La chaleur ferait fondre l'état glacial dans lequel elle se trouvait, et ce n'était pas l'endroit pour un épanchement de chagrin ou d'amour.

John serra fort ses doigts entre les siens. « Il n'est peut-être pas trop tard, dit-il. Peut-être qu'ils…

— S'il te plaît, John. Pas maintenant. »

Ses épaules se redressèrent dans son costume, son corps se raidit tandis qu'il ravalait son envie de protester. « Alors, lança-t-il dans une expiration qui ressemblait plus à un soupir, ça veut dire que tu vas te mettre à la recherche de cet enfoiré, je suppose ? »

Mercredi 27 juin 2007 ; Glenrothes

Karen se gratta la tête avec son stylo. *Pourquoi est-ce que je me farcis tous les cas?* « Pourquoi avez-vous attendu si longtemps avant d'essayer de retrouver votre père ? »

Elle décela une brève expression d'irritation autour de la bouche et des yeux de Misha. « Parce qu'on m'avait inculqué l'idée que mon père était un salaud de jaune égoïste. À cause de ce qu'il a fait, ma mère a été rejetée de sa propre communauté. On m'a persécutée sur le terrain de jeu et à l'école. Je ne pensais pas qu'un type qui avait laissé sa famille dans la merde de cette façon s'inquiéterait pour son petit-fils.

— Il envoyait de l'argent, fit remarquer Karen.

— Quelques livres par-ci, par-là. Le prix du sang, dit Misha. Comme je le disais, ma mère ne voulait pas y toucher. Elle le donnait. Je n'en ai jamais profité.

— Peut-être qu'il a essayé de se faire pardonner auprès de votre mère. Les parents ne nous disent pas toujours les vérités embarrassantes. »

Misha fit non de la tête. « Vous ne connaissez pas ma mère. Même maintenant que la vie de Luke est en jeu, l'idée que j'essaie de retrouver mon père la met mal à l'aise. »

Pour Karen, cela semblait être une raison bien futile d'éviter un homme qui pourrait être la clé de l'avenir d'un petit garçon. Mais elle savait à quel point les sentiments étaient exacerbés dans les anciennes communautés minières et elle laissa donc passer. « Vous dites qu'il n'était pas là où il était censé être. Que s'est-il passé quand vous êtes partie à sa recherche ? »

Jeudi 21 juin 2007 ; Newton of Wemyss

Jenny Prentice tira un sac de pommes de terre du bac à légumes et commença à les éplucher, le corps courbé au-dessus de l'évier, tournant le dos à sa fille. La question de Misha restait en suspens dans l'air, rappelant à l'une et l'autre la barrière que l'absence du père avait placée entre elles depuis le début. Misha réessaya. « J'ai dit…

— Je t'ai bien entendue. Je suis pas sourde, dit Jenny. Et la réponse est : j'en ai pas la moindre foutue idée. Comment est-ce que je saurais par où commencer à chercher cet enfoiré de jaune égoïste ? On s'en est bien sorties sans lui pendant les vingt-deux dernières années. On n'a jamais eu aucune raison de le chercher.

— Eh bien, maintenant, il y en a une. » Misha fixa les épaules tombantes de sa mère. La faible lumière qui se déversait par la petite fenêtre de la cuisine accentuait la couleur naturellement argentée de ses cheveux. Elle avait à peine cinquante ans, mais elle paraissait avoir sauté l'âge mûr pour devenir directement une vieille petite dame vulnérable et voûtée. C'était comme si elle avait su que cette attaque arriverait un jour et qu'elle avait choisi de se défendre en inspirant la pitié.

« Il ne t'aidera pas, railla Jenny. Il a montré ce qu'il pensait de nous quand il nous a laissées dans la merde. Il n'a toujours pensé qu'à sa pomme.

— Peut-être bien. Mais je dois quand même essayer pour Luke, expliqua Misha. N'y a-t-il jamais eu d'adresse d'expédition sur les enveloppes qui contenaient l'argent ? »

Jenny coupa en deux une pomme de terre épluchée et la déposa dans une casserole d'eau salée. « Non. Il ne pouvait même pas se donner la peine de glisser un petit mot dans l'enveloppe. Juste une liasse de billets sales, c'est tout.

— Et les types avec qui il est parti ? »

Jenny jeta un bref regard méprisant à Misha. « Eux ? Ils ne montrent plus leur nez dans les parages.

— Mais certains d'entre eux ont toujours de la famille ici, ou à East Wemyss. Des frères, des cousins. Ils pourraient bien en savoir un peu plus sur mon père. »

Jenny secoua vigoureusement la tête. « Je n'ai plus jamais entendu parler de lui depuis le jour où il a foutu le camp. Pas le moindre bruit, que ce soit en bien ou en mal. Les autres hommes avec qui il est parti, ce n'étaient pas ses amis. La seule raison pour laquelle il a fait le trajet avec eux, c'est qu'il n'avait pas d'argent pour aller tout seul vers le sud. Il a dû se servir d'eux comme il s'était servi de nous pour faire ensuite tranquillement sa vie tout seul une fois arrivé là où il voulait. »

Elle déposa une autre pomme de terre dans la casserole et demanda sans enthousiasme : « Tu restes dîner ?

— Non, j'ai des choses à faire, répondit Misha, agacée par sa mère qui refusait de prendre ses recherches au sérieux. Il doit bien y avoir quelqu'un avec qui il est resté en contact. À qui aurait-il pu parler ? À qui aurait-il raconté ce qu'il préparait ? »

Jenny se redressa et mit la casserole sur la vieille gazinière. Misha et John lui proposaient de remplacer cet engin ébréché et abîmé à chaque fois qu'ils assistaient au classique repas du dimanche, mais Jenny refusait systématiquement avec cet air de martyre désabusée qu'elle affichait dès qu'on lui faisait une gentille proposition. « Tu n'as pas de veine à ce niveau-là non plus. » Elle s'installa lentement sur une des deux chaises qui encadraient la minuscule table de l'étroite cuisine. « Il n'avait qu'un seul véritable ami. Andy Kerr. C'était un coco pur et dur, Andy. Pour te dire, en 1984, y'en avait plus beaucoup qui continuaient de faire flotter le drapeau rouge, mais Andy en faisait partie. Il était devenu responsable syndical bien avant la grève. Ton père et lui étaient meilleurs copains depuis l'école. » Son visage s'adoucit un instant et

Misha put presque discerner la jeune femme qu'elle avait été. « Ils préparaient toujours un coup fourré, ces deux-là.

— Alors, où est-ce que je peux trouver cet Andy Kerr ? » Misha s'assit en face d'elle, son envie de partir provisoirement dissipée.

Le visage de sa mère se tordit en une grimace moqueuse. « Ma pauvre ! Si tu arrivais à trouver Andy, tu serais une vraie Sherlock Holmes. » Elle se pencha en avant et tapota la main de Misha. « Lui aussi fait partie des victimes de ton père.

— Qu'est-ce que tu veux dire ?

— Andy adorait ton père. Il le considérait comme le Messie. Pauvre Andy. La grève lui a fait subir une pression terrible. Il y croyait, il croyait à la lutte. Mais ça lui brisait le cœur de voir les épreuves que traversaient ses hommes. Il était au bord de la dépression, et le chef local du syndicat l'a forcé à se mettre en arrêt maladie peu avant que ton père mette les voiles. Personne ne l'a plus vu après ça. Il vivait à l'écart, au milieu de nulle part, et donc personne n'a remarqué qu'il avait disparu. » Elle lâcha un long soupir de lassitude. « Il a envoyé une carte postale à ton père de quelque part dans le Nord. Mais évidemment, il était parti chez les jaunes à ce moment-là, donc il ne l'a jamais reçue. Plus tard, quand Andy est revenu, il a laissé un mot pour sa sœur, pour dire qu'il n'en pouvait plus. Il s'est suicidé, le pauvre bougre.

— Qu'est-ce que ça a à voir avec papa ? questionna Misha.

— Je me suis toujours dit que quand ton père est parti travailler ailleurs, ça a été la goutte d'eau qui a fait déborder le vase. » Jenny arborait un air de cul-bénit teinté de suffisance. « C'est ça qui a poussé Andy à bout.

— T'en sais rien. » Misha recula dans un mouvement de dégoût.

« Je ne suis pas la seule à penser ça par ici. Si ton père se confiait à quelqu'un, c'était bien à Andy. Et ça a été un fardeau de trop pour ce pauvre petit gars. Il s'est donné la mort, sachant que son seul véritable ami avait trahi tout ce qu'il défendait. » Sur cette note mélodramatique, Jenny se leva et sortit un sachet de carottes du bac à légumes. Il était clair qu'elle avait épuisé ses ressources au sujet de Mick Prentice.

Mercredi 27 juin 2007 ; Glenrothes

Karen jeta un coup d'œil à sa montre. Quelles que fussent les qualités que possédait Misha Gibson, la concision n'en faisait pas partie. « Alors Andy Kerr s'est tu pour toujours ?

— C'est ce que pense ma mère. Mais, apparemment, on n'a jamais retrouvé son corps. Peut-être qu'il ne s'est pas suicidé après tout.

— On ne les retrouve pas toujours, expliqua Karen. Parfois la mer a raison d'eux. Ou la nature. Il reste encore beaucoup d'endroits déserts dans ce pays. » Le visage de Misha s'empreignit de résignation. C'était une femme portée à croire ce qu'on lui disait, pensa Karen. Si quelqu'un devait le savoir, c'était sa mère. Les choses n'étaient peut-être pas tout à fait aussi évidentes que ce que Jenny Prentice voulait faire croire à sa fille.

« C'est vrai, admit Misha. Et ma mère a en effet dit qu'il avait laissé un mot. La police l'aurait-elle gardé ? »

Karen fit non de la tête. « J'en doute. Si un jour nous l'avons eu, il a dû être rendu à sa famille.

— Est-ce qu'il n'y aurait pas eu une enquête ? Est-ce qu'ils n'en auraient pas eu besoin pour ça ?

— Vous voulez dire une enquête pour accident mortel, précisa Karen. Pas en l'absence de corps, non. S'il existait un dossier, ce serait pour une personne portée disparue.

— Mais il n'est pas porté disparu. Sa sœur l'a fait déclarer mort. Leurs parents ont tous les deux péri dans le naufrage du ferry de Zeebruges, mais apparemment leur père avait toujours refusé de croire à la mort d'Andy et il n'avait donc pas changé son testament pour laisser la maison à la sœur. Elle a dû aller en justice pour qu'Andy soit déclaré mort et pouvoir ainsi hériter. C'est ce que m'a dit ma mère, en tout cas. » Le visage de Misha ne révéla pas l'ombre d'un doute.

Karen nota *sœur d'Andy Kerr* en y ajoutant un petit astérisque. « Donc, si Andy Kerr s'est suicidé, on en revient à l'idée que la seule explication raisonnable pour la disparition de votre père, c'est qu'il aurait rejoint les jaunes. Avez-vous essayé de contacter les types avec qui il est censé être parti ? »

Lundi 25 juin 2007 ; Édimbourg

Il était à peine neuf heures dix ce lundi matin, et Misha se sentait déjà épuisée. Elle aurait dû être à l'Hôpital pour enfants à cette heure-là, à concentrer son attention sur Luke. À jouer avec lui, lui lire des histoires, à amadouer les thérapeutes pour qu'ils diversifient leurs régimes, à discuter des projets de traitement avec le personnel médical, à user de toute son énergie pour leur communiquer sa conviction que son fils pouvait être sauvé. Et s'il pouvait l'être, il leur revenait à tous d'employer en sa faveur tous les moyens existants en matière d'intervention thérapeutique.

Mais au lieu de ça, elle était assise par terre, adossée au mur, les genoux pliés, le téléphone niché sur ses cuisses, un bloc-notes à côté d'elle. Elle essayait de trouver le courage de passer ce coup de fil, mais elle savait dans un coin de son esprit que son inactivité était en réalité due à l'épuisement.

Les autres familles profitaient des week-ends pour se détendre, pour recharger leurs batteries. Mais pas les Gibson. Pour commencer, le personnel était restreint à l'hôpital, aussi Misha et John se sentaient-ils obligés d'insuffler encore plus d'énergie que d'habitude à Luke. Ils ne connaissaient pas non plus de répit en rentrant chez eux. Le fait que Misha se soit convaincue que le dernier espoir pour leur fils consistait à retrouver son père avait simplement intensifié le conflit entre sa ferveur de missionnaire et l'optimisme passif de John.

Ce week-end avait été plus pénible que d'ordinaire. Maintenant que la vie de Luke connaissait une limite de temps, chaque moment qu'ils partageaient s'en trouvait plus important et plus poignant. Il était dur de ne pas se laisser aller à une sorte de sentimentalisme mélodramatique. Dès qu'ils avaient quitté l'hôpital le samedi, Misha avait repris le refrain qu'elle entonnait depuis qu'elle avait vu sa mère. « Il faut que j'aille à Nottingham, John. Tu le sais. »

Il avait enfoncé ses mains dans les poches de son imperméable et plongé la tête en avant comme s'il affrontait un grand vent. « Tu n'as qu'à lui passer un coup de fil, dit-il. Si ce type a quoi que ce soit à te dire, il le fera au téléphone.

— Peut-être pas. » Elle fit quelques pas au trot pour rester à son niveau. « Les gens en disent toujours plus en tête à tête. Il pourrait me mettre en contact avec les autres gars qui sont descendus avec lui. Ils savent peut-être quelque chose. »

John ronchonna. « Et comment se fait-il que ta mère ne se souvienne que d'un seul nom ? Comment se fait-il qu'elle ne puisse pas te mettre en contact avec les autres types ?

— Je te l'ai dit. Elle a effacé toute cette période de son esprit. J'ai vraiment dû la pousser pour qu'elle retrouve le nom de Logan Laidlaw.

— Et tu ne trouves pas ça incroyable que le seul gars dont elle arrive à se souvenir n'ait aucune famille dans la région ? Qu'il n'y ait aucune manière évidente de le retrouver ? »

Misha passa son bras sous le sien, en partie pour le faire ralentir. « Mais j'ai bien réussi à le retrouver, non ? Tu es trop méfiant.

— Non, c'est pas vrai. Ta mère ne comprend pas le pouvoir d'Internet. Elle ne sait pas qu'il existe des choses comme les listes électorales en ligne ou 192.com[1]. Elle considère que si on ne peut pas demander à quelqu'un, c'est foutu. Elle ne pensait pas te donner quelque chose qui puisse t'être utile. Elle ne veut pas que tu fourres ton nez dans tout ça, et elle ne va pas t'aider.

— Vous êtes deux, alors. » Misha libéra son bras et partit devant lui à grands pas.

---

1. Moteur de recherche permettant de retrouver des personnes, des entreprises ou des lieux au Royaume-Uni. (*N.d.T.*)

John la rattrapa au coin de la rue. « C'est pas juste, dit-il. Je veux simplement éviter que tu souffres inutilement.

— Et tu crois que ça ne me fait pas souffrir de regarder mon fils mourir sans rien faire pour le sauver ? » Misha sentit ses joues chauffer sous l'effet de la colère et sut que les larmes chaudes de la fureur n'étaient pas loin de jaillir. Elle détourna la tête en clignant désespérément des yeux vers les grands bâtiments en grès.

« On va trouver un donneur. Ou ils découvriront un traitement. Toutes ces recherches sur les cellules souches, ça avance vraiment vite.

— Pas assez vite pour Luke, rétorqua Misha, qu'une sensation familière de poids dans le ventre ralentissait. John, s'il te plaît. Il faut que j'aille à Nottingham. Il faut que tu prennes quelques jours de congé pour me remplacer au côté de Luke.

— Tu n'as pas besoin d'y aller. Tu peux parler avec ce type au téléphone.

— Ce n'est pas pareil. Tu le sais. Quand tu traites avec des clients, tu ne le fais pas au téléphone. Pas pour des choses importantes. Tu vas les voir. Tu as besoin de les regarder dans les yeux. Tout ce que je te demande, c'est de prendre quelques jours de congé pour passer du temps avec ton fils. »

Ses yeux lancèrent de dangereux éclairs, et elle sut qu'elle était allée trop loin. John secoua obstinément la tête. « Passe simplement ce coup de fil, Misha. »

Et les choses en étaient restées là. Sa longue expérience avec son mari lui avait appris que, quand John soutenait une idée qu'il estimait être la bonne, ressasser les mêmes arguments n'avait d'autre effet que de le faire se retrancher davantage dans ses positions. Elle n'en avait pas de nouveaux qui puissent le forcer à revenir sur sa décision. Elle était donc là, assise par terre, en train d'essayer de formuler des phrases dans sa tête qui persuaderaient Logan Laidlaw de lui raconter ce qui était arrivé à son père depuis qu'il l'avait abandonnée plus de vingt-deux ans auparavant.

Sa mère ne lui avait pas donné beaucoup d'éléments sur lesquels fonder une stratégie. Laidlaw était un flambeur, un coureur de jupons, un homme qui, à trente ans, se comportait encore comme un ado. À vingt-cinq ans, il était déjà divorcé et s'était forgé une vilaine réputation d'homme levant trop facilement le poing sur les femmes. Le portrait que Misha se faisait de son père était incomplet et décousu, mais même avec le parti pris imposé par sa mère, Mick Prentice ne lui apparaissait pas comme le genre d'homme qui aurait aimé passer son temps avec Logan Laidlaw. Cependant, les périodes difficiles engendraient d'étranges rapprochements.

Misha empoigna finalement le téléphone et composa le numéro qu'elle avait déniché en cherchant sur Internet et dans l'annuaire. Il devait sans doute être à son travail, pensa-t-elle à la quatrième sonnerie. Ou en train de dormir.

La sixième tonalité fut brusquement interrompue. Une voix grave grommela un « allô » approximatif.

« Vous êtes bien Logan Laidlaw ? demanda Misha en s'efforçant de garder un ton calme.

— J'ai déjà une cuisine et j'ai pas besoin d'assurance. » Il avait gardé un accent du Fife bien marqué, où les mots se bousculaient avec cette familière intonation montante et descendante.

« Je n'essaie pas de vous vendre quoi que ce soit, M. Laidlaw. Je veux juste vous parler.

— C'est ça, bien sûr. Et moi je suis le Premier ministre. »

Elle sentit qu'il était sur le point de raccrocher. « Je suis la fille de Mick Prentice », lâcha-t-elle, une stratégie désespérée et vouée à l'échec. Elle entendit son souffle rauque à l'autre bout du fil. « Mick Prentice de Newton of Wemyss, hasarda-t-elle.

— Je sais d'où vient Mick Prentice. Ce que je ne sais pas, c'est ce qu'il a à voir avec moi.

— Écoutez, je suis consciente que lui et vous ne devez plus vous voir souvent aujourd'hui, mais je vous serais très reconnaissante pour tout ce que vous pourrez me dire. Il faut vraiment que je le retrouve. » Misha prit un accent plus marqué pour s'accorder avec le sien.

Un silence. Puis, d'un ton perplexe : « Pourquoi vous vous adressez à moi ? Je n'ai pas vu Mick Prentice depuis que j'ai quitté Newton of Wemyss en 1984.

— D'accord, mais même si vous vous êtes séparés dès votre arrivée à Nottingham, vous devez bien avoir une idée de l'endroit où il a atterri, de là où il allait ?

— Écoute, ma petite, je comprends rien à ce que tu me racontes. Qu'est-ce que tu veux dire par “si vous vous êtes séparés dès votre arrivée à Nottingham” ? » Il semblait irrité, le peu de patience qu'il avait s'amenuisant sous le poids de ses interrogations.

Misha prit une profonde inspiration et s'exprima lentement. « Je veux simplement savoir ce qui est arrivé à mon père après que vous êtes arrivés à Nottingham. Il faut que je le trouve.

— Y'a quelque chose qui déconne chez toi ou quoi, ma fille ? J'ai aucune idée de ce qui est arrivé à ton père après que je suis arrivé à Nottingham, et je vais te dire pourquoi : j'étais à Nottingham et lui à Newton of Wemyss. Et même quand on était tous les deux au même endroit, on n'était pas vraiment ce qu'on appelle des copains. »

Ces paroles firent à Misha l'effet d'une douche froide. Logan Laidlaw avait-il des problèmes de mémoire ? Le passé était-il en train de lui échapper ? « Non, ce n'est pas vrai, insista-t-elle. Il est venu à Nottingham avec vous. »

Un éclat de rire, suivi d'une quinte de toux râpeuse. « On t'a fait marcher, ma petite, commenta-t-il en respirant péniblement. Trotski aurait traversé un piquet de grève avant le Mick Prentice que j'ai connu. Qu'est-ce qui te fait croire qu'il est venu à Nottingham ?

— Il n'y a pas que moi. Tout le monde pense qu'il est parti à Nottingham avec vous et les autres hommes.

— C'est du délire. Pourquoi est-ce que quelqu'un penserait ça ? Tu ne connais pas l'histoire de ta propre famille ?

— Comment ça ?

— Bon sang, petite, ton arrière-grand-père. Le grand-père de ton père. Tu n'as pas entendu parler de lui ? »

Misha n'avait aucune idée d'où il voulait en venir mais au moins il ne lui avait pas raccroché au nez comme elle l'avait d'abord craint. « Il est mort avant même que je sois née. Je ne sais rien de lui, si ce n'est qu'il était aussi mineur.

— Jackie Prentice, lança-t-il sur un ton presque réjoui. Il a brisé la grève en 1926. Une fois qu'elle s'est terminée, on a dû le faire bosser à la surface. Quand ta vie dépend des hommes de ton équipe, t'as pas envie d'être un jaune sous terre. Pas à moins que tous les autres soient dans le même bateau, comme pour nous. Dieu seul sait pourquoi Jackie est resté au village. Il devait aller en bus jusqu'à Dysart pour prendre un verre. Aucun bar dans les villages de Wemyss n'acceptait de le servir. Ton père et ton grand-père ont donc dû travailler deux fois plus dur que n'importe qui pour être acceptés dans la mine. Pour rien au monde Mick Prentice n'aurait gâché ce respect qu'il avait gagné. Il aurait préféré crever de faim. Quitte à vous voir crever de faim avec lui. Où que tu aies eu cette info, ils n'ont pas la moindre idée de ce qu'ils racontent.

— C'est ma mère qui m'a dit ça. C'est ce que tout le monde dit à Newton. » L'impact des mots de Logan Laidlaw lui donnait la sensation d'avoir été privée de tout son air.

« Eh bien, ils se trompent. Pourquoi les gens penseraient-ils ça ?

— Parce que la nuit où vous êtes partis à Nottingham a été la dernière où quelqu'un à Newton l'a vu ou a entendu parler de lui. Et parce que ma mère reçoit de temps en temps de l'argent par la poste avec le cachet de Nottingham. »

Laidlaw respira bruyamment, un souffle de concertina à son oreille. « Bon Dieu, c'est dément ! Eh bien, ma belle, je suis désolé de te décevoir. On est partis à cinq de Newton of Wemyss cette nuit de décembre. Mais ton père n'était pas dans le lot. »

Mercredi 27 juin 2007 ; Glenrothes

En retournant à son bureau, Karen s'arrêta à la cantine pour prendre un sandwich poulet crudités. Criminels et témoins arrivaient rarement à la berner, mais en matière de nourriture, elle pouvait se duper elle-même de dix-sept façons différentes avant le petit déjeuner. Le sandwich, par exemple. Du pain complet, une feuille de salade flétrie, quelques tranches de tomate et de concombre, et cela devenait un aliment diététique. Le beurre et la mayo, sans importance. Dans sa tête, les calories étaient neutralisées par les bienfaits. Elle glissa son bloc-notes sous son bras et ouvrit l'emballage plastique du sandwich en marchant.

Phil Parhatka leva les yeux lorsqu'elle s'affala sur sa chaise. Une fois de plus, l'angle de son crâne rappela à Karen qu'il ressemblait à Matt Damon en plus brun et plus maigre. Il avait la même mâchoire et le même nez protubérants, les sourcils droits, la coupe de cheveux de *La Mémoire dans la peau*, ce visage ouvert qui pouvait devenir méfiant en un éclair. Seules les teintes étaient différentes. Phil devait ses cheveux foncés, ses yeux marron et sa peau épaisse et pâle à ses origines polonaises ; sa personnalité lui avait valu un petit trou à son lobe d'oreille gauche, qui accueillait généralement un diamant quand il n'était pas en service. « Comment ça s'est passé pour toi ? demanda-t-il.

— Ça a été plus intéressant que ce que je pensais », admit-elle en se relevant pour aller chercher un Coca Light. Entre bouchées et gorgées, elle lui fit un rapide résumé de l'histoire de Misha Gibson.

« Et elle croit ce que ce vieux schnock de Nottingham lui a dit ? questionna-t-il en s'enfonçant dans sa chaise et en croisant les doigts derrière sa tête.

— Je pense que c'est le genre de femme qui croit généralement ce qu'on lui dit, répondit Karen.

— Elle ferait une mauvaise flic, alors. Donc, je suppose que tu vas transférer le dossier à la Division centrale pour qu'ils le reprennent ? »

Karen mordit dans son sandwich et mâcha vigoureusement, faisant gonfler et se contracter les muscles de sa mâchoire et de ses tempes comme une balle antistress sous pression. Elle avala avant d'avoir complètement fini de mâcher puis fit descendre la bouchée avec une rasade de Coca Light. « Pas sûr, dit-elle. C'est assez intéressant. »

Phil lui jeta un regard circonspect. « Karen, c'est pas une affaire non classée. C'est pas à nous de nous en occuper.

— Si je transfère le dossier à la Centrale, il va pourrir sur pied. Personne là-bas ne va s'embêter avec une affaire dont la piste a refroidi il y a vingt-deux ans. » Elle refusa de croiser son regard désapprobateur. « Tu le sais tout aussi bien que moi. Et d'après Misha Gibson, son gosse est assis dans le salon de la dernière chance.

— Ça n'en fait toujours pas une affaire non classée.

— Ce n'est pas parce que ce dossier n'a pas été ouvert en 1984 qu'il ne peut pas être non classé maintenant. » Karen désigna les dossiers empilés sur son bureau avec les restes de son sandwich. « Et rien de tout ça ne va aller nulle part avant un bon moment. Darren Anderson : je ne peux rien faire tant que les flics des Canaries ne se seront pas bougé le cul pour trouver dans quel bar travaille son ex-copine. Ishbel Mackindoe : j'attends que le labo me dise s'ils peuvent trouver des traces d'ADN valables à partir des lettres anonymes. Patsy Millar : je ne peux pas avancer tant que Scotland Yard n'aura pas fini de retourner le jardin à Haringey pour faire l'expertise judiciaire.

— Il y a des témoins dans l'affaire Patsy Millar qu'on pourrait réinterroger. »

Karen haussa les épaules. Elle savait qu'elle pouvait jouer de son rang avec Phil pour le faire taire, mais elle avait trop besoin de préserver l'ambiance décontractée qui régnait entre eux. « Ils attendront. Ou alors tu peux prendre quelques-uns de nos bleus et leur donner une petite formation sur le tas.

— Si tu penses qu'ils ont besoin de ça, tu devrais leur confier cette affaire de personne disparue il y a des plombes. Tu es inspectrice maintenant, Karen. T'es plus censée t'occuper de trucs comme ça. » Il désigna d'un geste les deux agents assis devant leurs ordinateurs. « C'est pour les types de leur grade. Ce qui se passe, c'est que tu t'emmerdes. » Karen tenta de protester, mais Phil continua sans en tenir compte. « Quand tu as accepté cette promotion, j'avais dit que ça te rendrait folle de te retrouver derrière un bureau. Et maintenant regarde-toi. Tu piques des affaires en douce aux uniformes de la Centrale. Bientôt tu vas te mettre à aller faire toi-même les interrogatoires.

— Et ? » Karen écrabouilla l'emballage du sandwich avec plus de force que nécessaire et le jeta à la poubelle. « C'est bien que je garde la main. Et je vais m'assurer que tout soit fait dans les règles. Je vais prendre l'agent Murray avec moi.

— La Flèche ? demanda Phil d'un ton incrédule, l'air offensé. Tu préfères prendre la Flèche plutôt que moi ? »

Karen sourit gentiment. « Tu es sergent désormais, Phil. Un sergent avec des ambitions. Rester au bureau et chauffer mon siège aidera tes aspirations à devenir des réalités. Pour le reste, la Flèche n'est pas aussi mauvais que tu le prétends. Il fait ce qu'on lui dit.

— Oui, un colley aussi. Mais un chien ferait preuve de plus d'initiative.

— La vie d'un gosse est en jeu, Phil. J'ai plus qu'assez d'initiative pour nous deux. Il faut que les choses soient bien menées dans cette affaire, et je vais m'assurer que ce sera le cas. » Elle se tourna vers son ordinateur, histoire de couper court à la conversation.

Phil ouvrit la bouche pour répliquer, puis il se ravisa en voyant le regard impératif que Karen jeta dans sa direction. Ils s'étaient très bien entendus depuis le début de leur carrière, chacun décelant des tendances non-conformistes chez l'autre. Le fait d'avoir gravi les échelons ensemble avait fait naître entre eux une amitié qui avait survécu à l'épreuve des différences de position. Mais il savait qu'il existait une certaine limite à ne pas franchir avec Karen, et il sentait qu'il venait juste de l'atteindre. « Je te remplacerai ici, alors, dit-il.

— Ça marche, répondit Karen, dont les doigts volaient au-dessus des touches. Marque-moi de sortie demain matin. J'ai le sentiment que Jenny Prentice pourrait être un petit peu plus bavarde face à une paire de flics qu'avec sa fille. »

Jeudi 28 juin 2007 ; Édimbourg

La patience était l'une des qualités du bon journaliste que l'on n'enseignait pas en cours. À l'époque où Bel Richmond travaillait à temps plein pour un journal du dimanche, elle avait toujours soutenu qu'elle était payée non pas pour une semaine de quarante heures mais pour les cinq minutes passées à discuter dans l'espoir de franchir un pas de porte que personne d'autre n'avait franchi auparavant. Cela laissait beaucoup de temps pour attendre. Attendre que quelqu'un rappelle. Attendre l'étape suivante dans une affaire. Attendre qu'un contact se transforme en informateur. Bel avait passé beaucoup de temps à attendre, et, bien qu'elle fût devenue douée pour ça, elle n'y avait jamais pris le moindre plaisir.

Elle devait reconnaître qu'elle avait patienté dans des cadres bien moins accueillants que celui-ci. Ici, elle avait l'agrément matériel du café, des biscuits et des journaux. Et la pièce dans laquelle on l'avait laissée offrait cette vue panoramique que l'on retrouvait sur un million de boîtes à biscuits. Donnant sur toute la longueur de Princes Street, l'endroit dominait un ensemble de lieux touristiques clés : le château, le monument érigé en l'honneur de sir Walter Scott, la National Gallery et les jardins de Princes Street. Bel avait repéré d'autres bâtiments magnifiques, mais elle ne connaissait pas assez bien la ville pour les identifier. Elle n'avait visité la capitale écossaise qu'en de rares occasions, et ce n'était pas elle qui avait choisi d'organiser ce rendez-vous ici. Elle avait voulu qu'il ait lieu à Londres mais, dans sa réticence à abattre son jeu à l'avance, elle avait perdu les commandes pour se retrouver en posture de suppliante.

Chose peu courante pour une journaliste indépendante, elle avait un assistant stagiaire. Jonathan était étudiant en journalisme à City University et il avait demandé à son directeur d'études de le confier à Bel pour son stage professionnel. Il aimait apparemment son style. Le compliment lui avait fait plutôt plaisir, mais elle s'était surtout réjouie à la perspective d'être libérée des corvées pendant huit semaines. C'était donc Jonathan qui avait établi le premier contact avec les Entreprises Maclennan Grant. Le message qu'il avait rapporté était simple : si Mme Richmond ne souhaitait pas exposer les raisons pour lesquelles elle voulait un rendez-vous avec sir Broderick Maclennan Grant, sir Broderick n'était pas disposé à la rencontrer. Sir Broderick n'accordait pas d'interviews. Les négociations à distance qui avaient suivi avaient mené à ce compromis.

À présent, elle se faisait remettre à sa place, estimait-elle. Forcée de poireauter dans la salle de réunion d'un hôtel. Invitée à comprendre que quelqu'un d'aussi important que l'assistante personnelle du président et principal actionnaire de la douzième société la plus influente du pays avait d'autres priorités que d'être aux petits soins pour une scribouillarde londonienne.

Elle avait envie de se lever et d'arpenter la pièce, mais elle ne voulait pas manifester le moindre signe de détresse. Elle n'avait jamais été de nature à se mettre en position d'infériorité. Au lieu de cela, donc, elle rajusta sa veste, s'assura que sa chemise était bien rentrée et enleva une poussière sur ses chaussures en daim émeraude.

Finalement, quinze minutes exactement après l'heure convenue, la porte s'ouvrit. La femme qui entra dans une bourrasque de tweed et de cachemire ressemblait à une institutrice d'âge indéterminé mais habituée à imposer la discipline à ses élèves. Pendant un instant de folie, Bel faillit se lever d'un bond en réaction pavlovienne à ses souvenirs des bonnes sœurs terroristes de son adolescence. Mais elle parvint à se contenir et se leva d'une manière plus détendue.

« Susan Charleson, indiqua la femme en tendant la main. Désolée de vous avoir fait attendre. Comme l'a dit un jour Harold Macmillan : “Les événements, mon cher. Les événements.” »

Bel décida de ne pas signaler que Harold Macmillan avait fait allusion au métier de Premier ministre et non de nourrice d'un capitaine d'industrie. Elle prit les doigts chauds et secs entre les siens. Une ferme poignée de main l'espace d'un instant puis elle fut libérée. « Annabel Richmond. »

Susan Charleson ignora le fauteuil qui se trouvait face à Bel et se dirigea vers la table située près de la fenêtre. Prise au dépourvu, Bel ramassa son sac et le porte-documents en cuir posés à côté avant de la suivre. Les deux femmes s'assirent face à face et Susan sourit, ses dents apparaissant comme une bande de dentifrice plâtreux entre ses lèvres peinturlurées en rose foncé. « Vous souhaitiez voir sir Broderick », commença-t-elle. Pas de préambule ou de banalités en vue. Simplement droit au but. C'était une technique que Bel avait elle-même utilisée à l'occasion, mais cela ne signifiait pas qu'elle appréciait de voir les rôles inversés.

« Tout à fait. »

Susan secoua la tête. « Sir Broderick ne parle pas à la presse. Je crains que vous ne soyez venue pour rien. J'ai bien expliqué tout cela à votre assistant, mais il ne souhaitait pas se voir opposer un refus. »

Ce fut au tour de Bel d'afficher un sourire froid. « Un bon point pour lui. Manifestement, je l'ai bien formé. Mais il semble y avoir un malentendu. Je ne suis pas venue ici pour mendier une interview. Je suis là parce que je pense avoir quelque chose qui intéressera sir Broderick. » Elle posa le porte-documents sur la table et l'ouvrit. Elle en sortit une simple feuille A3 de papier épais, qu'elle laissa à l'envers. Elle était couverte de saleté et dégageait une légère odeur, un étrange mélange de poussière, d'urine et de lavande. Bel ne put s'empêcher de lancer un rapide regard taquin à Susan Charleson. « Vous voulez voir ? » demanda-t-elle en retournant la feuille.

Susan sortit un étui en cuir de la poche de sa jupe et en tira une paire de lunettes à monture d'écaille. Elle les jucha sur son nez en prenant son temps, sans quitter cependant des yeux les images en noir et blanc contrasté qu'elle avait devant elle. Le silence entre les deux femmes parut s'intensifier, et Bel eut l'impression de perdre haleine en attendant une réaction. « Où vous êtes-vous procuré ça ? », demanda Susan d'un ton aussi coincé qu'une prof de latin.

Lundi 18 juin 2007 ; Campora, Toscane, Italie

À sept heures du matin, on aurait presque pu croire que la chaleur cuisante des dix jours précédents ne reviendrait pas. La lumière nacrée du jour scintillait à travers la voûte des chênes et des châtaigniers et rendait visibles les grains de poussière qui s'élevaient en spirales autour des pieds de Bel. Elle avançait assez lentement pour les remarquer, car le chemin de terre qui serpentait dans les bois était défoncé et les morceaux de pierre qui le jonchaient assez nombreux pour faire prendre conscience à un joggeur de la fragilité de ses chevilles.

Encore deux de ces footings matinaux tant appréciés avant de retourner dans les rues asphyxiantes de Londres. Cette pensée éveilla un soupçon de regret. Bel adorait s'éclipser de la villa pendant que tout le monde dormait encore. Elle pouvait marcher pieds nus sur les sols en marbre frais, se prendre pour la châtelaine des lieux et non pour une simple vacancière de plus se taillant une tranche éphémère de raffinement toscan.

Elle allait là en vacances avec le même groupe de cinq copines depuis qu'elles avaient partagé une maison durant leur dernière année à Durham. La première fois, elles bachotaient toutes pour leurs examens de fin d'études. Les parents de l'une d'elles possédaient un cottage en Cornouailles, qu'elles avaient colonisé pendant une semaine. Elles avaient appelé ça une « pause révisions », mais en réalité il s'était plus agi de vacances qui les avaient reposées, détendues, et finalement mieux préparées à passer des examens que si elles étaient restées recroquevillées au-dessus de leurs livres et articles. Et bien qu'elles fussent des jeunes femmes modernes peu enclines à la superstition, elles avaient toutes eu le sentiment que c'était d'une certaine façon à cette semaine-là qu'elles devaient leurs bonnes notes. Depuis lors, elles s'étaient retrouvées chaque mois de juin pour quelques jours de détente et de plaisir.

Au fil des années, elles s'étaient mises à boire avec plus de discernement, à manger avec plus d'épicurisme, à avoir des conversations plus outrancières. Leurs lieux de rencontre étaient devenus de plus en plus luxueux. Les amants n'étaient jamais invités à partager la semaine des filles. De temps en temps, l'une d'entre elles hésitait un peu, invoquant l'excès de travail ou les obligations familiales, mais elle se faisait généralement ramener dans les rangs sans trop d'efforts.

C'était une composante importante de la vie de Bel. Ces femmes avaient toutes réussi et représentaient des intimes sur lesquelles elle pouvait compter pour la tranquilliser de temps en temps. Néanmoins, ce n'était pas la principale raison de son attachement à ces vacances. Contrairement aux petits copains qui étaient allés et venus, ces amies-là étaient restées fidèles. Dans un monde où l'on vous jugeait en fonction de votre dernier gros titre, ça faisait du bien d'avoir un refuge où rien de tout cela n'importait. Où on l'appréciait simplement parce que le groupe s'amusait plus avec elle que sans elle. Elles se connaissaient toutes depuis assez longtemps pour excuser les défauts de chacune, pour accepter leurs opinions politiques respectives et pour dire ce qui eût été indicible en n'importe quelle autre compagnie. Ces vacances formaient une partie du rempart qu'elle consolidait sans cesse face à ses propres angoisses. Par ailleurs, c'étaient les seules vacances qu'elle prenait ces derniers temps et qui correspondaient à ses envies. Elle avait partagé les six années précédentes avec sa sœur Vivianne et le fils de celle-ci, Harry. La mort soudaine du mari de Vivianne après une crise cardiaque avait laissé cette dernière dans un état de détresse tant émotionnel que pratique. Bel avait à peine hésité avant de partager le sort de sa sœur et de son neveu. Tout bien considéré, ç'avait été une bonne décision, mais elle tenait tout de même toujours beaucoup à cette pause loin de son travail et de cette vie de famille qu'elle ne s'était pas attendue à vivre. En particulier maintenant que Harry était au bord de la crise existentielle de l'adolescence. C'est pourquoi cette année-ci, plus encore que la dernière, ce séjour devait être spécial et surpasser les précédents.

Il était difficile d'imaginer comment elles pourraient faire mieux, pensa-t-elle en sortant de la forêt pour arriver à un champ de tournesols prêts à s'ouvrir. Elle accéléra légèrement en le longeant, respirant l'odeur aromatique de la verdure. Pour elle, il n'y avait rien à changer concernant la villa, aucun défaut dans les modestes jardins et les arbres fruitiers qui entouraient la loggia et la piscine. La vue sur le Val d'Elsa était stupéfiante, avec Volterra et San Gimignano à l'horizon.

Et il y avait la cuisine de Grazia en prime. Lorsqu'elles avaient découvert que le « chef du coin » dont le site web vantait les mérites était la femme de l'éleveur de porcs installé en bas de la colline, elles avaient hésité à la faire venir à la villa pour leur préparer un repas toscan typique. Mais le troisième après-midi, toutes trop assommées par la chaleur pour trouver le courage de cuisiner, elles avaient fini par appeler Grazia. Son mari Maurizio l'avait conduite à la villa dans une Fiat Panda cabossée qui semblait tenir en un morceau grâce à des bouts de ficelle et beaucoup de confiance. Il avait également déchargé des caisses de nourriture couvertes de mousseline. Dans un anglais approximatif, Grazia les avait chassées de la cuisine en leur disant de prendre un verre sur la loggia et de se détendre.

Le repas avait été une révélation : salamis et prosciutto au goût de noix de la race rare de cochons Cinta Senese qu'élevait Maurizio, associés aux figues noires parfumées de leur propre arbre ; spaghettis au pesto à base d'estragon et de basilic ; cailles rôties avec les légumes de Maurizio, et longs doigts de pommes de terre assaisonnés au romarin et à l'ail ; fromages des fermes locales et, pour terminer, un somptueux et copieux gâteau au limoncello et aux amandes.

Les cinq amies n'avaient plus jamais cuisiné.

La cuisine de Grazia rendait d'autant plus nécessaires les footings matinaux de Bel. La quarantaine approchant, elle avait plus de mal à garder ce qu'elle estimait être son poids idéal. Ce matin-là, son ventre lui donnait encore la sensation d'être une boule tendue après les irrésistibles *melanzane alla parmigiana* qui l'avaient poussée à se resservir une fois de trop. Elle irait un peu plus loin que d'habitude, décida-t-elle. Au lieu de faire le tour du champ de tournesols et de remonter jusqu'à leur villa, elle prendrait le chemin qui partait de l'angle le plus éloigné à travers le terrain en friche d'une *casa colonica* en ruines qu'elle avait remarquée en voiture. Depuis qu'elle l'avait repérée le premier matin, elle s'était laissée aller au rêve d'acheter la ruine et de la transformer en parfaite retraite toscane, avec piscine et oliveraie. Et bien sûr, avec Grazia sous la main pour cuisiner. Bel avait peu de scrupules à s'approprier le bien d'autrui, que ce soit en rêve ou en réalité.

Mais elle se connaissait assez pour comprendre que ce ne serait jamais rien de plus qu'une chimère. Vivre à la campagne impliquait une volonté de se retirer du monde du travail qui lui était étrangère. Quand elle serait prête à prendre sa retraite, elle pourrait peut-être envisager de se consacrer à un tel projet de restauration. Même si elle se rendait bien compte que ce n'était là aussi qu'un rêve. Un journaliste ne prenait jamais vraiment sa retraite. Il y avait toujours un nouveau papier à l'horizon, un nouvel objectif à poursuivre. Sans parler de la terreur d'être oubliée. Tant de raisons pour lesquelles ses relations passées n'avaient pas tenu le coup, tant de raisons pour lesquelles l'avenir présenterait sans doute les mêmes imperfections. Cependant, ce serait amusant d'aller jeter un œil de plus près à la vieille maison, juste pour voir l'ampleur des dégâts. Lorsqu'elle en avait parlé à Grazia, celle-ci avait fait la grimace et dit « *rovina* ». Bel, qui parlait couramment italien, avait traduit pour les autres : « ruine ». Le moment était venu de découvrir si Grazia disait vrai ou si elle essayait juste de refroidir l'intérêt de ces riches Anglaises.

Le chemin qui traversait les herbes hautes, en terre nue tassée par des années de passage, était resté étonnamment dégagé. Bel en profita pour reprendre de la vitesse, puis ralentit en atteignant le portail donnant sur la cour de l'ancienne ferme. Les battants étaient délabrés et pendaient mollement de leurs gonds, encore tout juste fixés aux grandes colonnes de pierre. Ils étaient attachés au moyen d'une lourde chaîne et d'un cadenas. Derrière, le pavage délabré de la cour était délimité par des touffes de thym rampant, de camomille et de mauvaises herbes. Bel secoua les portes sans grand espoir, mais cela suffit à révéler que le coin du bas de celle de droite s'était complètement décroché de son support. On pouvait facilement l'écarter, assez pour permettre à un adulte de passer. Bel se glissa de l'autre côté et lâcha la porte, qui grinça légèrement en reprenant sa position en apparence fermée.

De plus près, elle pouvait comprendre la description de Grazia. S'attaquer à ce projet revenait à devenir esclave des entrepreneurs en bâtiment pendant très longtemps. L'édifice entourait la cour sur trois côtés, un pavillon central flanqué de deux ailes symétriques. Il comprenait deux niveaux et une loggia qui faisait le tour de tout l'étage supérieur, les portes et fenêtres des chambres s'y ouvrant de façon à offrir un accès facile à l'air frais et à un espace commun. Mais le sol de la loggia s'affaissait, les portes restantes étaient de travers, et les linteaux des fenêtres étaient fendus et curieusement inclinés. Sur les deux niveaux, les vitres étaient sales, fêlées ou manquantes. Néanmoins, on pouvait nettement distinguer les lignes imposantes de la séduisante architecture locale, et les pierres irrégulières luisaient chaudement sous le soleil matinal.

Bel n'aurait pu expliquer pourquoi, mais la maison l'attira. Elle avait le charme d'une ancienne beauté aux traits accusés, assez sûre d'elle pour se laisser aller sans lutter. Des bougainvillées non taillées grimpaient sur le stuc ocre écaillé et sur le muret de la loggia. Si personne ne décidait bientôt de tomber amoureux de cet endroit, il serait envahi par la végétation. Et dans deux ou trois générations, il n'en resterait plus qu'un inexplicable monceau de pierres à flanc de colline. Mais pour l'instant, il gardait un pouvoir envoûtant.

En s'avançant prudemment dans la cour accidentée, Bel passa près de poteries en terre cuite fêlées gisant de travers, les herbes qu'elles avaient contenues s'étendant librement et épiçant l'air de leurs arômes. Elle poussa une lourde porte en planches de bois suspendue à une seule charnière. Le bois crissa sur le sol inégal de briques en chevrons, mais la porte s'ouvrit suffisamment pour que Bel puisse pénétrer dans une pièce imposante sans se contorsionner. Elle fut d'abord frappée par la saleté et le laisser-aller ambiants. Un labyrinthe de toiles d'araignée pendait d'un mur à l'autre. Les vitres étaient tachées de crasse. Soudain, Bel entendit quelque chose détaler dans un coin et fouilla la pièce du regard, affolée. Elle n'avait pas peur des rédacteurs en chef, mais les rats la répugnaient.

En s'habituant à l'obscurité, elle se rendit compte que la pièce n'était pas tout à fait vide. Contre un des murs se trouvait une longue table, et en face un canapé affaissé. À en juger par le reste de l'endroit, il aurait dû être pourri et crasseux, mais sa housse en tissu rouge foncé était toujours relativement propre. Elle nota cette bizarrerie à réexaminer plus tard.

Bel hésita un instant. Aucune de ses amies, elle en était sûre, ne l'aurait laissée s'enfoncer plus avant dans cette étrange maison abandonnée. Mais elle avait bâti sa carrière sur une réputation d'intrépide. Elle seule savait que cette image avait bien souvent dissimulé des états d'angoisse et de doute qui l'avaient réduite à vomir dans des caniveaux et dans des toilettes inconnues. Étant donné ce qu'elle avait surmonté dans sa détermination à faire la une, une ruine déserte pouvait-elle vraiment l'effrayer ?

Dans le coin opposé, une porte donnait sur un couloir exigu avec un escalier en pierre abîmé menant à la loggia. Bel aperçut derrière une autre pièce sombre et sale. Elle la scruta du regard, intriguée par la cordelette tendue dans un coin et sur laquelle pendaient une douzaine de cintres. Une écharpe tricotée était enroulée au niveau du col d'un de ces derniers. Elle remarqua en dessous une boule de tissu de camouflage froissé. On aurait dit une des vestes de chasse en vente à la camionnette qui occupait l'aire de stationnement face au café de la rue principale de Colle Val d'Elsa. Elles en avaient rigolé quelques jours plus tôt, se demandant quand la mode avait commencé chez les hommes italiens de tout âge d'avoir l'air de revenir d'une période de service dans les Balkans. *Bizarre*, se dit Bel. Elle grimpa prudemment l'escalier de la loggia en pensant y trouver le même sentiment d'abandon.

Mais dès qu'elle sortit de la cage d'escalier, elle se rendit compte qu'elle avait pénétré dans quelque chose de très différent. Lorsqu'elle tourna à sa gauche et jeta un coup d'œil par la première porte, elle comprit que cette maison n'était pas ce qu'elle semblait être. L'odeur de renfermé qui hantait le rez-de-chaussée n'était ici qu'un vague effluve, l'air presque aussi frais qu'à l'extérieur. La pièce avait visiblement servi de chambre, et ce encore assez récemment. Un matelas gisait sur le sol, couvert d'un dessus-de-lit en vrac sur le premier tiers. Il était poussiéreux, mais n'avait rien de la saleté incrustée à laquelle Bel s'était attendue après le rez-de-chaussée. Là aussi, une cordelette était tendue dans le coin. Une douzaine de cintres nus y pendaient, mais les trois derniers portaient des chemises légèrement froissées. Même de loin, elle voyait qu'elles n'étaient plus en très bon état, notamment au niveau des manches et des cols décolorés.

Deux cageots à tomates servaient de tables de nuit. Sur l'un d'eux reposait un bout de bougie dans une soucoupe. Un exemplaire jauni du *Frankfurter Allgemeine Zeitung* traînait par terre à côté du lit. Bel le ramassa et remarqua qu'il datait de moins de quatre mois. Cela lui donna donc une idée de quand la maison avait été abandonnée. Elle souleva la manche d'une des chemises et colla son nez contre le tissu. Romarin et marijuana. Léger mais indiscutable.

Elle retourna dans la loggia et inspecta les autres pièces. Même schéma. Trois autres chambres renfermant quelques objets – deux ou trois T-shirts, des livres de poche et des magazines en anglais, en italien et en allemand, une demi-bouteille de vin, la fin d'un bâton de rouge à lèvres, une sandale en cuir dont la semelle était décollée du reste –, le genre de choses qu'on laisse derrière soi si on déménage sans se préoccuper de ses successeurs. Dans l'une des pièces, un bouquet de fleurs avait séché dans un bocal d'olives, les pétales étaient à deux doigts de tomber.

La dernière pièce du côté ouest était la plus grande de toutes. Les vitres y avaient été nettoyées plus récemment que dans les autres, les volets rénovés et les murs blanchis à la chaux. Au milieu se trouvait un cadre de sérigraphie. Sur des tables à tréteaux installées contre un mur étaient posés des gobelets en plastique avec des traces de pigments séchées à l'intérieur, et des pinceaux durcis. Le sol était constellé de taches. Bel était intriguée au point que sa curiosité écrasait tout reste de nervosité à l'idée de se trouver seule dans ce lieu étrange. Quels qu'aient été ses occupants, ils avaient dû filer en catastrophe. On ne laisse pas un précieux cadre de sérigraphie derrière soi quand on a organisé son départ.

Elle ressortit de l'atelier et parcourut la loggia jusqu'à l'aile opposée. Elle prit garde à rester près du mur car elle n'était pas sûre que le sol en briques cahoteux puisse supporter son poids. Elle passa devant les portes des chambres, telle une intruse sur la *Mary Celeste.* Le silence ininterrompu, pas même par un chant d'oiseau, accentuait ce sentiment. La dernière pièce avant le coin était une salle de bains dont le mélange d'odeurs nauséabondes flottait toujours dans l'air. Par terre reposait un rouleau de tuyau d'arrosage dont le bout disparaissait par un trou de la maçonnerie près de la fenêtre. On avait donc improvisé un système pour avoir l'eau courante, qui était cependant resté trop sommaire pour que les toilettes ne soient pas tout simplement répugnantes. Elle fit la grimace et recula.

Bel passa le coin juste au moment où le soleil atteignait l'orée du bois et la baignait dans une chaleur soudaine. Son entrée dans la dernière pièce en fut d'autant plus effrayante. Frissonnant dans l'air froid et humide, elle s'aventura à l'intérieur. Les volets fermés rendaient l'espace presque trop sombre pour discerner quoi que ce soit. Mais lorsque ses yeux s'habituèrent, elle put se faire une idée de l'aspect de la pièce. C'était la jumelle de l'atelier par ses dimensions, mais sa fonction était différente. Elle se rendit vers la fenêtre la plus proche et se débattit avec le volet pour réussir finalement à l'ouvrir à moitié. Cela suffit à confirmer sa première impression. Cette pièce avait été le cœur de la *casa rovina.* À côté d'un évier en pierre se trouvait une vieille cuisinière cabossée reliée à une bouteille de gaz. La table à manger était tailladée et avait perdu tout son vernis, mais elle était solide et avait des pieds joliment sculptés. Sept chaises disparates l'entouraient, et une huitième était renversée un peu à l'écart. Un rocking-chair et deux canapés étaient installés contre les murs. De la vaisselle et des couverts étaient éparpillés par terre, comme si les habitants du lieu n'avaient pas pu se donner la peine de les ramasser en partant.

Lorsque Bel s'éloigna de la fenêtre, une table branlante attira son attention. On pouvait facilement la manquer de derrière la porte. Elle était couverte de ce qui ressemblait à des affiches en désordre. Elle s'en approcha, fascinée. Elle fit deux grands pas et s'arrêta net, le souffle coupé après une dernière inspiration qui résonna dans l'air poussiéreux.

À ses pieds, le dallage en pierre calcaire était couvert d'une tache irrégulière d'environ un mètre sur cinquante centimètres. De couleur rouille, ses bords étaient arrondis et réguliers, comme si quelque chose avait coulé pour former une mare et non été renversé. Elle était assez épaisse pour masquer les dalles. Une partie du bord le plus éloigné paraissait avoir été étalée et diluée, comme si on avait essayé de l'effacer et vite abandonné. Bel avait écrit suffisamment d'articles sur la violence conjugale et les crimes sexuels pour reconnaître une grosse tache de sang quand elle en voyait une.

Déconcertée, elle recula en tournant la tête de chaque côté, son cœur faisant un bruit tellement sourd qu'elle craignit de s'étouffer. Qu'est-ce qui avait bien pu se passer ici ? Elle jeta des regards éperdus autour d'elle et remarqua d'autres taches sombres par terre derrière la table. Il était temps de sortir de là, lui criait la part raisonnable de son esprit. Mais le démon de la curiosité lui chuchotait à l'oreille : *ça fait des mois qu'il n'y a personne ici. Regarde la poussière. Ils sont partis depuis longtemps. Ils ne sont pas prêts de revenir. Quoi qu'il se soit passé ici, ça a été une bonne raison pour eux de décamper. Jette un œil aux affiches…*

Bel contourna la tache avec la plus grande distance possible sans toucher les meubles. Tout à coup, elle sentit une odeur de décomposition. Elle savait que c'était son imagination, mais ça avait pourtant l'air bien réel. Elle se tourna vers la porte, marcha en crabe jusqu'à la table puis baissa les yeux sur les posters qui la couvraient.

Le second choc fut presque plus violent que le premier.

Bel savait qu'elle forçait trop dans la montée, mais elle n'arrivait pas à ralentir. Elle sentait la sueur de sa main humidifier le papier épais de l'affiche enroulée. Le chemin émergea enfin des bois et devint plus praticable à l'approche de leur villa. La route descendait presque imperceptiblement, mais la gravité suffit à donner une nouvelle impulsion à ses jambes fatiguées, et elle allait toujours à bonne allure lorsqu'elle tourna à l'angle de la maison pour trouver Lisa Martyn étendue sur un transat sur la terrasse ombragée, avec le *Guardian* du vendredi pour compagnie. Bel se sentit soulagée. Elle avait besoin de parler à quelqu'un, et, de toutes ses amies, Lisa était la moins susceptible de transformer ses révélations en commérages durant le dîner. En tant qu'avocate spécialiste des droits de l'homme dont la compassion et le féminisme semblaient aussi inéluctables que chacune de ses respirations, Lisa comprendrait le potentiel de la découverte que Bel pensait avoir faite. Et son droit de s'en servir si elle le jugeait bon.

Lisa leva les yeux de son journal, perturbée par le souffle anormalement haletant de Bel. « Mon Dieu ! s'écria-t-elle. On dirait que tu es sur le point d'avoir une attaque. »

Bel déposa l'affiche sur une chaise et se pencha en avant, les mains sur les genoux, pour amener l'air à ses poumons en regrettant ces cigarettes fumées à la dérobée. « Ça ira… mieux… dans une… minute. »

Lisa se leva lourdement de sa chaise et fila dans la cuisine pour rapporter une serviette et une bouteille d'eau. Bel se redressa, prit l'eau, s'en vida la moitié sur la tête et toussa après en avoir aspiré par accident. Elle s'essuya ensuite la tête avec la serviette et s'effondra sur une chaise. Elle avala une longue gorgée d'eau tandis que Lisa se réinstallait dans son transat. « Qu'est-ce qui s'est passé ? demanda-t-elle. Tu es la joggeuse la plus digne que je connaisse. Jamais vu une Bel essoufflée avant. Qu'est-ce qui t'a mise dans un tel état ?

— J'ai trouvé quelque chose », expliqua Bel. Elle avait toujours du mal à respirer, mais parvenait à prononcer des phrases courtes. « En tout cas, je crois avoir trouvé quelque chose. Si je ne me trompe pas, c'est le sujet de ma carrière. » Elle attrapa l'affiche. « J'espérais un peu que tu puisses me dire si je perds complètement les pédales. »

Intriguée, Lisa jeta son journal par terre et se redressa. « Eh bien, c'est quoi cette chose qui pourrait être quelque chose ? »

Bel déroula le papier épais et le maintint à l'aide d'un moulin à poivre, d'un mug à café et de deux cendriers sales. L'image sur la feuille A3 était frappante. Elle avait été conçue pour avoir l'apparence d'une gravure en noir et blanc contrasté dans le style expressionniste allemand. Au sommet de la page, un homme barbu avec une tignasse anguleuse se penchait au-dessus d'un écran, tenant dans les mains des croix de bois desquelles pendaient trois marionnettes. Mais ce n'étaient pas des marionnettes ordinaires. La première était un squelette, la deuxième une chèvre et la troisième une représentation de la Mort avec son manteau à capuche et sa faux. L'illustration avait quelque chose d'indiscutablement sinistre. Au bas de la page, encadré par une bordure noire funèbre, se trouvait un espace blanc d'environ huit centimètres de hauteur. C'était le type d'emplacement où coller un petit papier pour annoncer une représentation.

« Merde alors ! » s'exclama Lisa. Elle releva enfin les yeux. « Catriona Maclennan Grant, dit-elle d'une voix tout étonnée. Bel… Où est-ce que tu as trouvé ça ? »

Jeudi 28 juin 2007 ; Édimbourg

Bel sourit. « Avant de répondre, j'aimerais mettre certaines choses au clair. »

Susan Charleson roula des yeux. « N'allez pas vous imaginer être la première personne à franchir cette porte avec un faux exemplaire de l'affiche de demande de rançon. Je vais vous dire ce que je leur ai dit à tous. La récompense sera versée à la seule condition d'avoir retrouvé vivant le petit-fils de sir Broderick ou d'avoir prouvé de manière concluante qu'il est décédé. Sans parler d'amener les assassins de Catriona Maclennan Grant devant la justice.

— Vous m'avez mal comprise, reprit Bel avec un sourire malicieux, mais sans rien concéder. Madame Charleson, l'argent de sir Broderick ne m'intéresse vraiment pas. En revanche, j'ai une condition moi aussi.

— Vous vous méprenez. » Le ton de Susan Charleson était devenu acerbe. « C'est une affaire de police. Vous n'êtes absolument pas en mesure d'imposer des conditions. »

Bel posa la main sur l'affiche d'un geste résolu. « Je peux repartir maintenant par cette porte avec cette affiche et oublier que je l'ai vue un jour. J'aurai peu de mal à mentir à la police. Je suis journaliste, après tout. » Elle commençait à s'amuser bien plus qu'elle ne l'avait prévu. « Votre parole contre la mienne, Madame Charleson. Et je sais que vous ne souhaitez pas que je vous quitte comme ça. L'une des compétences que doit acquérir un journaliste à succès, c'est de savoir lire dans les pensées des gens. Et j'ai bien vu votre réaction quand vous avez regardé cette affiche. Vous savez que c'est un original et non une vulgaire imitation.

— Vous avez une attitude très agressive, déclara Susan Charleson d'une voix presque désinvolte.

— Je préférerais dire assurée. Je ne suis pas venue ici pour me quereller avec vous, madame Charleson. Je veux aider. Mais pas gratuitement. D'après mon expérience, les riches n'apprécient rien s'ils ne doivent pas payer pour l'avoir.

— Vous avez dit que l'argent ne vous intéressait pas.

— C'est vrai. Et c'est bien le cas. En revanche, la renommée m'intéresse. Et ma renommée repose sur le fait non seulement d'être la première sur un sujet mais de découvrir les dessous de l'affaire. Je crois qu'il y a des domaines où je peux vous aider à démêler celle-ci plus efficacement que par la voie officielle. Je suis sûre que vous serez d'accord une fois que je vous aurai expliqué d'où vient cette affiche. Tout ce que je demande, c'est que vous n'entraviez pas mes recherches sur cette affaire. Et au-delà de ça, que vous et votre patron coopériez en partageant les informations dont vous disposez sur ce qui s'est passé à l'époque où Catriona s'est fait enlever.

— Voilà une demande plutôt exigeante. Sir Broderick n'est pas homme à compromettre facilement sa vie privée. Vous comprendrez que je n'ai pas le pouvoir de vous accorder ce que vous demandez. »

Bel haussa une épaule avec délicatesse. « Dans ce cas, nous pouvons nous revoir quand vous aurez une réponse. » Elle fit glisser l'affiche sur la table en ouvrant le porte-documents pour la remettre dedans.

Susan Charleson se leva. « Si vous avez quelques minutes de plus à m'accorder, je pourrais peut-être vous donner une réponse tout de suite. »

Bel sut à cet instant qu'elle avait gagné. Susan Charleson avait trop envie de saisir cette occasion. Elle allait convaincre son patron d'accepter le marché. Bel n'avait pas été aussi excitée depuis des années. Ce n'était pas seulement une mine d'articles et de chroniques qui l'attendait, bien qu'il n'existât aucun journal au monde qui ne serait pas intéressé. En particulier après l'affaire Madeleine McCann. Mais avoir ses entrées auprès du mystérieux Brodie Grant, en plus d'avoir une chance de découvrir le sort de son petit-fils, c'était potentiellement un best-seller. Un *De sang-froid* du nouveau millénaire. Son billet pour décrocher le gros lot.

Bel eut un petit rire étouffé. Elle pourrait peut-être utiliser le montant des recettes pour acheter la *casa rovina* et boucler la boucle. C'était dur d'imaginer plus parfait.

Jeudi 28 juin 2007 ; Newton of Wemyss

Quelques années s'étaient écoulées depuis la dernière fois où Karen avait pris la route à une voie vers Newton of Wemyss. Mais il était évident que le hameau avait subi les mêmes transformations que ses jumeaux de la route principale. Les quatre villages de Wemyss avaient attiré les citadins comme des mouches ; ils voyaient un potentiel bucolique dans ces anciennes petites cités minières sinistres. Des cahutes à une chambre avaient été rasées pour construire des cottages de grand luxe, les arrière-cours transformées par des écoles d'architecture qui avaient inondé de lumière des salons-cuisines lugubres. Des villages complètement vidés après le désastre de la mine de Michael en 1967 et les fermetures qui avaient suivi la grève de 1984 avaient trouvé une nouvelle vie en tant que cités-dortoirs où la vie communautaire se résumait à une soirée quiz hebdomadaire au pub. Dans les boutiques du village, on pouvait acheter une bougie parfumée mais pas une pinte de lait. La seule chose qui permettait de dire qu'une communauté minière avait vécu là était le modèle réduit du chevalement, qui enjambait l'endroit où le chemin de fer à vapeur privé avait autrefois croisé la route principale chargée de trucks de charbon à destination de la tête de ligne à Thornton Junction. À présent, les corons blanchis à la chaux avaient l'apparence que devait avoir un village vernaculaire selon le choix délibéré d'un architecte. Leur histoire avait été ensevelie sous le présent d'un bâtisseur.

Depuis la dernière visite de Karen, Newton of Wemyss s'était offert un coup de jeune. Le modeste monument aux morts se dressait sur un triangle d'herbe rase au centre-ville. Des bacs à fleurs en bois l'entouraient à intervalles parfaitement réguliers. Des cottages de plain-pied impeccables bordaient la place du village, et la seule rupture dans le panorama était due à la masse imposante du pub local, le Laird o'Wemyss. Il avait appartenu à la communauté locale pendant l'application du système de Göteborg[1], mais les moments difficiles des années 1980 l'avaient forcé à fermer. C'était désormais un restaurant couru, dont la cuisine « fusion écossaise » attirait des visiteurs venus d'aussi loin que Dundee ou Édimbourg et dont les prix étaient bien au-dessus des moyens de Karen. Elle se demanda combien de kilomètres Mick Prentice aurait dû faire pour boire une simple pinte d'ale s'il n'avait pas quitté Newton.

Elle consulta les indications de *Mapquest* qu'elle avait imprimées et montra une route au sommet du triangle à son chauffeur, l'agent Jason « la Flèche » Murray. « Descends par ce chemin-là, dit-elle. Vers la mer. Là où était la mine. »

Ils quittèrent immédiatement le centre du village. Sur la droite, des haies touffues longeaient un champ de blé d'un vert luxuriant. « Toute cette pluie, ça fait pousser les plantes comme du chiendent », fit remarquer la Flèche. Il lui avait fallu les vingt-cinq minutes de trajet depuis le commissariat pour formuler un commentaire.

Karen n'avait pas la tête à discuter de la pluie et du beau temps. Qu'est-ce qu'il y avait à dire ? Il n'avait pas arrêté de pleuvoir de tout l'été. Ce n'était pas parce qu'il ne pleuvait pas à cet instant précis que ça n'arriverait pas d'ici la fin de la journée. Elle jeta un coup d'œil sur sa gauche, où s'étaient autrefois trouvés les bâtiments de la mine. Elle avait un vague souvenir de bureaux, de sanitaires et d'une cantine. Depuis, tout avait été rasé pour ne laisser que les fondations de béton, que les mauvaises herbes reconquéraient en se glissant dans les fissures. Il restait un seul coron intact un peu plus loin ;

1. Système suédois de contrôle de la vente d'alcool géré par une société de gestion reversant la plus grosse partie de ses bénéfices aux communautés locales, qui fut adopté dans certaines zones minières écossaises. (*N.d.T.*)

huit maisons délabrées échouées au milieu de nulle part après la démolition des bâtiments qui leur avaient donné une raison d'exister. Derrière elles siégeait un dense bosquet de grands sycomores et de hêtres formant un épais brise-vent entre les maisons et le bord de la falaise qui plongeait de neuf mètres vers le sentier côtier plus bas. « C'est là qu'était la Lady Charlotte, indiqua-t-elle.

— Hein ? fit la Flèche d'un air surpris.

— La mine, Jason.

— Oh, d'accord. Oui. Avant que je sois né. » Il scruta l'endroit du regard à travers le pare-brise, au point que Karen se demanda avec inquiétude s'il avait besoin de lunettes. « C'est quelle maison, chef ? »

Elle montra l'avant-dernière du doigt. La Flèche contourna les nids-de-poule avec autant de précaution que si ça avait été sa voiture, et s'arrêta au bout de l'allée de Jenny Prentice.

Malgré le coup de fil de Karen pour fixer le rendez-vous, Jenny ne se hâta pas de venir à la porte, ce qui leur laissa amplement le loisir d'examiner les dalles de béton fêlées et le déprimant carré de graviers envahi par les mauvaises herbes devant la maison. « Si c'était chez moi... », commença la Flèche, puis il s'interrompit comme si c'était trop dur à envisager.

La femme qui ouvrit la porte avait l'air d'une personne passant ses journées couchée afin que la vie puisse plus facilement la piétiner. Ses cheveux lisses grisonnants étaient attachés à la va-vite et des mèches s'échappaient des deux côtés. Elle avait la peau ridée, des vaisseaux éclatés qui lui striaient les joues. Elle portait une blouse en Nylon descendant à mi-cuisses et un pantalon noir de mauvaise qualité dont le tissu peluchait. La blouse était d'un ton bleu lavande introuvable dans la nature. Les parents de Karen vivaient toujours dans une rue peuplée d'ex-mineurs et de leurs familles dans la ville défavorisée de Methil, mais même le plus calamiteux de leurs voisins aurait davantage soigné son apparence s'il savait qu'il attendait une quelconque visite officielle. Karen ne se retint même pas de juger l'allure de Jenny Prentice. « Bonjour, madame Prentice, dit Karen d'un ton brusque. Je suis l'inspecteur Pirie. On s'est parlé au téléphone. Et voici l'agent Murray. »

Jenny hocha la tête et renifla. « Vous feriez mieux d'entrer. »

Le salon était exigu mais propre. Les meubles, tout comme le tapis, étaient démodés mais absolument pas miteux. Une pièce pour les occasions particulières, pensa Karen, et une vie où ces dernières étaient rares.

Jenny leur fit signe de s'installer dans le canapé et se jucha en face sur l'accoudoir d'un fauteuil. Il était clair qu'elle n'allait leur offrir aucune sorte de rafraîchissements. « Alors. Vous êtes là à cause de notre Misha. Je pensais que vous auriez mieux à faire, vous autres, avec toutes les histoires horribles que je lis sans arrêt dans les journaux.

— Un mari et un père disparu, c'est plutôt horrible, vous ne trouvez pas ? » rétorqua Karen.

Jenny pinça les lèvres, comme si elle avait une brûlure d'estomac. « Ça dépend de l'homme, inspecteur. Le genre de types sur qui vous tombez dans votre boulot, je pense pas que ça dérange souvent leurs femmes et leurs gosses quand ils se font pincer.

— Vous seriez surprise. Beaucoup de ces familles sont complètement anéanties. Et au moins, elles savent où est leur homme. Elles n'ont pas à vivre dans l'incertitude.

— J'avais pas l'impression de vivre dans l'incertitude. Je croyais très bien savoir où était Mick jusqu'à ce que notre Misha se mette à remuer le passé pour essayer de le retrouver. »

Karen hocha la tête. « Vous pensiez qu'il était à Nottingham.

— Oui. Je croyais qu'il était parti chez les jaunes. Franchement, j'étais pas si triste d'être débarrassée de lui. Mais j'étais sacrément furieuse qu'il nous colle cette étiquette. J'aurais préféré qu'il meure plutôt qu'il parte chez les jaunes, si vous voulez vraiment savoir. » Elle désigna Karen. « Vous avez l'accent du coin. Vous devez savoir ce que ça fait d'être mis dans ce panier. »

Karen acquiesça d'un signe de tête. « D'autant plus vexant qu'on s'aperçoit maintenant qu'il n'est peut-être jamais parti là-bas. »

Jenny détourna le regard. « Ça, j'en sais rien. Tout ce que je sais, c'est qu'il est pas parti à Nottingham cette nuit-là avec cette bande de traîtres.

— Eh bien, nous sommes ici pour tenter d'établir ce qui s'est vraiment passé. Mon collègue va prendre quelques notes, juste pour s'assurer que je me souvienne bien de tout ce que vous me direz. » La Flèche se dépêcha de sortir son carnet et de l'ouvrir en tournant nerveusement les pages. Phil avait peut-être eu raison à propos de ses déficiences, pensa Karen. « Alors, j'ai besoin de ses nom et prénom et de sa date de naissance.

— Michael James Prentice. Né le 20 janvier 1955.

— Et vous viviez tous ici à l'époque ? Vous, Mick et Misha ?

— Oui. J'ai vécu ici toute ma vie de femme mariée. Jamais vraiment eu le choix à ce niveau-là.

— Est-ce que vous avez une photo de Mick que vous voudriez bien nous donner ? Je sais que ça remonte à longtemps, mais ça pourrait nous servir.

— Vous pouvez la mettre sur l'ordinateur et le vieillir, pas vrai ? »

Jenny gagna le buffet et ouvrit un tiroir.

« Parfois, c'est possible. » Mais trop cher à moins qu'il y ait une raison plus pressante que la leucémie de votre petit-fils, pensa-t-elle.

Jenny sortit un album en cuir noir comme neuf et le ramena à son fauteuil. La couverture craqua lorsqu'elle l'ouvrit. Même à l'envers et depuis l'autre côté de la pièce, Karen put voir qu'il s'agissait d'un album de mariage. Jenny passa rapidement les photos traditionnelles pour atteindre une pochette pleine à la fin. Elle en sortit un paquet de clichés et les examina. Elle s'arrêta sur plusieurs, avant d'en choisir un. Elle tendit une photo rectangulaire à Karen. C'était le portrait en buste de deux jeunes hommes qui souriaient à l'objectif, le coin de leurs verres de bière dans le champ tandis qu'ils portaient un toast au photographe. « C'est Mick à gauche, indiqua Jenny. Celui qui est beau. »

Elle ne mentait pas. Mick Prentice avait des cheveux châtains en bataille, coupés plus ou moins en mullet comme

George Michael dans sa période Wham ! Il avait les yeux bleus, des cils ridiculement longs et un sourire dangereux. Une marque en forme de croissant laissée par le charbon en travers de son sourcil droit rendait sa beauté atypique. Karen comprenait exactement pourquoi Jenny Prentice avait craqué pour son mari. « Merci, dit-elle. Qui est l'autre type ? » Une tignasse brune ébouriffée, un visage allongé et osseux, quelques légères cicatrices d'acné sur ses joues creuses, un regard vif, un sourire triangulaire comme le Joker dans les BD de Batman. Pas un canon comme son copain, mais avec quelque chose de séduisant tout de même.

« Son meilleur ami. Andy Kerr. »

Le meilleur ami qui s'était suicidé, d'après Misha. « Misha m'a dit que votre mari avait disparu le vendredi 14 décembre 1984. C'est votre souvenir ?

— C'est bien ça. Il est parti le matin avec son foutu matériel de peinture en disant qu'il serait revenu à l'heure du dîner. C'est la dernière fois que je l'ai vu.

— De la peinture ? Il travaillait un peu à côté ? »

Jenny poussa un petit rire de mépris. « Si on veut. C'est pas comme si on avait pu se passer de cet argent. Non, Mick peignait des aquarelles. Vous y croyez ? Vous pouvez imaginer quelque chose de plus absurde pendant la grève de 1984 qu'un mineur qui fait des aquarelles ?

— Est-ce qu'il n'aurait pas pu les vendre ? glissa la Flèche en se penchant en avant d'un air attentif.

— À qui ? Tous les gens du coin étaient fauchés et on n'avait pas d'argent pour qu'il aille tenter sa chance ailleurs. » Jenny montra le mur situé derrière eux. « Il aurait eu de la chance d'en tirer deux ou trois livres pour chacune. »

Karen pivota sur elle-même et contempla les trois peintures mal encadrées. West Wemyss, le château de Macduff et le rocher de la Dame. À ses yeux de profane, elles paraissaient expressives et animées. Elle les aurait volontiers mises chez elle, bien qu'elle n'eût pas su quel prix elle aurait été prête à payer en 1984 pour ce privilège. « Et donc, comment s'était-il mis à peindre ? demanda Karen en se retournant face à Jenny.

— Il avait suivi un cours au centre social des mineurs l'année où Misha est née. La prof disait qu'il avait un don.

Moi, je pense qu'elle disait la même chose à tous ceux qui étaient à peu près beaux.

— Mais il a continué ?

— Ça lui permettait de quitter la maison. De s'éloigner des couches sales et du bruit. » L'amertume semblait envahir Jenny Prentice par vagues. Il était curieux mais encourageant de voir que cela ne semblait pas avoir contaminé sa fille. Ça avait peut-être un lien avec le beau-père dont elle avait parlé. Karen ne devait pas oublier d'interroger Jenny sur l'autre homme qui avait partagé sa vie, et qui semblait lui aussi remarquable par son absence.

« Peignait-il beaucoup pendant la grève ?

— Tous les jours où il faisait beau, il sortait avec son sac à dos et son chevalet. Et s'il pleuvait, il allait dans les grottes avec ses copains de l'Association de préservation.

— Les grottes de Wemyss, vous voulez dire ? » Karen connaissait ces grottes qui s'enfonçaient dans les falaises de grès sur la côte entre East Wemyss et Buckhaven. Elle y avait joué quelquefois étant gamine, sans connaître leur signification historique en tant que site picte majeur. Les gosses du coin en avaient fait leur terrain de jeu, une des raisons pour lesquelles l'Association de préservation avait été créée. Des grilles bloquaient désormais l'entrée des sections les plus profondes et les plus dangereuses du réseau de grottes, et des historiens et archéologues amateurs les avaient préservées, en faisant cette fois un terrain de jeu pour adultes. « Mick était impliqué dans l'Association ?

— Mick était impliqué dans tout. Il jouait au foot, il faisait ses peintures, il traînait dans les grottes, il était dans le syndicat jusqu'au cou. Tout était plus important que de passer du temps avec sa famille. » Jenny croisa les jambes et les bras. « Il disait que ça lui évitait de perdre la tête pendant la grève. Je crois que ça lui évitait simplement d'assumer ses responsabilités. »

Karen savait que c'était un terrain fertile pour son enquête, mais elle pouvait se permettre de remettre ça à plus tard. Jenny avait refoulé sa colère pendant vingt-deux ans. Elle n'allait sûrement pas exploser maintenant. Karen avait une question bien plus immédiate. « Mais alors, pendant la grève, où Mick trouvait-il l'argent pour sa peinture ? Je ne connais pas grand-chose à l'art, mais je sais que ça coûte un petit paquet d'acheter du papier et de la peinture de qualité correcte. » Elle ne pouvait imaginer un mineur en grève dépenser de l'argent pour des fournitures de peinture quand il n'en avait pas pour la nourriture ou le chauffage.

« Je ne veux causer de problèmes à personne », dit Jenny.

Oui, bien sûr. « C'était il y a vingt-trois ans, répondit platement Karen. Je ne m'intéresse vraiment pas aux petites magouilles de l'époque de la grève.

— Un des profs de dessin du lycée vivait à Coaltown. C'était un petit gars infirme. Une jambe plus courte que l'autre, bossu. Mick faisait son jardin. Le type le payait en matériel de peinture. » Elle renifla doucement. « J'ai demandé s'il pouvait pas le payer en argent ou en nourriture. Mais apparemment le type donnait tout son salaire à son ex-femme. Le matériel, il le piquait au lycée. » Elle recroisa les bras. « De toute façon, il est mort maintenant. »

Karen essaya de réprimer son antipathie pour cette femme, si différente de la fille qui l'avait convaincue de s'occuper de cette affaire. « Et comment ça se passait entre vous, avant que Mick disparaisse ?

— C'est la faute de la grève. D'accord, on avait nos hauts et nos bas. Mais c'est la grève qui a jeté un froid entre nous. Et je ne suis pas la seule femme à dire ça dans cette partie du monde. »

Karen savait que c'était vrai. Les terribles privations de la grève avaient marqué pratiquement tous les couples qu'elle avait connus alors. Des violences domestiques avaient éclaté dans des endroits improbables ; les taux de suicide avaient grimpé ; des mariages avaient volé en éclats devant l'implacable pauvreté. Elle n'avait pas compris tout cela à l'époque, mais maintenant oui. « Peut-être bien. Mais chaque histoire est différente. J'aimerais entendre la vôtre. »

Vendredi 14 décembre 1984 ; Newton of Wemyss

« Je reviendrai pour le dîner, dit Mick Prentice en jetant son gros sac de toile dans son dos et en saisissant son chevalet replié.

— Le dîner ? Quel dîner ? Y a rien à manger dans cette maison. Tu devrais chercher de la nourriture pour ta famille, au lieu de perdre ton temps à peindre la mer pour la énième fois », cria Jenny tout en essayant de le forcer à s'arrêter tandis qu'il se dirigeait vers la porte.

Il se retourna, son visage décharné tordu de honte et de douleur. « Tu crois que je sais pas ça ? Tu crois qu'on est les seuls dans ce cas ? Tu crois que si j'avais la moindre idée pour améliorer un peu les choses, je le ferais pas ? Personne n'a rien à bouffer. Personne n'a le moindre rond. » Sa voix s'étouffa comme dans un sanglot. Il ferma les yeux et prit une profonde inspiration. « Hier soir, au centre social, Sam Thomson a dit qu'on parlait d'une livraison de nourriture de la part des Femmes contre la fermeture des mines. Si tu vas là-bas, elles sont censées arriver vers deux heures. » Il faisait si froid dans la cuisine que ses paroles formaient un nuage devant ses lèvres.

« Encore la charité. Je me souviens même pas de la dernière fois où j'ai pu choisir ce que j'allais faire à dîner. » Jenny s'assit soudain sur l'une des chaises de cuisine. Elle leva les yeux vers lui. « Est-ce qu'on va s'en sortir un jour ?

— Il faut qu'on tienne encore un peu. On a tenu jusque-là. On peut gagner. » Il semblait essayer de se convaincre lui-même.

« Elles sont en train de rouvrir, Mick. Elles rouvrent sans arrêt. C'était aux infos l'autre soir. Plus d'un quart des mines ont rouvert. Arthur Scargill et les autres responsables syndicaux peuvent dire ce qu'ils veulent, on n'a aucune chance de gagner. La seule question, c'est quels dégâts cette salope de Thatcher va faire en nous écrasant. »

Il secoua farouchement la tête. « Ne dis pas ça, Jenny. Juste parce qu'il y a quelques coins du Sud où ils se sont dégonflés. Ici, dans le Nord, on est solides comme le roc. Pareil dans le Yorkshire. Et en Galles du Sud. Et c'est nous qui comptons. » Ses paroles semblaient creuses, et aucune conviction ne se lisait sur son visage. Ils étaient tous crevés, pensa-t-elle. Ils ne savaient simplement pas quand se coucher.

« Si tu le dis », marmonna-t-elle en se détournant. Elle attendit jusqu'à entendre la porte se fermer derrière lui, puis elle se leva doucement et enfila son manteau. Elle prit un sac en plastique résistant et sortit de la cuisine glaciale pour s'enfoncer dans le froid humide du matin. C'était sa routine, ces temps-ci. Se lever et conduire Misha à l'école. Devant le portail, la petite recevait une pomme ou une orange, un sachet de chips et une barre de chocolat de la part des Amis de la Lady Charlotte, un ensemble disparate d'étudiants et d'employés du secteur public de Kirkcaldy qui s'assuraient qu'aucun gosse ne démarrait sa journée l'estomac vide. Du moins, pas les jours d'école.

Puis retour à la maison. Ils avaient arrêté de mettre du lait dans leur thé, quand ils avaient du thé. Certains matins, Jenny et Mick n'avaient qu'une tasse d'eau chaude pour commencer la journée. Ce n'était pas arrivé souvent, mais une fois suffisait à vous rappeler comme il était facile de basculer dans la misère.

Après une boisson chaude, Jenny partait dans la forêt avec son sac et tentait de ramasser assez de bois pour leur offrir quelques heures de chaleur le soir. Entre les responsables syndicaux qui les appelaient sans arrêt « camarades » et la corvée de bois, elle avait l'impression d'être une paysanne sibérienne. Ils avaient au moins la chance de vivre juste à côté d'une source de combustible. D'autres gens subsistaient plus difficilement, elle le savait. C'était aussi une veine qu'ils aient gardé leur cheminée à feu ouvert. Ils devaient ça au charbon accordé à bas prix aux mineurs.

Elle accomplissait sa besogne mécaniquement, sans prêter grande attention à ce qui l'entourait, en ressassant la dernière prise de bec entre Mick et elle. Elle avait parfois le sentiment qu'ils restaient ensemble uniquement parce qu'ils traversaient des difficultés, qu'ils continuaient de partager le même lit seulement pour se tenir chaud. La grève avait rapproché certains couples, mais une foule d'autres avaient volé en éclats après les premiers mois, une fois que leurs réserves s'étaient épuisées.

Ça n'avait pas été si dur au départ. Depuis la dernière vague de grèves dans les années 1970, les mineurs avaient bien gagné leur vie. Ils étaient les rois du mouvement syndical – bien payés, bien organisés et pleins d'assurance. Après tout, ils avaient fait tomber le gouvernement de Ted Heath à l'époque. Ils étaient intouchables. Et ils avaient du fric pour le prouver.

Certains avaient tout flambé : vacances à l'étranger où ils exposaient au soleil leur peau laiteuse et leurs marques de charbon, voitures tape-à-l'œil avec des stéréos hors de prix, maisons neuves qui avaient l'air géniales quand ils s'installaient mais qui commençaient presque tout de suite à se délabrer. La plupart d'entre eux, rendus prudents par leur vécu, gardait tout de même un peu de réserves. Suffisamment pour couvrir le loyer ou l'emprunt, pour nourrir la famille et payer les factures de gaz pendant deux ou trois mois. Ce qui était effroyable, c'était la vitesse à laquelle ces maigres économies avaient disparu. Au début, le syndicat avait versé des sommes décentes aux hommes qui s'entassaient dans des voitures, des camionnettes et des minibus pour se joindre aux piquets volants devant les mines en activité, les centrales électriques et les cokeries. Mais la police avait eu la main de plus en plus lourde pour s'assurer que les manifestants n'atteignent jamais leurs destinations, et l'idée de payer des hommes pour qu'ils ne réussissent pas à atteindre leurs objectifs éveillait peu d'enthousiasme. Par ailleurs, à ce moment-là, les dirigeants syndicaux étaient trop occupés à dissimuler leurs millions aux agents du fisc pour s'embêter à gaspiller de l'argent dans une lutte qu'ils savaient au fond d'eux-mêmes condamnée. Même ces petites économies s'étaient donc taries, et les communautés minières s'étaient retrouvées sans rien à se mettre sous la dent, sinon leur fierté à ravaler.

Jenny l'avait bien ravalée durant les neuf derniers mois. Ça avait commencé dès le début, quand elle avait entendu que les mineurs écossais soutiendraient le bassin houiller du Yorkshire suite à l'appel à une grève nationale, non pas de la bouche de Mick, mais de celle d'Arthur Scargill, président du Syndicat national des mineurs (SNM). Pas personnellement, bien sûr. Juste sa diatribe jappée au journal télévisé. Au lieu de revenir directement après la réunion au centre social des mineurs pour le lui dire, Mick avait traîné au bar avec Andy et ses autres copains du syndicat, à boire comme si l'argent n'allait jamais être un problème. À fêter comme il se doit le cri de guerre lancé par le roi Arthur. *Les mineurs unis ne seront jamais vaincus.*

Dès le départ, les épouses avaient su que c'était peine perdue. On entame une grève du charbon au début de l'hiver, quand la demande des centrales électriques est la plus forte. Pas au printemps, quand tout le monde cherche à couper son chauffage. Et lorsqu'on se lance dans une grève importante contre une garce comme Margaret Thatcher, on couvre ses arrières. On respecte le droit du travail. On respecte ses propres règles. On organise un scrutin national. On ne compte pas sur une interprétation douteuse d'une décision prise trois ans plus tôt pour une cause différente. Oh oui, les épouses avaient su que c'était vain. Mais elles étaient restées coites et, pour la toute première fois, elles avaient fondé leur propre organisation afin de soutenir leurs hommes. La loyauté, voilà ce qui comptait dans les villages et les communautés minières.

Mick et Jenny continuaient donc de se serrer les coudes. Jenny se demandait parfois si la seule raison pour laquelle il était toujours avec elle et Misha était qu'il n'avait nulle part ailleurs où aller. Ses parents étant morts, sans frères et sœurs, il n'avait aucun refuge. Un jour, elle lui avait posé la question, et il était resté figé comme une statue pendant un long moment. Puis il s'était moqué d'elle et avait nié qu'il voulait partir en lui rappelant qu'Andy l'aurait toujours hébergé dans son cottage s'il avait voulu s'en aller. Elle n'avait donc eu aucune raison d'imaginer que ce vendredi-là serait différent des autres.

Jeudi 28 juin 2007 ; Newton of Wemyss

« Ce n'était donc pas la première fois qu'il partait avec son matériel de peinture pour la journée ? » demanda Karen. Quoi qu'il se passât dans la tête de Jenny Prentice, il était évident qu'elle n'en révélait qu'une infime partie.

« Quatre ou cinq fois par semaine, à la fin.

— Et vous ? Qu'est-ce que vous avez fait le reste de la journée ?

— Je suis allée ramasser du petit bois dans la forêt, puis je suis revenue et j'ai regardé les infos à la télé. Il s'en est passé des choses, ce vendredi-là. Le roi Arthur était devant le tribunal pour entrave aux forces de l'ordre à la bataille d'Orgreave. Et Band Aid[1] est arrivé en tête des ventes. Je dois dire, je leur aurais bien craché à la figure. Tous ces efforts pour des gosses à des milliers de kilomètres de là alors qu'il y avait des gamins affamés devant leur porte. Où étaient Bono et Bob Geldof quand nos gosses se réveillaient le matin de Noël sans rien dans leurs chaussettes ?

— Ça a dû être dur à digérer, admit Karen.

— Une vraie baffe. Y a rien de bien excitant à aider les mineurs, pas vrai ? » Un petit sourire amer éclaira son visage. « Ça aurait pu être pire, cela dit. On aurait pu avoir à supporter ce connard moralisateur de Sting. Sans parler de son horrible luth.

---

1. Band Aid : Groupe anglo-saxon fondé en 1984 afin de venir en aide aux victimes de la famine en Éthiopie. (*N.d.T.*)

— C'est pas faux. » Karen ne pouvait cacher son amusement. On était toujours prêt à faire un peu d'humour macabre dans ces communautés minières. « Et ensuite, qu'est-ce que vous avez fait après avoir vu les infos ?

— Je suis allée au centre social. Mick avait parlé d'une distribution de nourriture. Je me suis mise dans la queue et je suis rentrée à la maison avec un paquet de pâtes, une boîte de tomates et deux oignons. Plus un sachet de potage écossais en poudre. Je me souviens que j'étais assez fière de moi. Je suis allée chercher Misha à l'école et je me suis dit que ça pourrait nous remonter le moral d'installer les décorations de Noël, alors c'est ce qu'on a fait.

— Quand vous êtes-vous rendue compte que Mick tardait à rentrer ? »

Jenny marqua une pause en tripotant un bouton de sa blouse. « À cette période de l'année, il faisait nuit tôt. D'habitude, il revenait juste après Misha et moi. Mais comme on s'occupait des décorations, je n'ai pas vraiment vu le temps passer. »

Elle mentait, se dit Karen. Mais pourquoi ? Et sur quel point ?

Vendredi 14 décembre 1984 ; Newton of Wemyss

Jenny avait été une des premières dans la queue au centre social et elle s'était dépêchée de rentrer avec son pitoyable butin, bien décidée à mettre une soupe sur le feu pour qu'ils aient quelque chose de bon à manger au dîner. Elle contourna le bâtiment des sanitaires de la mine et remarqua que toutes les maisons des voisins étaient dans le noir. Par les temps qui couraient, personne ne laissait une lumière hospitalière en sortant. Chaque sou comptait quand les factures arrivaient.

Lorsqu'elle franchit le portail de chez elle, elle faillit mourir de peur. De l'obscurité émergea une silhouette indistincte et qui lui parut énorme dans son imagination. Jenny fit un bruit à mi-chemin entre un cri de surprise et un gémissement.

« Jenny, Jenny, calme-toi. C'est moi. Tom. Tom Campbell. Je suis désolé, je ne voulais pas te faire peur. » L'ombre prit forme humaine et elle reconnut le grand homme qui se tenait devant sa porte.

« Bon sang, Tom, tu m'as fait la frayeur de ma vie ! » protesta-t-elle en passant devant lui pour ouvrir la porte. Consciente du froid oppressant de la maison, elle le conduisit dans la cuisine. Sans hésiter, elle remplit sa marmite d'eau et la mit sur la cuisinière, puis elle alluma le brûleur à tout petit feu. Elle se retourna ensuite pour lui faire face dans la pâleur de l'après-midi. « Comment ça va ? »

Tom Campbell haussa ses larges épaules et sourit avec tiédeur. « Comme ci comme ça, répondit-il. C'est assez ironique.

La seule fois de ma vie où j'ai vraiment besoin de mes amis, il y a cette grève.

— Tu as au moins Mick et moi, dit Jenny en lui faisant signe de s'asseoir.

— Ben, je t'ai toi, en tout cas. Je ne crois pas que je serai sur la liste des cartes de vœux de Mick, à supposer que les gens en envoient cette année. Pas après octobre. Il ne m'a pas parlé depuis.

— Ça lui passera », dit-elle sans la moindre conviction. Mick n'avait jamais apprécié le fait que l'amitié d'enfance entre Jenny et Moira, la femme de Tom, perdure. Elles étaient meilleures amies depuis toujours, et Moira avait été première demoiselle d'honneur au mariage de Jenny et Mick. Lorsque l'heure était venue de rendre la politesse, Jenny se trouvait enceinte de Misha. Mick avait fait remarquer que sa grossesse faisait une excuse parfaite pour repousser la proposition de Moira : comment en effet acheter la robe de demoiselle d'honneur à l'avance ? Cela n'était pas tant une suggestion qu'une injonction. Car, même si Tom Campbell était aux dires de tous un homme bien, un homme beau, un homme honnête, ce n'était pas un mineur. Il travaillait à la Lady Charlotte, c'est vrai. Il descendait dans cette cage qui vous retournait le ventre. Il se salissait même parfois les mains. Mais ce n'était pas un mineur. C'était un chef de mine. Un membre d'un autre syndicat. Un responsable chargé de s'assurer que les règles d'hygiène et de sécurité étaient respectées et que les gars faisaient leur boulot. Les mineurs avaient un terme pour décrire la part la plus facile de n'importe quelle tâche : « la part du chef ». Cela semblait assez inoffensif, mais dans un milieu où chaque membre d'une équipe savait que sa vie dépendait de ses collègues, l'expression traduisait un mépris immense. C'est pourquoi Mick Prentice restait toujours réservé sur ses relations avec Tom Campbell.

Il n'avait pas apprécié que les Campbell les invitent à dîner dans leur pavillon de West Wemyss. Il s'était méfié quand Tom lui avait proposé de l'accompagner au foot. Il en avait même voulu à Jenny pour les heures qu'elle avait passées au chevet de Moira avant sa mort dégradante mais rapide d'un cancer deux ou trois ans plus tôt. Et lorsque le syndicat de

Tom avait tergiversé avant de se joindre à la grève quelques mois auparavant, Mick avait piqué une crise digne d'un nouveau-né quand ils avaient finalement pris le parti de la direction.

Jenny soupçonnait que sa colère était en partie due à la gentillesse dont Tom avait fait preuve envers eux depuis que les effets de la grève avaient commencé à se faire sentir. Il s'était mis à passer chez eux avec des petits cadeaux – un filet de pommes, un sac de pommes de terre, une peluche pour Misha. Il avait toujours trouvé des excuses crédibles – un voisin qui avait eu trop de fruits, plus de pommes de terre que nécessaire dans sa parcelle, un lot de tombola au club de bowling. Mick avait toujours râlé après ses visites. « Connard de condescendant, grognait-il.

— Il essaye de nous aider sans nous faire honte », expliquait Jenny. Il n'y avait pas de mal à ce que la présence de Tom lui rappelle des jours plus heureux. Elle ne pouvait l'expliquer, mais quand il était là, elle retrouvait le sentiment du possible. Elle se voyait à travers son regard, et c'était une femme plus jeune, une femme qui nourrissait l'ambition de mener une vie différente. Aussi, même si elle savait que cela agacerait Mick, Jenny était heureuse que Tom soit venu s'asseoir à la table de sa cuisine pour discuter.

Il sortit de sa poche un paquet mou mais lourd. « Est-ce que tu saurais quoi faire de deux livres de lard ? demanda-t-il en plissant le front d'un air soucieux. Ma belle-sœur, elle a ramené ça de la ferme de sa famille en Irlande. Seulement, il est fumé, tu vois, et je ne supporte pas le lard fumé. J'ai horreur de ça. Alors je me suis dit, plutôt que de le jeter... » Il lui tendit le paquet.

Jenny le prit sans une seconde d'hésitation. Elle émit un petit rire d'autodénigrement. « Regarde-moi. J'ai le cœur qui palpite à cause de deux livres de lard. Voilà à quoi nous ont réduit Margaret Thatcher et Arthur Scargill. » Elle secoua la tête. « Merci, Tom. Tu es un homme bon. »

Ne sachant trop quoi dire ou faire, il détourna les yeux et arrêta son regard sur l'horloge. « Tu ne dois pas aller chercher la petite ? Je suis désolé, je n'ai pas pensé à l'heure en t'attendant, je voulais juste... » Il se leva, empourpré. « Je reviendrai. »

Elle entendit ses pas maladroits dans l'entrée puis le bruit de la porte. Elle jeta le lard sur le plan de travail et coupa le feu sous la casserole d'eau. Ce serait un autre genre de soupe, maintenant.

Moira avait toujours eu plus de chance.

Jeudi 28 juin 2007 ; Newton of Wemyss

Jenny arrêta de regarder dans le vague et releva les yeux vers Karen. « Je suppose qu'il était environ sept heures quand je me suis rendu compte que Mick n'était pas rentré. J'étais en colère parce que j'avais enfin pu mettre un repas à peu près décent sur la table. J'ai donc couché la petite, puis je suis allée chercher la voisine pour qu'elle la surveille pendant que je courais au centre voir si Mick était là-bas. » Elle remua la tête, encore surprise après toutes ces années. « Et bien sûr, il n'y était pas.

— Personne ne l'avait vu ?

— Apparemment non.

— Vous avez dû être inquiète », fit remarquer Karen.

Jenny haussa une épaule. « Pas vraiment. Comme je vous disais, on ne s'était pas vraiment quittés dans les meilleurs termes. Je me suis simplement dit qu'il avait dû se vexer et qu'il était parti chez Andy.

— Le type de la photo ?

— Oui. Andy Kerr. Il était responsable syndical. Mais il était en arrêt maladie. Le stress, ils disaient. Et ils avaient raison. Il s'est suicidé dans le mois. Je me suis souvent dit que ça avait été la goutte d'eau quand Mick est parti chez les jaunes. Il vénérait Mick. Ça a dû lui briser le cœur.

— Alors vous pensiez qu'il était là-bas ? demanda Karen.

— Oui. Il avait un cottage dans les bois, au milieu de nulle part. Il disait qu'il aimait la tranquillité. Mick m'y avait emmenée une fois. Ça m'avait filé les jetons. C'était comme la maison de la sorcière dans un des contes de Misha : on ne voyait rien nulle part, et puis tout à coup elle était là, juste devant vous. Pour rien au monde j'aurais vécu là.

— Vous ne pouviez pas appeler pour vérifier ? » intervint la Flèche. Les deux femmes le dévisagèrent avec un mélange d'amusement et d'indulgence.

« On nous avait coupé le téléphone des mois plus tôt, fiston, répondit Jenny en échangeant un regard avec Karen. Et c'était bien avant l'époque des portables. »

Karen crevait d'envie d'une tasse de thé, mais elle préférait être pendue plutôt que de devoir quelque chose à Jenny Prentice. Elle s'éclaircit la gorge et continua. « Quand avez-vous commencé à vous inquiéter ?

— Quand la petite m'a réveillée le matin et qu'il n'était toujours pas rentré. Il n'avait jamais fait ça avant. Ce n'était pas comme si on s'était sérieusement engueulés le vendredi. Juste une petite dispute. On avait connu pire, croyez-moi. Quand j'ai vu qu'il n'était toujours pas là le matin, j'ai vraiment commencé à me dire qu'il s'était passé quelque chose de grave.

— Qu'est-ce que vous avez fait ?

— J'ai habillé Misha, je lui ai donné à manger, puis je l'ai emmenée chez sa copine Lauren. Ensuite j'ai traversé les bois pour aller chez Andy. Mais il n'y avait personne. Et puis je me suis souvenue que Mick avait dit qu'Andy allait peut-être partir quelques jours dans les Highlands, maintenant qu'il était en arrêt. Se reposer loin de tout ça. Se remettre les idées en place. Alors bien sûr, il n'était pas là. À ce moment-là, j'ai commencé à vraiment avoir peur. Et s'il avait eu un accident ? Et s'il était tombé malade ? » Ce souvenir avait toujours le pouvoir de troubler Jenny. Elle tripotait sans cesse l'ourlet de sa blouse.

« Je suis allée au centre voir les délégués syndicaux. J'ai pensé que si quelqu'un savait où était Mick, ce serait eux. Ou au moins qu'ils sauraient où commencer à le chercher. » Elle regardait fixement le sol, les mains nouées sur ses genoux. « C'est là que ma vie a vraiment commencé à déraper. »

Samedi 15 décembre 1984 ; Newton of Wemyss

Même le matin, sans la foule de corps pour faire monter la température, il faisait plus chaud au centre social de la mine que chez elle, remarqua Jenny en entrant. Pas beaucoup, mais assez pour que ça se sente. Ce n'était pas le genre de choses qui captait habituellement son attention, mais ce jour-là elle s'efforçait de penser à tout sauf à l'absence de son mari. Elle eut un moment d'hésitation dans le hall d'entrée, le temps de décider où aller. Les bureaux du comité de grève du SNM se trouvaient à l'étage, se souvint-elle vaguement, et elle se dirigea donc vers l'escalier richement sculpté. Arrivée au premier étage, tout devint plus facile. Elle n'eut qu'à suivre le faible murmure de voix et la fine couche de fumée de cigarettes qui planait dans l'air.

Quelques mètres plus loin dans le couloir, une porte était entrouverte, d'où provenaient le bruit et la fumée. Jenny donna quelques petits coups nerveux, et le silence s'installa dans la pièce. Finalement, une voix annonça prudemment : « Entrez. »

Elle se glissa de l'autre côté de la porte sur la pointe des pieds. Dans la pièce dominait une table en U couverte d'une toile cirée à motif écossais. Une demi-douzaine d'hommes étaient avachis autour, dans divers états d'abattement. Jenny vacilla lorsqu'elle se rendit compte qu'elle reconnaissait sans l'avoir jamais rencontré l'homme situé dans le coin opposé à elle. Mick McGahey, ancien communiste, chef des mineurs écossais. Le seul homme, disait-on, qui pouvait tenir tête au roi Arthur et se faire entendre. L'homme que son prédécesseur avait délibérément empêché d'accéder au sommet. Si Jenny avait reçu une livre chaque fois qu'elle avait entendu quelqu'un dire à quel point les choses auraient été différentes si McGahey avait été président, sa famille aurait été la mieux nourrie et la mieux habillée de Newton of Wemyss. « Excusez-moi, bégaya-t-elle. Je voulais juste parler... » Elle fouilla la pièce du regard en se demandant vers lequel des hommes qu'elle connaissait il valait mieux se tourner.

« Ne t'inquiète pas, Jenny, dit Ben Reekie. On faisait juste une petite réunion. D'ailleurs on a à peu près fini, hein, les gars ? » Les autres exprimèrent leur accord par un murmure mécontent. Mais Reekie, le secrétaire local, était doué pour prendre la température d'une réunion et pour faire avancer les choses. « Alors, Jenny, qu'est-ce qu'on peut faire pour toi ? »

Elle aurait voulu qu'ils soient seuls, cependant elle n'eut pas le cran de le lui demander. Les femmes avaient beaucoup appris en soutenant leurs hommes, même si face à face leur assurance avait toujours tendance à s'envoler. Mais ça irait, se dit-elle. Elle avait vécu toute sa vie adulte dans ce cocon communautaire, un monde concentré sur la mine et sur le centre social, où les secrets n'existaient pas et où le syndicat vous servait de père et de mère. « Je suis inquiète pour Mick », expliqua-t-elle. Ça ne servait à rien de tourner autour du pot. « Il est sorti hier matin et il n'est jamais revenu. Je me demandais si peut-être... ? »

Reekie appuya son front dans ses mains et frotta si fort qu'il laissa des marques rouges et blanches. « Bon Dieu ! siffla-t-il entre ses dents serrées.

— Et tu espères nous faire croire que tu ne sais pas où il est ? » L'accusation venait d'Ezra Macafferty, le dernier survivant au village des lock-out et des grèves des années 1920.

« Bien sûr que je ne sais pas où il est. » La voix de Jenny était plaintive, mais une peur obscure avait commencé à l'envahir. « Je me suis dit qu'il serait peut-être là. Je me suis dit que quelqu'un saurait peut-être.

— Ça en fait six », lança McGahey. Elle reconnut le grondement profond et âpre de cette voix entendue dans des interviews à la télé et dans des rassemblements en plein air. C'était étrange de se trouver dans la même pièce que lui.

« Je ne comprends pas, dit-elle. Six quoi ? Qu'est-ce qui se passe ? » Tous les regards étaient posés sur elle et la transperçaient. Elle sentait leur mépris mais ne comprenait pas à quoi il était dû. « Il est arrivé quelque chose à Mick ? Il y a eu un accident ?

— Il s'est passé quelque chose, en effet, dit McGahey. Il semble que votre homme soit parti rejoindre les jaunes à Nottingham. »

Elle eut l'impression que ces paroles lui vidaient l'air des poumons. Elle arrêta de respirer et laissa une bulle se former autour d'elle pour que les mots rebondissent. Ça ne pouvait pas être vrai. Pas Mick. Abasourdie, elle secoua vigoureusement la tête. Les mots recommencèrent à s'infiltrer mais ils n'avaient toujours pas de sens. « On a su pour les cinq… s'est dit qu'il y en avait peut-être d'autres… toujours un traître dans les rangs… déçus… toujours fidèle au syndicat. »

« Non, répliqua-t-elle. Il ne ferait pas ça.

— Comment tu expliques son absence autrement ? dit Reekie. C'est toi qui es venue nous voir en le cherchant. On sait qu'une camionnette pleine est partie cette nuit. Et au moins un d'entre eux est un copain de ton Mick. Où donc veux-tu qu'il soit ? »

Jeudi 28 juin 2007 ; Newton of Wemyss

« Je ne me serais pas sentie plus mal s'il m'avait accusée d'être une putain, dit Jenny. Je suppose qu'à leurs yeux, c'est exactement ce que j'étais. Maintenant que mon homme était parti chez les jaunes, en un rien de temps j'allais me mettre à gagner ma vie de façon immorale.

— Vous n'avez jamais douté qu'ils aient raison ? »

Jenny dégagea les cheveux de son visage, bousculant temporairement les années et sa docilité. « Pas vraiment. Mick était copain avec Iain Maclean, un de ceux qui étaient partis à Nottingham. Je ne pouvais rien répondre à ça. Et n'oubliez pas comment ça se passait à l'époque. Les hommes menaient le jeu et le syndicat menait les hommes. Quand les femmes ont voulu prendre part à la grève, notre premier combat a été contre le syndicat. On a dû les supplier de nous laisser participer. Ils voulaient qu'on reste là où on avait toujours été : à l'arrière-plan, à surveiller les cheminées. Pas à côté des braseros sur le piquet de grève. Mais même si on a monté le comité des Femmes contre la fermeture des mines, on connaissait toujours notre place. Il fallait être sacrément fortes ou sacrément connes pour essayer de tenir tête au syndicat d'ici. »

Ce n'était pas la première fois que Karen entendait énoncer cette vérité. Elle se demanda si elle s'en serait mieux sortie dans la même situation. C'était plaisant de s'imaginer qu'elle aurait défendu son homme de manière un peu plus téméraire. Mais devant l'hostilité que Jenny avait dû rencontrer dans la communauté, Karen estima qu'elle se serait sans doute écrasée elle aussi. « Je comprends, dit-elle. Mais maintenant qu'il apparaît en fait que Mick n'est peut-être pas parti chez les jaunes, est-ce que vous avez une idée de ce qui a pu lui arriver ? »

Jenny fit non de la tête. « Aucune. Même si j'arrivais pas à y croire, l'idée qu'il était parti travailler ailleurs tenait à peu près la route. J'ai donc jamais réfléchi à une autre possibilité.

— Vous pensez qu'il en a tout simplement eu marre ? Qu'il est parti comme ça ? »

Elle fronça les sourcils. « Vous savez, c'était pas le genre de Mick. Partir sans avoir eu le dernier mot ? Je ne crois pas. Il aurait fait en sorte que je sache que tout était ma faute. » Elle rigola amèrement.

« Vous ne pensez pas qu'il aurait pu partir sans dire un mot, de façon à vous faire souffrir encore plus ? »

Jenny pencha la tête en arrière. « C'est vraiment tordu, protesta-t-elle. On dirait que c'était un sadique, à vous entendre. Ce n'était pas un homme cruel, inspecteur. Juste un égoïste pas très délicat, comme tous les autres. »

Karen s'arrêta un instant. C'était toujours la partie la plus difficile quand on interrogeait les proches du disparu. « S'était-il accroché avec quelqu'un ? Est-ce qu'il avait des ennemis, Jenny ? »

Jenny donna l'impression que Karen lui avait tout à coup parlé en ourdou. « Des ennemis ? Vous voulez dire, quelqu'un qui aurait voulu le tuer ?

— Peut-être pas le tuer. Peut-être juste se battre avec lui ? »

Cette fois-ci, Jenny poussa un rire franchement gai. « Bon sang, c'est marrant venant de vous. » Elle secoua la tête. « Les seules bagarres auxquelles Mick a jamais été mêlé pendant toutes les années où on a été mariés, c'était avec vos collègues. Sur les piquets de grève. Aux manifestations. Est-ce qu'il avait des ennemis ? Ouais, la flicaille. Mais on n'est pas en Amérique du Sud, et je crois pas avoir un jour entendu parler des disparus de la grève des mineurs. Donc la réponse à votre question est non, il n'avait pas d'ennemis avec lesquels il se serait battu. »

Karen examina le tapis pendant un long moment. La violence démesurée de la police contre les grévistes avait empoisonné les relations communautaires pour une génération, voire plus. Peu importait que les agents les plus agressifs fussent venus d'unités extérieures déplacées afin de grossir les rangs et payées en heures sup des sommes indécentes pour opprimer leurs concitoyens par des moyens que la plupart des gens préféraient éviter de connaître. Leur ignorance et leur arrogance avaient eu des répercussions sur tous les agents de tous les commissariats des zones minières. Encore maintenant, estima Karen. Elle prit une longue inspiration et releva les yeux. « Je suis désolée, dit-elle. La façon dont ils ont traité les mineurs, c'était inexcusable. Je préfère me dire qu'on n'agirait pas comme ça aujourd'hui, mais je me trompe sans doute. Vous êtes sûre qu'il ne s'était disputé avec personne ? »

Jenny ne prit même pas le temps de réfléchir. « Pas que je sache. Il était pas du genre à faire des histoires. Il avait ses principes, mais ils ne lui servaient pas d'excuses pour chercher la bagarre. Il défendait ce en quoi il croyait, mais avec des mots, pas avec ses poings.

— Et si les mots n'avaient pas marché ? Il se serait écrasé ?

— Je ne suis pas sûre de vous suivre. »

Karen parla doucement pour amener progressivement son idée. « Je me demande s'il est tombé sur ce Iain Maclean ce jour-là, et s'il a essayé de le convaincre de ne pas aller à Nottingham. Et si Iain n'avait pas voulu changer d'avis et qu'il avait peut-être ses amis pour le soutenir… Est-ce que Mick aurait pu se battre avec eux ? »

Jenny fit un non catégorique de la tête. « Sûrement pas. Il aurait dit ce qu'il pensait, et si ça n'avait pas marché, il serait parti. »

Karen était contrariée. Après une aussi longue période, les affaires non classées offraient habituellement toujours un ou deux détails obscurs à explorer. Mais jusque-là, il semblait n'y avoir rien à saisir dans celle-ci. Une dernière question, puis elle quittait cet endroit. « Avez-vous la moindre idée de l'endroit où Mick aurait pu aller peindre ce jour-là ?

— Il ne me le disait jamais. La seule chose que je peux vous dire, c'est qu'en hiver il allait souvent sur la côte entre ici et East Wemyss. Comme ça, s'il se mettait à pleuvoir, il pouvait se mettre à l'abri dans les grottes. Le groupe de préservation, ils avaient un petit refuge au fond d'une des grottes, avec un réchaud pour se faire du thé. Mick avait les clés, il pouvait faire comme chez lui, ajouta-t-elle d'une voix redevenue aigre. Mais je ne sais pas du tout s'il était là ou pas ce jour-là. Il a pu aller n'importe où entre Dysart et Buckhaven. » Elle consulta sa montre. « C'est tout ce que je sais. »

Karen se leva. « Je vous remercie de votre patience, madame Prentice. Nous allons poursuivre notre enquête et je vous tiendrai informée. » La Flèche se leva d'un bond et suivit les deux femmes jusqu'à la porte d'entrée.

« Ce n'est pas pour moi que ça m'inquiète, vous comprenez, expliqua Jenny quand ils furent à mi-chemin dans l'allée. Mais essayez de le retrouver pour le petit. »

De toute la matinée, constata Karen, c'était le premier signe d'émotion qu'elle montrait.

« Sors ton carnet, lança-t-elle à la Flèche quand ils montèrent dans la voiture. Pour la suite. Interroger la voisine. Voir si elle se souvient de quoi que ce soit sur le jour où Mick Prentice a disparu. Interroger quelqu'un du groupe des grottes, voir qui est encore là depuis 1984. Se faire une autre idée de qui était vraiment Mick Prentice. Vérifier dans les dossiers s'il y a quoi que ce soit sur cet Andy Kerr, représentant du SNM, qui se serait suicidé à peu près au moment de la disparition de Mick. Qu'est-ce qui s'est passé ? Et il faut qu'on retrouve la trace de ces cinq jaunes, qu'on appelle Nottingham pour faire un brin de causette avec eux. » Elle rouvrit la porte passager pendant que la Flèche finissait de griffonner ses notes. « Et puisqu'on est là, allons tenter notre chance avec la voisine. »

Elle se trouvait à deux pas à peine de la voiture quand son téléphone sonna. « Phil », dit-elle.

Pas de civilités, simplement droit au but. « Il faut que tu reviennes ici tout de suite.

— Pourquoi ?

— Le Macaron est sur le sentier de la guerre. Il veut savoir pourquoi tu n'es pas à ton bureau. »

Simon Lees, commissaire de la Crim', était d'un autre tempérament que Karen. Elle était convaincue qu'il avait pour livre de chevet l'Arrêt sur la police, l'ordre public et la justice criminelle (Écosse) de 2006. Elle savait qu'il était marié avec deux enfants ado, mais elle se demandait bien comment cela avait pu arriver à un homme à l'organisation aussi obsessionnelle. Et il fallait bien sûr, suivant la loi de l'emmerdement maximum, que le premier matin depuis des mois où elle faisait quelque chose sans respecter la procédure, le Macaron vienne la chercher à son bureau. Il semblait croire que c'était son droit divin de connaître les allées et venues de tous les agents sous ses ordres, qu'ils soient en service ou non. Karen se demanda s'il n'avait pas failli s'étrangler en découvrant qu'elle n'occupait pas le bureau où il pensait la trouver. Apparemment non, à entendre Phil. « Qu'est-ce que tu lui as dit ?

— J'ai dit que tu avais un rendez-vous avec l'équipe du dépôt de preuves pour discuter du renouvellement de leurs procédures de classement, répondit Phil. L'idée lui a plu, mais pas le fait que ça ne figurait pas dans ton agenda électronique.

— Je suis en route, dit Karen qui embrouilla la Flèche en remontant dans la voiture. Est-ce qu'il a dit pourquoi il me cherchait ?

— À moi ? Un simple sergent ? Te fous pas de moi, Karen. Il a juste dit que c'était "de la première importance". On lui a sans doute volé son paquet de biscuits. »

Karen adressa un geste impatient à la Flèche. « À la maison, James, et ne ménagez pas les chevaux. » Il la regarda comme si elle était folle mais lança tout de même le moteur et démarra. « J'arrive, dit-elle. Et que ça chauffe. »

Glenrothes

La double hélice du ras-le-bol et de l'irritation remuait les tripes de Simon Lees. Il se tortilla sur sa chaise et remit en ordre les photos de famille sur son bureau. Quel était le problème de ces gens ? Lorsqu'il était allé voir l'inspecteur Pirie et ne l'avait pas trouvée là où elle devait être, le sergent Parhatka s'était comporté comme si c'était tout à fait normal. Il y avait un profond laisser-aller chez les détectives de Fife. Il s'en était rendu compte dans les premiers jours après son arrivée de Glasgow. Il trouvait incroyable qu'ils aient réussi à mettre quelqu'un derrière les barreaux avant qu'il n'arrive avec ses stratégies analytiques, ses techniques de recherche rationalisée et ses procédés sophistiqués de recoupement des crimes, provoquant une hausse inévitable du taux d'élucidation.

Ce qui l'exaspérait le plus, c'était qu'ils semblaient n'avoir aucune reconnaissance pour les méthodes modernes qu'il avait introduites. Il les soupçonnait même de se moquer de lui. Prenez son surnom, par exemple. Tout le monde dans le bâtiment semblait avoir un surnom, qu'on pouvait juger affectueux pour la plupart. Mais pas le sien. Il avait rapidement découvert qu'on l'avait baptisé « le Macaron » car il portait le même nom qu'une entreprise de confiserie dont le produit le plus célèbre l'était devenu grâce à un jingle publicitaire d'un tel racisme qu'il provoquerait des émeutes dans les rues s'il était diffusé dans l'Écosse du XXIe siècle. Il en attribuait la faute à Karen Pirie ; ce n'était pas une coïncidence si ce sobriquet avait fait surface après leur première prise de bec. C'était devenu caractéristique de la plupart de leurs rencontres. Il ne savait pas bien comment cela se passait, mais elle semblait toujours le prendre au dépourvu.

Le souvenir de cette première scène lui restait en travers de la gorge. Il avait à peine pris ses marques, mais il avait voulu démarrer du bon pied en organisant une série de journées de formation. Non pas pour le jeu d'esbroufe macho ou la révision ennuyeuse des règles d'engagement habituels, mais pour présenter des approches nouvelles sur des questions concernant le maintien de l'ordre à l'heure actuelle. La première classe d'agents s'était réunie dans la salle de formation, et Lees avait entamé son préambule en expliquant qu'ils passeraient la journée à mettre au point des stratégies pour le maintien de l'ordre dans une société multiculturelle. Son auditoire avait semblé prêt à se mutiner, et Karen Pirie avait lancé l'attaque. « Monsieur, puis-je faire une remarque ?

— Bien sûr, inspecteur en chef Pirie. » Il avait fait un sourire engageant et caché son agacement devant le fait d'être interrompu avant même d'avoir dévoilé son programme.

« Eh bien, monsieur, le Fife n'est pas vraiment une région qu'on pourrait qualifier de multiculturelle. Il n'y a pas beaucoup de gens ici qui ne sont pas des Britanniques autochtones. Mis à part les Italiens et les Polonais, pour être précise, et ils sont là depuis si longtemps qu'on a oublié qu'ils ne venaient pas d'ici.

— Alors le racisme ne vous dérange pas, c'est ça, inspecteur ? » Peut-être pas la meilleure réplique, mais l'opinion primitive qu'elle avait exprimée l'y avait poussé. Sans parler de cette face de lune hébétée qu'elle affichait chaque fois qu'elle disait quelque chose qui pouvait paraître provocateur.

« Pas du tout, monsieur. » Elle avait souri, presque avec un air de pitié. « Ce que je voulais dire, c'est que, étant donné que nous avons un budget de formation limité, ce serait peut-être une meilleure idée de s'intéresser d'abord au genre de situations qu'on est plus susceptibles de rencontrer au quotidien.

— Comme ? Est-ce qu'on peut vraiment frapper les gens pour les arrêter ?

— Je pensais plus à des stratégies pour combattre la violence domestique. C'est un problème courant qui peut facilement s'intensifier. Trop de gens meurent encore chaque année à cause d'une dispute qui a dégénéré. Et on ne sait pas toujours comment intervenir sans envenimer la situation. Je dirais que c'est ma priorité numéro un dans l'immédiat, monsieur. »

Et avec ce bref discours, elle lui avait coupé l'herbe sous le pied. Il n'avait aucun moyen de s'en sortir. Il pouvait continuer avec la formation qu'il avait prévue, en sachant que tout le monde dans la salle se moquerait de lui. Ou il pouvait la repousser jusqu'à mettre au point un programme pour traiter le sujet suggéré par Pirie et perdre complètement la face. Pour finir, il leur avait dit de prendre le reste de la journée pour se renseigner sur la problématique des violences domestiques en préparation d'une autre journée de formation.

Deux jours plus tard, il avait entendu quelqu'un l'appeler le Macaron. Alors oui, il savait bien à qui attribuer la faute. Mais comme dans tout ce qu'elle faisait pour le diminuer, il ne pouvait rien lui mettre directement sur le dos. Elle était là, aussi hirsute, flegmatique et impénétrable qu'une vache des Highlands, à ne jamais rien dire ou faire dont il pût se plaindre. Et elle donnait l'exemple à tous les autres, bien qu'elle fût reléguée dans l'Équipe de révision des affaires non classées, où elle n'aurait jamais dû pouvoir exercer aucune influence. Mais, grâce à Pirie, il se trouvait qu'il avait autant de mal à contrôler les agents des trois divisions que s'il avait eu affaire à une horde de singes.

Il essayait de l'éviter et de la mettre sur la touche à travers ses directives opérationnelles. Il avait cru que ça marchait. Jusqu'à ce que le téléphone sonne. « Commissaire divisionnaire Lees, avait-il annoncé en décrochant le combiné. Comment puis-je vous aider ?

— Bonjour, commissaire Lees. Je m'appelle Susan Charleson. Je suis l'assistante personnelle de sir Broderick Maclennan Grant. Mon patron aimerait vous parler. Est-ce le bon moment ? »

Lees se remit droit dans sa chaise et redressa les épaules. Sir Broderick Maclennan Grant était célèbre pour trois choses : sa richesse, sa vie d'ermite misanthrope, enfin l'enlèvement et l'assassinat de sa fille Catriona vingt et quelques années plus tôt. Aussi improbable que cela pût paraître, si son assistante appelait le commissaire de la Crim', cela pouvait uniquement signifier qu'il y avait du nouveau dans l'affaire. « Oui, bien sûr, le moment parfait, vous ne pouviez pas mieux tomber. » Il tenta de se remémorer les détails du dossier en n'écoutant qu'à moitié la femme qui lui parlait. La fille et le petit-fils enlevés, c'était ça. La fille tuée lors d'une remise de rançon qui avait mal tourné, le petit-fils jamais revu depuis. Et maintenant, tout laissait croire qu'il allait devenir celui qui aurait la chance d'élucider enfin cette affaire. Il se remit à écouter la femme.

« Si vous voulez bien patienter, je vous mets maintenant en relation », dit-elle.

Il y eut un silence de mort, puis une voix grave et profonde déclara : « Ici Brodie Maclennan Grant. Et vous êtes le commissaire divisionnaire ?

— C'est bien ça, sir Broderick. Commissaire Lees. Simon Lees.

— Êtes-vous au courant du meurtre non élucidé de ma fille Catriona ? Et de l'enlèvement de mon petit-fils Adam ?

— Bien sûr, naturellement, il n'y a pas un agent dans le pays qui…

— Nous croyons avoir découvert de nouveaux éléments. Je vous serais reconnaissant si vous pouviez faire en sorte que l'inspecteur en chef Pirie vienne à la maison demain matin pour en discuter avec moi. »

Lees éloigna le combiné de son visage et le regarda d'un air ébahi. Était-ce une sorte de farce élaborée ? « L'inspecteur Pirie ? Je ne vois… Je pourrais venir, bredouilla-t-il.

— Vous êtes un homme de bureau. Ce n'est pas un homme de bureau qu'il me faut. » Brodie Grant s'exprimait d'un ton dédaigneux. « L'inspecteur Pirie est détective. J'ai bien aimé la manière dont elle s'y est prise dans l'affaire Lawson.

— Mais… mais c'est à un agent plus qualifié de s'en charger, protesta Lees.

— L'inspecteur Pirie n'est-elle pas responsable de votre Équipe de révision des affaires non classées ? » Grant semblait s'impatienter. « C'est assez de qualifications pour moi. Les questions de rang ne m'intéressent pas, ce qui m'intéresse, c'est l'efficacité. C'est pour ça que je veux voir l'inspecteur Pirie chez moi à dix heures demain matin. Ça devrait lui laisser assez de temps pour prendre connaissance des principaux éléments de l'affaire. Bonne journée, M. Lees. » Grant raccrocha, et Simon Lees se retrouva seul avec sa tension artérielle en pleine escalade et sa mauvaise humeur.

Aussi douloureux que cela pût être, il n'avait d'autre choix que d'aller voir l'inspecteur Pirie et de la briefer. Il pourrait au moins lui donner l'impression que c'était lui qui avait eu l'idée de l'envoyer. Mais bien qu'elle n'eût aucun rendez-vous inscrit dans l'agenda électronique qu'il avait établi pour ses officiers supérieurs, il ne l'avait pas trouvée à son bureau. C'était très bien que les agents fassent des choses de leur propre initiative, mais ils devaient apprendre à enregistrer leurs déplacements.

Il était sur le point de retourner d'un pas ferme dans les bureaux de l'Eranc pour savoir pourquoi elle ne s'était pas encore présentée, quand il y eut un coup sec à la porte immédiatement suivi de l'entrée de l'inspecteur. « Vous ai-je invitée à entrer ? demanda Lees en lui lançant un regard noir depuis l'autre bout de la pièce.

— Je croyais que c'était urgent, monsieur. » Elle continua de marcher et s'assit en face de lui à son bureau. « Le sergent Parhatka m'a donné l'impression que quelle que soit la raison pour laquelle vous vouliez me voir, ça ne pouvait pas attendre. »

Tu parles d'une image pour le service, pensa-t-il, furieux. Avec ces cheveux bruns en bataille qui lui tombaient dans les yeux, ce maquillage insignifiant, ces dents qui auraient bien mérité un traitement orthodontique. Elle était sans doute lesbienne, supposa-t-il, étant donné son penchant pour les tailleurs-pantalons, une grave erreur vu la largeur de ses hanches. Non pas qu'il eût quoi que ce soit contre les lesbiennes, lui rappela son conseiller interne. Il trouvait simplement que cela donnait une fausse impression des services de police actuels. « Sir Broderick Maclennan Grant m'a appelé tout à l'heure », commença-t-il. Elle ne manifesta son intérêt qu'en entrouvrant les lèvres. « Vous savez qui est sir Broderick Maclennan Grant, je présume ? »

La question sembla laisser Karen perplexe. Elle s'enfonça dans son fauteuil et récita : « Troisième plus riche homme d'Écosse, possède la moitié des terrains profitables des Highlands. A bâti sa fortune en construisant des routes et des maisons et en dirigeant les réseaux de transport qui les desservent. Possède une des îles Hébrides, mais vit principalement au château de Rotheswell, près de Falkland. La majeure partie des terres entre cet endroit et la mer appartient soit à lui soit aux Wemyss. Sa fille Cat et son petit-fils Adam ont été enlevés par un groupe anarchiste en 1985. Cat a été tuée quand la remise de rançon a mal tourné. Personne ne sait ce qu'Adam est devenu. La femme de Grant s'est suicidée quelques années plus tard. Il s'est remarié il y a environ dix ans. Il a un petit garçon qui doit avoir cinq ou six ans. » Elle sourit. « Comment je m'en suis sortie ?

— Ce n'est pas un concours, inspecteur. » Lees sentit ses poings se serrer et les glissa sous la table. « Il semblerait qu'il y ait de nouveaux éléments. Et puisque vous êtes responsable des affaires non classées, je me suis dit que vous devriez vous en occuper.

— Quel genre d'éléments ? » Elle s'appuya sur son accoudoir et se retrouva presque avachie.

« J'ai pensé qu'il valait mieux que vous vous entreteniez directement avec sir Broderick. De cette façon, il n'y a pas de confusion possible.

— Alors il ne vous a rien dit ? »

Lees aurait juré que ça lui faisait plaisir. « J'ai convenu que vous le rencontreriez au château de Rotheswell demain matin à dix heures. Je n'ai pas besoin de vous rappeler à quel point c'est important que nous montrions que nous prenons les choses au sérieux. Je veux que sir Broderick comprenne que nous accorderons toute notre attention à cette affaire. »

Karen se leva brusquement, le regard soudain froid. « Il aura exactement la même attention que tout autre parent en deuil dont je m'occupe. Je ne fais pas de distinction entre les morts, monsieur. Maintenant, si vous avez terminé, j'ai un dossier à assimiler d'ici demain matin. » Elle n'attendit pas qu'il lui donne congé. Elle tourna simplement les talons et sortit en laissant à Lees le sentiment qu'elle ne faisait pas beaucoup de distinction non plus entre les vivants.

Une fois de plus, Karen Pirie l'avait fait passer pour un idiot.

Château de Rotheswell

Bel Richmond parcourut une dernière fois son dossier sur Catriona Maclennan Grant pour vérifier de nouveau que sa liste de questions en traitait tous les aspects. L'incapacité de Broderick Maclennan Grant à supporter les imbéciles était aussi célèbre que son dégoût pour les médias. Bel avait le sentiment qu'il la couperait au premier signe d'une mauvaise préparation de sa part, et s'en servirait d'excuse pour rompre l'accord qu'elle avait négocié avec Susan Charleson.

À vrai dire, elle était toujours stupéfaite d'avoir réussi son coup. Elle se leva, ferma son ordinateur portable et s'arrêta devant le miroir pour contrôler son allure. *Redresse-toi et souris. On n'a jamais qu'une chance de faire une première impression.* En week-end à la campagne, voilà le look qu'elle avait choisi. Elle avait toujours été forte pour le camouflage. L'une des nombreuses raisons pour lesquelles elle était si douée pour son boulot. Se fondre dans la masse, devenir « l'un d'entre nous », peu importe qui était ce « nous », était un mal nécessaire. Aussi, si elle dormait sous le toit seigneurial de Brodie Grant, il fallait qu'elle se fonde dans le décor. Elle rajusta la robe en tartan Black Watch qu'elle avait empruntée à Vivianne, vérifia que ses petits talons n'avaient pas d'éraflures, passa sa mèche de jais derrière une oreille et sourit de ses lèvres écarlates. Un coup d'œil à sa montre confirma qu'il était temps pour elle de descendre découvrir ce que la redoutable Susan Charleson avait préparé.

Au moment où elle franchit le tournant du large escalier, elle dut faire un pas de côté pour éviter un petit garçon qui montait à toute allure. Il maîtrisa ses membres agités à mi-étage, haleta « Pardon », puis reprit sa course. Bel cligna des yeux et leva les sourcils. Ça faisait deux ou trois ans qu'elle n'avait pas fait une rencontre de ce type avec un petit garçon, et cela ne lui avait pas manqué du tout. Elle poursuivit sa descente mais, avant d'arriver en bas, une femme vêtue d'un pantalon en velours beurre frais et d'une chemise grenat contourna le pilier puis s'arrêta net, l'air surpris. « Oh, pardon, je ne voulais pas vous effrayer, dit-elle. Vous n'auriez pas vu passer un petit garçon, par hasard ? »

Bel pointa le pouce par-dessus son épaule. « Il est parti par là. »

La femme hocha la tête. Maintenant qu'elle était plus près, Bel vit qu'elle avait bien dix ans de plus qu'elle ne l'avait d'abord cru ; proche de la quarantaine, au moins. Sa belle peau, ses épais cheveux châtains et sa silhouette svelte renforçaient l'illusion. « Quel monstre », dit la femme. Elles se rejoignirent à quelques mètres du bas de l'escalier. « Vous devez être Annabel Richmond », déclara-t-elle en tendant une main fluette et froide malgré la chaleur agréable qui régnait entre les murs épais du château. « Je suis Judith. La femme de Brodie. »

Évidemment que c'était elle. Comment Bel aurait-elle pu imaginer une nounou aussi parfaitement soignée ? « Lady Grant, dit-elle en grimaçant intérieurement.

— Judith, s'il vous plaît. Même après toutes ces années de mariage avec Brodie, j'ai toujours envie de regarder par-dessus mon épaule quand quelqu'un m'appelle Lady Grant. » Elle ne semblait pas dire cela par fausse modestie.

« Et moi, c'est Bel, à part quand je signe un article. »

Lady Grant sourit, scrutant déjà l'escalier. « Va pour Bel. Écoutez, je ne peux pas m'arrêter maintenant, je dois capturer le monstre. Mais je vous verrai au dîner. » Et elle partit en montant les marches deux à deux.

Malgré le sentiment d'être trop habillée par rapport à la châtelaine de Rotheswell, Bel retourna au bureau de Susan Charleson par les couloirs dallés de pierre. La porte était ouverte et Susan, qui téléphonait, lui fit signe d'entrer. « Très bien. Merci d'organiser cela, M. Lees. » Elle raccrocha le combiné et contourna le bureau pour reconduire Bel vers la sortie. « Vous êtes juste à l'heure, dit-elle. Il aime la ponctualité. Votre chambre vous convient-elle ? Avez-vous tout ce qu'il vous faut ? Le WiFi fonctionne-t-il ?

— Tout est parfait, répondit Bel. Et la vue est magnifique. » Avec l'impression de se trouver dans une comédie dramatique de la BBC écrite par Stephen Poliakoff, elle se laissa mener à travers le dédale de couloirs aux murs tapissés de photographies grand format du paysage écossais, imprimées sur de la toile pour ressembler à des peintures. Elle était étonnée de l'atmosphère douillette du lieu. Ce n'était pas vraiment l'idée qu'elle se faisait d'un château. Elle s'était attendue à un endroit semblable à Windsor ou à Alnwick. Mais Rotheswell ressemblait davantage à un manoir fortifié avec des tourelles. L'intérieur évoquait plus une maison de campagne qu'une salle de banquet médiévale. Imposant, mais pas aussi intimidant qu'elle ne l'avait craint.

Au moment où elles s'arrêtèrent devant deux grandes portes voûtées en acajou, elle commençait à regretter de ne pas avoir pensé à semer des miettes de pain.

« Nous y voici », indiqua Susan en ouvrant un des battants pour dévoiler à Bel une salle de billard lambrissée de bois sombre aux volets fermés. La pièce était uniquement éclairée par un ensemble de lampes au-dessus de la grande table de billard. Lorsqu'elles entrèrent, sir Broderick Maclennan Grant arrêta de viser et leva les yeux. Son épaisse et étonnante toison argentée, qui tombait sur son large front comme les cheveux d'un enfant, ses sourcils gris semblables à des remparts surplombant des yeux si profonds qu'on ne pouvait que présumer de leur couleur, son nez en bec de perroquet et sa bouche fine et large au-dessus de son menton carré, tout cela le rendait immédiatement reconnaissable ; l'éclairage en faisait un personnage dramatique.

Bel savait à quoi s'attendre d'après les photos qu'elle avait vues, mais elle fut frappée par l'atmosphère électrique qu'elle ressentit en sa présence. Elle s'était déjà trouvée au côté d'hommes et de femmes puissants, mais elle n'avait perçu que peu de fois ce magnétisme immédiat. Elle comprit tout de suite comment Brodie Grant avait bâti son empire à partir de rien.

Il se redressa et s'appuya sur sa queue de billard. « Mademoiselle Richmond, je présume ? » Sa voix était grave et presque réticente, comme s'il ne l'avait pas assez utilisée.

« Tout à fait, sir Broderick. » Bel hésitait entre avancer ou rester sur place.

« Merci, Susan », dit Grant. Lorsque la porte se ferma derrière sa secrétaire, il désigna d'un geste deux fauteuils en cuir usés encadrant une cheminée en marbre sculpté. « Asseyez-vous. Je peux jouer et discuter en même temps. » Il retourna étudier son jeu pendant que Bel déplaçait un des fauteuils afin d'être tournée vers lui.

Elle attendit qu'il joue deux ou trois coups, et le silence s'éleva entre eux comme une dangereuse marée. « C'est une belle maison », dit-elle finalement.

Il grogna. « Je n'aime pas les bavardages, mademoiselle Richmond. » Il frappa sèchement et deux billes se percutèrent avec un bruit de coup de feu. Il passa du bleu sur sa queue de billard et examina Bel pendant un long moment. « Vous vous demandez sans doute comment vous êtes arrivée à cela. Entrer en contact direct avec un homme connu pour son dégoût des médias. Plutôt un bel exploit, hein ? Eh bien, je suis désolé de vous décevoir, mais vous avez juste eu de la chance. » Il fit le tour de la table en analysant la position des billes, les sourcils froncés, avec les mouvements d'un homme plus jeune de vingt ans.

« C'est comme ça que j'ai pu écrire certains de mes meilleurs articles, répondit calmement Bel. C'est d'ailleurs ce qui fait en grande partie le succès d'un journaliste, le don de se trouver au bon endroit au bon moment. La chance n'est pas un problème pour moi.

— Tant mieux. » Il observa les billes en inclinant la tête pour avoir un angle de vue différent. « Alors, vous ne vous demandez pas pourquoi j'ai décidé de rompre mon silence après toutes ces années ?

— Si, bien sûr. Mais sincèrement, je ne pense pas que les raisons pour lesquelles vous acceptez de parler maintenant auront une grande importance pour ce que j'écrirai finalement. C'est donc plus par curiosité personnelle que professionnelle. »

Il s'arrêta en pleine préparation de son prochain coup et se redressa en la dévisageant avec une expression impénétrable. Il était soit furieux, soit curieux. « Vous n'êtes pas comme je le croyais, indiqua-t-il. Vous êtes plus coriace. C'est bien. »

Bel avait l'habitude d'être sous-estimée par les hommes de son milieu. En revanche, il était moins courant qu'ils admettent leur erreur. « Exactement, je suis coriace. Je ne compte sur personne pour se battre à ma place. »

Il se tourna vers elle et s'appuya sur la table en croisant les bras sur la queue de billard. « Je n'aime pas attirer l'attention du public, expliqua-t-il. Mais je suis réaliste. En 1985, une personne comme moi pouvait exercer une certaine influence sur les médias. Quand Catriona et Adam ont été enlevés, nous contrôlions en grande partie ce qui était publié et diffusé. La police coopérait également avec nous. » Il soupira et secoua la tête. « Pour ce que ça nous a valu. » Il posa la queue contre la table et vint s'asseoir en face de Bel.

Il prit la position classique du mâle dominant : les genoux bien écartés, les mains sur les cuisses, les épaules en arrière. « Le monde est différent à présent, dit-il. J'ai vu ce que les gens comme vous font aux parents qui ont perdu des enfants. Mohamed Al-Fayed, qui est passé pour un bouffon paranoïaque. Kate McCann, devenue une Médée des temps modernes. Le moindre faux pas et on vous enterre. Eh bien, je ne suis pas prêt de laisser ça m'arriver. J'ai réussi dans la vie, mademoiselle Richmond. Et je suis arrivé là en acceptant le fait qu'il y a des choses que je ne sais pas, et en comprenant que pour surmonter cela, il faut s'entourer d'experts et les écouter. En ce qui concerne cette affaire, vous serez mon intermédiaire. Une fois qu'on aura annoncé l'apparition de nouveaux éléments, les médias vont se déchaîner. Mais je ne parlerai à personne d'autre que vous. Tout passera par vous. Aussi, quelle que soit l'image qui parviendra au public, ce sera celle que vous aurez générée. Cet endroit a été conçu pour résister à un siège, et le système de sécurité est ultramoderne. Aucun reptile ne s'approche de moi, de Judith ou d'Alec. »

Bel sentit un sourire la démanger. Avoir l'exclusivité était le fantasme de tout journaliste. Elle devait habituellement faire des pieds et des mains pour l'obtenir. Mais là, on la lui servait sur un plateau, et gratuitement. Cependant, mieux valait qu'il continue de penser que c'était elle qui lui rendait un service. « Et qu'est-ce que j'ai à y gagner ? Mis à part de devenir la journaliste que tous les autres prennent plaisir à haïr ? »

Les lèvres serrées de Grant se comprimèrent davantage, et sa poitrine se souleva tandis qu'il prenait une profonde inspiration. « Je vous parlerai. » Ces mots sortirent comme s'ils avaient été broyés entre deux meules. Ce moment était clairement destiné à rappeler Moïse descendant du mont Sinaï.

Bel était décidée à ne pas se laisser impressionner. « Parfait. Pourquoi ne pas commencer maintenant, alors ? » Elle fouilla dans son sac et en tira un dictaphone numérique. « Je sais que ça ne va pas être facile pour vous, mais il faut que vous me parliez de Catriona. Nous en viendrons à l'enlèvement et à ses conséquences, mais avant cela, nous allons devoir revenir plus en arrière. Je veux avoir une idée de la personne qu'elle était et de la vie qu'elle menait. »

Il regarda dans le vague, et pour la première fois Bel vit en lui un homme qui faisait ses soixante-douze ans. « Je ne suis pas sûr d'être le mieux placé pour ça, dit-il. On se ressemblait trop. C'était un affrontement permanent entre Catriona et moi. » Il se hissa hors de son fauteuil et retourna à la table de billard. « Elle a toujours été très lunatique, même petite. Lorsqu'elle était bébé, elle piquait des crises de colère à faire trembler les murs de cette maison. Ça s'est calmé en grandissant, mais elle a continué à avoir ses humeurs. Malgré cela, elle parvenait toujours à revenir dans vos bonnes grâces en usant de son charme. Quand elle le décidait. » Il jeta un coup d'œil en direction de Bel et sourit. « Elle savait ce qu'elle voulait. Il était impossible de la faire changer d'avis une fois qu'elle avait une idée en tête. »

Grant se déplaça autour de la table en étudiant les billes et en préparant son prochain coup. « Et elle avait du talent. Quand elle était enfant, on ne la voyait jamais sans un crayon ou un pinceau à la main. Toujours en train de dessiner, de peindre, de modeler de l'argile. Elle n'arrêtait jamais. Et ça ne lui a pas passé avec l'âge, comme la plupart des gamins. Elle n'a fait que s'améliorer. Et puis elle a découvert le verre. » Il se pencha au-dessus de la table et envoya la bille blanche percuter la rouge, qui vint se loger dans la poche du milieu. Il remit la rouge en place et étudia les angles.

« Vous disiez que c'était un affrontement permanent entre vous. Quels étaient vos points de friction ? » questionna Bel lorsqu'il ne montra aucune intention de poursuivre ses réminiscences.

Grant eut un petit rire. « Tout et n'importe quoi. La politique. La religion. Si la cuisine italienne était meilleure que la cuisine indienne. Si Mozart était meilleur que Beethoven. Si l'art abstrait avait un sens. Si on devait planter des hêtres, des bouleaux ou des pins sylvestres dans la forêt de Checkbar. » Il se redressa lentement. « Pourquoi elle ne voulait pas reprendre la société. C'était un sujet qui revenait souvent. Je n'avais pas de fils à l'époque. Et je n'ai jamais considéré comme un problème que les femmes travaillent dans les affaires. Je ne voyais aucune raison à ce qu'elle ne reprenne pas EMG une fois qu'elle aurait appris comment ça marchait. Mais elle disait qu'elle préférait encore être brûlée vive.

— Elle n'avait pas une bonne opinion d'EMG ? demanda Bel.

— Non, ça n'avait rien à voir avec la société ou avec sa politique. Ce qu'elle voulait, c'était être maître verrier. Sculpter, souffler, couler – dans tout ce qu'on peut faire avec du verre, elle voulait être la meilleure. Ce qui excluait l'idée de construire des routes ou des maisons.

— Ça a dû être une déception.

— Ça m'a brisé le cœur. » Grant se racla la gorge. « J'ai fait tout ce que j'ai pu pour la dissuader. Mais elle ne voulait pas renoncer. Elle a posé sa candidature à mon insu pour un poste chez Goldsmiths, à Londres. Et elle l'a eu. » Il secoua la tête. « J'étais décidé à lui couper les vivres, mais Mary – ma femme, la mère de Cat –, a piqué mon amour-propre jusqu'à ce que j'accepte de la soutenir financièrement. Elle m'a fait remarquer que, pour quelqu'un qui détestait être sous les projecteurs, j'allais donner un bel os à ronger aux tabloïdes. Je me suis donc laissé convaincre. » Il fit un demi-sourire. « Je me suis même presque fait à cette situation. Et puis j'ai découvert ce qui se passait vraiment. »

Mercredi 13 décembre 1978 ; château de Rotheswell

Brodie Grant tourna dans l'allée de graviers et gara sa Land Rover à quelques mètres de la porte des cuisines du château de Rotheswell. Il entra bruyamment dans la maison, un labrador couleur chocolat sur ses talons. Il traversa les cuisines à grands pas en laissant un tourbillon d'air glacé dans son sillage et en aboyant au chien de rester là. Il parcourut la maison avec la rapidité et la conviction d'un homme qui sait précisément où il va.

Il fit finalement irruption dans la pièce joliment décorée où sa femme s'adonnait à sa passion pour la couture. « Tu étais au courant ? » grogna-t-il. Mary leva les yeux, surprise. Elle entendait son souffle précipité depuis l'autre bout de la pièce.

« De quoi, Brodie ? » demanda-t-elle. Elle était mariée à cette force de la nature depuis suffisamment longtemps pour ne pas être troublée par une entrée grandiloquente.

« C'est toi qui m'as convaincu d'accepter. » Il se jeta dans un fauteuil bas et se démena pour se démêler les jambes. « "C'est ce qu'elle veut, Brodie. Elle ne te le pardonnera jamais si tu lui fais obstacle, Brodie. Tu as poursuivi tes rêves, Brodie. Laisse-la poursuivre les siens." C'est ce que tu as dit. Et je t'ai écoutée. En dépit du bon sens, j'ai dit que je la soutiendrais. Que je financerais son foutu diplôme. Que je ne dirais rien sur la perte de temps que ça représentait. Que j'arrêterais de lui rappeler le nombre infime d'artistes qui arrivent à gagner plus ou moins leur vie grâce à leur foutu manège prétentieux. Pas avant d'être morts, en tout cas. » Il tapa du poing sur l'accoudoir du fauteuil.

Mary continua d'assembler ses pièces de tissu et sourit. « C'est ce que tu as fait, Brodie. Et je suis très fière de toi.

— Et regarde maintenant où ça nous a menés. Regarde ce qui se passe vraiment.

— Brodie, je n'ai pas la moindre idée de ce dont tu parles. Crois-tu que tu pourrais t'expliquer ? En prenant bien en compte tes problèmes de tension ? » Elle avait toujours eu un don pour lui faire abandonner ses positions extrêmes en le taquinant gentiment. Mais ce jour-là, ça ne marchait pas bien. Brodie était sur les nerfs, et il faudrait plus qu'un discours raisonnable pour le ramener à son humeur normale.

« Je suis allé avec Sinclair vérifier l'état des terrains de chasse pour la partie de vendredi.

— Et dans quel état étaient-ils ?

— Parfaits. Ils sont toujours très bien entretenus. C'est un bon intendant. Mais là n'est pas le problème, Mary. » Il avait de nouveau élevé la voix, avec une résonance incongrue dans cette pièce douillette aux étagères chargées d'une profusion de tissus.

« Non, Brodie. Je sais. Quel est le problème, au juste ?

— Cet enfoiré de Fergus Sinclair, voilà le problème. J'en ai parlé à Sinclair. L'été dernier, quand sa saleté de fils tournait autour de Cat. Je lui ai dit de tenir son garçon à distance de ma fille, et j'ai cru qu'il m'avait écouté. Mais maintenant, il y a ça. » Il fit un geste des bras comme pour jeter un tas de foin en l'air.

Mary finit par poser son ouvrage. « Qu'est-ce qu'il y a, Brodie ? Qu'est-ce qui s'est passé ?

— C'est ce qui va se passer, le problème. Tu te rappelles notre soulagement quand il s'est inscrit à son foutu diplôme de gestion de biens à Édimbourg ? Eh bien, il s'avère qu'il n'avait pas dit son dernier mot. Il vient tout simplement d'abandonner pour accepter une place à l'université de Londres. Il va être dans la même ville que notre fille ! Il ne va pas la lâcher. Saloperie de paysan coureur de dots. » Il se renfrogna et tapa à nouveau du poing sur le fauteuil. « Je vais lui régler son compte, tu vas voir. »

À sa grande surprise, Mary riait en se balançant d'avant en arrière au-dessus de sa table à ouvrage, des larmes au coin des yeux. « Oh, Brodie ! dit-elle en haletant. Tu ne peux pas savoir comme c'est drôle.

— Drôle ? hurla-t-il. Cette saleté est sur le point de mener Cat à sa perte, et tu trouves ça drôle ? »

Mary se leva d'un bond et rejoignit son mari à l'autre bout de la pièce. Ignorant ses protestations, elle s'assit sur ses genoux et passa les doigts dans ses cheveux épais. « Ne t'en fais pas, Brodie. Tout va bien se passer.

— Je ne vois pas comment. » Il secoua la tête pour repousser la main de sa femme.

« Depuis la semaine dernière, avec Cat, on essaie de trouver comment te l'annoncer.

— M'annoncer quoi ?

— Elle ne va pas à Londres, Brodie. »

Il se releva et faillit renverser Mary par terre. « Comment ça, elle ne va pas à Londres ? Est-ce qu'elle abandonne ce projet débile ? Elle va venir travailler avec moi ? »

Mary soupira. « Ne sois pas bête. Tu sais au fond de toi-même qu'elle fait ce qu'elle doit faire. Non, on lui a proposé une bourse. C'est une alternance d'études théoriques et de travail dans une verrerie d'art. Brodie, c'est la meilleure formation au monde. Et ils veulent notre Catriona. »

Durant un long instant, il se laissa aller à un sentiment mitigé de fierté et de peur. « Où ça ? finit-il par demander.

— Ce n'est pas si loin, Brodie. » Mary lui caressa la joue du dos de la main. « C'est seulement en Suède.

— En Suède ? Bon Dieu, Mary. En Suède ?

— À t'entendre, on croirait que c'est l'autre bout du monde. On peut y aller d'Édimbourg en avion, tu sais. Ça prend moins de deux heures. Franchement, Brodie. Écoute-toi. C'est merveilleux. C'est le meilleur départ possible pour elle. Et tu n'auras pas à t'inquiéter du fait que Fergus soit au même endroit. Il y a peu de chances qu'il vienne la rejoindre dans une petite ville entre Stockholm et Uppsala, non ? »

Grant prit sa femme dans ses bras et posa son menton sur la tête de celle-ci. « Pour trouver le bon côté des choses, on peut te faire confiance. » Il eut un sourire cruel. « Ça va certainement remettre ce Fergus Sinclair à sa place. »

Jeudi 28 juin 2007 ; château de Rotheswell

« Vous vous disputiez donc aussi avec Cat au sujet de ses petits copains ? demanda Bel. Était-ce le cas pour tous, ou seulement Fergus Sinclair ?

— Elle n'a pas eu tant de petits amis. Elle était trop concentrée sur son travail. Elle est sortie pendant quelques mois avec un des sculpteurs de la verrerie. Je l'ai rencontré deux ou trois fois. Un Suédois, mais un type tout de même assez sensé. Enfin, je voyais bien que ce n'était pas sérieux pour elle, alors il n'y avait pas de raison de se disputer à son sujet. Mais avec Fergus Sinclair, c'était une autre paire de manches. » Dans une colère évidente, il arpentait le périmètre de la table. « La police ne l'a jamais considéré sérieusement comme un suspect, mais je me suis demandé à l'époque s'il avait pu être derrière ce qui était arrivé à Cat et Adam. Il n'avait sûrement pas accepté le fait qu'elle finisse par couper les ponts avec lui. Et il n'avait pas pu admettre qu'elle ne le reconnaisse pas comme père d'Adam. Il m'a alors paru possible qu'il ait décidé de faire justice lui-même. Bien qu'on puisse difficilement imaginer qu'il ait eu l'intelligence de monter un coup aussi compliqué.

— Mais Cat a continué de sortir avec Fergus après être partie en Suède ? »

La fatigue sembla tout à coup s'abattre sur Grant, qui revint s'effondrer dans le fauteuil en face de Bel. « Ils étaient très proches. Ils avaient traîné ensemble quand ils étaient gosses. J'aurais dû y mettre un terme, mais il ne m'était jamais venu à l'esprit que ça pourrait mener quelque part. Ils étaient tellement différents. Cat avec son art et Sinclair sans autre ambition que de suivre les traces de son père comme intendant. Des classes sociales et des aspirations différentes. La seule chose qui pouvait les rapprocher, d'après moi, c'était que la vie les avait fait atterrir au même endroit. Donc oui, quand elle revenait en vacances et qu'il était dans les parages, ils se remettaient ensemble. Elle ne s'en cachait pas, même si elle connaissait mon antipathie pour Sinclair. J'ai continué à espérer qu'elle rencontre la personne qu'elle méritait, mais ce n'est jamais arrivé. Elle revenait toujours dans les bras de Sinclair.

— Et pourtant vous n'avez pas renvoyé son père ? Vous ne lui avez pas fait quitter la propriété ? »

Grant parut choqué. « Grands dieux, non. Est-ce que vous pouvez seulement imaginer comme c'est difficile de trouver un intendant aussi bon que Willie Sinclair ? Vous pourriez faire passer une centaine d'entretiens avant de trouver quelqu'un qui ait son instinct pour les oiseaux et les terres. Un brave homme, aussi. Il savait que son fils n'était pas du même monde que Cat. Il avait honte de ne pas pouvoir empêcher Fergus de courir après elle. Il avait envisagé de le bannir du foyer familial, mais sa femme ne voulait rien savoir. » Il haussa les épaules. « Je ne peux pas le lui reprocher. Les femmes sont toujours trop indulgentes avec leurs fils. »

Bel s'efforça de masquer sa surprise. Elle pensait que Grant n'aurait reculé devant rien pour arriver à ses fins quand il s'agissait de sa fille. C'était apparemment un personnage plus complexe qu'elle ne l'imaginait. « Que s'est-il passé quand elle est revenue de Suède ? »

Grant se frotta le visage. « Ça n'a pas été drôle. Elle voulait déménager. Ouvrir un atelier où elle pourrait travailler et vendre, un lieu avec un logement attenant. Elle avait repéré deux ou trois propriétés dans le domaine. Je lui ai dit que le prix à payer pour mon soutien financier, c'était qu'elle arrête de voir Sinclair. » Pour la première fois, Bel vit la tristesse nuancer sa colère bouillonnante. « C'était stupide de ma part. Mary me l'avait dit, et elle avait raison. Elles étaient toutes les deux furieuses contre moi, mais je ne voulais pas céder.

Alors Cat s'est débrouillée toute seule. Elle a parlé aux gérants du domaine Wemyss et leur a loué une propriété. Une vieille maison de gardien avec une ancienne remise à bois, en retrait de la route principale. Parfaite pour attirer les clients. Un parking devant l'ancien portail, un atelier et un espace d'exposition, plus un logement caché derrière les murs. Toute l'intimité dont on puisse rêver. Et tout le monde le savait : Catriona Maclennan Grant s'était installée dans le domaine Wemyss pour embêter son paternel.

— Mais si elle avait besoin de votre soutien, comment payait-elle tout ça ? demanda Bel.

— Sa mère a équipé l'atelier, payé la première année de loyer et approvisionné la cuisine jusqu'à ce que Cat commence à vendre. » Il ne put réprimer un sourire. « Ce qui a été rapide. Elle était douée, vous savez. Très douée. Et sa mère a veillé à ce que toutes ses amies viennent là pour acheter leurs cadeaux de mariage et d'anniversaire. Je n'ai jamais été autant en colère contre Mary. J'étais indigné. Je me suis senti trahi, insulté, et ça n'a pas arrangé les choses quand ce petit salaud de Sinclair est revenu de l'université et a repris là où il s'était arrêté.

— Est-ce qu'ils vivaient ensemble ?

— Non. Cat avait trop de bon sens pour ça. Quand j'y repense, je me dis parfois qu'elle a continué à le voir juste pour me contrarier. Ça n'a pas duré si longtemps après qu'elle a ouvert son atelier. Environ dix-huit mois avant… avant qu'elle meure. »

Bel fit mentalement le calcul et arriva au mauvais résultat. « Mais Adam avait seulement six mois quand on les a enlevés. Alors comment Fergus pouvait-il être son père, s'il s'était séparé de Cat dix-huit mois plus tôt ? »

Grant soupira. « D'après Mary, ça n'a pas été une rupture franche. Cat répétait sans cesse à Sinclair que c'était fini, mais il ne voulait rien entendre. De nos jours, on appelle ça du harcèlement. Apparemment, il venait tout le temps la voir avec sa mine de chien battu, et Cat n'avait pas toujours la force de le renvoyer. Et puis elle est tombée enceinte. » Il regarda fixement le sol. « Je m'étais toujours imaginé ce que ça me ferait d'être grand-père. Voir la famille perdurer. Mais quand Cat nous a annoncé la nouvelle, je n'ai ressenti que de la colère. Ce salaud de Sinclair avait brisé son avenir. Il lui avait mis son enfant sur les bras et avait ruiné toutes ses chances de réussir la carrière dont elle avait rêvé. La seule bonne chose qu'elle a faite a été de lui dire qu'elle ne voulait plus entendre parler de lui. Elle ne voulait pas le reconnaître comme père, ni le voir ou lui parler. Elle lui a bien fait comprendre que, cette fois, c'était bel et bien terminé.

— Comment l'a-t-il pris ?

— Encore une fois, je l'ai su de seconde main. Cette fois par Willie Sinclair. Il m'a dit que son fils était anéanti. Mais tout ce qui m'importait, c'était qu'il ait enfin bien compris qu'il ne ferait jamais partie de cette famille. Willie a conseillé au garçon de mettre une certaine distance entre Cat et lui, et pour une fois, il a écouté. En l'espace de quelques semaines, il avait trouvé un boulot en Autriche et commencé à travailler dans un domaine de chasse près de Salzbourg. Et il a continué à travailler en Europe depuis.

— Et maintenant ? Vous pensez toujours qu'il pourrait être responsable de ce qui s'est passé ? »

Grant fit la grimace. « Très sincèrement, non. Pas vraiment. Je ne crois pas qu'il était assez futé pour imaginer un coup aussi compliqué. Je suis sûr qu'il rêvait de mettre la main sur son fils et de se venger de Cat par la même occasion, mais il y a beaucoup plus de chances pour que ce soient des enfoirés d'activistes qui ont jugé intelligent de me faire financer leur révolution. » Il se leva d'un air las. « Je suis fatigué maintenant. La police vient demain matin, et on va revenir sur tout le reste de l'affaire. On se voit au dîner, mademoiselle Richmond. » Il quitta la pièce et laissa Bel face à une montagne de questionnements. Et de transcriptions. Quand Brodie Grant avait dit qu'il lui parlerait, elle n'avait pas imaginé une seconde qu'il lui fournirait cette foule d'informations. Elle allait devoir réfléchir très prudemment à la façon dont elle le présenterait aux médias du monde entier. Au moindre faux pas, elle savait que la mine lui serait fermée. Et maintenant qu'elle avait eu un aperçu de ce qui s'y cachait, c'était bien la dernière chose qu'elle souhaitait.

Glenrothes

Quand Karen revint à son bureau, la Flèche avait les yeux rivés sur l'écran de l'ordinateur comme s'il s'agissait d'un objet extraterrestre. « Qu'est-ce que tu as pour moi ? demanda-t-elle. Tu as retrouvé la trace des cinq jaunes ?

— Aucun d'entre eux n'a de casier, répondit-il.

— Et ?

— Je ne savais pas bien où regarder d'autre. »

Karen leva les yeux au ciel. Elle était chaque jour un peu plus convaincue que le Macaron lui avait collé la Flèche dans les pattes pour lui mettre des bâtons dans les roues. « Google. Les listes électorales. 192.com. Les registres d'immatriculation. Commence par ça, Jason. Ensuite prends-moi un rendez-vous aux grottes avec le responsable de l'association de préservation. Mieux vaut ne rien programmer demain, vois si tu peux faire en sorte que je le rencontre samedi matin.

— On ne travaille pas le samedi, d'habitude, dit la Flèche.

— Parle pour toi », répliqua Karen entre ses dents, en prenant note de demander à Phil de l'accompagner. Étant donné l'insistance des lois écossaises sur la nécessité de prouver tout nouvel élément, il était difficile d'agir en parfait franc-tireur.

Elle fit sortir son ordinateur d'hibernation et rechercha les coordonnées de son homologue à Nottingham. À son soulagement, l'inspecteur en chef Des Mottram était à son bureau et se montra réceptif à sa requête. « C'est sans doute une impasse, mais il faut quand même vérifier, expliqua-t-elle.

— Et vous n'êtes pas tentée par un petit tour sur la Costa del Trent ? suggéra-t-il d'un ton résigné mais amusé.

— Ce n'est pas ça. J'ai un dossier très important qui vient de se rouvrir aujourd'hui, et je ne peux vraiment pas me permettre d'envoyer deux de mes gars pour quelque chose qui ne va probablement pas nous faire avancer, sinon dans la mauvaise direction.

— Ne vous inquiétez pas. Je sais comment ça se passe. Mais c'est votre jour de chance, Karen. On a deux assistants de la PJ qui débarquent lundi, et c'est exactement le genre de choses qui pourrait me servir à les roder. Pas trop compliqué, pas trop risqué. »

Karen lui indiqua les noms des hommes. « J'ai un de mes gars qui est en train de rechercher leurs dernières adresses connues. Dès qu'il trouve quelque chose, je vous envoie un e-mail. » Quelques détails supplémentaires, et ce fut réglé. Au même instant, Phil Parhatka arriva dans la pièce avec un sandwich au bacon qui transmit un message immédiat aux centres du plaisir du cerveau de Karen. « Mmm, fit-elle. Qu'est-ce que ça sent bon !

— Si j'avais su que tu étais revenue, je t'en aurais pris un. Tiens, on va partager. » Il sortit un couteau de son tiroir et coupa le sandwich en deux en se mettant de la sauce tomate sur les mains. Il donna sa part à Karen et se lécha les doigts. Qu'est-ce qu'une femme pouvait attendre de plus d'un homme ? se demanda-t-elle.

« Qu'est-ce qu'il voulait, le Macaron ? » questionna Phil.

Karen mordit dans le sandwich et parla la bouche pleine de pain mou sucré et de bacon salé. « Y a du nouveau dans l'affaire Catriona Maclennan Grant.

— Vraiment ? Qu'est-ce qui s'est passé ? »

Karen sourit. « J'en sais rien. Le seigneur Brodie ne s'est pas donné la peine de le dire au Macaron. Il lui a simplement demandé de me faire venir chez lui demain matin. Donc il faut que je me grouille de me mettre au courant. J'ai déjà demandé qu'on m'apporte les archives, mais je vais d'abord regarder sur Internet. Écoute... » Elle le prit à part. « Pour l'affaire Mick Prentice. Je dois parler avec quelqu'un samedi, et bien sûr la Flèche ne travaille pas le samedi. Est-ce que j'ai une chance de te persuader de m'accompagner ?

— T'accompagner où ?

— Aux grottes de Wemyss.

— Vraiment ? fit-il avec intérêt. On va pouvoir passer de l'autre côté des grilles ?

— Je suppose, répondit Karen. Je ne savais pas que tu t'intéressais aux grottes.

— Karen, j'ai été un petit garçon. »

Elle roula des yeux. « C'est vrai.

— En plus, il y a des trucs vraiment cool dans les grottes. Des inscriptions et des dessins pictes. Des gravures de l'âge de fer. J'adore me prendre pour un petit écureuil et regarder les choses qu'on ne voit pas d'habitude. Alors oui, bien sûr, je vais t'accompagner. Tu as déjà enregistré le dossier ? »

Karen parut embarrassée. « Je veux voir où ça mène. Ça a été une période difficile par ici. S'il est arrivé une sale histoire à Mick Prentice, je veux en découvrir le fin fond. Et tu sais comme les médias aiment fouiner dans nos affaires à l'Eranc. J'ai le sentiment que c'en est une où on a plus de chances de découvrir ce qui s'est passé si on l'étouffe un peu. »

Phil termina son sandwich et s'essuya la bouche du dos de la main. « Très bien. C'est toi la chef. Mais arrange-toi juste pour que le Macaron n'en profite pas pour s'en prendre à toi.

— Je surveillerai mes arrières. Écoute, tu es occupé, là ? »

Il jeta le sachet en papier vide dans la poubelle par-dessus sa tête et roula des mécaniques lorsque l'objet atterrit en plein dedans. « Rien qui ne puisse attendre.

— Regarde ce que tu peux dénicher sur un dénommé Andy Kerr. Il était représentant du SNM pendant la grève. Il vivait dans un cottage au milieu de la forêt de Wemyss. Il était en arrêt pour dépression au moment où Mick a disparu. Il se serait foutu en l'air, mais on n'a jamais retrouvé le corps. »

Phil acquiesça d'un signe de tête. « Je vais voir ce que je peux trouver. »

Il retourna à son bureau, et Karen tapa Catriona Maclennan Grant dans Google. La première page de résultats la conduisit à un article vieux de deux ans, paru dans un journal sérieux pour marquer le vingtième anniversaire du décès de la jeune sculptrice. Au bout de trois paragraphes, le cœur de Karen fit un bond dans sa poitrine. « Il est incroyable de voir le peu de personnes disponibles pour parler de cette affaire, lut-elle. Le père de Cat Grant n'a jamais parlé à la presse de ce qui s'était passé. La mère s'est suicidée deux ans après la mort de sa fille. L'ex-petit ami, Fergus Sinclair, refuse de se faire interviewer. Quant à l'inspecteur en charge du dossier, il est hors de notre portée : il purge lui-même une peine de prison à perpétuité pour homicide. »

« Oh, mon Dieu », grommela-t-elle. Elle n'avait même pas regardé le dossier que cette mission se transformait déjà en cauchemar.

Kirkcaldy

Il était dix heures passées quand Karen franchit le seuil de sa maison, chargée d'une liasse de dossiers et d'un plat de poisson préparé. L'impression de mal tenir son foyer ne l'avait jamais abandonnée. Peut-être était-ce lié à la maison elle-même, une cage à lapins dans un lotissement labyrinthique des années 1960 au nord de Kirkcaldy. Le genre d'endroit où les gens démarraient leur vie en s'accrochant à l'espoir que ce ne serait pas là qu'ils la finiraient. Une banlieue au faible taux de criminalité, où on pouvait laisser les enfants jouer dans la rue tant qu'on ne vivait pas dans une des artères principales. En effet, c'étaient les accidents de la route, et non les enlèvements, que craignaient les parents. Karen n'arrivait jamais bien à se rappeler pourquoi elle avait acheté cette maison, bien que cela lui eût paru une bonne idée à l'époque. Elle supposait avoir été séduite par le fait qu'elle avait été entièrement rénovée, probablement par quelqu'un qui s'était inspiré d'une émission de télé sur la valorisation immobilière. Elle avait acheté les meubles avec les murs, jusqu'aux tableaux qui les couvraient. Peu lui importait de ne pas avoir choisi les objets au milieu desquels elle vivait. C'était sans doute le genre de choses qu'elle aurait pris de toute façon, et ça lui avait donc épargné un horrible dimanche chez Ikea. Et personne ne pouvait nier que c'était mille fois plus agréable que l'intérieur à fleurs chargé et défraîchi de ses parents. Sa mère attendait toujours qu'elle revienne à ses racines, mais cela n'arriverait pas. Lorsqu'elle avait un week-end libre, Karen ne voulait rien de plus que manger un curry avec ses amis et passer un bon moment dans le canapé à regarder du foot et des vieux films. Pas jouer les ménagères.

Elle déposa tout sur la table de la salle à manger et partit chercher une assiette et des couverts. Elle avait encore quelques principes, bon sang ! Elle jeta sa veste sur une chaise, s'assit devant son dîner et ouvrit un dossier qu'elle commença à lire en mangeant. Elle avait étudié plus tôt ceux sur l'affaire Grant et noté les questions auxquelles elle voulait des réponses. À présent, elle avait enfin l'occasion de jeter un œil aux documents que Phil avait rassemblés pour elle.

Comme elle s'y attendait, l'avis de recherche original aurait difficilement pu être plus sommaire. À l'époque, la police ne faisait pour ainsi dire aucun cas de la disparition d'un homme adulte célibataire et sans enfant avec des antécédents de dépression. Ça n'avait rien à voir avec le fait que la grève des mineurs avait amené à gonfler les effectifs à leur maximum, et tout à voir avec le fait que les disparitions n'étaient alors pas une priorité, en tout cas si elles ne concernaient pas des enfants en bas âge ou des jeunes femmes séduisantes. Même maintenant, seuls les problèmes médicaux d'Andy Kerr lui auraient assuré une attention relative.

C'est sa sœur Angie qui avait lancé l'avis de recherche le soir de Noël. Il n'était pas allé chez ses parents pour la traditionnelle fête familiale. Revenue de sa formation d'enseignante pour les vacances, Angie avait laissé plusieurs messages sur son répondeur au cours de la semaine précédente, afin d'essayer de le voir pour boire un verre. Andy n'avait pas donné de nouvelles, ce qui n'était pas inhabituel. Il s'était toujours consacré à son travail, et depuis que la grève avait commencé c'était devenu une obsession.

Puis, l'après-midi de la veille de Noël, Mme Kerr avait avoué qu'Andy était en congé maladie pour dépression. Angie avait persuadé son père de la conduire au cottage dans la forêt de Wemyss. Elle avait trouvé l'endroit froid et désert, sans aucun produit frais dans le frigo. Un mot reposait contre le sucrier sur la table de la cuisine. Chose étonnante, on l'avait ensaché et inclus au dossier. *Si vous lisez ceci, c'est sans doute parce que vous vous inquiétez pour moi. Ne vous en faites pas. J'en ai assez. Les problèmes n'arrêtent pas et je n'en peux plus. Je suis parti essayer de reprendre le dessus. Andy.*

Ce n'était pas tout à fait un mot d'adieu, mais lorsqu'on retrouve un corps à côté d'un message comme celui-là, on ne s'attend pas à ce qu'il s'agisse d'un meurtre. Et la sœur avait dit qu'Andy aimait faire de la randonnée. Elle comprenait pourquoi l'agent qui était venu inspecter le cottage et ses environs n'avait pas recommandé d'autre mesure que de transmettre l'information aux divers commissariats écossais. Jointe au dossier figurait une note rédigée d'une autre main, indiquant qu'Angie Kerr avait déposé une demande de déclaration de décès pour son frère en 1992 et qu'on la lui avait accordée.

Karen reconnut l'écriture familière de Phil sur la dernière page. « Les parents Kerr sont décédés dans le naufrage du ferry de Zeebruges en 1987. Angie ne pouvait pas revendiquer leurs biens tant qu'Andy n'était pas déclaré mort. Quand on a enfin confirmé sa demande en 1993, elle a tout vendu et s'est expatriée en Nouvelle-Zélande. Elle donne des cours de piano chez elle à Nelson, sur l'île du Sud. » Suivaient l'adresse complète et le numéro d'Angie Kerr.

Ça n'avait pas dû être facile pour elle, pensa Karen. C'était déjà assez dur de perdre son frère et ses deux parents en l'espace de trois ans, sans avoir en plus à affronter les démarches nécessaires pour faire déclarer officiellement le décès d'Andy. Pas étonnant qu'elle ait voulu partir à l'autre bout du monde. Où, constata-t-elle, il était maintenant onze heures et demie du matin. Une heure tout à fait convenable pour appeler quelqu'un.

Parmi les rares choses que Karen avait achetées pour sa maison, il y avait un répondeur qui lui permettait de faire des enregistrements numériques de ses appels, enregistrements qu'elle pouvait ensuite transférer sur son ordinateur par port USB. Elle avait tenté de persuader le Macaron d'en acquérir quelques-uns pour le bureau, mais il avait semblé peu convaincu. Sans doute parce que l'idée ne venait pas de lui. Karen aurait volontiers parié qu'un dispositif similaire ne tarderait pas à faire son apparition dans le bureau principal de la PJ, suivant une grande idée du commissaire Lees en personne. Sans importance. Au moins, elle pouvait utiliser ce système chez elle et se faire rembourser les appels.

À la troisième tonalité, une femme répondit, avec un accent écossais évident, même dans les deux syllabes de son « Allô ? »

Karen se présenta puis demanda : « Vous êtes bien Angie Kerr ?

— Anciennement Kerr. Aujourd'hui Mackenzie. C'est au sujet de mon frère ? Vous l'avez retrouvé ? » Elle avait l'air excitée, presque contente.

« J'ai bien peur que non.

— Il ne s'est pas suicidé, vous savez. J'ai toujours pensé qu'il avait eu un accident. Qu'il était tombé d'une montagne quelque part. Andy avait beau être déprimé, il ne se serait jamais suicidé. Ce n'était pas un lâche. » La ténacité supportait bien le voyage.

« Je suis désolée, dit Karen. Je n'ai vraiment pas de réponses à vous donner. Mais nous enquêtons de nouveau sur des événements qui se sont produits à peu près au moment où il a disparu. Nous faisons des recherches sur la disparition de Mick Prentice, et le nom de votre frère est ressorti.

— Mick Prentice, répéta Angie d'un ton indigné. Quel ami il s'est révélé être !

— Pourquoi dites-vous ça ? »

Après une courte pause, Angie expliqua : « Parce qu'il y avait de quoi le vivre comme la pire trahison. Ces types avaient été amis depuis leur premier jour d'école. Ça a dû briser le cœur d'Andy quand Mick est parti chez les jaunes. Et je crois qu'il l'a vu venir.

— Qu'est-ce qui vous fait dire ça ?

— La dernière fois que je l'ai vu, il savait que Mick préparait quelque chose. »

Dimanche 2 décembre 1984 ; forêt de Wemyss

Après une visite en terre natale, Angie ne pouvait repartir satisfaite à moins d'avoir passé du temps avec son frère. Elle essayait de revenir au moins une fois par trimestre, mais même si le trajet en bus ne prenait qu'une heure depuis Édimbourg, le projet paraissait parfois trop ambitieux. En réalité, elle le savait, le problème venait de la distance d'un autre genre qui grandissait entre ses parents et elle au fur et à mesure qu'elle s'émancipait dans un monde qui leur était totalement étranger : les cours magistraux, les organisations étudiantes, les fêtes où les drogues étaient aussi banales que l'alcool, et des possibilités de conversation qui dépassaient de loin tout ce qu'elle avait pu connaître dans le Fife. Non qu'il n'existât pas des possibilités d'y élargir ses horizons intellectuels. Mais les salles de lecture, les cours de l'Association pour l'éducation des travailleurs et les clubs Burns étaient réservés aux hommes. Les femmes n'avaient jamais eu ni le droit ni le temps d'y aller. Les hommes s'acquittaient de leur journée de travail sous terre, puis ils faisaient ce qu'ils voulaient. Les femmes, elles, n'en finissaient jamais vraiment, en particulier celles qui louaient leur maison aux anciennes sociétés houillères ou à la commission houillère nationalisée. La propre grand-mère d'Angie n'avait eu ni eau chaude ni baignoire chez elle avant la soixantaine. Les hommes n'appréciaient donc pas facilement les femmes cultivées.

Andy était une exception. En passant du statut de mineur à celui de représentant syndical, il avait découvert la politique égalitaire menée par le mouvement syndicaliste. Les femmes ne travaillaient peut-être pas dans les mines, mais ses relations avec d'autres syndicats avaient convaincu Andy que ce ne serait pas la fin du monde si l'on traitait les femmes comme des membres de la race humaine à égalité. Frère et sœur s'étaient donc rapprochés et avaient remplacé leurs chamailleries d'enfants par un débat authentique. Angie se réjouissait désormais par avance des dimanches après-midi passés avec son frère à marcher dans les bois ou à déguster des tasses de chocolat chaud au coin du feu.

Cet après-midi-là, Andy la retrouva à sa descente du bus au bout du chemin qui s'enfonçait dans la forêt jusqu'à son cottage. Ils avaient prévu de longer les bois et de descendre jusqu'à la côte, mais le ciel était menaçant, et ils préférèrent donc retourner chez lui. « J'ai allumé le feu pour ta venue, indiqua Andy quand ils se mirent en route. Je me sens coupable de pouvoir acheter du charbon, alors d'habitude je m'en passe. Je me contente de mettre un pull en plus.

— C'est absurde. Personne ne t'en veut d'avoir encore un salaire. »

Andy secoua la tête. « C'est là que tu te trompes. Y a plein de gens qui trouvent qu'on devrait remettre nos salaires dans les caisses du syndicat.

— Et à quoi ça avancerait ? Tu fais ton boulot. Tu soutiens les grévistes. Tu mérites d'être payé. » Comprenant combien il se sentait tiraillé, elle le prit par le bras.

« Oui, et beaucoup de grévistes estiment qu'ils devraient aussi recevoir quelque chose de la part du syndicat. J'en ai entendu quelques-uns au centre qui disaient que si le syndicat leur versait des indemnités de grève, il n'aurait pas autant de mal à empêcher que les fonds n'atterrissent entre les mains des séquestres. Ils se demandent à quoi sert l'argent du syndicat, sinon à soutenir les membres quand il y a une grève. » Il soupira, la tête baissée comme s'il affrontait un grand vent. « Et ils n'ont pas vraiment tort, tu sais ?

— Je suppose. Mais quand tu cèdes de ton plein gré le pouvoir de décision à tes responsables – ce qu'ils ont fait en acceptant de se mettre en grève sans scrutin national –, tu ne peux plus vraiment commencer à te plaindre quand ils prennent des décisions qui ne t'emballent pas beaucoup. » Angie observa attentivement son frère et remarqua à quel point les marques de fatigue autour de ses yeux s'étaient creusées depuis la dernière fois qu'elle l'avait vu. Il avait le teint cireux et maladif d'un homme resté trop longtemps enfermé sans prendre de vitamines. « Et ça n'avance à rien de les laisser t'empoisonner avec ça.

— Je ne me sens utile pour personne en ce moment, dit-il d'une voix si faible qu'elle se perdit presque dans le bruissement des feuilles mortes sous leurs pieds.

— C'est tout simplement ridicule, protesta Angie, tout en sachant que ça ne suffisait pas, mais elle n'avait rien trouvé de mieux à dire.

— Non, c'est la vérité. Les hommes que je représente, leurs vies sont en train de s'effondrer. Ils perdent leurs maisons parce qu'ils ne peuvent plus payer leur emprunt. Leurs femmes ont vendu leurs alliances. Leurs enfants vont à l'école le ventre vide. Ils ont des trous dans leurs chaussures. On se croirait dans un foutu pays du tiers-monde ici, à la différence qu'on n'a pas d'associations qui collectent de l'argent pour nous aider à surmonter la catastrophe. Et je ne peux rien y changer. Comment tu crois que je me sens face à tout ça ?

— Plutôt mal », répondit Angie en resserrant son bras contre elle. Il n'offrait aucune résistance ; c'était comme d'embrasser le boudin de porte que leur mère utilisait pour que le salon soit aussi étouffant que possible. « Mais tu ne peux que faire de ton mieux. Personne n'attend de toi que tu résolves tous les problèmes de la grève.

— Je sais, dit-il dans un soupir. Mais avant, j'avais le sentiment d'appartenir à la communauté. Toute ma vie, j'ai eu ma place ici. Aujourd'hui, c'est comme si les types en grève étaient d'un côté de la barrière et tous les autres de l'autre. Les responsables syndicaux, les chefs de mine, les patrons, le putain de gouvernement tory – on est tous des ennemis.

— Tu dis vraiment des conneries. Tu n'es absolument pas du même côté que les tories. Tout le monde sait ça. » Ils poursuivirent leur marche en silence et hâtèrent le pas quand la pluie attendue devint une réalité. Un rideau de grosses gouttes froides se mit à tomber. Les branches nues au-dessus de leurs têtes protégeaient peu de l'averse pénétrante. Angie lui lâcha le bras et partit en courant. « Allez, on fait la course ! » cria-t-elle, comme enivrée par cette douche glacée. Elle ne regarda pas s'il la suivait. Elle fonça simplement au hasard entre les arbres en zigzaguant pour rester sur le sentier tortueux. Comme toujours, son arrivée dans la clairière où se trouvait le cottage lui parut incroyablement soudaine. Il était là, comme sorti d'un conte des frères Grimm, un bâtiment trapu sans autre attrait que son isolement. Avec son toit en ardoise, son crépi gris, sa porte et ses cadres de fenêtre noirs, un enfant passant par là y aurait facilement vu la maison de la méchante sorcière. Un appentis en bois abritait une caisse à charbon, un tas de bûches ainsi que le side-car d'Andy.

Angie courut jusqu'au porche et se retourna, haletante. Aucune trace d'Andy. Deux ou trois minutes passèrent avant qu'il n'émerge des bois d'un pas traînant, ses cheveux châtains plaqués sur son front. Angie fut abattue de voir qu'elle n'avait pas réussi à lui remonter le moral. Il ouvrit sans un mot la porte du cottage, aussi bien rangé et austère qu'une caserne. Le seul élément de décoration était une série d'affiches sur la faune et la flore offerte dans un des journaux du dimanche écossais. Sur des étagères étaient entassés des livres d'histoire naturelle et de politique, sur une autre des 33 tours. L'endroit n'aurait pas pu être plus différent des chambres qu'elle fréquentait à Édimbourg, mais Angie le préférait à toutes. Elle secoua la tête tel un chien pour essorer ses cheveux blond foncé, jeta son manteau sur une chaise et se blottit dans un des fauteuils d'occasion qui encadraient le feu. Andy partit directement dans l'arrière-cuisine pour préparer le chocolat chaud.

En attendant qu'il revienne, Angie se creusa la tête pour trouver un moyen de lui remonter le moral. D'habitude, elle le faisait rire en lui racontant les aventures de ses amis étudiants et leurs bouffonneries, mais elle sentait que ça n'allait pas marcher ce jour-là. Ces histoires passeraient pour des anecdotes insipides de la classe favorisée. Il s'agissait peut-être plutôt de lui rappeler l'existence des gens qui croyaient toujours en lui.

Il revint avec deux tasses fumantes sur un plateau. Il les accompagnait habituellement de biscuits, mais tout ce qui sentait le luxe était désormais rayé du menu. « J'ai donné la plus grande partie de mon salaire au fonds de secours, dit-il en voyant qu'elle avait remarqué ce changement. J'ai juste gardé assez pour le loyer et l'essentiel. »

Ils étaient assis face à face et sirotaient leurs boissons pour laisser la chaleur pénétrer leurs mains froides. Angie prit la parole. « Tu ne devrais pas faire attention à eux. Les gens qui te connaissent vraiment ne te prennent pas pour un ennemi. Tu devrais écouter des gens comme Mick, qui savent qui tu es. Ce que tu es.

— Tu crois ça ? » Une expression d'amertume lui tordit la bouche. « Comment les gens comme Mick peuvent-ils savoir qui je suis, alors que je ne sais plus qui ils sont ?

— Comment ça, tu ne sais plus qui est Mick ? Vous êtes les meilleurs amis depuis une vingtaine d'années. Je ne crois pas que la grève vous ait tant transformés l'un ou l'autre.

— C'est ce qu'on pourrait croire, hein ? » Andy fixa le feu d'un regard éteint, les épaules tombantes. « Avec les hommes du coin, on n'est pas censé parler de nos sentiments. On vit dans cette atmosphère de camaraderie, de loyauté et de dépendance mutuelle, mais on ne parle jamais de ce qui se passe au fond de nous. Mais Mick et moi, on n'était pas comme ça. On se disait tout. Il n'y avait aucun tabou. » Il dégagea ses cheveux humides de son grand front étroit. « Mais dernièrement, quelque chose a changé. J'ai l'impression qu'il se retient. Comme s'il y avait quelque chose de très important dont il n'arrivait pas à parler.

— Mais ça pourrait être n'importe quoi, signala Angie. Quelque chose entre Jenny et lui, peut-être. Quelque chose dont il serait déplacé de te parler. »

Andy eut un petit rire. « Tu crois qu'il ne parle pas de Jenny ? Je sais tout sur ce mariage, crois-moi. Je pourrais dessiner une carte des points de friction entre ces deux-là. Non, c'est pas Jenny. La seule possibilité que je voie, c'est qu'il soit d'accord avec les autres. Qu'il estime que je ne leur suis d'aucune utilité en ce moment.

— Tu es sûr que tu ne te fais pas des idées ? Ça ne ressemble pas à Mick.

— J'aimerais bien. Mais non. Même mon meilleur ami ne me juge plus digne de confiance. Je me demande juste combien de temps je vais pouvoir continuer à faire mon boulot avec ce sentiment. »

Angie commençait à être vraiment inquiète. La détresse d'Andy dépassait de loin tout ce à quoi elle savait faire face. « Andy, ne le prends pas mal, mais tu dois aller chez le médecin. »

Il poussa une sorte de rire aussitôt réprimé. « Quoi ? Aspirine et Dafalgan, le duo antidouleur ? Tu crois que je perds la boule ? Tu crois que ces deux médocs y pourraient quelque chose si c'était le cas ? Tu crois que j'ai besoin de Témazépam comme la moitié des femmes du coin ? Des pilules du bonheur pour que rien n'ait d'importance ?

— Je veux t'aider, Andy. Mais je n'en ai pas les capacités. Tu as besoin de parler à quelqu'un qui sait ce qu'il fait, et aller chez le médecin, c'est un bon début. Même l'aspirine et le Dafalgan seraient plus efficaces que moi contre la dépression. Je crois que tu es dépressif, Andy. Au sens d'une dépression clinique, pas simplement d'une déprime. »

Il eut l'air au bord des larmes. « Tu sais ce qu'il y a de pire dans ce que tu viens de dire ? C'est que je crois que tu as peut-être raison. »

Jeudi 28 juin 2007 ; Kirkcaldy

Ça paraissait plausible. Andy Kerr avait deviné que Mick Prentice lui cachait quelque chose. Quand il avait semblé que Mick était parti à Nottingham avec les jaunes, ça avait pu suffire à faire basculer une personne déjà fragile. Mais il s'avérait à priori que Mick Prentice n'avait jamais mis les pieds à Nottingham. La question, pensa Karen, était de découvrir si Andy Kerr avait su ce qui était réellement arrivé à son meilleur ami. Et s'il était impliqué dans sa disparition. « Et vous n'avez plus jamais parlé avec Andy après ce dimanche ? demanda-t-elle.

— Non. J'ai essayé de l'appeler quelques fois, mais je suis toujours tombée sur son répondeur. Et je n'avais pas de téléphone là où je vivais, donc il ne pouvait pas me rappeler. Maman m'a dit que le médecin l'avait mis en arrêt de travail pour dépression, mais c'était tout ce que je savais.

— Est-ce que ça vous paraît possible que Mick et lui soient partis ensemble quelque part ?

— Quoi ? Vous voulez dire qu'ils aient tourné le dos à tout le monde pour partir tranquillement au soleil couchant comme Butch Cassidy et le Kid ? »

Karen grimaça. « Pas exactement, non. Plutôt qu'ils en avaient tous les deux assez et qu'ils ne voyaient pas d'autre issue. On sait qu'Andy avait ses problèmes. Et vous suggériez que ça n'allait pas très fort entre Mick et Jenny. Ils ont peut-être simplement décidé de prendre un nouveau départ ? »

Elle entendit la respiration d'Angie à l'autre bout du monde. « Andy ne nous aurait pas fait ça. Il ne nous aurait jamais fait souffrir comme ça.

— Mick aurait-il pu le convaincre ? Vous avez dit qu'ils étaient amis depuis l'école. Qui était le meneur ? Qui était le suiveur ? Il y en a toujours un qui mène et un qui suit. Vous le savez, Angie. C'était Mick le meneur ? » Personne ne savait insister plus gentiment mais fermement que Karen quand elle avait le vent en poupe.

« Je suppose. Mick était l'extraverti, Andy était plus réservé. Ceci dit, ils formaient une équipe. Ils avaient sans arrêt des ennuis, mais jamais rien de grave. Pas avec la police. Juste sans arrêt des ennuis à l'école. Ils piégeaient des expériences de chimie avec des feux d'artifice. Ils collaient les tiroirs des bureaux de leurs profs. Andy était habile avec les mots et Mick avait un sens artistique. Ils imprimaient des affiches avec des fausses annonces de l'école, ou alors Mick faisait des faux mots de profs pour qu'ils puissent sécher les cours qu'ils n'aimaient pas. Ou encore ils s'amusaient à échanger les jaquettes des livres à la bibliothèque. J'aurais fait une dépression si j'avais eu des élèves comme eux. Mais ils se sont calmés en grandissant. Au moment de la grève, ils s'étaient tous les deux rangés. » Sa voix trahissait une nostalgie profonde. « Alors oui, théoriquement, Mick aurait pu convaincre Andy de se faire la belle. Mais ça n'aurait pas duré. Ils seraient revenus. Ils n'auraient pas tenu. Leurs racines étaient trop profondes.

— Vous vous êtes bien exilée, fit remarquer Karen.

— Je suis tombée amoureuse d'un Néo-Zélandais, et toute ma famille était morte, répondit platement Angie. Je ne laissais personne dans le chagrin derrière moi.

— Soit. Peut-on revenir à Mick ? Vous disiez qu'Andy avait laissé entendre qu'il y avait des problèmes dans son couple ?

— Elle l'a piégé pour qu'il l'épouse, vous savez. Andy a toujours pensé qu'elle était tombée enceinte exprès. Elle était censée prendre la pilule, mais étonnamment ça n'a pas marché et, du jour au lendemain, Misha était en route. Elle savait que Mick venait d'une famille respectable, le genre de gens qui ne fuient pas devant leurs responsabilités. Alors bien sûr, il l'a épousée. » Karen décela une certaine amertume dans sa voix, qui lui fit se demander si Angie n'en avait pas secrètement pincé pour Mick Prentice avant l'apparition de son Néo-Zélandais.

« Pas le meilleur des départs, alors.

— Ils avaient l'air plutôt heureux au début, admit Angie d'une voix lente et chargée de reproches. Mick la traitait comme une princesse et elle buvait du petit-lait. Mais ça ne lui a pas du tout plu quand les mauvais jours sont arrivés. À l'époque, j'ai pensé qu'elle l'avait poussé à partir travailler ailleurs parce qu'elle en avait marre d'être fauchée.

— Mais elle a vraiment souffert après son départ, dit Karen. C'était un déshonneur terrible d'être la femme d'un jaune. Elle ne l'aurait pas laissé l'abandonner pour ensuite devoir affronter ça toute seule. »

Angie eut un petit grognement dédaigneux. « Elle n'avait aucune idée de ce qui se passerait jusqu'à ce que ça lui tombe dessus. Elle ne comprenait pas. Elle n'était pas des nôtres, vous savez. Les gens parlent de la classe ouvrière comme si c'était un seul gros bloc, mais les lignes de démarcation sont tout aussi bien définies que dans les autres classes. Elle était née et avait grandi à East Wemyss, mais elle n'était pas des nôtres. Son père ne se salissait pas les mains. Il travaillait à la coopérative. Il était derrière le comptoir du magasin. Il portait un col et une cravate à son travail. Je parierais qu'il n'a jamais voté de sa vie pour les travaillistes. Alors je ne suis pas sûre qu'elle avait bien compris ce qui lui arriverait si Mick rejoignait les jaunes. »

Ça se tenait. Karen comprenait viscéralement ce qu'expliquait Angie. Elle connaissait des gens comme ça dans sa propre communauté. Des gens qui n'avaient leur place nulle part, qui avaient une profonde rainure sur chaque fesse après une vie passée le cul entre deux chaises. Ça donnait du poids à l'idée que Mick Prentice aurait pu partir à Nottingham. Sauf que ce n'était pas le cas. « Le problème, Angie, c'est qu'apparemment Mick n'est pas parti travailler ailleurs cette nuit-là. Nos recherches préliminaires indiquent qu'il n'était pas avec les cinq hommes qui sont allés à Nottingham. »

Un silence stupéfait. Puis Angie suggéra : « Il est peut-être parti tout seul autre part.

— Il n'avait pas d'argent. Pas de moyen de locomotion. Il n'a rien emporté avec lui quand il est parti ce matin-là, mis à part son matériel de peinture. Quoi qu'il lui soit arrivé, je ne crois pas qu'il ait rejoint les jaunes.

— Mais alors, qu'est-ce qui lui est arrivé ?

— Je ne le sais pas encore, répondit Karen. Mais je compte bien le découvrir. Et pour ça, il faut que je commence par vous poser une question. Supposons que Mick ne soit pas parti chez les jaunes. Qui aurait pu avoir une raison de se débarrasser de lui ? »

Vendredi 29 juin 2007 ; Nottingham

Femi Otitoju entra la quatrième adresse dans Google Earth et considéra le résultat. « Allez, Fem, murmura Mark Hall. L'inspecteur en chef nous surveille. Il se demande ce que tu fabriques à t'amuser sur l'ordinateur alors qu'il nous a confié une mission.

— Je détermine l'ordre le plus efficace pour les interrogatoires, comme ça on ne perdra pas la moitié de la journée à revenir sur nos pas. » Elle regarda les quatre noms et adresses fournis par un agent du Fife et les classa suivant sa logique. « Et je te l'ai déjà dit : ne m'appelle pas Fem. » Elle imprima la liste et la plia soigneusement dans son sac à main comme neuf. « Je m'appelle Femi. »

Mark leva les yeux au ciel et la suivit vers la sortie du bureau des Affaires non classées. Il lança un sourire nerveux à l'inspecteur en chef Mottram en passant. Il avait rêvé de cette affectation provisoire à la PJ, mais si on l'avait averti que ça impliquerait de travailler avec Femi Otitoju, il y aurait peut-être réfléchi à deux fois. Au commissariat, on racontait que du temps où ils étaient encore tous les deux en uniforme, pour Otitoju, PJ signifiait pièce jointe. Son uniforme avait toujours été impeccable, ses chaussures cirées comme des godasses de l'armée. C'était le même schéma en civil. Un tailleur impersonnel gris parfaitement repassé, une chemise blanche éclatante, une coiffure irréprochable. Et des chaussures comme des sous neufs. Elle suivait toujours les règles à la lettre, tout était fait avec précision. Non pas que Mark eût quoi que ce soit contre l'idée de faire les choses comme il faut, mais il avait toujours estimé qu'il fallait laisser une place à la spontanéité, en particulier pour un interrogatoire. Si votre interlocuteur partait dans une digression, ça ne coûtait rien de le suivre un petit moment. C'était parfois dans les digressions que se cachait la vérité. « Donc, ces quatre types étaient tous des mineurs du Fife qui ont brisé la grève pour venir travailler ici ? demanda-t-il.

— C'est ça. À l'origine, ils étaient cinq, mais l'un d'entre eux, Stuart McAdam, est mort il y a deux ans d'un cancer des poumons. »

Comment se souvenait-elle de ça ? Et à quoi ça lui servait ? « Et qui est-ce qu'on va voir en premier ?

— William John Fraser. Surnommé Billy. Cinquante-trois ans, marié avec deux enfants adultes, l'un à l'université de Leeds, l'autre à Loughborough. Il est désormais électricien à son compte. » Elle remonta la lanière de son sac sur son épaule. « Je vais conduire, je sais où on va. »

Ils sortirent sur le parking venteux situé derrière le commissariat et se dirigèrent vers une voiture banalisée de la PJ. Mark savait qu'elle serait pleine des déchets de quelqu'un d'autre. La PJ et les voitures, c'était comme les chiens et les lampadaires, avait-il découvert. « Est-ce qu'il ne sera pas à son travail à cette heure-ci ? » Il ouvrit la portière passager et trouva le plancher recouvert de boîtes de sandwichs en plastique, de canettes de Coca vides et de cinq emballages de Snickers. Un objet blanc entra brusquement dans son champ de vision périphérique. Otitoju lui tendait un sac plastique vide. « Tiens, dit-elle. Mets les déchets là-dedans et j'irai le jeter à la poubelle. »

En fin de compte, elle pouvait quand même être utile, se dit Mark. Ils prirent la rocade principale, encore chargée même après l'heure de pointe matinale, et partirent vers l'ouest. La route était bordée de maisons sales en brique rouge et de ce genre de commerces qui réussissaient à survivre tant bien que mal en dépit de leurs concurrents plus chics installés ailleurs. Épiceries, salons de manucure, de coiffure, quincailleries, laveries automatiques et fast-foods. C'était déprimant de passer devant. Mark s'estimait heureux d'avoir son appartement du centre-ville dans une ancienne fabrique de dentelle réaménagée. C'était peut-être petit, mais il n'était pas confronté à cette horreur dans sa vie privée. Et il y avait un super chinois tout près qui livrait à domicile.

Après quinze minutes de périph, ils s'enfoncèrent dans une agréable enclave de villas mitoyennes en brique. Elles semblaient dater des années 1930 : solides, sans prétention et de belles proportions. La maison de Billy Fraser se trouvait dans un angle et comportait un grand jardin imposant. « J'ai vécu toute ma vie dans cette ville et je ne savais même pas que cet endroit existait », indiqua Mark.

Il suivit Otitoju dans l'allée. Une femme qui ne devait pas mesurer plus d'un mètre cinquante leur ouvrit. Elle avait l'apparence d'une personne tout juste sur le retour : des mèches argentées dans sa coupe au carré châtain, le menton qui commençait à ramollir, quelques kilos de trop. Mark la trouva plutôt bien conservée pour son âge. Il prit tout de suite la parole avant qu'Otitoju ne puisse l'effrayer. « Madame Fraser ? »

La femme acquiesça, l'air inquiet. « Oui, c'est moi. » L'accent du coin, nota Mark. Il n'avait donc pas ramené de femme du Fife. « Et vous êtes… ?

— Je m'appelle Mark Hall, et voici ma collègue Femi Otitoju. Nous sommes policiers et nous devons parler à Billy. Il n'y a aucun souci à se faire, s'empressa-t-il d'ajouter en voyant le visage de Mme Fraser se décomposer. Un avis de recherche a été lancé concernant une personne qu'il connaissait dans le Fife, et nous devons lui poser quelques questions. »

La femme secoua la tête. « Vous allez perdre votre temps, mon vieux. Billy n'est resté en contact avec personne du Fife à part les gars avec qui il est venu ici. Et c'était il y a plus de vingt ans.

— L'homme qui nous intéresse a disparu il y a plus de vingt ans, rétorqua sèchement Otitoju. Nous devons donc parler avec votre mari. Est-ce qu'il est là ? » Mark eut envie de lui donner un coup de pied quand il vit le visage de Mme Fraser se fermer. Otitoju ne connaissait vraiment rien à la solidarité féminine.

« Il est au boulot.

— Vous pouvez nous dire où il travaille, chère madame ? » demanda Mark pour essayer de regagner sa sympathie.

Il put presque lire sur le visage de la femme le débat auquel elle se livrait intérieurement. « Attendez une minute », annonça-t-elle finalement. Elle revint avec un agenda grand format ouvert à la date du jour. Elle le tourna vers lui. « Ici. »

Otitoju était déjà en train de griffonner l'adresse sur sa précieuse feuille de papier. Mme Fraser aperçut les autres noms. « Vous avez de la veine, indiqua-t-elle. Johnny Ferguson travaille avec lui aujourd'hui. Vous allez pouvoir faire d'une pierre deux coups. » D'après l'expression qu'elle afficha, elle n'était pas convaincue que c'était une métaphore.

Les deux anciens mineurs travaillaient à seulement cinq minutes de là. Ils transformaient un magasin dans la rue principale. « De marchand de kebabs à encadreur en un tour de main », précisa Mark en lisant les indications.

Fraser et Ferguson étaient en plein travail, le premier en train de creuser une saignée pour passer des fils électriques, le second démolissant le banc situé contre un mur pour les clients qui achetaient à emporter. Ils cessèrent tous deux leur activité quand les policiers entrèrent et les toisèrent avec méfiance. C'était marrant, se dit Mark, de voir que certaines personnes reconnaissaient toujours un flic immédiatement, alors que d'autres semblaient ne remarquer aucun des signes qui trahissaient les gens de son métier. Ça n'avait rien à voir avec la culpabilité ou l'innocence, comme il l'avait d'abord naïvement pensé. Simplement l'instinct du chasseur.

Otitoju expliqua qui ils étaient et la raison de leur présence. Fraser et Ferguson restèrent tous deux perplexes. « Pourquoi on croirait qu'il est venu avec nous ? demanda Ferguson.

— Et surtout, pourquoi on croirait qu'on l'aurait emmené avec nous ? » Billy Fraser s'essuya la bouche du dos de la main d'un geste de dégoût. « Mick Prentice estimait que les gens comme nous étaient indignes de lui. Même avant qu'on abandonne la grève, il regardait les autres de haut. Il pensait qu'il valait mieux que nous.

— Pourquoi aurait-il pensé ça ? » questionna Mark.

Fraser sortit un paquet de Benson de sa blouse. Avant qu'il ait pu tirer une cigarette du paquet, Otitoju posa sa main douce sur sa main calleuse. « C'est interdit à présent, monsieur Fraser. C'est un lieu de travail. Vous ne pouvez pas fumer ici.

— Oh, putain ! pesta Fraser, puis il se détourna et rangea ses clopes dans sa poche.

— Pourquoi Mick Prentice aurait-il pensé qu'il valait mieux que vous ? » répéta Mark.

Ferguson releva le défi. « Certains hommes se sont mis en grève parce que le syndicat leur avait dit de le faire. Et d'autres se sont mis en grève parce qu'ils étaient persuadés d'avoir raison et qu'ils savaient ce qui était le mieux pour le reste d'entre nous. Mick Prentice était un de ceux qui pensaient avoir raison.

— Ouais, fit Fraser d'un ton âpre. Et il avait ses copains au syndicat pour prendre soin de lui. » Il frotta ses doigts et son pouce suivant la manière universelle de désigner l'argent.

« Je ne comprends pas, dit Mark. Désolé, mon vieux, je suis trop jeune pour me souvenir de la grève. Mais je croyais que l'un des principaux problèmes, c'était que vous ne receviez pas d'indemnités de grève ?

— Exact, fiston, répondit Fraser. Mais pendant un moment, les types qui allaient sur les piquets volants recevaient du liquide de la main à la main. Et donc, dès qu'il fallait envoyer des gars sur les piquets, c'étaient toujours les mêmes à qui on disait oui. Et si votre tête revenait pas aux gars du syndicat, y avait rien pour vous. Mais la tête de Mick leur revenait mieux que la plupart des autres. Son meilleur ami était un représentant du SNM, comprenez ?

— C'était plus dur pour certains que pour d'autres, ajouta Ferguson. J'imagine que le copain de Prentice lui glissait un billet de cinq ou un sac de bouffe de temps en temps quand y a plus eu de fric pour les piquets. La plupart d'entre nous, on n'a pas eu autant de chance. Alors non, Mick Prentice n'est pas venu avec nous. Et Billy a raison. On n'aurait pas accepté s'il nous avait demandé. »

Otitoju rôdait dans la pièce et examinait leur ouvrage tel un inspecteur de travaux. « Le jour où vous êtes partis, est-ce que vous avez vu Mick Prentice ? »

Les deux hommes échangèrent un regard qui parut furtif à Mark. Ferguson secoua rapidement la tête. « Pas vraiment, dit-il.

— Comment peut-on ne “pas vraiment” voir quelqu’un ? » interrogea Otitoju en se retournant vers eux.

Vendredi 14 décembre 1984

Johnny Ferguson se tenait dans l'obscurité près de la fenêtre de la chambre, d'où il pouvait voir la rue principale jusqu'à l'autre bout du village. Il ne faisait pas froid à l'intérieur, mais il frissonnait légèrement, sa roulée tremblant dans le creux de sa main, qui interrompait l'ascension régulière de la fumée. « Allez, Stuart », marmonna-t-il. Il tira une autre bouffée sur sa cigarette et regarda de nouveau la montre bon marché qu'il portait au poignet. Dix minutes de retard. Il se mit involontairement à taper du pied droit.

Il n'y avait pas un chat. Il était à peine neuf heures, mais seules quelques lumières étaient allumées. Les gens ne pouvaient pas se permettre d'utiliser l'électricité. Ils allaient au centre des mineurs pour profiter un peu de la lumière ou de la chaleur, ou alors ils allaient se coucher en espérant peut-être dormir assez longtemps pour que le cauchemar soit terminé à leur réveil. Pour une fois, cependant, le calme des rues ne dérangeait pas Ferguson. Moins il y aurait de témoins ce soir-là, mieux ce serait. Il savait exactement ce qu'il s'apprêtait à faire, et ça lui foutait la trouille de sa vie.

Tout à coup, des phares apparurent au coin de la rue principale. Dans la faible lumière des réverbères, Ferguson distingua la forme d'une camionnette Transit. L'ancien modèle, pas le nouveau que les flics utilisaient pour transporter leurs troupes dans leurs opérations contre les mineurs. Lorsque le véhicule s'approcha, il vit qu'il était de couleur foncée. Enfin, Stuart était là.

Ferguson éteignit sa cigarette en la pinçant. Il jeta un dernier coup d'œil à la chambre où il avait dormi ces trois dernières années, depuis qu'il louait cette minuscule maison. Il faisait trop sombre pour bien voir, mais il n'y avait pas grand-chose à voir de toute façon. Ce qu'il n'avait pas pu vendre, il l'avait cassé pour en faire du bois de chauffage. Il ne restait à présent que son matelas par terre avec un cendrier et un livre de poche déchiré de Sven Hassel à côté. Plus rien à regretter. Helen était partie depuis longtemps, alors autant tourner le dos à tous ces connards.

Il dévala les escaliers et ouvrit la porte au moment précis où Stuart allait frapper. « Prêt ? » demanda Stuart.

Une longue inspiration. « Plus que jamais. » Il poussa un sac de sport vers Stuart avec son pied et en attrapa un autre, ainsi qu'un sac-poubelle noir. Dix putains d'années au fond de la mine, et voilà tout ce qu'il y avait gagné.

Ils avaient fait deux pas sur les quatre qui les séparaient de la camionnette quand tout à coup ils ne furent plus seuls. Une silhouette surgit de derrière le coin d'une démarche déterminée. Elle se rapprocha de quelques mètres et se mua en Mick Prentice. Ferguson sentit une main glacée l'empoigner à la poitrine. Bon Dieu, c'était bien leur veine. Que Prentice vienne les descendre en flammes en hurlant et que tous les gens de la rue sortent de chez eux.

Stuart jeta son fourre-tout à l'arrière de la camionnette, où Billy Fraser était déjà installé sur une pile de sacs. Il se retourna face à Prentice, prêt à agir si nécessaire.

Mais la colère qu'ils attendaient ne se déversa pas sur eux. Au lieu de cela, Prentice resta immobile, l'air d'être sur le point de fondre en larmes. Il les regarda et secoua la tête. « Non, les gars. Non. Faites pas ça », dit-il. Il continua sur le même refrain. Ferguson avait du mal à croire que c'était le même homme qui les avait harcelés, mobilisés et aiguillonnés pour qu'ils restent fidèles au syndicat. Ça donnait la mesure, se dit-il, des ravages que cette grève avait faits sur eux.

Ferguson bouscula Prentice, rangea ses sacs et alla s'installer à côté de Fraser, qui ferma les portières derrière lui. « C'est complètement dingue, déclara Fraser.

— On aurait dit qu'il venait de se prendre une droite dans le bide, ajouta Ferguson. Il a pété les plombs.

— Soyons reconnaissants, reprit Fraser. La dernière chose dont on avait besoin, c'était qu'il explose comme une putain de bombe et qu'il ameute tout le monde. » Il éleva la voix quand le moteur démarra. « Allons-y, Stu. La nouvelle vie commence. »

Vendredi 29 juin 2007

« Y a-t-il eu des témoins de cette rencontre ? demanda Otitoju.

— Stuart est mort maintenant, donc je suis le seul témoin restant, expliqua Fraser. J'étais dans la camionnette. La porte arrière était ouverte et j'ai vu toute la scène. Johnny a raison. Prentice avait l'air démoli. Comme si c'était un affront personnel, ce qu'on faisait.

— Ça aurait peut-être été une autre histoire si ça avait été Iain à ta place dans la camionnette, précisa Ferguson.

— Qu'est-ce que ça aurait pu changer ? demanda Mark.

— Iain et lui étaient amis. Prentice aurait peut-être ressenti le besoin d'essayer de le dissuader. Mais Iain était le dernier qu'on devait prendre, donc je suppose qu'on était tranquilles. Et c'est la dernière fois qu'on a vu Prentice, dit Ferguson. J'ai toujours de la famille là-haut. On m'a appris qu'il était parti, mais j'ai simplement pensé qu'il avait foutu le camp avec ce copain à lui, le syndicaliste. Je me souviens plus de son nom…

— Andy quelque chose, suggéra Fraser. Ouais, quand tu m'as raconté qu'ils avaient tous les deux disparu, je me suis dit qu'ils avaient décidé de mettre les voiles pour repartir de zéro ailleurs. Vous devez comprendre que les gens voyaient leurs vies s'effondrer à cette époque. Les hommes ont fait des choses dont on ne les aurait jamais crus capables. » Il se retourna, marcha jusqu'à la porte qu'il franchit avant de sortir ses cigarettes.

« Il a raison, dit Ferguson. Et surtout, on ne voulait pas trop y penser. À vrai dire, on ne veut toujours pas. Donc à moins qu'il y ait autre chose, on vous souhaite une bonne journée. » Il ramassa sa barre à mine et retourna à sa tâche.

Incapable de penser à d'autres questions, Mark se dirigea vers la sortie. Otitoju hésita brièvement avant de le suivre jusqu'à la voiture. Ils restèrent assis en silence un instant, puis Mark dit : « Ça a dû être vraiment horrible.

— Ça n'excuse pas leur insubordination, rétorqua Otitoju. La grève des mineurs a creusé un fossé entre nous et les gens dont nous sommes au service. Ils nous ont donné une image de brutes alors qu'on nous provoquait. On raconte que même la reine a été choquée par la bataille d'Orgreave, mais à quoi les gens s'attendaient-ils ? On est censés assurer leur tranquillité. Si les gens ne consentent pas à ce qu'on fasse régner l'ordre, qu'est-ce qu'on peut faire d'autre ? »

Mark la regarda avec de grands yeux. « Tu me fais peur », dit-il.

Elle parut surprise. « Parfois, je me demande si tu fais le bon métier », dit-elle.

Mark détourna le regard. « J'en dirais bien autant, ma belle. »

Château de Rotheswell

Malgré sa détermination à traiter sir Broderick Maclennan Grant exactement de la même façon que n'importe qui d'autre, Karen devait reconnaître que son ventre lui jouait des tours. Le stress affectait toujours son système digestif : non seulement elle perdait l'appétit, mais elle devait régulièrement courir aux toilettes. « Si je faisais plus d'interrogatoires comme celui-ci, je n'aurais pas besoin d'envisager un régime », dit-elle tandis qu'elle et Phil se mettaient en route pour le château de Rotheswell.

« Oh, les régimes, c'est surfait », commenta Phil, du point de vue privilégié et confortable d'un homme dont le poids n'avait pas bougé depuis ses dix-huit ans, quoi qu'il mange ou boive. « Tu es très bien comme ça. »

Karen avait envie de le croire, mais elle n'y arrivait pas. Personne ne pouvait trouver sa silhouette grassouillette attirante, à moins d'être bien plus en manque de compagnie féminine que ne devait l'être Phil. « Oui, t'as raison. » Elle ouvrit son porte-documents et passa en revue les points-clés du dossier pour Phil. Elle était à peine arrivée au bout de son résumé qu'ils s'engagèrent dans l'entrée de Rotheswell. Ils apercevaient le château au loin derrière les branches nues d'une rangée d'arbres, mais ils devaient faire vérifier leur identité avant de pouvoir approcher. Ils descendirent tous deux de la voiture et présentèrent leurs cartes de police à la caméra de surveillance. Finalement, les portes en bois massif s'ouvrirent sur une sorte de sas de sécurité. Phil avança la voiture tandis que Karen marchait à côté. Le portail se referma derrière eux, et ils se retrouvèrent enfermés dans une espèce d'enclos à bétail géant. Des agents de sécurité sortirent d'un poste de garde et inspectèrent l'extérieur puis l'intérieur de la voiture, le porte-documents de Karen et les poches du duffel-coat de Phil.

« Il a un meilleur dispositif de sécurité que le Premier ministre, remarqua Karen quand ils repartirent enfin dans l'allée.

— C'est plus facile de trouver un nouveau Premier ministre qu'un nouveau Brodie Grant, ajouta Phil.

— Je parie que c'est ce qu'il pense, en tout cas. »

Lorsqu'ils approchèrent de la maison, un homme âgé vêtu d'une veste en toile huilée et d'une casquette en tweed contourna la tourelle la plus proche et leur fit signe de se garer au bout de l'aire de stationnement en gravier située devant la maison. Le temps qu'ils s'exécutent, il avait disparu, ne leur laissant d'autre choix que de se diriger vers les énormes portes en bois cloutées au milieu de la façade. « Où est donc Mel Gibson quand on a besoin de lui ? » marmonna Karen en soulevant un pesant heurtoir en métal et en le laissant retomber avec un bam ! satisfaisant. « On se croirait dans un très mauvais film.

— Et on ne sait toujours pas pourquoi on est là. » Phil avait l'air sombre. « Difficile de voir ce qui pourrait être à la hauteur de cette mise en scène. »

Avant que Karen ait pu répondre, la porte tourna sur ses gonds silencieux. Une femme qui lui rappela son institutrice annonça : « Bienvenue à Rotheswell. Je suis Susan Charleson, l'assistante personnelle de sir Broderick. Entrez. »

Ils pénétrèrent l'un après l'autre dans un hall qui, à condition d'avoir enlevé l'imposant escalier, aurait aisément pu contenir la maison de Karen. Elle n'eut pas l'occasion de saisir beaucoup plus que l'atmosphère chaleureuse et colorée qui y régnait avant que la femme les entraîne dans un large couloir. « Vous êtes l'inspecteur Pirie, je présume, dit Susan Charleson. Mais je ne connais pas le nom et le rang de votre collègue.

— Sergent détective Phil Parhatka, indiqua-t-il de manière aussi pompeuse qu'il put, en réponse à son ton solennel.

— Bien, je peux maintenant vous présenter », dit-elle en faisant un pas de côté pour ouvrir une porte. Elle les invita à entrer dans un salon où la PJ aurait facilement pu organiser son dîner annuel en l'honneur de Robert Burns. Il aurait fallu pousser certains meubles contre les murs afin de faire de la place pour les danses folkloriques, mais malgré tout, les gens n'auraient pas été trop serrés.

Il y avait trois personnes dans la pièce, mais l'attention de Karen fut immédiatement attirée par celui dont émanait le magnétisme ambiant. Brodie Grant avait peut-être passé la barre des soixante-dix ans, mais il restait plus envoûtant que les deux femmes qui l'entouraient. Il était debout à côté de l'imposante cheminée en pierre sculptée, le coude droit dans la main gauche, la main droite tenant nonchalamment un fin cigare, l'air aussi tranquille et décontracté que sur la photo parue en une d'un magazine qu'elle avait trouvée sur Google Images. Il portait une veste en tweed gris et blanc dont la texture évoquait du cachemire et de la soie plutôt que du tweed de Harris ou de Donegal, un col roulé noir, un pantalon assorti et cette sorte de chaussures que Karen avait seulement vues aux pieds de riches Américains. On appelait ça des mocassins à glands ou quelque chose du genre, lui semblait-il. On les aurait plus imaginés aux pieds d'une poupée en kilt que sur ceux d'un capitaine d'industrie. Karen était si occupée à examiner ces étranges chaussures qu'elle faillit rater les présentations.

Elle releva les yeux à temps pour surprendre un sourire imperceptible sur les lèvres de Lady Grant, élégante dans sa veste chinée couleur bruyère avec un col en velvet classique qui, pour une certaine raison, évoquait toujours l'argent et la classe aux yeux de Karen. Mais son sourire avait quelque chose d'étrangement complice.

Susan Charleson présenta l'autre femme. « Voici Annabel Richmond, journaliste indépendante. » Interpellée, Karen la salua d'un hochement de tête. Qu'est-ce qu'une journaliste foutait là ? Si Karen savait une chose sur Brodie Grant, c'était qu'il était tellement allergique aux médias qu'il aurait dû faire un choc anaphylactique d'un moment à l'autre.

Brodie Grant avança et, d'un mouvement de son cigare, leur fit signe de s'asseoir sur un canapé tout juste à portée de voix. Karen se jucha sur l'accoudoir, consciente que c'était le genre de siège qui l'avalerait et la mettrait dans l'impossibilité de se relever sans paraître gauche. « Mlle Richmond est ici à ma requête pour deux raisons, commença Grant. La première, j'y viendrai dans un instant. La seconde, c'est qu'elle va jouer le rôle d'intermédiaire entre les médias et ma famille. Je ne donnerai pas de conférences de presse, je ne lancerai pas d'appels larmoyants à la télévision. C'est donc la première personne que vous devrez contacter si vous cherchez quelque chose pour nourrir les fauves. »

Karen inclina la tête. « C'est votre droit », dit-elle en essayant de donner l'impression qu'elle faisait une concession par bonté de cœur. Tous les moyens étaient bons pour reprendre un peu les commandes. « M. Lees m'a laissé entendre que vous pensiez avoir découvert de nouveaux éléments concernant l'enlèvement de votre fille et de votre petit-fils ?

— Il y a bel et bien de nouveaux éléments. Aucun doute là-dessus. Susan ? » Il lui jeta un regard impatient. Assez maligne pour anticiper les demandes de son patron, elle s'approchait déjà d'eux avec une feuille de contreplaqué enveloppée de plastique. Elle la tourna face à Karen et Phil en arrivant devant eux.

Karen ressentit une pointe de déception. « Ce n'est pas la première fois qu'on voit une affiche comme celle-ci, signala-t-elle en étudiant l'image monochrome du marionnettiste et de ses sinistres pantins. J'en ai trouvé trois ou quatre exemples dans les dossiers.

— Cinq, exactement, précisa Grant. Mais aucune comme celle-ci. On a écarté les précédentes car elles différaient des originaux sur certains points. Les reproductions que l'inspecteur en chef Lawson a fournies aux médias à l'époque étaient subtilement modifiées afin d'écarter les plagiaires. Toutes celles qu'on a trouvées depuis étaient des copies des versions retouchées.

— Et celle-ci est différente ? » demanda Karen.

Grant acquiesça d'un hochement de tête. « Tout juste, inspecteur. Elle est identique à tous points de vue. Je suis bien conscient que certaines personnes peuvent être alléchées par la récompense que j'ai offerte. J'ai donc gardé mon exemplaire de l'original afin de pouvoir comparer toutes celles qu'on m'apportait directement. Comme celle-ci. » Il fit un sourire terne. « Non pas que j'aie besoin d'un exemplaire. Je n'en oublierai jamais le moindre détail. La première fois que j'ai posé les yeux dessus, ça a réveillé tous mes souvenirs. »

Samedi 19 janvier 1985

Mary Grant versa une deuxième tasse de café à son mari avant qu'il remarque qu'il avait terminé la première. Elle faisait cela depuis tellement d'années qu'il était encore étonné de voir le nombre de fois où il devait se resservir quand il allait à l'hôtel. Il tourna la page de son journal et grommela : « Enfin une bonne nouvelle. Lord Wolfenden est débarrassé de l'étreinte de cette vie. »

Mary parut lassée et résignée plus que choquée. « C'est horrible de dire ça, Brodie. »

Sans lever les yeux, il répondit : « Cet homme a fait du monde un endroit horrible, Mary. Alors je ne regrette pas qu'il l'ait quitté. »

Les années de mariage avaient fait perdre presque toute sa combativité à Mary Grant. Mais même si elle avait eu l'intention de dire quelque chose, elle n'en aurait pas eu l'occasion. À la grande surprise des deux Grant, la porte de la salle à manger s'ouvrit brutalement sans qu'on ait frappé, et Susan Charleson entra presque en courant. Brodie laissa tomber son journal sur ses œufs brouillés en remarquant les joues empourprées et le souffle court de son assistante.

« Je suis désolée, bredouilla-t-elle. Mais il faut que vous voyiez ça. » Elle lui mit brusquement une grande enveloppe en papier kraft sous le nez. Au verso figuraient ses nom et adresse ainsi que les mots « personnel » et « confidentiel » écrits au marqueur noir épais au-dessus et en dessous.

« Quelle peut bien être cette chose qui ne peut pas attendre la fin du petit-déjeuner ? s'écria-t-il en enfonçant deux doigts dans l'enveloppe pour révéler un épais morceau de papier plié en quatre.

— Ceci, répondit Susan en désignant le courrier. Je l'ai remis dans l'enveloppe pour que personne d'autre ne puisse le voir. »

Avec un grognement impatient, Grant sortit la feuille et la déplia. On aurait dit une affiche publicitaire pour un spectacle de marionnettes macabre. Sur l'image en noir et blanc contrasté, un marionnettiste était penché au-dessus du décor et manipulait un groupe de personnages, notamment un squelette et une chèvre. Ça lui rappela le genre de gravures qu'il avait vues un jour dans une émission de télé sur l'art que détestait Hitler. Tout en se faisant cette remarque, il lut les mots inscrits au bas de l'affiche. Là où l'on s'attendait à trouver des renseignements sur le spectacle de marionnettes se trouvait un message très différent.

Votre attitude d'exploiteur capitaliste cupide est sur le point d'être punie. Nous avons votre fille et votre petit-fils. Faites ce qu'on vous dit si vous voulez les revoir un jour. Ne contactez pas la police. Vaquez normalement à vos occupations. Nous vous surveillons. Nous vous recontacterons bientôt.

L'Alliance anarchiste d'Écosse

« Est-ce que c'est une sorte de mauvaise blague ? » demanda Grant en jetant le document sur la table et en reculant sa chaise. Mary s'empara de l'affiche quand il se leva, puis la laissa retomber comme si elle lui avait brûlé les doigts.

« Oh mon Dieu ! lâcha-t-elle dans un souffle. Brodie ?

— C'est une blague, dit-il. Un sale tordu qui essaie de nous faire peur.

— Non, dit Susan. Il y a autre chose. » Elle ramassa l'enveloppe tombée par terre et la secoua pour en sortir un Polaroid. Elle le tendit à Grant en silence.

Il vit sa fille unique attachée à une chaise. Un morceau de scotch lui couvrait la bouche. Elle était décoiffée et avait une tache ou un bleu sur la joue gauche. Entre elle et l'appareil photo, une main gantée montrait suffisamment bien la première page du *Daily Record* de la veille pour ne laisser aucune place au doute. Il sentit ses jambes se dérober sous lui et s'effondra sur sa chaise, les paupières vacillantes tandis qu'il essayait de se reprendre. Mary tendit la main en direction de la photo, mais il secoua la tête et serra l'objet contre sa poitrine. « Non, dit-il. Non, Mary. »

Il y eut un long silence puis Susan demanda : « Qu'est-ce que vous voulez que je fasse ? »

Grant ne pouvait pas formuler de mots. Il ne savait plus ce qu'il pensait, ce qu'il ressentait ni ce qu'il voulait dire. Cette expérience lui paraissait aussi étrangère et improbable que de prendre de la drogue. Il gardait toujours le contrôle de lui-même et sur ce qui se passait autour. Ça faisait si longtemps qu'il ne s'était pas trouvé démuni qu'il avait oublié comment faire face à cette situation.

« Voulez-vous que j'appelle le commissaire ? demanda Susan.

— Ils disent de ne pas le faire, avertit Mary. On ne peut pas prendre de risques vis-à-vis de Catriona et Adam.

— On s'en fout de ce qu'ils disent, déclara Grant d'une voix qui ne ressemblait que vaguement à sa voix normale. Je ne vais pas me laisser malmener par une foutue bande d'anarchistes. » Il se redressa péniblement, la force de sa volonté dépassant la peur qui le dévorait déjà intérieurement. « Susan, appelez le commissaire. Expliquez-lui la situation. Dites-lui que je veux le meilleur agent dont il dispose et qui n'ait pas l'air d'un policier. Je veux le voir au bureau dans une heure. Maintenant, je vais travailler. Vaquer normalement à mes occupations, si jamais ils surveillent vraiment.

— Brodie, comment peux-tu ? » Devenue blafarde, Mary paraissait affligée. « On doit faire ce qu'ils nous disent.

— Non. On doit seulement en avoir l'air. » Sa voix avait repris de l'assurance. Le fait de s'être concentré sur une ébauche de plan lui avait donné la force de se ressaisir. Il pouvait surmonter la peur s'il parvenait à se convaincre qu'il faisait quelque chose pour résoudre la situation. « Susan, faites ce que vous avez à faire. » Il s'approcha de Mary et lui tapota l'épaule. « Ça va s'arranger, Mary. Je te le promets. » S'il pouvait éviter de croiser son regard, il n'aurait pas à affronter ses doutes ou ses craintes. Il avait déjà assez de soucis pour se passer de ce fardeau supplémentaire.

Dysart, Fife

D'autres auraient peut-être fait les cent pas en attendant que la police arrive. Brodie Grant n'avait jamais été du genre à gaspiller son énergie en activités inutiles. Assis dans le fauteuil de son bureau, il le fit pivoter pour profiter de la vue spectaculaire sur l'estuaire du Forth, la Berwick Law, Édimbourg et les collines des Pentlands. Il posa son regard sur l'eau grise mouchetée et mit de l'ordre dans ses pensées afin d'éviter de perdre du temps une fois que la police serait là. Il avait horreur de gaspiller, même ce qui pouvait être facilement remplacé.

Susan, qui l'avait suivi pour venir travailler à l'heure habituelle, franchit la porte qui séparait son bureau de celui de Grant. « Les policiers sont là, dit-elle. Est-ce que je les fais entrer ? »

Grant fit volte-face dans son fauteuil. « Oui. Puis laissez-nous. » Il remarqua son expression de surprise. Elle avait l'habitude d'être au courant de tous ses secrets, d'en savoir plus que ce qui intéressait Mary. Mais cette fois-ci, il voulait réduire le cercle au maximum. Même Susan était de trop.

Elle fit entrer deux hommes en salopettes de peintre, puis ferma ostensiblement la porte derrière elle. Grant fut content de leur stratagème. « Merci d'être venus si vite. Et si discrètement », dit-il en les observant. Ils avaient l'air trop jeunes pour une tâche si importante. Le plus vieux, mince et brun, devait avoir entre trente et trente-cinq ans, l'autre, un blond aux joues colorées, un peu moins de la trentaine.

Le brun prit la parole. À la surprise de Grant, il mit tout de suite le doigt sur ce qui le contrariait. « Je suis l'inspecteur en chef James Lawson, dit-il. Et voici l'inspecteur Rennie. Le directeur de la police en personne nous a informés de l'affaire. Je sais que vous vous dites sans doute que j'ai l'air jeune pour diriger une opération comme celle-là, mais j'ai été choisi pour mon expérience. L'an dernier, la femme d'un des joueurs du East Fife a été enlevée. Nous avons réussi à résoudre le problème sans que personne ne soit blessé.

— Je ne me rappelle pas avoir entendu quoi que ce soit à ce sujet, dit Grant.

— On a réussi à bien étouffer l'affaire, expliqua Lawson avec un sourire satisfait des plus brefs.

— Il n'y a pas eu de procès ? Comment avez-vous fait pour que ça ne paraisse pas dans les journaux ? »

Lawson haussa les épaules. « Le kidnappeur a plaidé coupable. L'affaire a été bouclée avant même que la presse ne s'aperçoive de quoi que ce soit. On est assez forts pour la gestion d'informations ici, dans le Fife. » Même sourire fugitif. « Vous voyez donc, monsieur, que je suis l'homme de la situation. »

Grant le dévisagea longuement. « Content de l'entendre. » Il sortit des pincettes de son tiroir et déplaça délicatement la feuille de papier blanc qu'il avait posée sur l'affiche de demande de rançon. « Voici ce qui est arrivé dans le courrier de ce matin. Accompagné de ceci… » Il souleva minutieusement le Polaroid par le bord pour le retourner.

Lawson se rapprocha et examina intensément les documents. « Et vous êtes bien sûr que c'est votre fille ? »

Pour la première fois, Grant perdit son sang-froid pendant une fraction de seconde. « Vous croyez que je ne connais pas ma propre fille ?

— Non, monsieur. Mais pour que ce soit bien clair, je dois être certain que vous en êtes sûr.

— Je le suis.

— Dans ce cas, il n'y a pas beaucoup de doute possible, dit Lawson. Quand avez-vous vu votre fille, ou eu de ses nouvelles, pour la dernière fois ? »

Grant fit un geste impatient. « Je n'en sais rien. Je suppose que je l'ai vue pour la dernière fois il y a environ deux semaines. Elle est venue nous rendre visite avec Adam. Sa mère lui aura parlé ou l'aura vue depuis. Vous savez comment sont les femmes. » Il eut un sentiment soudain de culpabilité, qui ne l'envahit pas violemment mais vint plutôt s'installer en lui. Il ne regrettait rien de ce qu'il avait pu dire ou faire ; il déplorait seulement que cela ait creusé un fossé entre Cat et lui.

« Nous parlerons à votre femme, dit Lawson. Ça nous serait utile d'avoir une idée de quand ça s'est produit.

— Catriona a sa propre affaire. À priori, si la galerie a été fermée, quelqu'un l'aura remarqué. Il doit y avoir des centaines, des milliers de personnes qui passent devant chaque jour. Elle changeait scrupuleusement le panneau ouvert/fermé. » Il eut un sourire crispé et froid. « Elle était douée pour les affaires. » Il tira un bloc-notes vers lui et griffonna l'adresse de la galerie de Catriona et les indications pour s'y rendre.

« Bien sûr, dit Lawson. Mais je croyais que vous ne vouliez pas que les ravisseurs sachent que vous aviez fait appel à nous ? »

Grant fut déconcerté par sa propre bêtise. « Excusez-moi. Vous avez raison. Je n'ai pas les idées très claires. Je…

— C'est mon travail, pas le vôtre. » Il y avait une certaine gentillesse dans le ton de Lawson. « Vous pouvez être sûr que nous ne ferons aucune recherche qui puisse éveiller des soupçons. Si nous n'arrivons pas à découvrir quelque chose d'une manière qui semble naturelle, nous laisserons tomber. La sécurité de Catriona et Adam passe avant tout. Je vous le promets.

— C'est une promesse que je vous demande de tenir. Et maintenant, quelle est la prochaine étape ? » Grant avait retrouvé ses moyens, mais il restait énervé par ces émotions qui continuaient de le prendre au dépourvu.

« Nous allons placer vos lignes téléphoniques sur écoute avec un système de localisation au cas où ils essaieraient de vous contacter de cette façon. Et il va falloir que vous alliez chez Catriona. C'est ce à quoi ses kidnappeurs s'attendent.

Vous serez mes yeux à l'intérieur de sa maison. Si quelque chose a bougé ou semble inhabituel, vous devrez le prendre en note. Vous devrez emporter un porte-documents ou quelque chose du genre, et si par exemple il y a deux tasses sur la table, vous pourrez nous les ramener. Il nous faudra aussi quelque chose appartenant à Catriona pour qu'on puisse relever ses empreintes. Une brosse à cheveux, ce serait l'idéal, comme ça on aura ses cheveux aussi. » Lawson semblait plein d'enthousiasme.

Grant hocha la tête en signe de refus. « Vous devrez demander à ma femme de faire ça. Je ne suis pas très observateur. » Il n'allait certainement pas avouer qu'il n'avait franchi qu'une seule fois le seuil de la maison de sa fille, et encore avec réticence. « Elle sera contente d'avoir quelque chose à faire. De se sentir utile.

— Très bien, on va s'occuper de ça. » Lawson toucha l'affiche avec un stylo. « À première vue, ça ressemble à un acte politique plutôt qu'à une attaque personnelle. On va consulter nos services de renseignements sur les groupes qui auraient potentiellement les ressources et la détermination pour monter un coup comme ça. Par contre, il faut que je vous demande... avez-vous eu des différends avec des groupes de pression ? Une organisation avec quelques têtes brûlées marginales qui auraient trouvé que c'était une bonne idée ? »

Grant s'était déjà posé la même question en attendant la police. « La seule chose à laquelle je pense, c'est un problème qu'on a eu il y a environ un an avec une de ces bandes de "sauveurs de baleines". On construisait un lotissement sur la péninsule de Black Isle, qui selon eux aurait des conséquences néfastes sur l'habitat d'un groupe de dauphins dans l'estuaire de Moray. Des absurdités, bien sûr. Ils ont essayé d'arrêter notre équipe de construction – le coup habituel, ils se sont allongés devant les pelleteuses. L'un d'eux a été blessé. Par leur propre faute, à ces imbéciles, et c'est comme ça que les autorités ont perçu l'incident. Mais ça s'est arrêté là. Ils sont partis la queue entre les jambes et on a continué notre lotissement. Et les dauphins vont parfaitement bien, soit dit en passant. »

Le récit de Grant avait visiblement ranimé Lawson. « On devra malgré tout jeter un œil là-dessus, dit-il.

— Mme Charleson aura tous les dossiers. Elle pourra vous dire ce que vous voulez savoir.

— Merci. Je dois également vous demander s'il existe à votre connaissance quelqu'un qui vous en veuille personnellement. Ou quelqu'un de votre famille. »

Grant fit non de la tête. « J'ai marché sur les plates-bandes de nombreuses personnes dans ma vie. Mais je ne vois rien que j'aie pu faire qui pousserait quelqu'un à agir ainsi. C'est sûrement une histoire d'argent, pas de rancune. Tout le monde sait que je suis l'un des hommes les plus riches d'Écosse. Ce n'est pas un secret. Pour moi, c'est le mobile évident ici. Une bande de petits salopards veut mettre la main sur mon argent durement gagné. Et ils pensent que c'est comme ça qu'ils y arriveront.

— C'est possible, convint Lawson.

— C'est plus que possible. C'est le scénario le plus probable. Et que je sois maudit s'ils arrivent à s'en tirer comme ça. Je veux récupérer ma famille, et je veux la récupérer sans rien céder à ces enfoirés ! » Grant frappa sur la table du plat de la main. Ce coup inattendu fit sursauter les deux policiers.

« C'est pour ça que nous sommes là, répondit Lawson. On fera tout notre possible pour arriver au dénouement que vous attendez. »

La confiance de Grant était alors encore intacte. « Je n'en attends pas moins de vous », dit-il.

Vendredi 29 juin 2007 ; château de Rotheswell

Ce qui frappa Karen en écoutant Grant raconter cette première matinée de début d'apocalypse, c'était que tout le monde s'était préoccupé uniquement de lui. Personne ne semblait avoir songé au fait que la personne qui était punie dans tout ça, ce n'était pas Grant lui-même, mais sa fille. « Catriona avait-elle des ennemis ? »

Grant fronça les sourcils d'un air impatient. « Catriona ? Elle était mère célibataire et maître verrier. Elle ne menait pas le genre de vie qui suscite l'animosité. » Il soupira et plissa les lèvres.

Karen se persuada de ne pas se laisser intimider par son attitude. « Désolée. Je me suis mal exprimée. J'aurais dû vous demander si vous connaissiez quelqu'un qu'elle aurait contrarié. »

Grant lui fit un petit signe de tête satisfait, comme si elle avait réussi un test dont elle n'était même pas au courant. « Le père de l'enfant. Il était fâché, ça c'est sûr. Mais je n'ai jamais vraiment cru qu'il ait pu être capable de ça, et vos collègues n'ont jamais pu établir aucun rapport entre lui et le crime.

— Vous parlez de Fergus Sinclair ? demanda Karen.

— Qui d'autre ? Je croyais que vous aviez étudié le dossier ? » interrogea Grant.

Karen commençait à éprouver de la pitié pour les personnes obligées de supporter l'irritation de Grant. Elle avait en effet dans l'idée que celle-ci ne lui était pas réservée.

« Sinclair n'est mentionné qu'une seule fois dans le dossier, expliqua-t-elle. Dans le compte rendu d'un entretien avec Lady Grant, il est question de Sinclair en tant que père putatif d'Adam. »

Grant renâcla. « Putatif ? Évidemment que c'était le père du garçon. Ils sont sortis ensemble par intermittence pendant des années. Mais comment ça, il n'y a qu'une seule référence à Sinclair ? Il doit y en avoir plus. Ils sont allés en Autriche pour l'interroger.

— En Autriche ?

— Il travaillait là-bas. Il est gestionnaire de propriétés diplômé. Il a travaillé en France et en Suisse depuis, mais il est retourné en Autriche il y a environ quatre ans. Susan peut vous fournir tous les détails.

— Vous avez gardé un œil sur lui ? » Ce n'était pas étonnant, songea Karen.

« Non, inspecteur. Je vous l'ai dit : je n'ai jamais cru que Sinclair avait assez de jugeote pour monter un coup comme ça. Alors pourquoi garderais-je un œil sur lui ? La seule raison pour laquelle je sais où il vit, c'est que son père est toujours mon intendant. » Grant secoua la tête. « Je n'arrive pas à croire que tout ça ne soit pas dans le dossier. »

Karen se disait la même chose, mais elle ne voulut pas l'admettre. « Et à votre connaissance, Catriona avait-elle contrarié d'autres personnes ? »

Le visage de Grant devint glacial. « Seulement moi, inspecteur. Écoutez, il est évident d'après l'endroit où on a découvert ce nouvel élément que tout ça n'a rien à voir avec Cat personnellement. C'est clairement politique. Ça se rapporte donc à ce que je représente, pas aux cœurs que Cat a pu briser.

— Et donc, où a-t-on découvert cette affiche ? » demanda Phil. Karen lui fut reconnaissante de cette interruption. Il était doué pour s'introduire dans la conversation et orienter les entretiens vers des voies plus productives quand ils étaient en danger de s'embourber.

« Dans une ferme en ruines de Toscane. Apparemment, l'endroit avait été squatté. » Il tendit le bras vers la journaliste. « C'est l'autre raison pour laquelle Mlle Richmond est ici. C'est elle qui l'a trouvée. Il vous faudra donc assurément parler avec elle. » Il désigna l'affiche. « Vous aurez aussi besoin d'emporter ça. J'imagine que vous avez certains tests à faire dessus. Et, inspecteur... ? »

Karen retrouva son souffle après cette démonstration d'autoritarisme. « Oui ?

— Je ne veux rien voir à ce sujet dans le journal de demain. » Il lui lança un regard furieux, comme s'il la mettait au défi de répondre.

Karen se contint pendant un instant et essaya de formuler une réponse qui englobait tout ce qu'elle voulait dire et laissait de côté tout ce qui pourrait être mal interprété. Grant prit un air plus avenant. « Ce que nous divulguerons aux médias ainsi que le moment que nous choisirons fera l'objet d'une décision opérationnelle, dit-elle finalement. Celle-ci sera prise par moi-même et, le cas échéant, par mes supérieurs. Je comprends parfaitement combien tout cela peut vous être pénible, mais je suis désolé, monsieur. Nous devons fonder nos décisions sur ce que nous jugerons le plus à même de mener au meilleur résultat. Vous ne serez peut-être pas toujours d'accord avec ça, mais j'ai bien peur que vous n'ayez pas de droit de veto. » Elle attendit l'explosion, mais celle-ci n'eut pas lieu. Elle supposa qu'il la mettait de côté pour le Macaron ou pour ses patrons.

À la place, Grant hocha doucement la tête. « J'ai confiance en vous, inspecteur. Tout ce que je demande, c'est que vous contactiez Mlle Richmond ici par avance, de sorte que nous puissions nous prémunir contre la foule. » Il passa sa main dans ses épais cheveux gris d'un geste apparemment bien étudié. « J'espère beaucoup que cette fois la police fera éclater la vérité. Avec tous les progrès faits en criminalistique, vous devriez avoir un avantage sur l'inspecteur Lawson. » Il détourna le regard d'une façon qui signifiait qu'il les congédiait.

« Je m'attends à avoir d'autres questions à vous poser, indiqua Karen, bien décidée à ne pas lui céder tout le contrôle sur cette rencontre. Si Catriona n'avait pas d'ennemis, peut-être pourriez-vous réfléchir aux noms de certains de ses amis qui pourraient nous aider. Le sergent Parhatka vous fera savoir quand je voudrai vous reparler. D'ici là... Mademoiselle Richmond ? »

La femme inclina la tête et sourit. « Je suis à votre disposition, inspecteur. »

Il y avait au moins une personne ici qui avait une vague notion de la façon dont les choses étaient censées se passer. « J'aimerais vous voir dans mon bureau cet après-midi. Disons, seize heures ?

— Qu'est-ce qui vous empêche d'interroger Mlle Richmond ici ? Et maintenant ? questionna Grant.

— C'est mon enquête, répondit Karen. Je fais mes interrogatoires où ça m'arrange. Et en raison d'autres affaires en cours, ça m'arrange d'être à mon bureau cet après-midi. À présent, si vous voulez bien nous excuser ? » Elle se leva, remarquant l'amusement dissimulé de Lady Grant et l'air désapprobateur et compassé de Susan Charleson. Grant resta pour sa part aussi immobile qu'une statue.

« Laissez, Susan, je vais reconduire les agents », dit Lady Grant en se levant d'un bond pour se diriger vers la porte avant que l'autre femme n'ait retrouvé son sang-froid.

Tandis qu'ils la suivaient dans le couloir, Karen lui dit : « Ça doit être dur pour vous. »

Lady Grant fit demi-tour sur elle-même et continua de marcher à reculons avec l'assurance d'une personne qui connaît chaque centimètre carré de son territoire. « Pourquoi dites-vous cela ?

— Voir votre mari revivre un moment aussi horrible. Je ne voudrais pas voir quelqu'un auquel je tiens traverser tout ça. »

Lady Grant parut perplexe. « Il vit avec ça chaque jour, inspecteur. Il n'en donne peut-être pas l'impression, mais ça hante toujours son esprit. Parfois je le surprends à regarder notre fils Alec, et je sais qu'il se demande comment les choses auraient pu être, avec Adam. Qu'il pense à ce qu'il a perdu. Avoir quelque chose de nouveau sur quoi se concentrer, c'est presque un soulagement pour lui. » Elle pivota sur ses orteils et leur tourna de nouveau le dos. Tout en continuant de la suivre, Karen croisa le regard de Phil et fut surprise par la colère qu'elle y lut.

« Mais ce serait quand même humain si vous espériez quelque part qu'on ne retrouve pas Adam vivant », lança Phil d'un ton léger contrastant avec son air sombre.

Lady Grant s'arrêta net et se retourna brusquement, les sourcils baissés. Son visage s'était empourpré. « Qu'est-ce que vous osez insinuer ?

— Je crois que vous savez exactement ce que je veux dire, Lady Grant. Si nous retrouvons Adam, votre petit Alec ne sera tout à coup plus l'unique héritier de Brodie », continua Phil. Il fallait du cran, se dit Karen, pour endosser le rôle de paratonnerre de l'enquête.

Pendant un instant, Lady Grant donna l'impression qu'elle allait le gifler. Karen vit sa poitrine se soulever et retomber dans l'effort qu'elle faisait pour se contenir. Elle se força finalement à prendre une attitude polie. « En réalité, dit-elle d'un ton sec et tendu, vous abordez le problème tout à fait à l'envers. L'engagement absolu de Brodie pour découvrir le sort de son petit-fils me donne pleinement confiance en l'avenir d'Alec. Un homme aussi obligé envers la chair de sa chair n'abandonnera jamais notre fils. Croyez-le ou non, sergent, la quête de vérité de Brodie me remplit d'espoir. Pas de peur. » Elle tourna les talons et marcha d'un pas vif jusqu'à la porte d'entrée, qu'elle ouvrit et leur tint d'une manière significative.

Une fois qu'elle se fut fermée derrière eux, Karen s'écria : « Bon sang, Phil, pourquoi tu ne nous dis pas ce que tu penses vraiment ? Qu'est-ce qui t'a pris ?

— Je suis désolé. » Il lui ouvrit la portière passager, un petit geste de courtoisie qu'il se donnait rarement la peine de faire. « J'en avais assez de jouer les Miss Marple. Toutes ces conneries de meurtre au manoir. Ce côté froid et affecté. J'ai juste voulu voir si je pouvais provoquer une réaction sincère. »

Karen sourit. « Je crois qu'on peut dire sans s'avancer que tu y es arrivé. J'espère seulement que les conséquences ne vont pas être trop lourdes. »

Phil eut un petit rire. « T'es pas non plus la dernière quand il s'agit de jouer les peaux de vache. "C'est mon enquête" », dit-il en l'imitant sans méchanceté.

Elle s'installa dans la voiture. « Ouais, enfin. L'illusion d'être le chef. C'était sympa tant que ça durait. »

Nottingham

Les merveilles de l'Arboretum de Nottingham n'étaient pas tant ternies que rendues invisibles par les trombes de pluie qui aveuglaient l'agent Mark Hall tandis qu'il suivait Femi Otitoju dans l'allée menant au Clocher chinois. Elle avait fini par manifester une certaine émotion, mais ce n'était pas exactement ce qu'avait espéré Mark.

Logan Laidlaw s'était montré encore moins enchanté de les voir que Ferguson et Fraser. Non seulement il avait refusé de les laisser franchir le seuil de son appartement, mais il leur avait expliqué n'avoir aucunement l'intention de répéter ce qu'il avait déjà raconté à la fille de Mick Prentice. « La vie est bien trop courte pour gaspiller mon énergie à revenir deux fois sur cette histoire », avait-il dit avant de leur claquer la porte au nez.

Otitoju était devenue pourpre comme une betterave marinée et s'était mise à respirer bruyamment par le nez. Elle avait serré les poings et reculé le pied comme si elle allait donner un coup de pied dans la porte. Une réaction assez folle de la part de ce petit bout de femme. Mark lui avait posé la main sur le bras. « Laisse, Femi. Il est dans son droit. Il n'est pas obligé de nous parler. »

Otitoju s'était retournée brusquement, tout son corps tendu de colère. « Ça ne devrait pas être permis, avait-elle lancé. Ils devraient être obligés de nous parler. Les gens ne devraient pas avoir le droit de refuser de répondre à nos questions. Ça devrait être un délit.

— C'est un témoin, pas un criminel, avait précisé Mark, effaré par sa véhémence. C'est ce qu'on nous a expliqué en formation. Faire régner l'ordre avec l'accord des gens, pas sous la contrainte.

— Ce n'est pas normal, avait dit Otitoju en retournant vers la voiture, furieuse. On attend de nous qu'on élucide des crimes, mais on ne nous donne pas les outils pour le faire. Et pour qui il se prend ?

— C'est quelqu'un dont l'opinion de la police est restée gravée dans la roche depuis 1984. T'as jamais vu les reportages de l'époque ? La police montée a chargé les piquets de grève comme une bande de Cosaques ou de furieux de ce genre. Si on se servait comme ça de nos matraques, on nous mettrait aux arrêts. Ça n'a pas été notre heure de gloire. C'est donc pas vraiment étonnant que M. Laidlaw n'ait pas envie de nous parler. »

Elle secoua la tête. « Ça me fait juste me demander ce qu'il a à cacher. »

Le trajet de la maison de Iain Maclean à l'Arboretum n'avait pas beaucoup aidé à améliorer son humeur. Mark la rattrapa. « Tu me laisses faire, d'accord ? dit-il.

— Tu crois que je ne suis pas capable de mener un interrogatoire ?

— Non, ce n'est pas ça. Mais je connais assez bien les anciens mineurs pour savoir que c'est une bande de machos. Tu as bien vu tout à l'heure avec Ferguson et Fraser – ils n'ont pas beaucoup apprécié que tu leur poses des questions. »

Otitoju s'arrêta soudainement et jeta la tête en arrière pour laisser la pluie couler sur son visage comme des larmes glacées. Elle se redressa et soupira. « Très bien. Cédons à leurs préjugés. C'est toi qui parles. » Puis elle repartit, d'un pas cette fois plus mesuré.

Ils arrivèrent au Clocher chinois et trouvèrent deux hommes d'âge mûr en tenue de travail de la mairie qui s'abritaient de l'averse. Les étroites colonnes qui soutenaient le toit élégant offraient une maigre protection contre les gouttes de pluie poussées par les rafales de vent, mais c'était mieux que d'être complètement à découvert. « Je cherche Iain Maclean, indiqua Mark en les regardant l'un après l'autre.

— C'est moi, répondit le plus petit des deux, aux yeux bleu vif qui étincelaient sur son visage halé. Et vous, qui êtes-vous ? »

Mark révéla leurs identités. « Y a-t-il un endroit où nous pourrions aller prendre une tasse de thé ? »

Les deux hommes se regardèrent. « On est censés arranger les plates-bandes, mais on était sur le point de laisser tomber et de retourner dans les serres, expliqua Maclean. Il n'y a pas de cafétéria ici, mais vous pouvez venir avec nous et on peut faire du thé. »

Dix minutes plus tard, ils étaient blottis dans un coin d'une grande serre-tunnel, à l'écart des autres jardiniers dont les regards curieux s'étaient détournés une fois qu'ils s'étaient rendu compte que rien d'exceptionnel ne se passait. L'odeur d'humus pesait dans l'air, rappelant à Mark la cabane à outils sur la parcelle de terre que possédait son grand-père. Iain Maclean enveloppa un mug de thé entre ses grandes mains et attendit qu'ils prennent la parole. Il n'avait montré aucune surprise à leur arrivée et ne leur avait pas demandé pourquoi ils étaient là. Mark avait dans l'idée que Fraser ou Ferguson l'avait prévenu.

« Nous voulons vous parler de Mick Prentice, commença-t-il.

— Qu'est-ce que vous voulez que je vous dise ? Je l'ai pas vu depuis qu'on est partis dans le Sud, dit Maclean.

— Personne d'autre non plus, répondit Mark. Tout le monde a supposé qu'il était parti avec vous, mais ce n'est pas ce qu'on nous a raconté aujourd'hui. »

Maclean gratta ses cheveux gris et courts soigneusement coiffés en brosse. « Ah oui. J'avais entendu dire que des gens pensaient ça à Newton. Ça montre bien comme ça leur plaît de médire. Y avait aucune chance que Mick vienne avec nous. Je comprends pas comment quelqu'un qui le connaissait a pu penser ça.

— Vous ne les avez jamais contredits ?

— À quoi ça aurait servi ? Pour eux, je suis qu'un sale jaune. Je pourrais dire ce que je veux pour défendre quelqu'un, ça n'aurait aucun poids à Newton.

— En toute honnêteté, le problème n'est pas seulement que les gens aient tiré des conclusions trop hâtives. Sa femme a reçu de l'argent de temps en temps depuis qu'il est parti. Les enveloppes portaient le cachet de Nottingham. C'est une des principales raisons pour lesquelles tout le monde a cru qu'il avait fait l'impensable.

— Je n'ai aucune explication à ça. Mais je peux vous dire une chose : Mick Prentice aurait autant pu rejoindre les jaunes que partir sur la lune.

— C'est ce que tout le monde nous répète, indiqua Mark. Mais les gens font des choses qui semblent contraires à leur nature quand ils sont désespérés. Et aux dires de tous, Mick Prentice était désespéré.

— Pas tant que ça.

— Vous l'avez bien fait, vous. »

Maclean fixa l'intérieur de sa tasse. « Je l'ai fait. Et je n'ai jamais eu aussi honte de ma vie. Mais ma femme était enceinte de notre troisième gosse. Je savais qu'on ne pouvait absolument pas faire entrer un gamin de plus dans cette vie. Alors je l'ai fait. J'en ai parlé avec Mick avant de partir. » Il jeta un rapide regard à Mark. « On était amis, lui et moi. On avait été à l'école ensemble. Je voulais lui expliquer pourquoi je faisais ça. » Il soupira. « Il m'a dit qu'il comprenait pourquoi j'étais décidé à partir. Qu'il avait envie de s'en aller lui aussi. Mais jouer les jaunes, c'était pas pour lui. Je ne sais pas où il est allé, mais je suis certain que c'est pas pour descendre dans une autre mine.

— Quand avez-vous su qu'il avait disparu ? »

Il plissa le front en réfléchissant. « C'est difficile à dire. Je pense que c'est peut-être quand ma femme est venue me rejoindre. Ce qui voudrait dire autour de février. Mais c'était peut-être après ça. Ma femme, elle a encore de la famille à Wemyss. On n'y retourne pas. On ne serait pas les bienvenus. Les gens ont la mémoire longue, vous savez ? Mais on reste en contact et ils viennent parfois nous rendre visite. » Il fit une pâle grimace qui se voulait être un sourire. « Le neveu de ma femme, il est étudiant ici à l'université. Il termine juste sa deuxième année. Il vient dîner chez nous de temps en temps.

Alors oui, j'ai entendu dire que Mick était porté disparu, mais je pourrais pas vous dire précisément quand je l'ai su.

— Où pensez-vous qu'il soit parti ? Qu'est-ce qui s'est passé d'après vous ? » Impatient d'en savoir plus, Mark oublia la règle fondamentale voulant qu'on ne pose jamais qu'une question à la fois. Maclean ignora les deux.

« Comment ça se fait que vous vous intéressez tout à coup à Mick ? demanda-t-il. Personne n'est venu le chercher pendant toutes ces années. Qu'est-ce qui se passe de si important maintenant ? »

Mark expliqua pourquoi Misha Gibson avait finalement signalé la disparition de son père. Maclean remua maladroitement sur sa chaise et se renversa du thé sur les doigts. « C'est terrible ! Je me souviens quand Misha était encore qu'une gosse. J'aimerais pouvoir l'aider. Mais je ne sais pas où il est allé, dit-il. Comme je vous ai dit, je l'ai jamais revu depuis que j'ai quitté Newton.

— Est-ce que vous avez eu des nouvelles ? » osa Otitoju.

Maclean lui lança un regard dur et froid. Son visage marqué resta aussi impassible que ceux du mont Rushmore. « Ne joue pas les malignes avec moi, ma petite. Non, j'ai pas eu de nouvelles de lui. Pour moi, Mick Prentice a quitté la planète Iain le jour où je suis venu ici. Et c'est exactement ce à quoi je m'attendais. »

Mark prit un ton sympathique pour rétablir une certaine complicité. « Je comprends, dit-il. Mais à votre avis, qu'est-ce qui est arrivé à Mick ? Vous étiez son ami. Si quelqu'un peut donner une réponse, ce serait bien vous. »

Maclean fit non de la tête. « J'en sais vraiment rien.

— Et si vous deviez émettre une hypothèse ? »

Il se gratta de nouveau le crâne. « Je vais vous dire. Je croyais qu'Andy et lui étaient partis ensemble. Je pensais qu'ils en avaient tous les deux eu marre, qu'ils avaient foutu le camp autre part pour repartir de zéro. Un nouveau départ, une nouvelle vie. »

Mark se rappela avoir lu le nom de l'ami de Prentice sur la feuille d'instruction. Mais l'idée qu'ils aient pu partir ensemble n'était mentionnée nulle part. « Où est-ce qu'ils seraient allés ? Comment auraient-ils pu disparaître sans laisser une seule trace ? »

Maclean se tapota la narine avec l'index. « Andy était un coco, vous savez. Et c'était au moment où Lech Walesa et le mouvement Solidarnosc faisaient beaucoup de bruit en Pologne. J'ai toujours cru qu'ils avaient tous les deux mis les bouts là-bas. Il y avait plein de mines en Pologne, et ils auraient pas eu le sentiment de devenir des jaunes. Ça avait rien à voir.

— En Pologne ? » Mark eut l'impression qu'il lui aurait fallu un cours intensif sur l'histoire politique du vingtième siècle.

« Ils essayaient de renverser le communisme totalitaire, résuma Otitoju. Pour le remplacer par une sorte de socialisme des travailleurs. »

Maclean acquiesça. « Ça aurait tout à fait été le style d'Andy. Je me suis dit qu'il avait convaincu Mick d'y aller avec lui. Ce qui expliquerait pourquoi personne n'a plus eu de nouvelles d'eux. Coincés derrière le rideau de fer à extraire du charbon.

— Il est passé aux oubliettes depuis un moment déjà, le rideau de fer, indiqua Mark.

— Ouais, mais qui sait quel genre de vie ils se sont créé là-bas ? Ils pourraient être mariés avec des gosses, ils pourraient avoir laissé le passé derrière eux. Si Mick avait une nouvelle famille, il n'aurait sûrement pas envie que l'ancienne sorte tout à coup du bois, si ? »

Mark eut soudain un de ces moments de révélation où il pouvait voir la forêt cachée derrière l'arbre. « C'était vous qui envoyiez l'argent, n'est-ce pas ? Vous mettiez du liquide dans une enveloppe et vous l'envoyiez à Jenny Prentice, parce que vous pensiez que Mick ne lui enverrait pas un sou de Pologne. »

Maclean parut se ratatiner sur la paroi de polythène translucide. Son visage se plissa tellement qu'il devint difficile de voir ses yeux bleu vif. « J'essayais seulement d'aider. Je m'en suis pas mal sorti depuis que je suis arrivé ici. J'ai toujours eu de la peine pour Jenny. J'avais peur qu'elle finisse mal parce que Mick n'avait pas le courage de ses convictions. »

C'était une étrange manière de voir les choses, se dit Mark. Il aurait pu s'en tenir là ; ce n'était pas son enquête, après tout, et il aurait pu se passer de prendre un risque en tirant sur la corde. Mais d'un autre côté, il voulait tirer le meilleur parti de cette affectation. Il voulait se faire valoir dans ce poste d'assistant de la PJ pour obtenir une mutation permanente dans le service. Il avait donc bien l'intention de ne pas s'arrêter là. « Est-ce qu'il y a quelque chose que vous ne nous dites pas, Iain ? demanda-t-il. Mick aurait-il eu une autre raison de s'en aller de cette façon, sans rien dire à personne ? »

Maclean termina son thé et posa le mug. Il se mit à serrer et desserrer ses mains, démesurément grandes après une vie de dur travail manuel. Il avait l'air d'un homme embarrassé par le contenu de sa propre tête. Il inspira profondément, puis déclara : « Je suppose que ça ne changera rien maintenant. On ne fait pas payer quelqu'un une fois qu'il est de l'autre côté de la tombe. »

Otitoju était sur le point de rompre le silence de Maclean, quand Mark lui saisit le bras en signe d'avertissement. Elle se ravisa, les lèvres pincées, et ils attendirent.

Maclean prit enfin la parole. « Je n'ai jamais raconté ça à personne. Pour ce que ça a apporté que je ferme ma gueule. Vous devez comprendre, Mick était un vrai syndicaliste. Et bien sûr, Andy était représentant du SNM à plein-temps. Il était comme chez lui, bien au chaud avec les huiles. Je ne doute pas qu'Andy ait raconté à Mick un tas de choses qu'il aurait dû garder pour lui. » Il esquissa un sourire. « Il essayait sans arrêt d'impressionner Mick, pour être son meilleur pote. On était tous dans la même classe à l'école. On traînait tous les trois ensemble. Mais vous savez comment ça se passe dans les trios. Il y a toujours le meneur et les deux autres qui essaient d'être dans ses petits papiers et de mettre le troisième sur la touche. C'était comme ça avec nous. Mick au centre, qui essayait de maintenir la paix. Il était fort pour ça, d'ailleurs, pour trouver des moyens qu'on reste tous les deux contents. Il laissait jamais un de nous deux prendre le dessus. Ou pas longtemps, en tout cas. »

Mark vit Maclean se détendre au fur et à mesure qu'il se rappelait la tranquillité relative de ces jeunes années. « Je vois très bien ce que vous voulez dire, indiqua-t-il calmement.

— Enfin, on est tous restés amis. Moi et ma femme, on sortait à quatre avec Mick et Jenny. Andy et lui jouaient au foot ensemble. Comme je vous disais, il était fort pour trouver des choses qui nous donnaient à tous les deux l'impression d'avoir un petit truc spécial. Mais donc, deux ou trois semaines avant que je parte ici, on a passé la journée ensemble. On a marché jusqu'au port de Dysart. Il a installé son chevalet pour peindre, et moi j'ai pêché. Je lui ai expliqué mon projet, et il a essayé de me dissuader de le faire. Mais j'ai bien vu que le cœur n'y était pas. Alors je lui ai demandé ce qui le tracassait. » Toujours les mains serrées, il s'arrêta de nouveau.

« Et qu'est-ce que c'était ? demanda Mark en se penchant en avant pour faire sortir du cercle la raide Otitoju et créer un environnement masculin.

— Il m'a dit qu'il pensait qu'un des représentants à plein-temps piquait dans la caisse. » Il regarda alors Mark droit dans les yeux. Mark sentit la terrible trahison qu'impliquaient les paroles de Maclean. « On était tous fauchés, à crever de faim, et un des types qui étaient soi-disant de notre côté se remplissait les poches. Ça n'a peut-être plus l'air de grand-chose maintenant, mais à l'époque, ça m'a profondément bouleversé. »

Mardi 30 novembre 1984 ; Dysart

Un maquereau tirait sur sa ligne, mais Iain Maclean n'y prêta pas attention. « Tu déconnes ! lança-t-il. Personne ne ferait ça. »

Mick Prentice haussa les épaules sans quitter des yeux le papier épais épinglé à son chevalet. « Tu n'es pas forcé de me croire. Mais je sais ce que je sais.

— Tu as dû mal comprendre. Aucun représentant du syndicat ne nous volerait. Pas ici. Pas maintenant. » Maclean semblait sur le point d'éclater en sanglots.

« Écoute, je vais te dire ce que je sais. » Mick donna un coup de pinceau sur la feuille et laissa un voile de couleur le long de l'horizon. « J'étais dans le bureau mardi dernier. Andy m'avait demandé de venir l'aider à traiter les demandes d'aide, et donc je dépouillais les lettres qu'on avait reçues. Je peux te dire que ça te briserait le cœur de lire ce que les gens vivent en ce moment. » Il nettoya son pinceau et prépara un gris verdâtre sur sa minuscule palette. « Donc je regarde ces lettres dans le réduit à côté du bureau principal, et il y a ce représentant juste là devant. Et puis une femme arrive de Lundin Links. Tailleur en tweed, un ridicule béret en mohair. Tu vois le genre : Lady Générosité qui prend soin des paysans. Elle a raconté qu'ils avaient organisé un petit déjeuner caritatif au club de golf et qu'ils avaient récolté deux cent trente-deux livres pour aider les pauvres familles des mineurs en grève.

— Bravo à eux, dit Maclean. Vaut mieux que ça aille dans nos poches qu'à la sale bande de Thatcher.

— Bien dit. Donc il la remercie et elle s'en va. Mais voilà : je n'ai pas vu exactement où est parti l'argent, simplement je peux te dire qu'il n'est pas allé dans le coffre.

— Oh, allez, Mick. Ça ne prouve rien. Ton type l'a peut-être amené directement à la direction. Ou à la banque.

— Ouais, c'est ça. » Mick eut un rire sans joie. « Comme si on mettait l'argent à la banque en ce moment alors que les séquestres ne nous lâchent pas d'une semelle.

— N'empêche, insista Maclean, légèrement offensé.

— Écoute, si c'était tout, ça ne me tracasserait pas. Mais c'est pas fini. Un des boulots d'Andy, c'est de tenir des comptes sur l'argent qui vient des donations et des trucs du genre. Tout cet argent est censé être transféré à la direction. Je ne sais pas ce qu'il devient ensuite, si on nous le reverse sous forme d'allocations ou s'il termine à la cour du roi Arthur pour être mis de côté sur un putain de compte en Suisse. Mais toute personne qui récupère de l'argent est censée le dire à Andy, qui le note dans un petit carnet. »

Maclean acquiesça. « Je me souviens que j'avais dû lui dire combien on avait gagné en faisant les collectes de rue pendant l'été. »

Mick marqua une courte pause pour regarder l'endroit où la mer rencontrait la terre. « J'étais chez Andy l'autre soir. Le carnet était posé sur la table. Quand il est allé aux toilettes, j'ai jeté un coup d'œil. Et la donation de Lundin Links n'y était pas. »

Maclean tira si brusquement sur sa ligne qu'il en perdit son poisson. « Merde ! fit-il en rembobinant furieusement. Peut-être qu'Andy n'était pas à jour.

— J'aimerais que ce soit aussi simple. Mais c'est pas tout. Les dernières notes dans le carnet d'Andy remontaient à quatre jours après que cet argent a été apporté. »

Maclean jeta sa canne sur les dalles de pierre à ses pieds. Il sentait les larmes lui monter aux yeux. « C'est une putain de honte ! Et tu voudrais que je me sente coupable de partir pour Nottingham ? Au moins, c'est une honnête journée de travail pour un salaire honnête, pas du vol. Je n'arrive pas à y croire.

— Je n'arrivais pas à y croire non plus. Mais comment l'expliquer autrement ? » Mick secoua la tête. « Et c'est un type qui reçoit toujours une paye.

— C'est qui ?

— Je ne devrais pas te le dire. Pas avant de décider ce que je vais faire.

— C'est évident, ce que tu dois faire. Tu dois le dire à Andy. S'il y a une explication innocente, il la connaîtra.

— Je ne peux pas le dire à Andy, protesta Mick. Bon Dieu, parfois j'ai envie de me barrer très loin de toute cette merde. De tirer un trait et de repartir de zéro autre part. » Il fit non de la tête. « Je ne peux pas le dire à Andy, Iain. Il est déjà déprimé. Si je lui raconte ça, ça risque d'être la goutte de trop.

— Eh bien, dis-le à quelqu'un d'autre. Quelqu'un de la direction. Tu dois coincer cet enfoiré. C'est qui ? Dis-le-moi. Dans deux semaines, je ne serai plus ici. À qui veux-tu que je le dise ? » Maclean brûlait de savoir. C'était une chose de plus qui pourrait l'aider à croire qu'il faisait le bon choix. « Dis-le-moi, Mick. »

Le vent balaya les cheveux de Mick devant ses yeux et lui évita ainsi de lire le désespoir sur le visage de Maclean. Mais le besoin de partager son fardeau était trop grand pour rester ignoré. Il ramena ses cheveux en arrière et regarda son ami dans les yeux. « Ben Reekie. »

Vendredi 29 juin 2007 ; Glenrothes

Karen devait reconnaître qu'elle était impressionnée. Non seulement l'équipe de Nottingham avait fait du super boulot, mais l'agent Femi Otitoju lui avait tapé et envoyé son rapport en un temps record. Remarque, se dit Karen, elle aurait sans doute fait la même chose à sa place. Vu la qualité des renseignements que son collègue et elle avaient réussi à arracher, n'importe quel agent en période d'essai à la PJ aurait tout fait pour en tirer le meilleur parti.

Et il y avait de quoi. L'agent Otitoju et son homologue avaient découvert qui avait brouillé les pistes en envoyant de l'argent à Jenny Prentice de Nottingham. Et, point crucial, elle lui avait également fourni la première réponse possible à la question de savoir qui aurait pu se réjouir de voir disparaître Mick Prentice. Les passions s'étaient déchaînées durant cette période où le syndicat gagnait en impopularité dans de nombreux milieux. La violence avait éclaté un nombre incalculable de fois, et pas toujours entre la police et les grévistes. Mick Prentice s'était peut-être fait dévorer par le feu avec lequel il jouait. S'il avait attaqué Ben Reekie au nom de ce qu'il savait, si Ben Reekie s'était révélé coupable, et si Andy Kerr avait été mêlé à l'affaire en raison de ses relations avec les deux autres, il y avait alors eu des raisons de se débarrasser des hommes qui avaient disparu dans la même période. Peut-être qu'Angie Kerr ne s'était pas trompée concernant son frère. Peut-être qu'il ne s'était pas suicidé. Peut-être que Mick Prentice et Andy Kerr avaient tous les deux été victimes d'un assassin – ou de plusieurs – prêt à tout pour préserver la réputation d'un représentant syndical véreux.

Karen frissonna. « Tu divagues, dit-elle à voix haute.

— Comment ? » Phil détourna les yeux de l'écran pour la regarder en fronçant les sourcils.

« Désolée. Je me reprochais juste de faire dans le mélodrame. Mais laisse-moi quand même te dire que si un jour cette Femi Otitoju désire venir s'installer dans le Nord, je l'échangerai si vite contre la Flèche qu'il en aura les yeux qui pleurent.

— Ça en dit long, répondit Phil. Mais au fait, qu'est-ce que tu fais ici ? Tu ne devrais pas être en pleine conversation avec la charmante Mlle Richmond ?

— Elle a laissé un message. » Karen jeta un œil à sa montre. « Elle sera là dans un petit moment.

— Qu'est-ce qui l'a retardée ?

— Apparemment, elle devait parler à un avocat de son journal au sujet d'un article qu'elle avait écrit. »

Phil souffla entre ses lèvres d'un air désapprobateur. « Elle est comme Brodie Grant. Ils nous prennent toujours pour leurs domestiques, ceux-là. Tu devrais peut-être la faire poireauter.

— Je n'ai pas envie de rentrer dans un jeu débile. Tiens, jette un œil là-dessus. Le paragraphe que j'ai surligné. » Elle passa le rapport d'Otitoju à Phil et attendit qu'il le lise. Dès qu'il leva les yeux de la page, elle prit la parole. « Ça décrit Mick Prentice plus de douze heures après qu'il est parti de chez lui. Et on dirait qu'il n'était pas lui-même.

— C'est bizarre. S'il était sur le point de partir, pourquoi est-ce qu'il traînait encore à cette heure de la nuit ? Où avait-il été ? Où est-ce qu'il allait ? Qu'est-ce qu'il attendait ? » Phil se gratta le menton. « Pour moi, ça n'a aucun sens.

— Pour moi non plus. Mais on va devoir essayer de comprendre. Je vais le rajouter sur ma liste, dit-elle dans un soupir. Quelque part après “avoir une vraie conversation avec la police italienne”.

— Je croyais que tu leur avais déjà parlé ? »

Elle acquiesça. « Un agent au siège de Sienne, un dénommé Di Stefano à qui Pete Spinks de la Protection de l'enfance a eu affaire il y a quelques années. Il parle plutôt bien anglais, mais il lui faut plus d'infos.

— Alors tu penses remettre ça à lundi ? »

Elle hocha de nouveau la tête. « Oui. Il m'a dit de ne pas espérer joindre quelqu'un à leur bureau après quatorze heures un vendredi.

— La bonne planque, dit Phil. À propos, ça te dirait d'aller boire un verre en vitesse quand tu auras fini de parler à Annabel Richmond ? Je dois dîner chez mon frère, mais j'ai le temps pour un demi rapide. »

Karen se sentit tiraillée. La perspective de boire un verre avec Phil était toujours attrayante, mais en s'absentant du bureau elle avait délaissé depuis trop longtemps ses tâches administratives. Et elle ne pourrait pas rattraper son retard le lendemain car ils allaient aux grottes. Elle caressa l'idée de s'éclipser le temps d'un petit verre puis de revenir au bureau. Mais elle se connaissait assez bien pour savoir qu'une fois qu'elle se serait sauvée, elle trouverait n'importe quelle excuse pour éviter de revenir à ses paperasses. « Désolée, dit-elle. Je dois déblayer tout ça.

— Peut-être demain, alors ? On pourrait s'offrir un déjeuner au Laird o' Wemyss. »

Karen rigola. « T'as gagné au Loto ? Tu sais ce que ça coûte ? »

Phil lui fit un clin d'œil. « Je sais qu'ils font une offre spéciale pour le déjeuner le dernier samedi du mois. C'est-à-dire demain.

— Et dire que je croyais que c'était moi le détective ici. D'accord, marché conclu. » Karen concentra de nouveau son attention sur ses notes pour s'assurer qu'elle savait exactement quelles questions poser à Annabel Richmond.

Son téléphone sonna cinq minutes avant l'heure convenue. La journaliste était dans le bâtiment. Karen demanda qu'un agent conduise Annabel Richmond à la salle d'interrogatoire où elle avait rencontré Misha Gibson, puis elle rassembla ses papiers et se dirigea vers l'étage inférieur. Elle entra dans la pièce et trouva son témoin appuyée sur le rebord de la fenêtre, en train de regarder les fins nuages allongés qui s'étalaient dans le ciel. « Merci d'être venue, mademoiselle Richmond », dit Karen.

Celle-ci se retourna avec un sourire en apparence sincère. « Appelez-moi Bel, s'il vous plaît. C'est moi qui devrais vous remercier d'être si arrangeante. » Elle traversa la pièce jusqu'à la table et s'assit, les doigts entrecroisés, l'air détendu. « J'espère que je ne vous fais pas rester trop tard. »

Karen se demanda quand elle était rentrée chez elle à cinq heures un vendredi pour la dernière fois et ne trouva pas de réponse. « Si seulement… », dit-elle.

Bel eut un rire chaleureux et complice. « Ne m'en parlez pas ! Je suppose que nous avons les mêmes effrayantes habitudes de travail. Je dois dire, à propos, que je suis impressionnée. »

Karen savait que c'était un stratagème, mais elle mordit quand même à l'hameçon. « Impressionnée par quoi ?

— L'influence de Brodie Grant. Je ne pensais pas que j'aurais affaire à la femme qui a mis Jimmy Lawson derrière les barreaux. »

Sentant son visage s'empourprer, Karen sut qu'elle allait avoir des taches et être moche, et elle eut envie de tout casser. « Je ne parle pas de ça », dit-elle.

De nouveau ce rire gai et communicatif. « J'imagine que ce n'est pas un sujet de discussion courant entre vous et vos collègues. Ils doivent se tenir sur leurs gardes, sachant que vous avez mis trois meurtres sur le dos de votre chef. »

À l'entendre, on aurait dit que Karen avait monté un complot contre Lawson. En réalité, une fois qu'elle avait été amenée à concevoir l'impensable, elle n'avait eu qu'à se baisser pour récolter les preuves. Un meurtre avec viol vieux de vingt-cinq ans, et deux nouveaux assassinats pour dissimuler cet ancien crime. Ne pas épingler Lawson, voilà ce qui aurait été un complot. C'était tentant de répondre simplement ça à Bel Richmond. Mais Karen savait qu'en répliquant, elle lancerait une conversation qui pourrait seulement mener dans des lieux qu'elle ne voulait pas revisiter. « Comme je vous l'ai dit, je ne parle pas de ça. » Bel pencha la tête de côté et sourit d'un air que Karen jugea contrit mais assuré. Pas une défaite, plutôt un délai. Consciente que la journaliste se trompait sur le score, Karen sourit à son tour intérieurement.

« Alors, comment voulez-vous procéder, inspecteur Pirie ? » demanda Bel.

Décidée à rester de glace devant le charme de Bel, Karen garda un ton officiel. « Ce dont j'ai besoin dans l'immédiat, c'est que vous soyez mes yeux et mes oreilles et que vous me racontiez ce qui s'est passé, étape par étape. Comment vous avez trouvé l'affiche et où vous l'avez trouvée. Toute l'histoire. Chaque détail dont vous vous souvenez.

— Tout a démarré lors de mon footing matinal », commença Bel. Karen l'écouta attentivement faire une nouvelle fois le récit de sa découverte. Elle prit des notes et écrivit des questions à poser ensuite. Bel parut s'exprimer de manière honnête et exhaustive, et Karen savait qu'il valait mieux s'abstenir d'interrompre dans sa lancée un témoin obligeant. Les seuls sons qu'elle produisit furent des murmures d'encouragement inarticulés.

Bel arriva finalement au bout de son histoire. « Très franchement, je suis surprise que vous ayez reconnu l'affiche immédiatement, indiqua Karen. Je ne suis pas sûre que ça aurait été mon cas. »

Bel haussa les épaules. « Je suis journaliste, inspecteur. Ça avait fait du bruit à l'époque. Je venais d'atteindre l'âge où je me suis dit que ce métier pourrait me plaire. J'avais commencé à être vraiment attentive aux journaux et aux infos. Plus que la plupart des gens. Je suppose que l'image s'est logée dans un profond recoin de mon cerveau.

— Je vois ce que vous voulez dire. Mais, vu que vous compreniez l'importance de cette affiche, je suis étonnée que vous ne nous l'ayez pas apportée directement plutôt qu'à sir Broderick. » Karen laissa son accusation implicite flotter dans l'air entre elles.

Bel répondit d'une voix douce : « Je l'ai fait pour deux raisons, en fait. D'abord, je n'avais aucune idée de qui contacter. Je me suis dit que si je me rendais simplement à mon commissariat de quartier, on ne me prendrait peut-être pas très au sérieux. Et deuxièmement, la dernière chose que j'aurais voulu, c'était faire perdre son temps à la police. Pour ce que j'en savais, ce n'était qu'une copie faite par un tordu. J'ai pensé que sir Broderick et son équipe sauraient tout de suite si c'était quelque chose qu'on devait prendre au sérieux. »

Une réponse biaisée, se dit Karen. Non qu'elle s'attendît à ce que Bel Richmond admette porter un quelconque intérêt à la récompense substantielle qu'offrait toujours Brodie Grant. Ni à l'espoir d'obtenir un accès exclusif auprès de cette source sans pareil. « Soit, déclara-t-elle. Ensuite, vous affirmez avoir eu l'impression que les gens qui avaient vécu là étaient partis précipitamment. Et vous m'avez parlé de traces dans la cuisine qui ressemblaient à une tache de sang. Avez-vous eu le sentiment que les deux choses étaient liées ? »

Après un moment de silence, Bel répondit : « Je ne vois pas bien comment je pourrais émettre un jugement là-dessus.

— Si la tache au sol était vieille, ou si ce n'était pas du sang, elle pourrait se fondre dans le décor. Avec des chaises posées dessus, ce genre de choses.

— Oh, d'accord. Oui, je n'avais pas compris ça comme ça. Non, je ne crois pas que ça faisait partie du tableau. Il y avait une chaise renversée à côté. » Elle parlait lentement, visiblement concentrée pour se remémorer la scène. « On avait l'impression que quelqu'un avait essayé de nettoyer une partie de la tache avant de se rendre compte que ça ne servait à rien. Le sol est en dalles de pierre, pas en carrelage vitrifié. La pierre avait donc absorbé le sang.

— Est-ce qu'il y avait d'autres affiches ou du matériel d'impression ?

— Pas que je sache. Mais je n'ai pas fouillé l'endroit. Très honnêtement, l'affiche m'a tellement foutu les jetons que je me suis dépêchée de sortir. » Elle eut un petit rire. « Je ne corresponds pas bien à l'image qu'on se fait d'une journaliste d'investigation intrépide, n'est-ce pas ? »

Karen ne se donna pas la peine de flatter son ego. « C'est l'affiche qui vous a foutu les jetons ? Pas le sang ? »

Une nouvelle pause pour réfléchir. « Vous savez quoi ? Ça ne m'était pas venu à l'esprit jusqu'à présent. Vous avez raison. C'était bien l'affiche, pas le sang. Et je ne sais pas vraiment pourquoi. »

Samedi 30 juin 2007 ; East Wemyss

La digue n'existait pas la dernière fois que Karen était venue à East Wemyss. Elle était arrivée en avance exprès, afin de pouvoir se promener un moment dans la partie basse du village. Quand elle était enfant, elle s'était parfois baladée avec sa famille sur la plage entre ici et Buckhaven. Elle avait le souvenir d'un endroit miteux, délabré et désolé. À présent, après un bon coup de jeune, le lieu était devenu chic, avec ses vieilles maisons récemment recouvertes d'un crépi blanc ou de grès rouge, les nouvelles bâtisses avaient l'air flambant neuves. L'église désaffectée de St Mary's-by-the-Sea avait été sauvée du délabrement et transformée en résidence privée. Grâce à l'Union européenne, on avait construit une digue avec de solides blocs de pierre locale pour contenir l'estuaire du Forth. Karen marcha sur la route de Back Dykes, essayant de se repérer. Le bois derrière le presbytère avait été rasé et remplacé par des maisons neuves, de même que les bâtiments de l'ancienne usine. Et la ligne des toits qui s'offrait à elle n'était plus la même maintenant que le chevalement d'extraction et le crassier avaient disparu. Si elle n'avait pas su qu'il s'agissait du même endroit, elle aurait eu du mal à le reconnaître.

Elle devait cependant admettre que c'était un progrès. Il était facile d'avoir une vision sentimentale du passé et d'oublier les conditions épouvantables dans lesquelles tant de gens avaient été forcés de vivre. C'étaient également des esclaves rentables, contraints par la pauvreté à ne faire leurs courses que dans les établissements locaux. Même la coopérative, censée fonctionner dans l'intérêt de ses membres, était chère comparée aux magasins de la rue principale de Kirkcaldy. C'était un mode de vie difficile, avec pour seule véritable compensation l'esprit de communauté. La perte de cette petite contrepartie avait dû être le coup de grâce pour Jenny Prentice.

Karen repartit vers le parking en regardant le promontoire de grès rouge strié qui marquait le commencement de la succession de grottes profondes regroupées au pied de la falaise sur le bord de mer. Dans son souvenir, elles étaient assez à l'écart du village, mais une rangée de maisons s'étendait désormais jusqu'à l'entrée de la grotte de la Cour. Il y avait aussi des panneaux d'information qui décrivaient aux touristes les cinq mille ans d'histoire de l'occupation des grottes. Les Pictes y avaient vécu. Les Scots s'en étaient servi comme forges et comme verreries. La paroi du fond de la grotte des Colombes était percée de dizaines de boulins. Au fil du temps, les habitants de la région les avaient utilisées aussi bien pour des réunions politiques clandestines que pour des piqueniques familiaux les jours de pluie ou des rendez-vous galants. Karen n'y avait jamais eu de partie de jambes en l'air, mais elle connaissait des filles qui l'avaient fait et ne pensait aucun mal d'elles pour autant.

Elle vit au loin la voiture de Phil s'arrêter là où la route goudronnée cédait la place au chemin côtier. Le temps était venu d'explorer une conjonction différente du passé et du présent. Quand elle atteignit le parking, Phil se trouvait en compagnie d'un homme grand et voûté au crâne chauve et luisant, vêtu de cette sorte de veste et de pantalon que les gens de la classe moyenne devaient acheter avant de pouvoir se lancer dans une balade plus ambitieuse qu'un tour au pub du coin, tout en fermetures éclair, poches et matériaux high-tech. Parmi les gens avec qui Karen avait grandi, personne n'avait eu de chaussures ou de vêtements spéciaux pour la marche. On partait simplement se balader dans ses vêtements de tous les jours, avec éventuellement une couche en plus en hiver. Ce qui ne les empêchait pas de faire treize ou quatorze kilomètres avant le dîner.

Karen se secoua mentalement en approchant des deux hommes. Elle se faisait parfois peur, à penser comme sa grand-mère. Phil la présenta à l'autre homme, Arnold Haigh. « Je suis secrétaire de l'Association de préservation des grottes de Wemyss depuis 1981 », annonça-t-il fièrement dans un accent qui avait ses racines à quelques centaines de kilomètres au sud du Fife. Il avait un visage fin et allongé planté d'un nez retroussé incongru et de dents qui brillaient d'un blanc insolite par rapport à sa peau tannée.

« C'est un véritable engagement, observa Karen.

— Pas vraiment, gloussa Haigh. Personne d'autre n'a jamais voulu de ce boulot. De quoi est-ce que vous vouliez me parler exactement ? Enfin, je sais que c'est de Mick Prentice, mais ça fait des années que je n'ai même pas pensé à lui.

— Qu'est-ce que vous diriez d'aller voir les grottes et de discuter en chemin ? suggéra Karen.

— Volontiers, répondit gracieusement Haigh. On peut s'arrêter à la grotte de la Cour et à celle des Colombes, puis prendre un café dans la grotte du Baron.

— Un café ? demanda Phil d'un ton perplexe. Il y a un bar là-dedans ? »

Haigh gloussa de nouveau. « Désolé, sergent. Rien de si prestigieux. La grotte du Baron a été fermée au public après l'éboulement de 1985, mais l'Association a les clés de la grille. On s'est dit que ce serait bien de perpétuer la tradition qui voulait que les grottes aient une utilité, et on a donc installé un petit foyer dans la partie sans danger. C'est très rudimentaire, mais on apprécie. » Il partit à grands pas vers la première grotte, sans voir la grimace d'horreur simulée que Phil fit à Karen.

La première chose qui indiquait que la falaise n'était pas vraiment solide était un trou dans le grès, qui avait été comblé par des briques des années plus tôt. Certaines manquaient, révélant l'obscurité qui régnait à l'intérieur. « Cette ouverture et le passage sur lequel elle donne ont été créés par l'homme, expliqua Haigh en désignant la maçonnerie. Comme vous pouvez le voir, la grotte de la Cour fait plus saillie que les autres. Au dix-neuvième siècle, la mer atteignait l'entrée de la grotte à marée haute et séparait East Wemyss de Buckhaven.

Les filles qui vidaient les harengs ne pouvaient pas circuler entre les deux villages à marée haute, c'est pourquoi on a creusé un passage du côté ouest de la grotte pour leur permettre de longer la côte en toute sécurité. Maintenant, si vous voulez bien me suivre, on va entrer par l'accès est. »

Quand elle avait dit « discuter en chemin », ce n'était pas tout à fait ce que Karen avait eu à l'esprit. Mais puisqu'ils faisaient cette visite pendant leur temps libre, ils n'étaient pas pressés pour une fois ; et si ça mettait Haigh à l'aise, la balade pouvait tourner à leur avantage. Contente d'avoir opté pour un jean et des baskets, elle suivit les hommes qui contournèrent le devant de la grotte et s'engagèrent sur un chemin bordé d'une petite barrière. Près de la grotte, la barrière avait été piétinée, et ils enjambèrent les fils tordus pour s'enfoncer à l'intérieur, où le sol en terre battue était étonnamment sec, étant donné la quantité de pluie qui était tombée durant les dernières semaines. Le fait que la voûte fût soutenue par une colonne de briques avec un panneau annonçant DANGER : ENTRÉE INTERDITE était moins rassurant.

« Certaines personnes croient que la grotte doit son nom au roi Jacques V, qui aimait se déguiser pour se mêler à son peuple, dit Haigh en allumant une lampe-torche pour éclairer la voûte. On raconte qu'il se serait entouré des Bohémiens qui vivaient ici à l'époque. Mais d'après moi, il y a plus de chances que ce soit là que les barons du Moyen Âge réunissaient leur cour. »

Phil vagabondait avec l'air passionné d'un écolier lors de sa plus belle excursion. « Ça fait quelle profondeur ?

— Après une vingtaine de mètres, le sol monte jusqu'au plafond. Il y avait autrefois un passage qui s'enfonçait à cinq kilomètres à l'intérieur des terres jusqu'à Kennoway, mais un effondrement de la voûte a bloqué l'accès par ce côté, et l'entrée de Kennoway a donc été scellée par sécurité. « C'est étrange, n'est-ce pas ? On se demande ce qu'ils fabriquaient ici pour avoir besoin d'un passage jusqu'à Kennoway. » Haigh gloussa une nouvelle fois. Karen osait à peine s'imaginer à quel point ce petit tic allait l'énerver d'ici la fin de leur entretien.

Elle laissa les deux hommes explorer la grotte et ressortit prendre l'air frais. Le ciel tacheté de nuages gris annonçait la pluie. Il se reflétait sur la mer qui gardait certaines de ses propres teintes. Karen se tourna vers les prairies vertes et luxuriantes de l'été et la falaise de grès, aux couleurs éclatantes malgré le temps maussade. Phil sortit bientôt, suivi de Haigh qui continuait de parler. Il fit un sourire contrit à Karen, qui resta de marbre.

Ils visitèrent ensuite la grotte des Colombes et eurent droit à un exposé sur la nécessité historique d'élever des pigeons pour avoir de la viande fraîche en hiver. Karen écouta distraitement puis, quand Haigh marqua une pause, elle déclara : « Les couleurs sont incroyables ici. Est-ce que Mick peignait dans les grottes ? »

Haigh parut surpris par cette question. « Oui, en effet. Certaines de ses aquarelles sont exposées au centre d'information sur les grottes. Ce sont les différents sels minéraux de la roche qui créent ces couleurs vives. »

Avant qu'il ne s'étende sur le sujet, Karen renchérit. « Venait-il souvent pendant la grève ?

— Pas vraiment. D'abord, il participait aux piquets volants, je crois. Mais on ne le voyait pas plus que d'habitude. Peut-être même moins quand l'automne et l'hiver se sont éternisés.

— Vous a-t-il dit pourquoi ? »

Haigh prit un air hébété. « Non. Il ne m'est jamais venu à l'idée de lui demander. On est tous bénévoles, on fait tous ce qu'on peut.

— Est-ce qu'on n'irait pas boire ce café maintenant ? proposa Phil, dont le tiraillement entre devoir et plaisir sautait aux yeux de Karen, mais pas, heureusement, à ceux de Haigh.

— Bonne idée », approuva-t-elle avant d'ouvrir la voie vers la sortie. Il était plus difficile d'accéder à la grotte du Baron, car il fallait escalader les rochers et les blocs de béton qui faisaient office de brise-lames entre la mer et le pied des falaises. Dans le souvenir de Karen, la plage était plus basse et la mer moins proche, ce qu'elle fit remarquer.

Haigh acquiesça et expliqua que le niveau de la plage avait monté au fil des ans, notamment à cause des déblais des mines. « J'ai entendu certains des plus vieux habitants parler du sable doré qu'il y avait là quand ils étaient enfants. Difficile à croire aujourd'hui », dit-il en désignant d'un geste les taches noires et granuleuses dues aux minuscules fragments de charbon poli qui remplissaient les creux entre les rochers et les galets.

Ils atteignirent un demi-cercle couvert d'herbe. Sur la falaise qui les surplombait trônait la seule tour encore debout du château de Macduff. Un autre souvenir d'enfance de Karen. La tour était alors entourée de plus de ruines, mais la mairie les avait fait retirer pour des raisons de santé publique et de sécurité quelques années plus tôt. Elle se rappelait avoir entendu son père protester à l'époque.

À la base de la falaise se trouvaient plusieurs ouvertures. Haigh se dirigea vers une lourde grille en métal qui protégeait une étroite entrée d'à peine un mètre cinquante de haut. Il ouvrit le cadenas puis leur demanda d'attendre. Il entra et disparut derrière un tournant dans le passage exigu. Il revint presque immédiatement avec trois casques de chantier. Karen en mit un avec un sentiment de ridicule avant de le suivre à l'intérieur. On passait tout juste sur les premiers mètres, et elle entendit Phil jurer derrière elle en se cognant un coude contre la paroi. Mais ils pénétrèrent bientôt dans une vaste chambre dont le plafond disparaissait dans l'obscurité.

Haigh alla farfouiller dans une niche du mur, et des lumières branchées sur batterie éclairèrent soudain la grotte d'une douce lueur jaune pâle. Une demi-douzaine de chaises bancales en bois entouraient une table en Formica. À environ un mètre du sol, le mur faisait une profonde saillie, sur laquelle se trouvaient un réchaud à gaz, six bouteilles d'eau d'un litre et des tasses. Les ingrédients pour le thé et le café étaient enfermés dans des boîtes en plastique. Karen regarda autour d'elle et sut immédiatement que les piliers de l'Association de préservation étaient tous des hommes. « Très cosy, remarqua-t-elle.

— Il y aurait eu un passage secret menant de cette grotte au château au-dessus, dit Haigh. La légende raconte que c'est comme ça que Macduff s'est échappé quand il est rentré chez lui pour retrouver sa femme et ses enfants assassinés et Macbeth en possession des lieux. » Il désigna les chaises. « Asseyez-vous, je vous en prie, dit-il en mettant de l'eau à chauffer. Alors, pourquoi vous vous intéressez à Mick après tout ce temps ?

— Sa fille vient seulement de nous signaler sa disparition », répondit Phil.

Haigh se retourna, perplexe. « Mais il n'a pas disparu, si ? Je croyais qu'il était parti pour Nottingham avec toute une bande ? Bonne chance à eux, je m'étais dit. Il n'y avait rien que de la misère ici à l'époque.

— Vous n'aviez rien contre les mineurs qui abandonnaient la grève, alors ? » demanda Karen en s'efforçant de ne pas paraître trop cassante.

Le gloussement de Haigh résonna de manière lugubre. « Comprenez-moi bien. Je n'ai rien contre les syndicats. Les travailleurs méritent d'être traités décemment par leurs patrons. Mais les mineurs ont été trahis par cet égocentrique cupide d'Arthur Scargill. Des lions dirigés par un âne, vraiment. J'ai vu cette communauté s'effondrer. J'ai été témoin de souffrances terribles. Et tout ça pour rien. » Il versa du café soluble dans les tasses en secouant la tête. « Je plaignais ces hommes et leurs familles. J'ai fait ce que j'ai pu – j'étais responsable régional pour un importateur de nourriture spécialisée, et je rapportais autant d'échantillons que je pouvais au village. Mais ce n'était qu'une goutte dans l'océan. Je comprenais parfaitement que Mick et ses amis fassent ce qu'ils ont fait.

— Vous ne trouviez pas ça un peu égoïste d'abandonner femme et enfant ? Sans qu'elles sachent ce qui lui était arrivé ? »

Haigh haussa les épaules, le dos tourné. « Honnêtement, je ne connaissais pas bien sa situation personnelle. Il ne parlait pas de sa vie de famille.

— De quoi parlait-il ? » questionna Karen.

Haigh amena deux pots en plastique, l'un contenant des sachets de sucre chapardés dans des stations-service et des chambres d'hôtel, l'autre des dosettes de crème liquide stérilisée provenant des mêmes endroits. « Je ne me souviens pas vraiment, donc c'était sans doute les sujets habituels. Le foot. La télé. Les projets pour récolter de l'argent et faire des travaux dans les grottes. Les théories sur ce que signifiaient les différentes gravures. » Nouveau gloussement. « Je crois qu'on est un peu ennuyeux pour les gens de l'extérieur, inspecteur. Comme la plupart des amateurs passionnés. »

Karen songea à mentir mais ne s'en donna pas la peine. « J'essaie simplement de me faire une idée de Mick Prentice.

— Je l'ai toujours considéré comme un type bien et franc. » Haigh apporta les cafés en prenant un soin presque exagéré pour ne pas en renverser. « À vrai dire, à part les grottes, on n'avait pas grand-chose en commun. Cela dit, je trouvais qu'il était doué pour la peinture. On l'encourageait tous à peindre les grottes, de l'intérieur et de l'extérieur. Ça nous paraissait être une bonne idée d'en garder une trace artistique, dans la mesure où les grottes sont surtout connues pour leurs gravures pictes. Certaines des plus belles se trouvent ici, dans la grotte du Baron. » Il ramassa sa torche et la dirigea sur un point précis de la paroi. Il n'eut pas besoin de réfléchir. Directement dans le faisceau, ils virent la forme caractéristique d'un poisson, la queue vers le bas, gravée dans la roche. Puis il révéla un cheval au galop et un autre animal qui pouvait être un chien ou un chevreuil. « On a perdu certaines des cupules lors de l'effondrement de 1985, mais par chance Mick les avait peintes peu de temps avant.

— Où a eu lieu cet effondrement ? » demanda Phil en scrutant le fond de la grotte.

Haigh les conduisit dans le coin le plus éloigné, où un amas de pierres s'élevait presque jusqu'au plafond. « Il y avait une deuxième petite chambre reliée par un court passage. » Phil fit un pas en avant pour regarder de plus près, mais Haigh lui saisit le bras et le tira en arrière d'un coup sec. « Attention, dit-il. Là où il y a eu un éboulement récemment, on ne peut jamais être bien sûr de la solidité du plafond.

— Est-ce inhabituel qu'il y ait des effondrements ? questionna Karen.

— Des gros comme celui-ci ? Il y en avait assez régulièrement du temps où la mine de Michael fonctionnait toujours. Mais elle a fermé en 1967, après...

— Je suis au courant de la catastrophe dans cette mine, coupa Karen. J'ai grandi à Methil.

— Bien sûr. » Haigh prit un air rebuté. « Donc, depuis qu'ils ont arrêté de travailler sous terre, il n'y a pas eu beaucoup de mouvement dans les grottes. On n'a pas connu d'effondrement important depuis celui-ci, en fait. »

Karen sentit son instinct de flic se réveiller. « Quand est-ce que cet effondrement a eu lieu exactement ? » demanda-t-elle lentement.

Visiblement surpris par les questions qu'elle lui posait, Haigh jeta à Phil un regard d'apparente complicité masculine. « Eh bien, c'est dur d'être précis là-dessus. À vrai dire, c'est une période assez morte pour nous entre mi-décembre et mi-janvier. Avec Noël, le nouvel an, tout ça. Les gens sont occupés ou partis. Tout ce qu'on peut dire avec certitude, c'est que le passage était libre le 7 décembre. Un de nos membres était venu ce jour-là prendre des mesures détaillées pour une demande de subvention. Pour autant qu'on sache, je suis la première personne à être venue dans la grotte ensuite. C'était l'anniversaire de ma femme le 24 janvier, et des amis étaient venus nous rendre visite d'Angleterre. Je les ai emmenés voir les grottes, et c'est là que j'ai découvert l'effondrement. Ça m'a fait un sacré choc. Je les ai évidemment fait sortir tout de suite et j'ai appelé la mairie en rentrant.

— Alors, à un moment donné entre le 7 décembre 1984 et le 24 janvier 1985, le plafond s'est effondré ? » Karen voulait être sûre de ne pas se tromper. Elle reconstituait le puzzle dans sa tête et était à peu près certaine qu'il ne manquait aucune pièce.

« C'est bien ça. Même si, selon moi, ça s'est plutôt passé au début de cette période, indiqua Haigh. L'air était limpide dans la grotte. Et ça prend plus longtemps que vous pourriez le croire. On voyait que la poussière s'était complètement déposée. »

Newton of Wemyss

Phil regarda Karen d'un air soucieux. Devant elle reposait un pithiviers de filet de pigeon parfaitement présenté, entouré de toutes petites pommes grenaille et d'une tour de minicarottes et de minicourgettes rissolées. Le Laird o' Wemyss était plus qu'à la hauteur de sa réputation. Mais ça faisait au moins une minute que l'assiette était posée devant Karen et qu'elle n'avait même pas touché ses couverts. Au lieu de tout dévorer, elle la regardait fixement, le front plissé entre les sourcils. « Est-ce que ça va ? » demanda-t-il prudemment. Les femmes avaient parfois des comportements étranges et imprévisibles par rapport à la nourriture.

« Les pigeons, dit-elle. Les grottes. Je ne peux pas m'empêcher de penser à cet effondrement.

— Et quoi ? Ce sont des choses qui arrivent. C'est pour ça qu'il y a des panneaux d'avertissement. Et des grilles cadenassées pour empêcher les gens d'y entrer. Santé publique et sécurité, le slogan des dirigeants d'aujourd'hui. » Il découpa un morceau de son filet de bar croustillant et le chargea sur sa fourchette avec quelques-uns de ses légumes à la sauce hoisin et au sésame.

« Mais tu as entendu ce type. C'est le seul effondrement notable dans toutes les grottes depuis que la mine a fermé en 1967. Et si ce n'était pas un accident ? »

Phil secoua la tête tout en mâchant et en avalant à la hâte. « Tu nous fais encore un mélodrame. On n'est pas dans Indiana Jones et les grottes de Wemyss, Karen. On parle d'un gars qui a disparu à un moment où c'était la merde dans sa vie.

— Pas un gars, Phil. Deux. Mick et Andy. Les meilleurs amis. Pas du genre à rejoindre les jaunes. Pas du genre à abandonner leurs proches sans une explication. »

Phil posa sa fourchette et son couteau. « Est-ce que ça t'est déjà venu à l'esprit qu'ils étaient peut-être en couple ? Mick et son meilleur pote dans un cottage isolé au beau milieu des bois ? Être homos dans un endroit comme Newton of Wemyss au début des années 1980, ça ne devait pas être ce qu'il y a de plus facile.

— Bien sûr que j'y ai pensé, répondit Karen. Mais on ne peut pas se baser sur des théories sans élément en leur faveur. Aucun de nos interlocuteurs n'y a seulement fait allusion. Et crois-moi, si le Fife a une chose en commun avec Brokeback Mountain, c'est les commérages. Comprends-moi bien. Je n'exclus pas cette possibilité. Mais tant que je n'ai rien pour l'étayer, je dois la mettre de côté dans mon esprit.

— Très bien, concéda Phil en replongeant dans son assiette. Mais ton idée selon laquelle quelqu'un est enterré sous un tas de pierres mystérieusement écroulées ne s'appuie pas sur grand chose non plus.

— Je n'ai jamais dit que quelqu'un était enterré », rétorqua-t-elle.

Il sourit. « Je te connais, Karen. Autrement, tu ne t'intéresserais pas à un tas de pierres.

— Peut-être, admit-elle sans paraître aucunement sur la défensive. Mais je ne fais pas que parier sur des idées loufoques. S'il y a bien un groupe de gens qui sait comment provoquer une explosion pour faire tomber la roche à un endroit précis, ce sont les mineurs. Et les artificiers avaient aussi accès aux explosifs. Si je cherchais quelqu'un pour faire sauter une grotte, la première personne que j'irais voir, c'est un mineur. »

Phil cligna des yeux. « Je crois qu'il faut que tu manges. Je crois que tu es en hypoglycémie. »

Karen le regarda de travers un instant, puis elle s'empara de son couteau et de sa fourchette et attaqua son plat avec son enthousiasme habituel. Une fois qu'elle eut englouti quelques bouchées, elle dit : « Voilà pour soigner mon hypoglycémie. Et je reste persuadée d'être sur une piste. Si Mick Prentice n'a pas disparu de son plein gré, c'est parce qu'on voulait se débarrasser de lui. Et devine quoi, on a quelqu'un qui voulait se débarrasser de lui. Qu'est-ce que Iain Maclean nous a dit ?

— Que Prentice avait découvert que Ben Reekie piquait dans les caisses du syndicat.

— Exactement. Il empochait de l'argent censé aller à la direction. D'après tout ce qu'on a entendu sur Mick, il n'aurait pas laissé passer ça. Et c'est difficile d'imaginer comment il aurait pu agir sans la participation d'Andy, puisque c'était lui qui tenait les comptes. Je ne crois pas que c'était dans leur nature de rester les bras croisés. Et si ça s'était su, Reekie se serait fait lyncher, tu le sais. C'est un motif très alléchant, Phil.

— Peut-être. Mais s'ils étaient à deux contre un, comment Reekie a-t-il réussi à les tuer ? Comment est-ce qu'il a amené les corps dans la grotte ? Comment a-t-il mis la main sur des charges d'explosifs en plein milieu de la grève ? »

Le sourire de Karen avait toujours réussi à le désarmer. « Je ne sais pas encore. Mais si j'ai raison, je le saurai tôt ou tard. Je te le promets, Phil. Et écoute déjà ça : on sait quand Mick a disparu, mais on n'a pas de date exacte pour la disparition d'Andy. C'est tout à fait possible qu'ils aient été tués séparément. Peut-être dans la grotte. Quant à se procurer des explosifs… Ben Reekie était représentant syndical. Toutes sortes de gens lui devaient forcément des services. Ne fais pas semblant d'ignorer ça. »

Phil termina son poisson et repoussa son assiette. Il leva les mains en l'air, les paumes tournées vers Karen, en signe de capitulation. « Et alors, qu'est-ce qu'on fait maintenant ?

— On dégage ces pierres pour voir ce qu'il y a derrière, dit-elle, comme si la réponse était évidente.

— Et comment est-ce qu'on va faire ça ? Pour le Macaron, tu n'es même pas sur cette enquête. Et même si c'était officiel, rien ne pourrait l'obliger à utiliser son précieux budget pour financer une fouille archéologique en quête de deux corps qu'on ne trouvera sans doute pas là. »

Karen s'arrêta net, une fourchette chargée de filet de pigeon à mi-chemin entre son assiette et sa bouche. « Qu'est-ce que tu viens de dire ?

— Qu'il n'y a pas de budget.

— Non, non. Tu as dit "une fouille archéologique". Phil, s'il n'y avait pas ce pigeon entre nous, je t'embrasserais. Tu es un génie. »

Phil fut anéanti. Il pouvait difficilement ne pas éprouver le sentiment de s'être encore fourré dans de beaux draps.

Kirkcaldy

Il était parfois plus judicieux de passer ses coups de fil professionnels de chez soi. Tant que les choses ne seraient pas en route et qu'elle n'aurait pas bien préparé son baratin, Karen ne voulait pas que le Macaron vienne fourrer son nez dans ses projets. Les paroles de Phil avaient déclenché une réaction en chaîne dans sa cervelle. Elle voulait faire dégager ce tas de pierres. Les dates que lui avait données Arnold Haigh lui offraient une chance de pouvoir justifier cette fouille auprès du Macaron sous prétexte d'un lien possible avec l'affaire Grant, mais plus les frais seraient réduits, moins il risquait de poser de questions.

Elle s'installa à la table de sa salle à manger avec son téléphone, un bloc-notes et son carnet d'adresses. Bien qu'elle fût à l'aise avec les nouvelles technologies, Karen gardait toujours une trace matérielle des noms, adresses et numéros de téléphone. Elle partait du principe que si le monde devait un jour tomber dans le chaos électronique, elle pourrait toujours trouver les gens dont elle avait besoin. Il lui était naturellement venu à l'esprit que, dans ce cas de figure, les téléphones ne fonctionneraient plus et que les réseaux de transport seraient également en pleine débâcle, mais son carnet d'adresses lui apparaissait néanmoins comme une sécurité. Et, le cas échéant, il serait bien plus facile à détruire sans laisser de traces que n'importe quelle mémoire électronique.

Elle l'ouvrit à la page voulue et parcourut la liste du bout du doigt jusqu'à atteindre le Dr River Wilde. L'anthropologue judiciaire avait été un des mentors des étudiants dans un cours que Karen avait suivi, destiné à améliorer l'attention scientifique des enquêteurs sur les lieux de crimes. À priori, il aurait été difficile de trouver des points communs entre les deux femmes, mais elles s'étaient immédiatement liées, contre toute probabilité. Bien qu'aucune des deux ne l'eût expliqué ainsi, c'était dû à la manière qu'elles avaient de donner l'impression de jouer le jeu tout en ébranlant subtilement l'autorité de ceux qui n'avaient pas réussi à gagner leur respect.

Karen aimait bien la façon qu'avait River de ne jamais essayer d'éblouir son auditoire avec sa science. Qu'elle fasse cours à un groupe de flics dont la formation scientifique s'était arrêtée à l'adolescence ou qu'elle raconte une anecdote au bar, elle parvenait à communiquer des informations complexes dans des termes qu'un profane pouvait comprendre et apprécier. Certaines de ses histoires étaient horrifiantes ; d'autres faisaient mourir de rire ; d'autres encore donnaient matière à réflexion.

L'autre facteur qui faisait de River une grande alliée potentielle, c'était que l'homme qui partageait sa vie était flic. Karen ne l'avait pas rencontré, mais d'après tout ce que lui en avait dit River, il semblait correspondre à son genre de flics. Pas de baratin, seulement un désir profond d'aller au fond des choses de la bonne manière. Elle avait donc terminé le cours de criminalistique avec une meilleure compréhension de son travail, mais aussi avec le sentiment d'avoir noué une nouvelle amitié. Et c'était assez rare pour se donner la peine de l'entretenir. Depuis lors, les deux femmes s'étaient retrouvées deux ou trois fois à Glasgow, à mi-chemin entre le Fife et la maison de River dans la région des lacs. Elles avaient passé de bonnes soirées à faire la bringue, des occasions qui avaient cimenté ce que leur première rencontre avait amorcé. Karen allait à présent découvrir si River avait parlé sérieusement quand elle lui avait proposé ses étudiants comme équipe à prix réduit pour des travaux d'exploration qui ne pouvaient pas vraiment justifier de grosses dépenses.

River décrocha son portable à la deuxième sonnerie. « Sauve-moi, dit-elle.

— De quoi ?

— Je suis sur la terrasse d'une cabane en bois à regarder l'équipe minable d'Ewan jouer un match en priant pour qu'il pleuve. Qu'est-ce qu'on ne ferait pas par amour... »

Quand la chance vous sourit. « Au moins, tu ne t'occupes pas de préparer le buffet. »

River poussa un petit grognement. « Hors de question. J'ai été claire dès le début. Pas question que je nettoie son équipement ou que je trime dans des cuisines primitives. Il y a une bonne partie des autres femmes qui me regardent de travers, mais si elles savaient comme je m'en tape ! Bon, qu'est-ce que tu racontes de beau ?

— C'est compliqué.

— Rien de neuf, alors. Il faut qu'on se voie, qu'on passe une soirée ensemble. Décomplique-toi.

— Ça me paraît être une bonne idée. Et justement, ça pourrait se faire plus tôt que tu ne le crois.

— Ah ah ! Tu couves quelque chose ?

— On peut dire ça. Écoute, tu te souviens de m'avoir dit un jour que tu avais une petite armée d'étudiants à ta disposition si jamais j'avais besoin de main-d'œuvre au rabais ?

— Bien sûr, répondit River sans hésitation. T'essaies de faire quelque chose en douce ?

— Si on veut. » Karen expliqua le scénario dans les grandes lignes. River fit de petits bruits d'encouragement au fil du récit.

« D'accord, lança-t-elle quand Karen eut terminé. Il nous faut donc d'abord des archéologues criminalistes, si possible des costauds capables de soulever des pierres. Je ne peux pas utiliser les étudiants de dernière année parce qu'ils sont encore en examens. Mais c'est presque la fin du semestre et je peux embarquer les première et les deuxième années. Plus tous ceux d'anthropo sur lesquels je pourrais mettre la main. Je peux appeler ça une sortie éducative et leur faire croire qu'ils pourront gagner des bons points. Quand est-ce que tu as besoin de nous ?

— Qu'est-ce que tu penses de demain ? »

Il y eut un long silence, puis River répondit : « Matin ou après-midi ? »

Après son coup de fil à River, Karen ne tenait pas en place mais n'avait nulle part où aller. Elle utilisa une partie de son soudain excès d'énergie pour organiser l'hébergement des étudiants au camping du village voisin de Leven, au milieu des dunes. Elle tenta de regarder un DVD de *Sex and the City* mais cela ne fit que l'agacer. C'était toujours comme ça quand elle était au milieu d'une affaire. Plus d'appétit pour rien d'autre que son enquête. Exaspérée de se retrouver coincée à cause du week-end, ou parce que les tests prenaient du temps, ou parce qu'on ne pouvait rien faire sans avoir éclairci un nouveau point.

Elle essaya de se distraire en faisant le ménage. Mais le problème, c'était qu'elle ne passait jamais assez de temps dans cette maison pour mettre beaucoup de désordre. Après une heure d'agitation, il ne restait plus rien pour justifier son attention.

« Oh, et puis merde », marmonna-t-elle avant d'attraper ses clés de voiture et de se diriger vers la porte. À dire vrai, la procédure concernant les preuves exigeait qu'elle n'aille pas interroger des témoins seule. Mais Karen se dit qu'elle ne faisait que nourrir le contexte et non réellement recueillir un témoignage. Et si elle tombait sur quelque chose de potentiellement utile plus tard en justice, elle pourrait toujours envoyer des agents prendre une déposition officielle un autre jour.

Elle mit moins de vingt minutes pour retourner à Newton of Wemyss. Il n'y avait aucun signe de vie dans l'enclave isolée où habitait Jenny Prentice. Aucun enfant ne jouait ; personne ne profitait de cette fin de journée ensoleillée dans son jardin. Les petites terrasses des maisons avaient pris un aspect triste qu'un peu de soleil ne pouvait dissiper seul.

Cette fois-ci, Karen approcha de la maison voisine de celle de Jenny Prentice. Elle cherchait toujours à se faire une idée de qui était vraiment Mick. Une personne assez proche de la famille pour qu'on lui ait confié la garde de Misha devait bien avoir eu certains contacts avec son père.

Karen frappa et attendit. Elle était sur le point d'abandonner et de retourner à sa voiture quand la porte retenue par une chaîne s'entrouvrit. Un petit visage ratatiné la regarda d'un air interrogateur sous une masse d'épais cheveux gris bouclés.

« Madame McGillivray ?

— Je ne vous connais pas, indiqua la vieille femme.

— Non. » Karen sortit sa carte de police et la braqua devant les verres sales des grosses lunettes qui agrandissaient les yeux bleus ternes flottant derrière. « Je suis agent de police.

— J'ai pas appelé la police, dit la femme en avançant la tête, les yeux plissés, pour examiner la carte de Karen.

— Non, je sais. Je voulais juste discuter un petit peu avec vous de l'homme qui habitait à côté avant. » Karen pointa le pouce vers la maison de Jenny.

« Tom ? Il est mort depuis des années. »

Tom ? Qui était Tom ? Oh, merde, elle avait oublié de questionner Jenny Prentice sur le beau-père de Misha. « Pas Tom, non. Mick Prentice.

— Mick ? Vous voulez parler de Mick ? Pourquoi la police s'intéresse à Mick ? Il a fait quelque chose de mal ? » Elle paraissait troublée, ce qui éveilla l'appréhension de Karen. Elle avait passé assez de temps à essayer de tirer des informations cohérentes de personnes âgées pour savoir que ça pouvait être une galère aux résultats douteux.

« Rien de tout ça, madame McGillivray, la rassura Karen. Nous essayons simplement de savoir ce qui lui est arrivé il y a tant d'années.

— Il nous a tous laissé tomber, voilà ce qui s'est passé, répondit la vieille femme d'un air compassé.

— Je comprends. Mais je veux juste éclaircir certains points. Je me demandais si je pourrais entrer et discuter un peu avec vous ? »

La femme expira bruyamment. « Vous êtes sûre d'avoir sonné à la bonne porte ? C'est Jenny que vous devez voir. Je ne peux rien vous dire.

— À vrai dire, madame McGillivray, j'essaie de me faire une idée de la véritable personnalité de Mick. » Karen afficha son plus beau sourire. « Jenny n'est pas très objective, si vous voyez ce que je veux dire ? »

La vieille femme gloussa. « C'est une aigrie, Jenny. Elle ne sait dire que du mal de lui, hein ? Allez, ma petite, vous feriez mieux d'entrer. » Elle décrocha la chaîne avec un cliquetis, et Karen put pénétrer dans un intérieur mal aéré. Il y régnait une odeur étouffante de lavande, avec des notes basses de friture et de mauvaises cigarettes. Elle suivit la silhouette voûtée de Mme McGillivray jusqu'à la pièce du fond, qui avait été aménagée en cuisine américaine. On avait l'impression que les travaux dataient des années 1970 et que rien n'avait changé depuis, notamment le papier peint. La lumière, le gras et la fumée avaient laissé différentes taches et décolorations. Le soleil bas inondait la pièce et projetait un rayon doré sur les meubles abîmés.

Une perruche en cage poussa des jacassements alarmés quand elles entrèrent. « Du calme maintenant, Jocky. C'est une gentille policière qui est venue nous parler. » La perruche lâcha une série de gazouillis ressemblant à des injures, puis elle s'apaisa. « Asseyez-vous. Je vais faire chauffer de l'eau. »

Karen n'avait pas vraiment envie d'une tasse de thé, mais elle savait que la conversation serait plus facile si elle laissait la vieille femme s'occuper. Elles se retrouvèrent finalement face à face devant une table étonnamment bien astiquée, une théière et une assiette de biscuits indubitablement faits maison. Le soleil éclairait Mme McGillivray comme un projecteur et révélait les détails d'un maquillage qu'elle s'était visiblement mis sans faire usage de ses lunettes. « C'était un type adorable, Mick. Un beau gars, avec ses cheveux blonds et ses larges épaules. Il avait toujours le sourire et un mot gentil quand il me voyait, confia-t-elle en servant le thé dans des tasses en porcelaine si fines qu'on voyait la lumière du soleil à l'intérieur. Ça fait maintenant trente-deux ans que je suis veuve, et j'ai jamais eu de meilleur voisin que le jeune Mick Prentice. Il me rendait toujours service pour n'importe quel petit truc que je n'arrivais pas à faire. C'était jamais un problème pour lui. Un type adorable, vraiment.

— Ça a dû être dur pour eux, la grève. » Karen prit un des biscuits fourrés qu'on lui présentait.

« Ça a été dur pour tout le monde. Mais c'est pas pour ça que Mick est parti chez les jaunes.

— Non ? » Rester détachée, ne pas montrer qu'on est particulièrement intéressé.

« C'est elle qui l'y a poussé. À fréquenter ce Tom Campbell juste sous son nez. Aucun homme n'aurait supporté ça, et Mick avait sa fierté.

— Tom Campbell ?

— Il n'était jamais loin de la porte. Jenny avait été amie avec sa femme. Elle l'avait aidé à soigner la pauvre petite quand elle avait eu un cancer. Mais après sa mort, c'était comme s'il ne pouvait plus se séparer de Jenny. Il y avait de quoi se demander ce qui s'était passé pendant tout ce temps. » Mme McGillivray lui lança un clin d'œil complice.

« Vous voulez dire que Jenny avait une liaison avec Tom Campbell ? » Karen ravala les questions qu'elle avait envie de poser mais qu'il valait mieux garder pour plus tard. *Qui était Tom Campbell? Où est-il maintenant? Pourquoi Jenny ne l'avait-elle pas mentionné?*

« Je ne vais pas dire ce que je ne peux pas jurer. Tout ce que je sais, c'est qu'il se passait rarement un jour sans qu'il vienne. Et toujours quand Mick n'était pas là. Il ne se présentait jamais les mains vides non plus. Des petits paquets de ci, des boîtes de ça. Pendant la grève, Mick racontait que sa Jenny pouvait cuisiner plus que n'importe quelle autre femme de Newton avec un kilo. Je ne lui ai jamais expliqué pourquoi.

— Comment ça se fait que Tom Campbell avait des choses à donner ? Il n'était plus mineur à ce moment-là ? »

Mme McGillivray donna l'impression que le thé qu'elle venait de boire avait tourné au vinaigre. « Il était chef de mine. » Karen eut le sentiment qu'elle aurait accordé plus de respect au mot « pédophile ».

« Et vous pensez que Mick a découvert ce qui se passait entre eux ? »

Elle hocha énergiquement la tête. « Tout le monde à Newton savait à quoi s'en tenir. C'est toujours la même histoire. L'autre est toujours le dernier à être mis au courant. Et s'il y en a qui avaient des doutes, ils ont pu voir à quelle vitesse Tom Campbell est venu ici quand Mick est parti. »

Trop tard, Karen se souvint qu'elle ne s'était pas renseignée au sujet du beau-père de Misha. « Il est venu vivre avec Jenny ?

— Il s'est passé quelques mois avant qu'il s'installe. Pour sauver les apparences, on en pense ce qu'on veut. Puis il a tranquillement pris la place de Mick.

— Est-ce qu'il n'avait pas une maison à lui ? Avec un salaire de chef, je pensais que…

— Oh oui, il avait une belle maison à West Wemyss. Mais Jenny ne voulait pas déménager. Elle disait que c'était pour la petite. Que ça avait été assez bouleversant pour Misha que son père parte et qu'elle n'avait pas besoin qu'on la déracine. » Mme McGillivray retroussa les lèvres et secoua la tête. « Mais vous savez, je me suis souvent posé des questions. Je crois qu'elle n'a jamais aimé Tom Campbell comme elle avait aimé Mick. Elle appréciait ce qu'il pouvait lui donner, mais je crois que son cœur appartenait toujours à Mick. Elle a eu beau continuer sa vie, je n'ai jamais vraiment pensé que Jenny ait arrêté d'aimer Mick. À mon avis, elle n'a pas bougé parce que, au fond d'elle-même, elle croit que Mick va revenir un jour. Et elle veut être sûre qu'il sache où la trouver. »

C'était une théorie basée sur la sensiblerie des feuilletons télé, se dit Karen. Mais elle avait le mérite de donner du sens à ce qui restait autrement inexplicable. « Mais alors, qu'est-ce qui s'est passé entre elle et Tom ?

— Il a loué sa propre maison juste à côté et il s'est installé là. Je n'ai jamais eu beaucoup de contact avec lui. Il n'était pas aussi sociable que Mick. Et c'était jamais simple entre les gars de la Lady Charlotte et les chefs de mines, surtout après qu'elle eut fermé en 1987. » La vieille femme remua la tête et fit balancer ses boucles grises et ternes. « Mais Jenny a eu ce qu'elle méritait. » Elle sourit d'un air de jubilation.

« Comment ça ?

— Il est mort. Il a eu une crise cardiaque foudroyante sur le terrain de golf de Lundin Links. Ça doit faire pas loin de dix ans. Et quand on a lu son testament, Jenny a eu un sacré choc. Il a tout légué à Misha. Elle a reçu le tout à ses vingt-cinq ans, et Jenny n'a jamais vu la couleur d'un sou. » Mme McGillivray leva sa tasse pour porter un toast. « C'est bien fait pour elle, si vous voulez mon avis. »

Karen n'eut pas le cœur de la contredire. Elle vida sa tasse et repoussa sa chaise. « C'était très aimable à vous, dit-elle.

— Il est venu ici le jour précis où Mick est parti à Nottingham », indiqua Mme McGillivray. Ce qui revenait au même que d'attraper quelqu'un par le bras pour l'empêcher de partir.

« Tom Campbell ?

— Lui-même.

— Quand est-il venu ?

— Ça devait être vers trois heures. J'aime bien écouter le feuilleton de l'après-midi à la radio dans la pièce de devant. Je l'ai vu monter l'allée puis rôder en attendant que Jenny revienne. Je crois qu'elle était partie au centre social – elle avait récupéré des paquets et des conserves, des choses qu'on leur donnait là-bas.

— Vous avez l'air de très bien vous en souvenir.

— Si je me le rappelle si bien, c'est parce que c'est la dernière fois que j'ai vu Mick ce matin-là. C'est resté gravé dans ma mémoire. » Elle se resservit une tasse de thé.

« Combien de temps est-il resté ? Tom Campbell, je veux dire. »

Mme McGillivray secoua la tête. « Pour ça, je peux pas vous aider. Une fois que mon feuilleton s'est terminé, je suis descendu vers la place prendre le bus pour Kirkcaldy. J'en suis plus capable maintenant, mais autrefois j'aimais bien aller au grand Tesco près de la gare routière. J'y allais en bus et je revenais en taxi. Donc je ne sais pas combien de temps il est resté. » Elle but une longue gorgée de thé. « Je me suis parfois demandé, vous savez.

— Vous vous êtes demandé quoi ? »

La vieille femme détourna le regard. Elle fourra la main dans la poche de son gilet avachi et en sortit un paquet de Benson & Hedges. Elle en tira une cigarette et prit son temps pour l'allumer. « Je me suis demandé s'il avait payé Mick.

— Vous voulez dire qu'il l'aurait payé pour qu'il quitte la ville ? » Karen ne pouvait cacher son incrédulité.

« C'est pas une idée si loufoque. Comme je disais, Mick avait sa fierté. Il ne serait pas resté là où il pensait ne pas être désiré. Donc s'il était décidé à partir de toute façon, il a peut-être pris l'argent de Tom Campbell.

— Il aurait sûrement eu trop d'amour-propre pour ça ? »

Mme McGillivray cracha un fin filet de fumée. « C'était de l'argent sale dans tous les cas. Peut-être que l'argent de Tom Campbell paraissait un petit peu plus propre que celui de la commission houillère ? D'autant que, quand il est sorti ce matin-là, il n'avait pas l'air parti pour aller plus loin que la côte, pour faire ses peintures. Si Tom Campbell l'avait payé, il n'avait pas besoin de revenir chercher ses vêtements ou des affaires, si ?

— Vous êtes sûre qu'il n'est pas revenu les chercher plus tard ?

— Certaine. Faites-moi confiance, il n'y a pas de secrets dans cette rue. »

Karen regardait la vieille femme, mais elle réfléchissait à toute vitesse. Elle ne croyait pas un seul instant que Mick Prentice ait pu vendre sa place dans le lit conjugal à Tom Campbell. Mais peut-être que Tom Campbell désirait assez cette place pour imaginer un scénario différent et se débarrasser de son rival.

Karen avait eu sa dose d'infos sur la personnalité de chacun. Elle ravala un soupir et dit : « J'aimerais vous envoyer deux agents lundi matin. Vous pourriez peut-être leur raconter ce que vous venez de me dire ? »

Mme McGillivray parut enchantée. « Avec grand plaisir. Je leur préparerai des scones. »

Château de Rotheswell

Ce n'était pas parce qu'elle était coincée à Rotheswell telle une Raiponce emprisonnée que Bel Richmond pouvait négliger le reste de son travail. Même si elle était privée de contact avec Grant, ce n'était pas une raison pour se tourner les pouces. Elle avait passé la plus grande partie de la journée à rédiger une interview pour une chronique dans le *Guardian*. C'était pratiquement terminé, mais elle avait besoin d'un peu de recul avant de polir le tout. Un petit tour à la piscine couverte dissimulée dans le bosquet de pins voisin ferait l'affaire, se dit-elle en sortant son maillot de son sac. À mi-chemin de la porte, le téléphone fixe sonna.

Susan Charleson parla d'un ton vif. « Êtes-vous occupée ?

— J'étais sur le point d'aller me baigner.

— Sir Broderick a une heure de libre. Il aimerait reprendre votre entretien sur la situation. »

Il n'était clairement pas question de discuter. « Très bien, soupira Bel. Où puis-je le trouver ?

— Il vous attendra en bas, dans la Land Rover. Il s'est dit que vous aimeriez sans doute voir l'endroit où vivait Catriona. »

Elle n'allait pas se plaindre. Tout ce qui ajoutait de la couleur à l'histoire valait bien qu'elle donne de son temps. « Cinq minutes, dit-elle.

— Merci. »

Bel se changea en vitesse pour enfiler un jean et une veste imperméable, et remercia les dieux des victimes de la mode grâce à qui les brodequins stylisés étaient devenus tendance, lui permettant d'avoir l'air vaguement préparée à la vie campagnarde. Elle attrapa son Dictaphone et descendit rapidement. Une Land Rover Defender étincelante l'attendait devant la porte d'entrée, moteur en marche. Brodie Grant était assis du côté conducteur. Même de loin, elle put voir ses doigts gantés qui tambourinaient sur le volant.

Bel grimpa à bord et lui fit son plus beau sourire. Elle ne l'avait pas vu depuis l'entretien bizarre de la veille avec les flics. Elle avait déjeuné sur le pouce seule dans sa chambre, et il avait été absent à la table du dîner. Judith, apparemment soulagée de rater ça, lui avait expliqué qu'il participait à un dîner caritatif avec match de boxe réservé aux hommes. Leur conversation était restée anodine ; dès que la discussion avait menacé de devenir un tant soit peu révélatrice, Judith elle-même ou l'omniprésente Susan l'avait détournée. Bel s'était sentie trompée et agacée.

Mais maintenant qu'elle se retrouvait de nouveau seule avec lui, elle pouvait pardonner tout ça. Elle hésita à lui demander s'il pensait réellement pouvoir mener Karen Pirie à la baguette comme le châtelain dans un film policier des années 1930, mais elle se ravisa. Mieux valait profiter de son temps pour étoffer ses connaissances de l'affaire. « Merci de m'emmener voir la maison de Cat, dit-elle.

— Nous ne pourrons pas entrer, précisa-t-il en débloquant le frein à main pour contourner l'arrière de la maison et s'engager sur un chemin à travers les pins. Il y a eu plusieurs locataires depuis, donc vous ne ratez pas grand-chose. Alors, qu'est-ce que vous avez pensé de l'inspecteur Pirie ? »

Bel ne discerna rien sur son visage ou dans sa voix qui indiquât ce qu'il voulait entendre, aussi préféra-t-elle dire la vérité. « Je crois qu'elle fait partie de ces gens qu'on sous-estime trop facilement, expliqua-t-elle. J'ai dans l'idée que c'est un fin limier.

— C'est le cas, répondit Grant. J'imagine que vous savez que c'est grâce à elle que l'ancien commissaire de ce comté est en prison pour le restant de ses jours. Un homme qui était apparemment au-dessus de tout soupçon. Mais elle a été capable de mettre en doute sa probité. Une fois qu'elle a eu commencé, elle ne s'est pas arrêtée avant d'avoir pu préétablir avec certitude que c'était un meurtrier sans pitié. C'est pour ça que je veux qu'elle s'occupe de cette affaire. À l'époque où Catriona est morte, nous avons tous été coupables de réfléchir suivant la pensée traditionnelle. Et regardez où ça nous a menés. Si on doit avoir une deuxième chance, je veux quelqu'un qui sorte des sentiers battus.

— C'est logique, indiqua Bel.

— Alors, de quoi voulez-vous parler ensuite ? » demanda-t-il tandis qu'ils pénétraient dans une clairière délimitée par un haut mur et un autre portail aux airs de poste-frontière, comme celui que Bel avait franchi à son arrivée. Indéniablement, personne n'entrait dans le domaine de Rotheswell sans y être le bienvenu. Grant ralentit assez pour laisser les gardes vérifier qui était derrière le volant, puis il accéléra à nouveau sur la route principale.

« Que s'est-il passé ensuite ? demanda-t-elle en allumant son Dictaphone qu'elle tint entre eux. Vous avez reçu la première demande et avez commencé à travailler avec la police. Comment les choses se sont-elles déroulées après ? »

Il regardait droit devant lui d'un air résolu, sans aucun signe d'émotion. Tandis qu'ils longeaient un quadrillage de champs de céréales et de prairies et que le soleil faisait des apparitions derrière les nuages gris menaçants, ses paroles se déversèrent en un flot troublant. Bel eut du mal à garder une certaine distance professionnelle. Le fait de vivre avec son neveu Harry lui avait donné un aperçu suffisant du statut de parent pour pouvoir facilement s'imaginer la détresse d'une personne dans la situation de Brodie Grant. Cela suscitait assez de compassion chez elle pour l'absoudre de presque toute critique. « On a attendu, dit-il. Je n'ai jamais vu le temps s'écouler aussi lentement qu'à cette période. »

Lundi 21 janvier 1985 ; château de Rotheswell

Pour un homme qui n'avait pas la patience de laisser reposer une pinte de Guinness, c'était une torture extrême d'attendre des nouvelles de l'Alliance anarchiste d'Écosse. Grant rôdait dans Rotheswell comme une balle de flipper, rebondissant presque littéralement sur les murs et les portes dans ses efforts pour se retenir d'imploser. Ses mouvements n'avaient aucun sens ni aucune logique, et lorsque sa femme et lui se croisaient, il trouvait à peine les mots pour répondre à ses questionnements anxieux.

Mary semblait bien plus maître d'elle-même, et il n'était pas loin de lui en vouloir pour ça. Elle s'était rendue au cottage de Cat et avait rapporté à Lawson et lui que, mis à part une chaise renversée dans la cuisine, rien ne paraissait avoir bougé. Elle avait trouvé du lait dont la date limite de vente était dimanche, ce qui indiquait qu'elle n'avait pas pu disparaître depuis plus de quelques jours.

Les nuits étaient pires que les journées. On ne pouvait pas dire qu'il dormait mais plutôt qu'il s'effondrait quand l'épuisement physique avait raison de lui. Il se réveillait ensuite en sursaut, désorienté et toujours aussi faible. Dès qu'il ouvrait les yeux, il souhaitait retomber dans l'inconscience. Il savait qu'il était censé feindre un comportement normal, mais c'était au-dessus de ses forces. Susan annulait tous ses rendez-vous, et il restait terré entre les murs de Rotheswell.

Le lundi matin, il était dans l'état le plus pitoyable qu'il eût jamais connu. Le visage qu'il vit dans le miroir avait l'air sorti d'un camp de prisonniers de guerre, pas du château d'un homme fortuné. Il se moquait même du fait que son entourage puisse voir sa vulnérabilité. Tout ce qu'il voulait, c'était que le facteur arrive, qu'il apporte quelque chose de concret, quelque chose qui puisse le libérer de son impuissance et lui donner une tâche à accomplir. Même s'il s'agissait de trouver tout l'argent que ces enfoirés lui demanderaient. Si ça n'avait tenu qu'à lui, il aurait surveillé le bureau de tri de Kirkcaldy, arrêté son facteur à la façon des anciens bandits de grand chemin et exigé son courrier. Mais il admettait que c'était de la folie. Il se contentait donc de faire les cent pas derrière la boîte aux lettres où le courrier du château tomberait sur le paillasson à un moment donné entre huit heures et demie et neuf heures.

Lawson et Rennie étaient déjà là. Ils étaient arrivés à huit heures par l'allée de derrière, en bleus de travail dans une camionnette de plombier. Ils étaient à présents assis stoïquement dans le hall, à attendre le courrier. Mary, assommée par le valium qu'il avait insisté pour qu'elle prenne, était assise sur la marche du bas en pyjama et robe de chambre, les bras autour des mollets, le menton sur les genoux. Susan leur apporta du thé et du café, avec son aplomb habituel qui cachait Dieu seul savait quoi. Grant n'avait vraiment aucune idée de la manière dont elle s'y était prise pour tout superviser durant les derniers jours.

La radio de Lawson grésilla et émit un message incompréhensible. Quelques instants plus tard, ils entendirent un bruit de papier ainsi que le cliquetis de la boîte aux lettres. La liasse de courrier du jour tomba par terre en cascade, et Grant se jeta dessus tel un homme affamé sur la nourriture tant espérée. Lawson fut presque aussi rapide et attrapa la grande enveloppe en papier kraft quelques secondes après que la main de Grant l'eut saisie. « Je prends ça », dit-il.

Grant la lui arracha. « Non, sûrement pas. Elle m'est adressée, et vous la verrez bien assez vite. » Il la serra contre sa poitrine, se releva puis s'éloigna de Lawson et Rennie.

« D'accord, d'accord, fit Lawson. Ne vous énervez pas, monsieur. Pourquoi est-ce que vous ne vous asseyez pas à côté de votre femme ? »

À la grande surprise de Lawson, Grant suivit sa suggestion et alla s'écrouler près de Mary. Il regarda fixement l'enveloppe, soudain incapable de faire face à ce qu'on était sur le point d'exiger de lui. Mary lui posa alors la main sur le bras, et ce fut comme une transfusion inattendue de force. Il ouvrit le rabat et sortit un épais tas de papier. Il le déplia et vit cette fois qu'il y avait deux exemplaires de l'affiche au marionnettiste. Avant qu'il ait pu lire les mots inscrits dans le cadre au pied de chacune, il entrevit le Polaroid. Il voulut le couvrir mais Mary, plus rapide que lui, l'avait déjà attrapé.

Cette fois-ci, Cat n'avait pas d'adhésif sur la bouche. Elle avait l'air furieux et une attitude de défi. Elle était attachée à une chaise avec du gros scotch devant un mur tout blanc. Une main gantée montrait le *Sunday Mail* de la veille au premier plan.

« Où est Adam ? demanda Mary.

— On peut imaginer qu'il est là aussi. C'est un peu plus difficile de faire poser un bébé, indiqua Lawson.

— Mais il n'y a pas de preuve. Il pourrait être mort, pour ce que vous en savez. » Mary se mit la main sur la bouche comme en une tentative de ravaler ces paroles venimeuses.

« Ne sois pas bête, lui dit Grant d'une voix faussement chaleureuse en passant un bras autour de ses épaules. Tu sais comment est Catriona. Elle ne serait jamais aussi coopérative s'ils avaient fait quoi que ce soit à Adam. Elle serait en train de crier comme une damnée et de se jeter par terre, elle ne resterait pas assise là tranquille et docile. » Il la serra contre lui. « Ça va aller, Mary. »

Lawson attendit un instant puis demanda : « Peut-on jeter un coup d'œil au message ? »

Grant cligna des yeux et acquiesça. Il étala la première affiche sur ses genoux et lut le message, écrit avec le même marqueur noir épais que le précédent.

Nous voulons un million. 200 000 livres en billets usagés et non consécutifs dans un sac de sport. Le reste en diamants bruts. La remise se fera mercredi soir. Quand vous nous verserez la rançon, on vous rendra un des deux otages en échange. Vous devez choisir lequel.

« Bon sang ! », s'écria Grant. Il passa l'affiche à Lawson, qui avait enfilé des gants par avance. La seconde affiche n'était pas plus réjouissante.

Une fois que nous aurons authentifié les diamants et vérifié que l'argent ne présente pas de risque, nous relâcherons l'autre otage. Souvenez-vous, pas de flics. Ne déconnez pas avec nous. Nous savons ce que nous faisons et nous n'avons pas peur de faire couler le sang pour notre cause.

L'Alliance anarchiste d'Écosse

« Qu'est-ce que vous avez fait pour localiser ces gens ? demanda Grant. Quand aboutiront vos recherches pour retrouver ma famille ? »

Lawson leva la main tout en examinant la seconde affiche. Il la tendit à Rennie et répondit : « Nous faisons tout notre possible. Nous avons parlé aux Renseignements généraux et au MI5, mais aucun d'eux n'a connaissance d'un groupe activiste dénommé l'Alliance anarchiste d'Écosse. On a réussi à faire entrer un releveur d'empreintes et un criminaliste dans le cottage de Catriona à la faveur de la nuit de samedi. Ça ne nous a pas encore donné de pistes directes, mais nous y travaillons. Nous avons également envoyé un agent qui s'est fait passer pour un client et a demandé aux gens du coin s'ils savaient quand l'atelier de Catriona serait ouvert. Nous avons établi avec certitude qu'elle avait travaillé mercredi, mais personne ne peut confirmer l'avoir vue après ça. On ne nous a rien signalé d'inhabituel dans la zone. Aucun véhicule ou comportement suspect. Nous…

— Ce que vous me dites, c'est que vous n'avez rien et que vous ne savez rien », lança brutalement Grant.

Lawson ne cilla pas. « C'est souvent le cas dans les affaires d'enlèvement. À moins que le kidnapping ait lieu dans un lieu public, nous disposons de peu d'éléments. Et quand cela implique un jeune enfant, il est très facile de maîtriser l'adulte, de sorte qu'il n'y ait pas de bagarres, donc pas de traces analysables. En général, c'est au moment de l'échange qu'on peut réellement faire avancer les choses.

— Mais vous ne pouvez rien faire, alors. Vous ne savez pas lire, mon vieux ? Ils vont garder l'un d'eux en otage tant qu'ils ne seront pas sûrs que nous ne les avons pas doublés, expliqua Grant.

— Brodie, ils seront tous les deux là au moment de l'échange, indiqua Mary. Regarde, ils disent que nous devons choisir un des deux. »

Grant grogna. « Et lequel est-ce qu'on va choisir ? C'est évident qu'on va choisir Adam. Le plus vulnérable des deux. Celui qui ne peut pas se débrouiller tout seul. Personne de sensé ne laisserait un bébé de six mois avec une bande de terroristes anarchistes s'il avait le choix. Ils vont emmener Adam et laisser Catriona là où ils les retiennent. C'est ce que je ferais si j'étais à leur place. » Il regarda Lawson pour qu'il confirme.

Le policier refusa de croiser son regard. « C'est une possibilité, certes, admit-il. Mais quoi qu'ils fassent, nous avons des options. Nous pouvons essayer de les suivre. Nous pouvons placer un mouchard dans le sac de sport et un autre parmi les diamants.

— Et si ça ne marche pas ? Qu'est-ce qui les empêchera de revenir demander plus ? questionna Grant.

— Rien. Il est tout à fait possible qu'ils demandent une deuxième rançon. » Lawson parut extrêmement mal à l'aise.

« Alors nous paierons, dit calmement Mary. Je veux récupérer ma fille et mon petit-fils sans courir de risque. Brodie et moi ferons tout le nécessaire à cette fin. N'est-ce pas, Brodie ? »

Grant se sentait piégé. Il savait quelle réponse il était censé donner, mais il était surpris par son ambivalence. Il se racla la gorge. « Bien sûr, Mary. » Cette fois-ci, Lawson le fixa droit dans les yeux et Grant comprit qu'il avait peut-être cédé un peu trop de terrain. Il fallait qu'il rappelle à ce flic qu'il y avait aussi un enjeu pour lui. « Et monsieur Lawson de même. Je te le promets. »

Lawson replia les deux affiches et les remit dans l'enveloppe. « Nous nous employons tous à cent pour cent à libérer Catriona et Adam sans courir de risque, dit-il. Et la première étape au programme, c'est que vous commenciez à prendre des dispositions auprès de votre banque.

— Ma banque ? Vous voulez dire qu'on va vraiment leur donner ce qu'ils demandent ? » Grant n'en revenait pas. S'il avait jamais eu un jour à réfléchir à une telle situation, il aurait supposé que la police avait une réserve secrète de faux billets marqués pour ce type d'éventualités.

« Ce serait très dangereux à ce stade de faire autrement », expliqua Lawson. Il avait les yeux rivés sur le tapis, l'image même de l'embarras. « Je suppose que vous avez bien cet argent ? »

Samedi 30 juin 2007 ; Newton of Wemyss

« Ce petit insolent essayait d'avoir l'air gêné de demander, mais j'ai bien vu qu'il prenait plaisir à me mettre mal à l'aise, raconta Grant en accélérant pour laisser Coaltown of Wemyss derrière eux. Comprenez-moi bien. Lawson n'a jamais fait un seul faux pas pendant toute l'enquête. Je n'ai aucune raison de soupçonner qu'il ne s'appliquait pas pleinement à attraper les salopards qui avaient enlevé Catriona et Adam. Mais je voyais bien que, quelque part, ça lui faisait secrètement plaisir de me voir puni.

— Pourquoi, à votre avis ? »

Grant ralentit quand une ouverture apparut dans le haut mur qu'ils longeaient. « La jalousie, purement et simplement. Peu importe quelle étiquette vous lui associez : lutte des classes, machisme, rancœur. Ça revient au même. Il y a beaucoup de gens par ici qui m'en veulent d'avoir ce que j'ai. » Il se gara sur une grande aire de stationnement au bord de la route. Le mur se renfonçait des deux côtés pour céder la place à un haut portail fait de croisillons de bois peints en noir, inspiré d'une herse médiévale. Sur un côté s'intégrait dans le mur la façade d'une maison à deux étages, construite à partir des mêmes blocs de grès rouge local que le mur lui-même. Des voilages pendaient aux fenêtres, et aucun ne remua au bruit du moteur de la Land Rover. « Et ces mêmes gens en voulaient aussi à Catriona. C'est absurde, non ? Les gens présumaient que si Catriona avait si bien démarré dans sa vie professionnelle, c'était grâce à moi. Ils n'ont jamais compris que c'était malgré moi. »

Il coupa le moteur et descendit en claquant la portière derrière lui. Bel suivit, intriguée par ce qu'il lui révélait, aussi bien involontairement que sciemment. « Et vous ? Les jalousies que vous créez sont-elles aussi absurdes ? »

Grant fit volte-face et lui jeta un regard noir. « Je croyais que vous aviez fait vos recherches ?

— C'est le cas. Je sais que vous avez commencé votre vie dans un coron de Kelty. Que vous êtes parti de rien pour monter votre affaire. Mais dans un certain nombre d'articles, on laisse bien entendre que votre mariage n'a pas vraiment fait de tort à votre ascension fulgurante. » Bel savait qu'elle jouait avec le feu, mais si elle voulait tirer parti de cette exclusivité pour faire décoller sa carrière, il lui fallait transpercer la surface pour accéder à la matière que personne d'autre n'avait même jamais soupçonné d'exister, encore moins pénétrée.

Grant fronça ses épais sourcils avec un regard furieux, et elle crut un instant qu'elle allait essuyer le feu de sa colère. Mais quelque chose changea dans son expression. Elle vit l'effort qu'il lui en coûta, mais il parvint à esquisser un sourire forcé et haussa les épaules. « Oui, le père de Mary avait effectivement du pouvoir et de l'influence dans des milieux cruciaux pour le développement de mon entreprise. » Il ouvrit les bras en signe d'impuissance. « En effet, l'épouser ne m'a apporté que des avantages d'un point de vue professionnel. Mais voilà, Bel. Ma Mary était assez intelligente pour savoir qu'elle aurait été malheureuse si elle avait épousé un homme qui ne l'aimait pas. Et c'est pour ça qu'elle m'a choisi. » Son sourire s'effaça peu à peu. « Je n'ai jamais eu mon mot à dire, y compris quand elle a décidé de m'abandonner. » Il se retourna brusquement et se dirigea à grands pas vers les lourdes portes.

Vendredi 23 janvier 1987 ; Eilean Dearg

Ils passaient si peu de temps ensemble ces derniers temps. Durant toute la semaine, à chacun de ses repas à Rotheswell, cette pensée l'avait poursuivi. Le petit déjeuner sans elle. Le déjeuner sans elle. Le dîner sans elle. Des invités avaient partagé sa table – des associés, des hommes politiques et, bien sûr, Susan. Mais aucun d'entre eux n'était Mary. Le poids de son absence était devenu critique cette semaine-là. Il ne pouvait plus supporter cette distance entre eux. Il avait toujours autant besoin d'elle maintenant. Rien ne pouvait adoucir le décès de Cat, mais Mary le rendait supportable. Et à présent son absence, aujourd'hui plus que jamais, était totalement insupportable.

Elle était partie lundi en expliquant qu'elle avait besoin d'être seule. Qu'elle trouverait la paix qu'elle désirait sur l'île. Il n'y avait aucun personnel là-bas. Il fallait seulement vingt minutes pour en faire le tour à pied, mais trois bons kilomètres au large suffisaient à se sentir loin de tout. Grant aimait s'y rendre, autant pour réfléchir que pour la pêche. Mary ne l'accompagnait que rarement pour le laisser à ses occupations. Il n'avait pas le souvenir qu'elle y soit déjà allée seule. Mais elle avait été catégorique.

Évidemment, il n'y avait pas de ligne téléphonique. Elle avait un téléphone de voiture, mais celle-ci devait être garée sur le parking de l'hôtel de Mull, à un kilomètre de l'embarcadère. Et de toute façon, son téléphone n'aurait pas capté de réseau dans les régions sauvages de la chaîne des Hébrides.

Il n'avait pas entendu sa voix depuis qu'elle lui avait dit au revoir le lundi.

Et maintenant, il n'en pouvait plus de ce silence. Deux ans jour pour jour après le décès de sa fille et la disparition de son petit-fils, Grant ne voulait pas rester tout seul avec sa douleur. Il essayait de ne pas se montrer trop dur envers lui-même par rapport à ce qui avait mal tourné, mais son cœur était tout de même marqué par la culpabilité. Il se demandait parfois si Mary le jugeait également responsable, si c'était pour cela qu'elle s'absentait si souvent. Il avait tenté de lui expliquer que les seules personnes qui devaient porter la responsabilité de la mort de Catriona étaient les hommes qui l'avaient enlevée, mais il arrivait à peine à s'en convaincre lui-même, et donc à l'en convaincre.

Il s'était mis en route après un petit déjeuner matinal et après avoir téléphoné à l'hôtel pour s'assurer que quelqu'un serait disponible pour le conduire sur l'île. Il avait dû s'arrêter plusieurs fois en chemin quand le chagrin qui lui nouait la gorge avait menacé de le submerger. Il faisait encore un peu jour à son arrivée, mais le temps qu'ils terminent la traversée, la nuit était déjà bien avancée. Cependant, comme le chemin menant au pavillon était large et bien entretenu, il n'avait pas peur de s'égarer.

En approchant de la maison, Grant fut surpris de ne voir aucune lumière. Lorsqu'elle faisait de la couture, Mary utilisait une débauche de lampes à faire pâlir une rampe de théâtre. Peut-être qu'elle ne cousait pas. Peut-être s'était-elle assise dans le solarium derrière la maison pour regarder les derniers filets de lumière dans le ciel à l'ouest. Grant hâta le pas, refusant de prêter attention à la peur qui lui lacérait la poitrine de ses griffes crochues.

La porte n'était pas fermée à clé. Elle s'ouvrit sans peine sur ses gonds huilés. Il appuya sur l'interrupteur et le hall apparut dans tout son relief. « Mary ! appela-t-il. C'est moi. » L'air stagnant sembla absorber ses paroles et les empêcher de porter.

Grant parcourut le couloir à grandes enjambées en ouvrant brutalement les portes sur son passage et en appelant sa femme, alors que la panique tendait son cuir chevelu et lui faisait monter les larmes aux yeux. Mais où était-elle donc ? Elle ne pouvait pas être dehors. Pas si tard. Pas avec ce froid.

Il la trouva dans le solarium. Mais elle ne regardait pas le coucher de soleil. Mary Grant ne regarderait plus jamais le coucher de soleil. Des cachets éparpillés et une bouteille de vodka vide brisaient le secret de son silence. Sa peau était déjà froide.

Samedi 30 juin 2007 ; Newton of Wemyss

Bel rejoignit Grant près des lourdes traverses du portail. De plus près, elle vit qu'il y avait une plus petite entrée découpée dans une des portes, assez grande pour laisser passer une petite camionnette ou une grosse voiture. Derrière se trouvait un chemin plein d'ornières qui s'enfonçait dans la dense forêt.

« Elle a laissé un mot, dit-il. Je le connais toujours par cœur : "Je suis désolée, Brodie. Je n'en peux plus. Tu mérites mieux et je ne peux pas aller mieux. Je ne supporte pas de voir ta douleur et je ne supporte pas la mienne. S'il te plaît, essaie d'aimer à nouveau. Je prie pour que tu y arrives." » Un sourire amer se dessina sur ses lèvres. « Judith et Alec. J'ai fait ce qu'elle m'avait demandé. Avez-vous entendu parler de l'Iditarod ? »

Surprise par ce soudain changement de sujet, Bel ne put que bégayer : « Oui. En Alaska. Une course de chiens de traîneau.

— L'un des plus grands dangers qu'ils affrontent, c'est ce qu'on appelle les puits de glace. Ce qui se passe, c'est que l'eau s'écarte sous la surface gelée pour former une poche d'air sous une fine couche de glace. D'au-dessus, ça ressemble exactement au reste de la banquise. Mais si on met le moindre poids dessus, on passe à travers. Et on ne peut pas en sortir car les bords sont à pic. Voilà le sentiment que me donne parfois le fait d'avoir perdu Catriona et Adam. Je ne sais pas quand le sol sous mes pieds va arrêter de supporter mon poids. » Il se racla la gorge et montra du doigt une petite grange en bois à peine visible à la lisière de la forêt. « C'étaient l'atelier et la salle d'exposition de Catriona. Ils avaient meilleure allure à l'époque. Quand elle ouvrait aux clients, elle mettait deux tréteaux publicitaires sur le bord de la route. Elle laissait le petit battant du portail entrouvert de manière à ce qu'on puisse passer à pied mais pas en voiture. Il y avait bien assez de place pour que les gens se garent à l'extérieur. » Il désigna d'un geste le grand espace où il avait laissé sa Land Rover. Il avait clairement clos la discussion au sujet de sa première femme. Mais il lui avait fait un cadeau magnifique avec l'image du puits de glace. Bel savait qu'elle pourrait en tirer quelque chose de remarquable.

Elle examina les lieux. « Mais, théoriquement, les personnes qui l'ont enlevée auraient pu ouvrir suffisamment le portail pour passer en voiture ? Ils auraient alors été très peu visibles de la route.

— C'est ce que la police a pensé au départ, mais les seules traces de pneus qu'elle a trouvées étaient celles de la voiture de Catriona. Ils ont dû se garer à l'extérieur, sur l'aire bétonnée. Tous les gens qui passaient auraient pu les voir. Ils prenaient un risque terrible. »

Bel haussa les épaules. « Oui et non. S'ils tenaient Adam entre leurs mains, Cat leur aura obéi. »

Grant acquiesça. « Même une femme aussi butée que ma fille aurait fait passer la vie de son fils en priorité. Je n'ai pas de doutes là-dessus. » Il se retourna. « Je m'en veux toujours. »

Cette réaction semblait extrême, même pour une personne qui adorait avoir le dessus. « Comment cela ? demanda Bel.

— J'ai trop compté sur la police. J'aurais dû prendre davantage les choses en main. J'ai essayé. Mais pas assez. »

Mercredi 23 janvier 1985 ; château de Rotheswell

« Nous savons ce que nous faisons », déclara Lawson. Il commençait à prendre un ton hargneux, ce qui ne mettait pas Grant en confiance. « Nous pouvons en finir avec tout ça ce soir.

— Vous devriez placer la zone sous surveillance, suggéra Grant. Ils pourraient déjà être sur place.

— J'imagine qu'ils savent à peu près quand le courrier est distribué, dit Lawson. S'ils veulent garder une longueur d'avance sur nous, ils auront pris position avant même que nous ayons reçu le message avec les consignes. Ça ne changerait donc rien, en fait. »

Grant baissa les yeux sur le Polaroid du matin. Cette fois-ci, Cat était allongée de côté sur un lit, avec Adam contre elle, les yeux écarquillés. De nouveau, le *Daily Record* prouvait qu'ils étaient en vie. Du moins la veille. « Pourquoi à cet endroit ? dit-il. C'est un choix tellement étrange. Ce n'est pas comme s'ils pouvaient s'enfuir rapidement.

— C'est peut-être pour ça qu'ils l'ont choisi. S'ils ne peuvent pas s'enfuir en vitesse, vous non plus. Ils auront encore un otage. Ils peuvent l'utiliser comme garantie pour vous tenir à distance jusqu'à ce qu'ils aient regagné leur véhicule », expliqua Lawson. Il étala la carte à grande échelle que Rennie avait apportée. Le lieu de l'échange était entouré d'un cercle rouge. « Le rocher de la Dame. C'est à peu près à mi-chemin entre l'ancien carreau de mine et la partie est de West Wemyss. Les points les plus proches où ils peuvent se rendre en voiture sont ici, à la lisière des bois... » Lawson tapota la carte du doigt. « Ou ici. Au parking de West Wemyss. Si j'étais eux, je ne choisirais pas West Wemyss. C'est plus loin de la route principale. Ça rallonge de quelques minutes cruciales le temps nécessaire pour rejoindre les grands axes.

— Oui, mais en revanche, ils ont plus de possibilités à partir de là, souligna Grant. Vers Dysart ou Boreland, vers Coaltown, ou par la Checkbar Road jusqu'à la pierre levée, et ensuite à peu près partout.

— Nous serons parés à toutes ces éventualités, assura Lawson.

— Vous ne pouvez rien laisser au hasard, rétorqua Grant. Ils auront la rançon. Ils pourraient sacrifier Cat juste pour pouvoir s'enfuir.

— Qu'est-ce que vous voulez dire ?

— Si j'étais un kidnappeur avec la rançon entre les mains et que je me rendais compte que vos hommes me suivaient, je jetterais mon otage hors de la voiture, expliqua Grant d'une voix faussement calme. Vous vous arrêteriez pour elle parce que vous êtes civilisés. Ils le savent. Ils peuvent se permettre de miser là-dessus.

— Nous ne prendrons aucun risque », dit Lawson.

Agacé, Grant leva les bras en l'air. « Ce n'est pas la bonne réponse non plus. Vous ne pouvez pas tout miser sur la sécurité dans une situation comme celle-là. Vous devez être prêts à prendre des risques calculés. Vous devez réagir sur l'instant. Vous ne pouvez pas être rigide. Vous devez être flexible. Je ne suis pas arrivé au sommet sans prendre aucun risque. »

Lawson posa sur lui un regard mesuré. « Et si je prends un risque qui me paraît nécessaire, et que ça produit l'effet inverse ? Est-ce que vous serez le premier à réclamer ma tête ? »

Grant ferma les yeux un instant. « Bien sûr que oui, dit-il. Soyons clairs, j'ai la vie de deux proches et un million de livres en jeu. Vous devez me convaincre que vous savez ce que vous faites. Est-ce qu'on peut reprendre du début ? »

Samedi 30 juin 2007 ; Newton of Wemyss

« Je savais que j'avais laissé tomber ma fille. À ce moment déjà, je le savais. » Grant poussa un profond soupir. « Pourtant, je continuais à croire que si les choses tournaient mal, quelqu'un se manifesterait. Que quelqu'un devait forcément avoir vu quelque chose.

— Ce n'est pas arrivé. » C'était un simple constat.

« Non. Ce n'est pas arrivé. » Il se retourna et regarda Bel. Il avait l'air perplexe. « Personne ne s'est jamais manifesté, ni à propos de l'enlèvement lui-même, ni à propos de l'endroit où ils étaient retenus. Personne n'a jamais fourni un seul témoignage crédible à la police. Oh, il y a bien eu les cinglés habituels. Et des gens qui appelaient en toute bonne foi. Mais après examen, toutes les dépositions étaient rejetées.

— Ça semble bizarre, nota Bel. D'habitude, il y a toujours quelque chose. Même s'il s'agit seulement d'une brouille entre voleurs.

— Je suis d'accord. La police n'a jamais eu l'air de trouver ça curieux. Mais je me suis toujours demandé comment ils avaient réussi leur coup sans qu'il y ait jamais eu un seul témoin. »

Bel sembla pensive. « Peut-être qu'il n'y a pas eu de brouille entre voleurs parce que ce n'étaient pas des voleurs.

— Qu'est-ce que vous voulez dire ?

— Je ne suis pas sûre… », répondit-elle lentement.

Grant parut irrité. « C'est bien le problème dans cette affaire. » Il repartit vers la Land Rover. « Personne n'a jamais été sûr de rien. La seule chose qui soit certaine, c'est que ma fille est morte. »

Dimanche 1er juillet 2007 ; East Wemyss

Karen n'avait jamais eu une opinion particulièrement haute des étudiants. C'était une des raisons pour lesquelles elle avait décidé de s'engager dans la police tout de suite après le lycée, malgré toutes les tentatives de ses profs pour la convaincre d'aller à l'université. Elle ne voyait pas l'intérêt d'accumuler quatre années de dettes alors qu'elle pouvait avoir un bon salaire et un vrai travail. Rien de ce qu'elle avait vu de la vie de ses anciens camarades de classe ne lui avait donné l'impression d'avoir fait une erreur.

Mais l'équipe de River Wilde la forçait à reconnaître que tous les étudiants n'étaient peut-être pas des tire-au-flanc condescendants. Ils étaient arrivés juste avant onze heures ; ils avaient déchargé leur matériel et installé bâches et projecteurs avant midi ; et ils s'étaient organisés pour que certains aillent entretemps chercher des pizzas qu'ils avaient englouties avant de s'atteler à la tâche difficile mais délicate consistant à déplacer des tonnes de pierres et de gravats à la main. Une fois qu'ils eurent établi un rythme avec pioches, truelles, tamis et pinceaux, River les laissa faire pour aller rejoindre Karen, assise à la table de l'association des grottes, ne voyant comment se rendre utile.

« Très impressionnant, commenta Karen.

— Ils ne sortent pas beaucoup, expliqua River. Enfin, pas pour des raisons professionnelles, en tout cas. Ils n'attendent que ça.

— Combien de temps crois-tu que ça va prendre pour dégager le passage ? »

River haussa les épaules. « Ça dépend de l'épaisseur du tas. C'est impossible à deviner. L'un de mes doctorants a eu une licence en sciences de la terre et il dit que le grès est connu pour être imprévisible quand il commence à bouger. Une fois qu'on aura déblayé le sommet, on pourra faire passer une sonde. Ça devrait nous donner une idée de l'épaisseur du tas. Si on atteint l'air libre, on pourra glisser une caméra à fibre optique. On aura alors une idée bien plus précise de ce à quoi on a affaire.

— Je te suis vraiment reconnaissante, dit Karen. Je fonce un peu tête baissée.

— C'est ce que j'avais cru comprendre. Tu veux me mettre au parfum ? Ou est-ce que c'est mieux si je ne sais rien ? »

Karen sourit. « Tu me rends service, alors autant que tu saches de quoi il s'agit. » Elle présenta les éléments essentiels de son enquête à River, en développant quand celle-ci demandait des précisions. « Qu'est-ce que tu en penses ? demanda-t-elle enfin. Tu crois qu'avec un peu de subtilité, je peux m'en tirer ? »

River remua la main de gauche à droite pour indiquer que c'était quitte ou double. « Est-ce que ton chef est malin ? demanda-t-elle.

— C'est un abruti, répondit Karen. Aussi futé qu'un porte-parapluies.

— Dans ce cas, tu as peut-être tes chances. »

Avant que Karen ait pu répondre, une silhouette familière émergea de l'obscurité de l'entrée de la grotte. « Vous n'avez pas besoin de quelqu'un en plus, les filles ? demanda Phil en pénétrant dans la lumière et tirant une chaise.

— Quoi de neuf ? fit Karen.

— "Double bulles, trouble double"[1], dit-il. Pour l'effet de lumière. Pardon, chef. » Il tendit une main. « Vous devez être le Dr Wilde. Je dois dire que je croyais que Karen était unique en son genre, mais apparemment j'avais tort.

— Il dit ça gentiment, expliqua Karen en levant les yeux au ciel. Phil, tu dois apprendre à être aimable avec les inconnues. En particulier celles qui connaissent dix-sept façons différentes de te tuer sans laisser de traces.

1. « *Double, double, toil and trouble* » : citation de *Macbeth*. (*N.d.T.*)

— Excuse-moi, dit River d'un air offensé. J'en connais beaucoup plus que dix-sept. »

La glace à présent brisée, Phil demanda à River de lui expliquer ce qu'espérait accomplir son équipe. Il écouta avec attention et, lorsqu'elle eut terminé, il regarda en direction des étudiants. Ils avaient déjà fait un creux notable au sommet, là où les pierres écroulées rejoignaient la voûte. « Sans vouloir vous vexer, dit-il, j'espère que tout ça va s'avérer être une perte de temps.

— Tu espères toujours que Mick Prentice soit bien vivant à creuser des trous en Pologne, comme l'a suggéré Iain Maclean ? lança Karen d'un ton faussement compatissant.

— Je préférerais ça que de le retrouver sous ces pierres.

— Et moi, je préférerais qu'on ait tiré mes numéros au Loto d'hier soir, répliqua Karen.

— Il n'y a pas de mal à être un peu optimiste », indiqua gentiment River. Elle se leva. « Je ferais mieux de diriger un peu tout ça pour l'exemple. Je vous préviens s'il y a quoi que ce soit. »

Il ne fut pas difficile de trouver deux places de parking dans la rue de maisons mitoyennes où vivait Jenny Prentice. Phil suivit Karen dans l'allée en marmonnant dans sa barbe que le Macaron allait péter les plombs quand il découvrirait les fouilles impressionnantes de River.

« Je contrôle la situation, assura Karen. Ne t'en fais pas. » La porte s'ouvrit brusquement et Jenny Prentice leur lança un regard furieux. « Bonjour, madame Prentice. Nous aimerions discuter un petit peu avec vous. » Regard et voix d'acier.

« Ben en fait, j'ai pas du tout envie de discuter avec vous maintenant. C'est pas le moment.

— Pour nous si, rétorqua Phil. Vous voulez faire ça ici où les voisins peuvent nous entendre ? On pourrait aussi entrer, si vous préférez ? »

Une autre silhouette apparut derrière Jenny. Karen ne put s'empêcher de ressentir une certaine joie lorsqu'elle reconnut Misha Gibson. « Qui est-ce, maman ? demanda-t-elle avant de comprendre. Inspecteur Pirie ! Vous avez du nouveau ? » L'espoir qui anima son regard lui fit l'effet d'un reproche.

« Rien de concret, répondit Karen. Mais vous aviez raison. Votre père n'est pas parti travailler à Nottingham. Quoi qu'il lui soit arrivé, ce n'était pas ça.

— Mais alors, si vous n'avez rien de nouveau, pourquoi êtes-vous là ?

— On a une ou deux questions à poser à votre mère, expliqua Phil.

— Rien qui ne puisse attendre demain, objecta Jenny en croisant les bras sur sa poitrine.

— Ça revient au même, autant régler ça aujourd'hui, dit Karen en souriant à Misha.

— Je ne vois pas ma fille très souvent, dit Jenny. Je ne veux pas gaspiller le temps qu'on a pour parler avec vous.

— Ça ne sera pas long, répliqua Karen. Et ça concerne aussi Misha.

— Allez, maman. Ils ont fait tout ce chemin jusqu'ici, la moindre des choses c'est qu'on les invite à entrer », insista Misha en essayant de faire bouger sa mère sur le seuil de la porte. Le regard que Jenny leur lança aurait anéanti des êtres plus faibles, mais elle céda et se détourna pour pénétrer dans le salon où ils avaient discuté la fois précédente.

Karen refusa le thé que Misha leur offrit et laissa à peine le temps à la mère et à la fille de s'installer avant d'entrer dans le vif du sujet. « Lors de notre dernière conversation, vous n'avez jamais mentionné Tom Campbell.

— Pourquoi l'aurais-je fait ? » Jenny ne pouvait s'empêcher de prendre un ton hostile.

« Parce qu'il était là le jour où votre mari a disparu. Et parce que ce n'était pas la première fois.

— Pourquoi est-ce qu'il n'aurait pas pu être là ? C'était un ami de la famille. Il a été très généreux avec nous pendant la grève. » La bouche de Jenny se referma comme un piège à souris.

« Qu'est-ce que vous insinuez, inspecteur ? » Misha paraissait réellement déconcertée.

« Je n'insinue rien. Je demande à Jenny pourquoi elle n'a jamais mentionné le fait que Campbell était ici ce jour-là.

— Parce que ça n'avait aucun rapport, répondit Jenny.

— Combien de temps après la disparition de Mick votre relation avec Tom a-t-elle commencé ? » La question resta en suspens dans l'air, au milieu des particules de poussière qui planaient dans la pièce.

« Vous êtes vraiment mauvaise », dit Jenny.

Karen haussa les épaules. « C'est un fait établi qu'il a emménagé ici. Que vous avez vécu ensemble en famille. Qu'il a tout légué à Misha dans son testament. Tout ce que je vous demande, c'est combien de temps a passé entre le moment où Mick a disparu et celui où Tom s'est installé ici. »

Jenny lança un regard indéchiffrable à sa fille. « Tom était un type bien. Vous n'avez pas le droit de venir ici avec vos insinuations et vos calomnies. Ça ne faisait pas longtemps qu'il était veuf. Sa femme était ma meilleure amie. Il avait besoin de soutien. Et il était chef de mine, donc la plupart des hommes ne voulaient rien savoir.

— Je ne mets rien de tout ça en cause, indiqua Karen. J'essaie seulement d'y voir clair. Ça ne m'aide pas à retrouver Mick, si vous ne me racontez pas toute l'histoire. Alors, au bout de combien de temps êtes-vous passés d'une relation amicale à une relation intime ? »

Misha poussa un soupir impatient. « Dis-lui ce qu'elle veut savoir, maman. Elle l'apprendra de quelqu'un d'autre sinon. Il vaut mieux que ça vienne de toi que des commères du coin. »

Jenny baissa les yeux sur ses pieds, fixant ses pantoufles tout abîmées et presque percées aux orteils comme si la réponse avait été écrite dessus et qu'elle ne portait pas les bonnes lunettes. « On se sentait tous les deux seuls. On avait tous les deux l'impression d'avoir été abandonnés. Et il était gentil avec nous, très gentil. » Il y eut un long silence, puis Misha tendit la main pour recouvrir le poing serré de sa mère. « Je l'ai invité dans mon lit six semaines jour pour jour après que Mick nous a laissé tomber. On serait mortes de faim sans Tom. On cherchait tous les deux du réconfort.

— Rien de mal à ça. » Ces paroles aimables vinrent, étonnamment, de Phil. « Nous ne sommes pas là pour porter des jugements. »

Jenny hocha imperceptiblement la tête. « Il a emménagé avec nous en mai.

— Et ça a été un beau-père formidable, ajouta Misha. Il ne s'en serait pas mieux sorti s'il avait été mon vrai père. J'adorais Tom.

— On l'adorait toutes les deux », dit Jenny. Karen ne put s'empêcher de penser qu'elle essayait de se convaincre elle-même autant qu'eux. Elle se rappela les paroles de Mme McGillivray, selon qui le cœur de Jenny Prentice n'avait jamais appartenu qu'à Mick.

« Est-ce que vous vous êtes déjà demandé si Tom avait quelque chose à voir avec le départ de Mick ? »

Jenny releva la tête d'un coup, et ses yeux lancèrent des éclairs à Karen. « Bon sang, mais qu'est-ce que c'est censé vouloir dire ? Vous croyez que Tom a fait quelque chose à Mick ? Vous croyez qu'il l'a liquidé ?

— À vous de me le dire. C'est ça qui s'est passé ? » Karen était aussi implacable que Jenny était échauffée.

« Vous faites fausse route, s'écria Misha d'un ton de défi. Tom n'aurait pas fait de mal à une mouche.

— Je n'ai jamais dit que Campbell aurait fait du mal à Mick. Mais je trouve ça extrêmement intéressant que vous ayez immédiatement supposé toutes les deux que c'était ce que je voulais dire », répliqua Karen. Jenny parut décontenancée, Misha furieuse. « Ce que je me demandais, c'est si Mick s'était rendu compte qu'il y avait un lien entre Tom et vous. Aux dires de tous, c'était un homme fier. Il a peut-être décidé que ce serait mieux pour tout le monde s'il laissait le champ libre à un homme que vous sembliez préférer.

— Vous dites que des conneries ! siffla Jenny. Il n'y avait rien entre Tom et moi à ce moment-là.

— Non ? Eh bien, peut-être que Tom s'est dit qu'il pourrait y avoir quelque chose s'il parvenait à se débarrasser de Mick. Il avait plein d'argent. Il aurait pu payer Mick pour qu'il s'en aille. » C'était une suggestion outrageante, elle le savait. Mais on obtenait souvent des résultats intéressants en offensant les gens.

Jenny libéra sa main de celle de Misha et s'éloigna de sa fille. « C'est ta faute ! lui cria-t-elle. Rien ne m'oblige à écouter ça. Dans ma propre maison, elle ose traîner dans la boue l'homme qui t'a tout donné. Dans quoi tu nous as entraînées, Michelle ? Qu'est-ce que tu as fait ? » Les joues couvertes de larmes, elle donna une grande gifle à Misha.

Karen s'était levée pour intervenir. Mais elle n'avait pas été assez vite. Jenny avait quitté la pièce avant que quelqu'un puisse l'arrêter. Abasourdie, Misha appuya sa main sur sa joue écarlate. « Laissez-la ! cria-t-elle. Vous avez fait assez de dégâts pour aujourd'hui. » Elle reprit son souffle et se rasséréna. « Je pense que vous devriez partir, dit-elle.

— Je suis désolée que ça ait dérapé, dit Karen. Mais c'est le problème quand on creuse vraiment les choses. On ne sait jamais sur quoi on va tomber. »

Lundi 2 juillet 2007 ; Glenrothes

Le commissaire Lees regardait fixement le document que Karen Pirie avait placé devant lui. Il l'avait lu trois fois, mais ça n'avait toujours pas de sens. Il savait qu'il allait devoir lui demander une explication et que, d'une façon ou d'une autre, il finirait en mauvaise posture. Ça semblait tellement injuste. Dès ce lundi matin de bonne heure, on avait déjà violé le sanctuaire qu'était son bureau. « Je ne saisis pas exactement pourquoi nous payons pour ça – il examina une nouvelle fois la feuille, essayant de s'ôter le doute que Pirie se livrait à une blague tordue –, pourquoi nous payons le Dr River Wilde pour diriger une équipe d'étudiants dans le cadre de "fouilles judiciaires" dans une grotte d'East Wemyss.

— Parce que ça va nous coûter environ le dixième de ce que le service criminalistique nous facturerait. Et je sais combien vous tenez à ce qu'on en ait pour notre argent », expliqua Karen.

Elle savait parfaitement bien que ce n'était pas ce qu'il avait voulu dire, pensa Lees. « Je ne vous parle pas des implications budgétaires, dit-il d'un ton maussade. Ce que j'essaie de comprendre, c'est tout simplement pourquoi ce... – il jeta les mains en l'air en signe d'exaspération – ce cirque a lieu !

— Je pensais devoir creuser toutes les pistes dans mon enquête sur l'enlèvement de Catriona Maclennan Grant », indiqua Karen d'une voix douce.

Est-ce qu'elle se moquait de lui ? Ou est-ce qu'elle ne comprenait vraiment pas ce qu'elle venait de dire ? « Ce n'était pas à prendre au sens littéral, inspecteur. À quoi est-ce que ce foutu chantier peut bien servir ? » Il lui agita le formulaire de demande de budget sous le nez.

« J'ai remarqué au cours de mes recherches qu'il y avait eu un effondrement plutôt inhabituel dans une des grottes de Wemyss en janvier 1985. Je dis inhabituel, parce que depuis que la mine de Michael a fermé en 1967, le terrain s'est stabilisé et il n'y a pas eu d'autres écroulements importants. » Karen se délecta de l'air perplexe qu'avait pris Lees. « En me penchant plus sérieusement sur le sujet, j'ai découvert que l'effondrement avait été découvert le jeudi 24 janvier.

— Et ? » Lees semblait ne pas comprendre.

« C'est le lendemain du jour où Catriona a été tuée, monsieur.

— Je sais cela, inspecteur. Je connais bien l'affaire. Mais je ne parviens toujours pas à voir le rapport avec un effondrement dans une grotte inconnue. » Il tripota la photo encadrée sur son bureau.

« Eh bien, voilà, monsieur. » Karen s'enfonça dans sa chaise. « Pour les gens du coin, ces grottes ne sont pas vraiment inconnues. Tout le monde les connaît. La plupart des gens ont joué dedans au moins une fois quand ils étaient gosses. Ensuite, une des choses irrésolues à l'époque, c'est l'endroit où Catriona et Adam étaient retenus en otages. On n'a jamais reçu aucun témoignage qui les associerait à un lieu précis. Je me suis alors dit : à cette période de l'année, les grottes sont pratiquement désertes. Il fait trop froid pour que les gamins jouent dehors, et il n'y a jamais assez de lumière naturelle pour que les passants soient tentés de faire plus d'un mètre à l'intérieur d'aucune des grottes. »

Malgré lui, Lees se sentit absorbé par son récit. Elle ne faisait pas ses comptes rendus comme les autres agents. Le plus souvent, ça le rendait un peu fou, mais parfois, comme ce jour-là, il ne pouvait résister à sa manière de raconter. « Vous êtes en train de dire que les grottes auraient pu être une cachette potentielle pour les kidnappeurs ? Est-ce que ça ne fait pas un peu Enid Blyton ? suggéra-t-il, essayant de réaffirmer son autorité.

— Très populaire, Enid Blyton, monsieur. On pourrait peut-être même la qualifier d'inspiratrice. En tout cas, la grotte en question, la grotte du Baron, est aujourd'hui fermée par une grille pour empêcher les gens d'y entrer. Mais à l'époque, il y avait juste une barrière en travers du passage. Le but n'était pas qu'elle soit inviolable. L'association de préservation des grottes se servait de la grotte du Baron comme une sorte de foyer. C'est toujours le cas, d'ailleurs. La barrière était juste là pour décourager les explorateurs occasionnels. N'importe qui n'aurait donc pas eu de mal à y accéder.

— Mais ils auraient été piégés comme des rats si on les avait trouvés, protesta Lees.

— Eh bien, justement. On ne peut pas en être tout à fait sûrs. On a toujours raconté qu'il aurait existé un passage reliant le château de Macduff à la grotte.

— Oh, pour l'amour du ciel, inspecteur ! Vous avez fumé la moquette ? C'est insensé.

— Sauf votre respect, monsieur, ça se tient plutôt bien. On sait que les kidnappeurs se sont enfuis du lieu en bateau. Les policiers témoins ont dit à l'époque que ça devait être un petit hors-bord, d'après le bruit. Mais le temps qu'ils envoient l'hélico et qu'ils braquent les projecteurs sur la zone, il n'y avait plus aucune trace de bateau nulle part dans les environs du rocher de la Dame. Par ailleurs, la mer était haute cette nuit-là. Et s'ils avaient simplement longé la côte sur deux ou trois kilomètres puis caché le bateau dans la grotte ? Ils prennent un Zodiac, facile. Ils l'entassent avec le reste de leur campement de fortune, puis ils sortent et font s'effondrer la voûte derrière eux. »

Lees secoua la tête. « On se croirait dans un mélange entre *Le Boy's Book* et *Piège de cristal* ! Comment pensez-vous qu'ils ont procédé exactement pour… – il marqua une pause, effectuant ce geste à deux doigts qui signalait des guillemets et qui, pour quelque raison, irritait sa femme de manière démesurée par rapport à l'offense subie – faire s'effondrer la voûte derrière eux ? »

Karen eut un sourire bien trop joyeux à son goût. « Je n'en ai aucune idée, monsieur. Avec un peu de chance, l'équipe du Dr Wilde pourra bientôt nous le dire. Je suis assez convaincue que nous allons trouver derrière cet écroulement quelque chose qui justifiera toutes ces dépenses. »

Lees se prit la tête entre les mains. « Je crois que vous avez perdu la raison, inspecteur.

— Peu importe, dit-elle en se levant. C'est l'affaire Brodie Grant. Vous pouvez dépenser à peu près autant que vous voulez, monsieur. Pour une fois, personne ne va vous questionner sur le budget. »

Lees sentit les pulsations de son cœur dans ses tempes. « Vous vous foutez de ma gueule ? »

Il regretta immédiatement d'avoir juré, en raison surtout de cette impression qu'elle lui fit de penser avoir incontestablement gagné du terrain. « Non, monsieur, répondit Karen d'une voix posée. Je prends cette affaire très au sérieux.

— Vous avez une drôle de manière de le montrer. » Lees frappa des deux mains sur la table. « Je veux du vrai travail de policier, ici, pas des excursions sur l'île de Kernach. Il est temps que vous alliez fouiller dans le passé. Il est temps que vous parliez à Lawson. » Ça lui apprendrait qui était le chef.

Mais elle avait déjà réussi à désamorcer sa petite bombe. « Je suis heureuse que vous soyez de cet avis, monsieur. J'ai rendez-vous avec lui dans… – elle consulta sa montre – dans trois heures. Alors si ça ne vous dérange pas, je vous laisse pour mettre le pied au plancher jusqu'à la Blue Toon.

— Pardon ? » Ils ne pouvaient pas parler normalement, ces gens du Fife ?

Karen soupira. « Je dois aller à Peterhead. » Elle se dirigea vers la porte. « J'oublie toujours que vous n'êtes pas d'ici. » Elle lui jeta un rapide regard par-dessus son épaule. « Vous ne nous comprenez pas vraiment, hein, monsieur ? »

Mais avant qu'il ait pu répliquer, elle était partie, en laissant la porte grande ouverte. Comme une porte d'étable derrière une vache, pensa-t-il amèrement, tout en se levant pour la claquer. Qu'est-ce qu'il avait fait pour mériter cette foutue bonne femme ? Et comment allait-il se tirer de l'affaire Brodie Grant la tête haute s'il était forcé de compter sur les compétences d'une inspectrice qui jugeait intéressant de faire des fouilles bidon dans une grotte ?

Campora, Toscane

Avec un certain soulagement, Bel Richmond quitta la SS2, cette perfide voie rapide qui sillonne la Toscane de Florence à Sienne. Comme d'habitude, les conducteurs italiens lui avaient foutu la trouille de sa vie, à conduire trop vite et trop près ou à frôler son rétroviseur en la doublant à fond la caisse dans des virages serrés qui donnaient l'impression que les voies déjà étroites l'étaient encore davantage. Le fait de se trouver dans une voiture de location ne faisait qu'amplifier le désagrément. Bel se considérait comme une assez bonne conductrice, mais l'Italie ne manquait jamais de la mettre sur les nerfs. Et avec cette nouvelle mission, elle l'était déjà assez, alors merci bien.

Le dimanche soir, elle avait mangé sur un plateau dans sa chambre. De son plein gré : les Grant l'avaient invitée à se joindre à eux dans la salle à manger mais elle s'était défilée sous prétexte de devoir travailler. C'était en fait pour une raison plus terre à terre, mais également égoïste et donc impossible à avouer. En réalité, Bel rêvait de se retrouver seule. Elle avait envie de se poser sur le rebord de la fenêtre et de fumer les Marlboro rouges que Vivianne l'avait tannée pour abandonner jusqu'à ce qu'elle prétende arrêter quelques mois plus tôt. Elle avait envie de regarder des conneries à la télé et de bavasser au téléphone avec n'importe laquelle de ses copines auprès de qui elle trouvait du réconfort. Elle avait envie de rentrer chez elle et de jouer à un *Shoot them up* sur la PlayStation avec Harry. C'était toujours pareil quand elle devait vivre parmi ses sujets de reportage. Son intimité était limitée.

Mais le plaisir de se retrouver seule avait été de courte durée. À peine avait-elle commencé à regarder le premier épisode d'une nouvelle série policière américaine que quelqu'un était venu frapper à sa porte. Bel avait coupé le son, posé son verre de vin et s'était extirpée du canapé. Elle avait ouvert la porte et trouvé Susan Charleson avec une fine pochette plastique à la main. « Désolée de vous déranger, dit-elle. Mais j'ai bien peur que ce soit assez urgent. »

Cachant son déplaisir, Bel recula et invita Susan dans sa chambre. « Entrez, dit-elle dans un soupir.

— Je peux ? demanda Susan en désignant le canapé.

— Faites comme chez vous. » Bel s'assit à l'autre bout pour laisser un maximum de distance entre elles. Elle n'avait pas beaucoup de sympathie pour Susan Charleson. Derrière son efficacité froide, il n'y avait rien à quoi s'accrocher, pas la moindre trace de complicité sur quoi construire les bases d'une amitié. « Comment puis-je vous aider ? »

Susan pencha la tête sur le côté et fit un petit sourire en coin. « Vous aurez remarqué que sir Broderick a pour habitude de prendre des décisions rapides et d'attendre de tous les autres qu'ils les mettent en œuvre.

— C'est une façon de présenter les choses », concéda Bel. *Il a pour habitude de n'en faire qu'à sa tête* aurait peut-être mieux convenu. « Alors, qu'a-t-il décidé qu'il attendait de moi ?

— Vous êtes vous-même assez vive d'esprit, remarqua Susan. C'est sans doute pour ça qu'il vous aime bien. » Elle regarda Bel d'un air compassé. « Il apprécie peu de gens. Mais quand c'est le cas, il nous récompense largement. »

Flatterie et chantage, les deux inséparables. Dieu merci, elle avait atteint un stade de sa carrière où elle pouvait se nourrir et s'habiller sans devoir accepter leurs cadeaux empoisonnés. « Je fais des choses parce qu'elles m'intéressent. Si ce n'est pas le cas, je ne les fais pas bien et ça n'a donc pas grand intérêt.

— Très bien. Il aimerait que vous retourniez en Italie. »

Elle avait pu s'attendre à beaucoup de choses, mais pas à ça. « Pourquoi ?

— Parce qu'il pense que la police italienne n'a pas d'intérêt dans cette affaire et qu'elle ne va donc pas s'y investir beaucoup. Si l'inspecteur Pirie y allait ou qu'elle envoyait un de ses agents, elle serait entravée par la langue ou par le fait d'être une inconnue. Il pense que vous vous débrouillerez sûrement mieux, étant donné que vous parlez italien. Sans oublier le fait que vous en revenez à peine et que vous avez donc certainement fait connaissance avec des gens du coin. Pas la police, bien entendu. Mais des personnes susceptibles de savoir ce qui s'est passé dans cette villa en ruine. » Susan lui sourit. « Vous gagnez au moins un nouveau voyage tous frais payés en Toscane. »

Bel n'eut pas besoin de réfléchir longtemps. C'était sans doute la seule chance qu'elle aurait de devancer la police en termes de nouvelles informations. « Comment savez-vous que je parle italien ? » demanda-t-elle pour temporiser afin de ne pas avoir l'air de céder trop facilement.

Un sourire glacial. « Il n'y a pas que les journalistes qui savent faire des recherches. »

Tu lui as tendu la perche. « Quand veut-il que je parte ? »

Susan lui présenta la pochette. « Il y a un vol pour Pise à six heures demain matin. Votre place est réservée, ainsi qu'une voiture de location à l'aéroport. Je n'ai pas réservé d'hébergement – je me suis dit que vous préféreriez choisir vous-même. Vous serez bien évidemment remboursée. »

Bel fut prise de court. « À six heures du matin ?

— C'est le seul vol direct. Je vous ai enregistrée. On vous conduira à l'aéroport. Ça ne prend que quarante minutes à cette heure-là...

— Oui, d'accord, lança Bel impatiemment. Vous étiez parfaitement sûre que j'accepterais. »

Susan posa la pochette entre elles sur le canapé et se leva. « C'était un pari peu risqué. »

Et voilà pourquoi elle était là, ballottée sur un chemin de terre du Val d'Elsa, entourée de champs de tournesols aux magnifiques fleurs tout juste écloses, les battements de son cœur se répercutant dans son cou sous l'effet de l'excitation. Elle ne savait pas si le nom de Brodie Grant ouvrirait aussi facilement des portes en Italie qu'en Écosse, mais elle avait le vague sentiment qu'il saurait exactement comment faire son jeu de la corruption viscérale qui régnait ici. Il n'existait rien en Italie à ce jour qui ne pût être réduit à une transaction.

Excepté l'amitié, bien sûr. Et grâce à ça, elle avait au moins un toit. Il était bien sûr hors de question qu'elle retourne à la villa. Non pas à cause du prix – elle était à peu près certaine qu'elle aurait pu faire débourser la somme à Brodie Grant – mais parce que c'était la haute saison en Toscane. Cependant, elle avait eu de la chance. Grazia et Maurizio avaient transformé une de leurs anciennes étables en appartements de vacances, et le plus petit, un studio doté d'une minuscule terrasse, était libre. Lorsqu'elle avait téléphoné de l'aéroport, Grazia avait tenté de le lui proposer gratuitement. Il avait fallu près de dix minutes à Bel pour lui expliquer qu'elle bénéficiait d'un défraiement et que Grazia devait donc gonfler le prix autant qu'elle le voulait.

Bel quitta le chemin pour une allée défoncée encore plus étroite qui zigzaguait dans une forêt de chênes et de châtaigniers. Après un ou deux kilomètres, elle arriva sur un petit plateau où s'étendaient une oliveraie et un champ de maïs. Tout au fond se trouvait un petit groupe de maisons après un panneau peint à la main indiquant *Boscolata*. Bel négocia les virages serrés et suivit la route qui s'enfonçait de nouveau dans les bois. Quand elle prit le deuxième virage après Boscolata, elle ralentit et scruta à travers les broussailles la villa en ruine où cette aventure avait commencé. Rien n'indiquait qu'elle fût d'un quelconque intérêt, mis à part un morceau de ruban rouge et blanc mollement attaché au portail. C'était donc ça qu'on appelait une enquête, dans la police italienne.

Après cinq minutes supplémentaires de virages tortueux, Bel se gara dans la cour de Grazia. Un chien brun-roux aux oreilles tombantes et à la truffe rose dansait au bout de sa chaîne en aboyant avec toute la bravade d'un animal qui sait que personne ne s'approchera assez de lui pour qu'il puisse mordre. Avant que Bel ait eu le temps d'ouvrir sa portière, Grazia apparut sur les marches qui descendaient de la loggia, en train de s'essuyer les mains sur son tablier, le visage plissé par un large sourire.

La demi-heure qu'il fallut pour les salutations extravagantes et pour que Bel pose ses affaires dans le studio joliment aménagé eut l'avantage de l'aider à retrouver le rythme de la langue. Puis les deux femmes s'installèrent autour d'une tasse de café dans la cuisine sombre de Grazia, dont les épais murs de pierre préservaient de la chaleur estivale comme ils l'avaient fait depuis des siècles. « Et maintenant, tu dois me dire pourquoi tu es de retour aussi vite, déclara Grazia. Tu m'as dit que c'était en rapport avec ton travail ?

— En quelque sorte, répondit Bel en s'efforçant de redonner forme à son italien. Dis-moi, est-ce que tu as remarqué qu'il se passait quelque chose récemment dans la villa en ruine ? »

Grazia la regarda d'un air méfiant. « Comment tu sais ça ? Les *carabinieri* étaient là-bas vendredi. Ils ont fait le tour puis ils sont allés parler aux gens de Boscolata. Mais qu'est-ce que ça a à voir avec toi ?

— Quand on est venues en vacances ici, je suis allée explorer la vieille villa. C'est là que j'ai trouvé un objet en rapport avec un crime non résolu en Angleterre. Une affaire qui date d'il y a vingt ans.

— Quel genre de crime ? » Grazia avait l'air inquiète. Ses mains aux articulations gonflées remuaient nerveusement sur la table.

« Une femme et son bébé ont été kidnappés. Mais les choses ont mal tourné au moment de la remise de rançon. La femme s'est fait tuer et on n'a jamais su ce qui était arrivé à l'enfant. » Bel ouvrit les mains et haussa les épaules. Sans qu'elle pût l'expliquer, de tels gestes lui venaient plus naturellement quand elle parlait italien.

« Et tu as trouvé quelque chose ici en rapport avec ça ?

— Oui. Les kidnappeurs disaient être des anarchistes et ils transmettaient leurs revendications sous la forme d'une affiche. J'en ai trouvé une exactement semblable à la villa. »

Stupéfaite, Grazia secoua la tête. « Le monde est de plus en plus petit. Mais quand est-ce que tu es allée voir les *carabinieri* ?

— Je n'y suis pas allée. Je pensais qu'ils ne me croiraient pas. Ou que même s'ils me croyaient, ils ne s'intéresseraient pas à une affaire qui s'est passée au Royaume-Uni il y a une vingtaine d'années. J'ai donc attendu de rentrer, et je suis allée voir le père de la femme. C'est un homme très riche, un homme puissant. Le genre de personnes qui font tourner le monde. »

Grazia eut un petit rire sinistre. « Il faut bien un homme comme ça pour que les *carabinieri* bougent leurs fesses et viennent jusqu'ici de Sienne. Ça explique pourquoi ils s'intéressaient tant aux anciens habitants de la villa.

— Oui. J'ai eu l'impression que des squatters avaient vécu là. »

Grazia acquiesça. « La villa appartenait à Paolo Totti. Il est mort il y a peut-être douze ans. Un imbécile, très vaniteux. Il a dépensé tout son argent pour construire une grande maison et impressionner tout le monde, mais ensuite il ne lui restait plus assez pour entretenir l'endroit comme il le méritait. Puis il est mort sans laisser de testament. Les gens de sa famille se battent entre eux depuis pour récupérer la villa. L'affaire s'éternise en justice, et la villa s'effondre un peu plus chaque année. Aucun membre de la famille ne fait rien pour la réparer, au cas où ils se retrouveraient finalement le bec dans l'eau. Ils ont arrêté de venir dans les parages depuis des années. Alors, parfois, des gens viennent s'installer un moment. Ils restent pour l'été, puis ils repartent. Les derniers à venir, ils sont restés plus longtemps. » Grazia termina son café et se leva. « Je ne connais que des ragots, mais on ira à Boscolata parler à mes amis de là-bas. Ils t'en diront dix fois plus qu'à ces brutes de *carabinieri*. »

Peterhead, Écosse

Karen observa James Lawson qui s'approchait. Fini le temps où il se tenait raide comme un piquet, la tête haute, le dos bien droit. À présent, il avait les épaules tombantes et marchait à petits pas serrés. En trois années de prison, il avait pris dix ans. Il s'assit lentement sur la chaise placée de l'autre côté de la table, puis s'agita en tous sens un moment avant de se calmer enfin. Une petite tentative pour dominer un peu l'interrogatoire, pensa-t-elle.

Il leva ensuite les yeux. Il avait toujours ce regard fixe et sévère de flic, ces yeux pénétrants, ce visage de marbre. « Karen », dit-il en la saluant d'un minuscule hochement de tête. Il pinça ses lèvres d'une couleur pâle tirant sur le bleu.

Elle ne voyait pas l'intérêt de faire la causette. Tout ce qu'elle pourrait dire ferait immédiatement naître récriminations et amertume. « J'ai besoin de votre aide », lança-t-elle.

La bouche de Lawson forma alors un sourire méprisant. « Pour qui est-ce que vous vous prenez ? Clarice Starling ? Il faudrait commencer par perdre quelques kilos avant d'espérer rivaliser avec Jodie Foster. »

Karen se souvint que Lawson avait suivi les mêmes cours d'interrogatoire qu'elle. Il connaissait toutes les méthodes pour sonder les faiblesses d'un adversaire. Mais elle aussi. « Ça pourrait également valoir la peine de faire un régime pour voler la vedette à Hannibal Lecter, répliqua-t-elle. Mais pas pour un flic en disgrâce qui n'ira plus jamais pêcher la truite au Loch Leven. »

Lawson souleva les sourcils. « On vous a appris à jouer les malignes avant de passer votre examen d'inspecteur ? Parce que, si vous êtes censée me caresser dans le sens du poil, vous vous y prenez assez mal. »

Karen secoua la tête d'un air résigné. « Je n'ai ni le temps ni l'énergie pour ça. Je ne suis pas là pour flatter votre ego. On sait tous les deux comment ça marche. Vous m'aidez, et votre vie entre ces quatre murs devient un peu moins horrible pendant un moment. Vous me laissez en plan, et qui sait quel petit emmerdement va venir vous pourrir encore un peu plus le quotidien ? À vous de voir, Jimmy.

— Pour vous, c'est M. Lawson. »

Elle fit non de la tête. « Ça impliquerait plus de respect que vous ne le méritez. Et vous le savez. » Maintenant qu'elle s'était fait comprendre, elle s'abstiendrait de l'appeler par quelque nom que ce soit. Elle l'entendit respirer fort par le nez, avec un léger sifflement à la fin de chaque expiration.

« Vous pensez pouvoir me pourrir encore plus la vie ? lui demanda-t-il avec un regard furieux. Vous n'imaginez même pas. On me garde en isolement parce que je suis un ex-flic. Vous êtes mon premier visiteur cette année. Je suis trop vieux et trop moche pour intéresser qui que ce soit d'autre. Je ne fume pas et je n'ai plus besoin de cartes de téléphone. » Il eut un petit rire nasal accompagné d'un bruit de glaire dans la gorge. « Qu'est-ce que vous pensez pouvoir faire de pire ? »

Elle soutint son regard sans ciller. Elle savait ce qu'il avait fait, et qu'elle ne devait lui accorder aucune pitié ni aucune compassion. Elle se foutait qu'on puisse cracher dans son assiette. Ou pire. Il l'avait trahie elle, et tous ceux qui avaient travaillé avec lui. La plupart des flics que connaissait Karen faisaient ce boulot pour des motifs respectables. Ils sacrifiaient beaucoup pour leur travail, il leur importait qu'il soit bien fait. Découvrir qu'un homme dont ils avaient suivi les ordres sans broncher était un triple assassin avait sapé le moral général à la PJ. Les blessures n'avaient toujours pas fini de cicatriser. Certains en voulaient encore à Karen, sous prétexte qu'il aurait mieux valu ne pas remuer la boue. Elle ne savait pas comment ils arrivaient à dormir la nuit.

« On m'a dit que vous fréquentiez beaucoup la bibliothèque », dit-elle. Les yeux de Lawson tressaillirent. Elle sut qu'elle le tenait. « C'est important de maintenir son esprit en activité, n'est-ce pas ? Sinon on perd vraiment la boule en taule. J'ai entendu que vous pouviez désormais télécharger des livres et de la musique sur un petit lecteur MP3 à la bibliothèque. Et l'écouter dès que l'envie vous en prend. »

Il détourna le regard tout en pliant et dépliant les doigts. « Vous êtes toujours aux affaires non classées ? » Ses paroles semblèrent lui coûter une énergie qu'il pouvait difficilement se permettre de dépenser.

« C'est mon service, maintenant. Robin Maclennan a pris sa retraite. » Karen garda un ton neutre et une expression impassible.

Lawson regarda le mur nu derrière elle. « J'étais un bon flic. Je n'ai pas laissé beaucoup de dossiers en plan aux charognards de votre espèce », dit-il.

Karen lui jeta un regard posé. Il avait tué trois personnes et tenté de faire accuser un homme vulnérable de deux meurtres, et il se considérait toujours comme un bon flic. La capacité des criminels à se voiler la face ne cessait jamais de l'étonner. Elle était épatée qu'il puisse rester assis là avec cet air sérieux malgré les lois qu'il avait enfreintes, les mensonges qu'il avait dits et les vies qu'il avait détruites. « Vous avez résolu beaucoup d'affaires, parvint-elle seulement à admettre. Mais j'ai apparemment de nouveaux éléments sur un dossier qui est toujours ouvert. »

L'expression de Lawson ne changea pas, mais elle sentit naître un soupçon d'intérêt lorsqu'il remua légèrement sur sa chaise. « Catriona Maclennan Grant, suggéra-t-il en s'autorisant un petit sourire satisfait. Pour que vous veniez en personne, ça ne peut être qu'un meurtre. Et c'est le seul meurtre non résolu sur lequel j'ai enquêté.

— Rien à redire sur vos capacités de déduction, déclara Karen.

— Et donc ? Vous avez trouvé quelque chose pour coincer cet enfoiré, après tout ce temps ?

— Quel enfoiré ?

— L'ex-petit ami, bien sûr… » La peau grise de Lawson se rida tandis qu'il déterrait ses souvenirs. « Fergus Sinclair. Garde-chasse. Elle l'avait largué et ne voulait pas qu'il soit le père de son propre gosse.

— Vous croyez que Fergus Sinclair les a kidnappés, elle et son bébé ? Pourquoi aurait-il fait ça ?

— Pour mettre la main sur son gamin et avoir assez de fric pour leur faire mener la grande vie, répondit Lawson, comme s'il apprenait une chose évidente à un enfant. Puis il l'a tuée au moment de la remise de rançon pour qu'elle ne puisse pas le balancer. On savait tous que c'était lui, on ne pouvait simplement pas le prouver. »

Karen se pencha en avant. « Il n'y a rien à ce sujet dans le dossier, indiqua-t-elle.

— Bien sûr qu'il n'y a rien. » Lawson poussa un petit rire moqueur. « Bon sang, Karen, vous croyez qu'on était stupides à l'époque ?

— Vous n'étiez pas obligés de tout dévoiler à la défense en 1985, signala-t-elle. Aucune procédure ne vous empêchait de laisser un petit indice à ceux qui prendraient la suite.

— N'importe, on ne mettait rien par écrit sans preuves solides à l'appui.

— Soit. Mais il n'y a rien dans le dossier qui laisse entendre que vous vous étiez seulement intéressés à lui. Aucun compte rendu ou enregistrement d'interrogatoire, aucune déposition. La seule fois où il est mentionné dans le dossier, c'est dans une déposition de Lady Grant où elle déclarait croire que Sinclair était le père du fils de Catriona mais que sa fille avait toujours refusé de le confirmer. »

Lawson détourna le regard. « Brodie Maclennan Grant est un homme puissant. On était tous d'accord, jusqu'au commissaire divisionnaire. On ne mettait rien au dossier qui ne puisse être vérifié à cent dix pour cent. » Il s'éclaircit la voix. « Même si on pensait que Sinclair était le suspect évident, on ne voulait pas signer son arrêt de mort. »

Karen ouvrit et referma la bouche, puis elle écarquilla les yeux. « Vous pensiez que Brodie Grant aurait fait tuer Sinclair ?

— Vous n'avez pas vu comme il a souffert après la mort de Cat. Ça ne m'aurait pas étonné. » Il claqua la mâchoire et lui lança un regard de défi.

Karen avait vu en Brodie Grant un homme dur et acharné. Mais il ne lui était jamais venu à l'esprit de le considérer comme un potentiel commanditaire d'assassinat. « Vous vous trompiez là-dessus, dit-elle. Sinclair a toujours été à l'abri. Grant ne l'a jamais cru capable de cet enlèvement. »

Lawson eut un petit rire. « C'est peut-être ce qu'il dit maintenant. Mais à l'époque, on sentait toute la haine qu'il ressentait.

— Et vous avez regardé de près le cas de Sinclair ? »

Lawson hocha la tête. « Tout avait l'air de coller. Il n'avait pas d'alibi. Il travaillait à l'étranger. En Autriche, je crois. Gestion de propriété, c'est sa branche. » Il fronça de nouveau les sourcils et gratta son menton rasé de près. Il reprit lentement la parole en accélérant au fur et à mesure que ses souvenirs se ravivaient. « On a envoyé une équipe là-bas pour l'interroger. Ils n'ont rien trouvé qui le mettrait hors de cause. Il avait été en congé pendant la période cruciale : l'enlèvement, les demandes de rançon, la remise, la fuite. Et le gars qu'on a consulté aux beaux-arts nous a dit que l'affiche était dans le style expressionniste allemand, ce qui cadrait en gros avec l'endroit où il vivait. »

Il haussa les épaules. « Mais Sinclair a dit qu'il était parti en vacances faire du ski. En allant d'une station à l'autre. En dormant dans sa Land Rover pour faire des économies. Il avait des forfaits pour toutes les dates concernées, payés en liquide. On ne pouvait pas prouver qu'il n'avait pas été là où il le prétendait. Et surtout, on ne pouvait pas prouver qu'il avait été là où on le croyait. C'était notre seule véritable piste, et elle ne nous a menés nulle part. »

Lundi 21 janvier 1985 ; Kirkcaldy

Lawson feuilleta de nouveau le contenu de la chemise, comme s'il pouvait y trouver quelque chose qui lui aurait échappé à la lecture précédente. Le dossier était toujours aussi mince. Sans relever la tête, il appela l'agent Pete Rennie, à l'autre bout du bureau. « On n'a encore rien reçu des gars sur la scène du crime ?

— Je viens de leur parler. Ils travaillent aussi vite qu'ils le peuvent, mais ils ne sont pas optimistes. Ils disent qu'ils ont l'impression d'avoir affaire à des types assez malins pour ne pas laisser de traces, expliqua Rennie d'un ton à la fois désolé et anxieux, comme s'il savait que ça allait finir par être sa faute.

— Quelle bande de branleurs ! » grommela Lawson. Après l'excitation initiale provoquée par le deuxième message des kidnappeurs, sa journée avait été une escalade d'emmerdements. Il avait dû accompagner Grant à la banque, pour un entretien pénible avec un cadre supérieur qui était monté sur ses grands chevaux en leur annonçant que la banque pratiquait une politique de non-coopération avec les kidnappeurs. Et ce, sans que ni l'un ni l'autre ne dise un seul mot sur les raisons de la requête de Grant. Il leur avait fallu parler à un des directeurs de la banque avant de faire le moindre progrès.

Grant l'avait ensuite emmené dans un club huppé d'Édimbourg et l'avait fait s'asseoir devant un grand whisky, bien qu'il eût protesté qu'il était en service. Quand le serveur avait posé son verre devant lui, il l'avait ignoré et attendu que

Grant lui fasse part de ce qui le préoccupait. Lawson savait que, dans cette enquête, mieux valait pour lui ne pas donner l'impression de tenir les rênes.

« J'ai une assurance enlèvement, vous savez », avait déclaré Grant sans préambule.

Lawson avait eu envie de lui demander comment ça marchait, mais il ne voulait pas passer pour un crétin de provincial qui ne connaissait pas son boulot. « Vous avez contacté la compagnie ?

— Pas encore. » Grant avait fait tournoyer le pur malt dans son verre en cristal. La puissante odeur phénolique du whisky s'était élevée en miasmes qui avaient donné légèrement mal au cœur à Lawson.

« Puis-je vous demander pourquoi ? »

Grant avait sorti un cigare et entamé le rituel minutieux consistant à le couper et à l'allumer. « Vous savez comment ça se passe. Ils vont vouloir prendre les choses en main. Le prix de la rançon, ce sera de les laisser mener la danse.

— Et c'est un problème ? » Lawson s'était senti un peu dépassé. Il avait bu une petite gorgée de whisky, qu'il avait failli recracher. Le spiritueux avait le goût du sirop pour la toux dont sa grand-mère était une inconditionnelle, et n'appartenait apparemment pas à la même famille que le Famous Grouse dont il aimait siroter un petit verre au coin de sa cheminée.

« J'ai peur que la situation ne leur échappe. Les types ont deux otages. S'ils flairent un tant soit peu qu'on les a piégés, qui sait de quoi ils seront capables ? » Il avait allumé son cigare et plissé les yeux pour regarder Lawson d'un air interrogateur à travers la fumée. « Ce que je dois savoir, c'est si vous êtes sûr de pouvoir réussir. Faut-il que je prenne le risque de faire appel à des gens de l'extérieur ? Ou est-ce que vous pouvez me rendre ma fille et mon petit-fils ? »

Lawson avait senti le goût sucré et écœurant de la fumée dans sa gorge. « Je crois que oui », avait-il répondu en se demandant si sa carrière était sur le point de connaître le même destin que ce cigare.

Voilà où ils en étaient restés. Et voilà pourquoi il était toujours à son bureau alors que la nuit tombait inexorablement.

Il ne se passait rien, sinon que ses paroles lui paraissaient de plus en plus imprudentes. Il lança un regard austère à Rennie. « Est-ce que tu as fini par retrouver Fergus Sinclair ? »

Rennie se voûta et se tortilla sur sa chaise. « Oui et non, répondit-il. J'ai trouvé l'endroit où il travaillait et j'ai parlé à son patron. Mais il n'est pas là-bas. Sinclair, je veux dire. Il est parti en vacances. Faire du ski, apparemment. Et personne ne sait où.

— Du ski ?

— Il est parti dans sa Land Rover avec son matériel de ski, expliqua craintivement Rennie, comme s'il avait lui-même fait les bagages de Sinclair.

— Il peut donc être n'importe où ?

— Je suppose.

— Notamment ici ? Dans le Fife ?

— On n'a rien qui le prouve. » La bouche de Rennie parut coulisser sur le côté, comme si sa mâchoire venait de se rendre compte qu'elle se trouvait sur un terrain glissant.

« Tu as fait le tour des compagnies aériennes ? Des aéroports ? Des ports de la Manche ? Tu leur as fait éplucher leurs listes de passagers ? »

Rennie détourna les yeux. « Je m'y mets tout de suite. »

Lawson pinça l'arête de son nez entre son pouce et son index. « Et appelle le service de contrôle des passeports. Je veux savoir si Fergus Sinclair a fait une demande de passeport pour son fils. »

Lundi 2 juillet 2007 ; Peterhead

« J'ai toujours été persuadé que Sinclair était impliqué d'une façon ou d'une autre. Ce n'est pas comme si beaucoup de gens connaissaient assez bien l'emploi du temps de Cat pour organiser l'enlèvement », indiqua Lawson d'un ton légèrement hostile.

Karen était perplexe. « Mais... et le bébé ? S'il a fait tout ça pour mettre la main sur son fils, où est Adam aujourd'hui ? »

Lawson haussa les épaules. « C'est votre question à un million de dollars, c'est ça ? Peut-être qu'Adam n'a pas survécu à la fusillade. Peut-être que Sinclair a trouvé une femme pour s'occuper du gamin à sa place. Si j'étais vous, je me renseignerais sur sa vie actuelle. Histoire de voir s'il n'y a pas un garçon du bon âge dans son entourage. » Il se rassit et joignit les mains sur ses genoux. « Donc, vous n'avez rien découvert de révélateur ? Vous cherchez simplement à en savoir plus ? »

Elle s'empara de l'affiche enroulée qu'elle avait posée contre sa chaise et enleva l'élastique qui l'entourait. Elle la laissa se déployer face à Lawson. Il commença à tendre la main dans sa direction, puis s'arrêta et jeta un regard interrogateur à Karen. « Allez-y, dit-elle. C'est une copie. »

Lawson étala la feuille avec précaution. Il examina la gravure austère en noir et blanc et passa le doigt sur le marionnettiste et ses personnages – le squelette, la Mort et la chèvre. « C'est l'affiche qu'utilisaient les ravisseurs pour communiquer avec Brodie Maclennan Grant. » Il montra le rectangle blanc au bas de la feuille. « C'est là où on colle normalement les infos sur le spectacle qu'ils écrivaient leurs messages. » Il regarda Karen d'un air résigné. « Mais vous savez déjà tout ça. Où est-ce que vous avez déniché cette affiche ?

— Elle a été découverte dans une maison abandonnée en Toscane. L'endroit tombe en ruine, il est vide depuis des années. D'après les gens du coin, il a été squatté par intermittence. La dernière bande a filé du jour au lendemain. Sans prévenir, sans un au revoir. Ils ont laissé beaucoup d'affaires derrière eux. Y compris une demi-douzaine de ces affiches. »

Lawson secoua la tête. « Ça ne veut pas dire grand-chose. On nous a apporté quelques affiches comme celle-ci au fil des années. Parce que Sinclair avait fait croire que c'était un groupe anarchiste qui s'en prenait à Brodie Grant, on avait de temps en temps des branleurs qui se servaient de l'affiche pour faire la pub d'une action directe, d'un festival ou de je ne sais quoi. On vérifiait à chaque fois s'ils avaient le moindre lien avec ce qui était arrivé à Catriona, mais on ne trouvait jamais rien. » Il fit un geste du revers de la main.

Karen sourit. « Vous croyez que je ne le savais pas ? Ça au moins, c'est dans le dossier. Mais cette affiche est différente. Aucun des exemplaires qu'on a découverts avant n'était conforme à l'original. Il y avait des problèmes de détails, comme ce serait le cas en faisant une copie d'après de vieilles coupures de journaux. Pour celle-ci, c'est autre chose. C'est exactement la même. Nos experts disent qu'elle est identique. Qu'elle a été faite avec le même cadre de sérigraphie. »

Les yeux de Lawson pétillèrent d'un intérêt tout à coup manifeste. « Vous rigolez ?

— Ils ont eu tout le week-end pour se faire un avis. Ils disent qu'il n'y a pas de doute. Mais pourquoi avoir gardé le cadre pendant toutes ces années ? C'est la seule preuve concrète qui lie les ravisseurs au crime. »

Lawson eut un petit sourire satisfait. « Peut-être qu'ils n'ont pas gardé le cadre. Peut-être qu'ils n'ont gardé que les affiches. »

Karen contesta d'un hochement de tête. « Pas d'après l'expert en documents. Ni le papier ni l'encre n'ont été fabriqués en 1985. Cette affiche a été faite récemment. Avec le cadre original.

— Ça ne tient pas debout.

— Comme tant de choses dans cette affaire », marmonna Karen. Sans s'en rendre compte, elle avait repris son ancienne position hiérarchique par rapport à l'homme assis en face d'elle. Elle était redevenue la subalterne qui l'aiguillonnait pour qu'il reconstitue le puzzle d'après les pièces qu'elle avait déposées à ses pieds.

Inconsciemment, Lawson réagit de même, se laissant porter par la conversation pour la première fois. « Quelles autres choses ? demanda-t-il. Une fois qu'on est resté sur l'idée que c'était Sinclair, tout a concordé.

— Je n'ai pas cette impression. Pourquoi Fergus Sinclair aurait-il tué Cat au moment de l'échange ?

— Parce qu'elle pouvait l'identifier. »

L'impatience que trahissait sa voix piqua Karen au vif et lui rappela leurs rôles respectifs à l'instant présent. « Ça, d'accord. Mais pourquoi la tuer à ce moment-là ? Pourquoi pas avant ? En l'emmenant vivante sur les lieux de l'échange, il se mettait dans une situation vraiment compliquée. Il devait maîtriser Cat et le bébé, s'emparer de la rançon, puis tirer sur Cat et s'enfuir avec le bébé dans la confusion qui allait s'ensuivre. Il ne pouvait même pas être sûr de l'avoir tuée. Pas dans le noir, avec tout le monde qui grouillait autour. Ç'aurait été beaucoup plus simple pour lui de la tuer avant la remise de rançon. Pourquoi ne l'a-t-il pas tuée plus tôt ?

— Pour prouver qu'elle était vivante, répondit Lawson avec la satisfaction d'un joueur qui coupe sur un as. Brodie exigeait une preuve de vie avant de leur donner ce qu'ils voulaient.

— Non, ça ne tient pas la route, dit Karen. Le kidnappeur avait encore le petit. Il pouvait utiliser Adam comme preuve. N'allez pas me dire que Brodie Grant aurait refusé de verser la rançon s'il n'avait pas vu Cat en vie aussi.

— Non… Il aurait payé, que Cat soit vivante ou morte. » Lawson fronça les sourcils. « Je n'avais pas vu les choses sous cet angle. Vous avez raison. Ça ne tient pas debout.

— Évidemment, si ce n'était pas Sinclair, ce n'était peut-être pas la peine qu'elle meure. » Karen regarda dans le vague tandis qu'elle creusait cette idée. « Le coupable pourrait être un inconnu. Quelqu'un qu'elle n'aurait pas été capable d'identifier. C'était peut-être un accident ? »

Lawson pencha la tête de côté et lui jeta un regard inquisiteur. Karen eut le sentiment qu'il évaluait ses capacités de déduction. Il fit un petit roulement de tambour avec ses doigts sur le bord de la table écaillée. « C'est possible que Sinclair ait été le kidnappeur, Karen, mais pas nécessairement l'assassin. Vous voyez, il y a autre chose qui ne figure pas dans le rapport. »

Mercredi 23 janvier 1985 ; Newton of Wemyss

La tension était insoutenable. L'imposant rocher de la Dame masquait une partie du ciel étoilé et bouchait la vue sur le bord de mer. Le froid mordait Lawson au niveau du nez, des oreilles, mais aussi du fin bracelet de peau exposé entre ses gants en cuir et les manches de son pull. L'air était chargé de l'odeur forte et âcre de la fumée de charbon et du sel. La mer toute proche n'était qu'un léger roulis dans la nuit sans vent. La lune décroissante renvoyait juste assez de lumière pour que Lawson puisse voir les traits tendus de Brodie Maclennan Grant à quelques mètres de lui, juste après les arbres où il se cachait. Il tenait dans une main le sac de sport contenant l'argent, les diamants et les mouchards, tout en serrant le coude de sa femme de l'autre. Lawson imagina la douleur que devait provoquer cette poigne et fut bien content de ne pas en faire les frais. La tête penchée, Mary Maclennan Grant avait le visage dans l'obscurité. Lawson supposa qu'elle frissonnait dans son manteau de fourrure, et pas à cause du froid.

Ce qu'il ne pouvait pas voir, c'était la demi-douzaine d'hommes qu'il avait postés parmi les arbres. C'était aussi bien. Si lui ne pouvait pas les voir, les kidnappeurs non plus. Il les avait triés sur le volet en choisissant ceux qu'il estimait être à la fois intelligents et courageux, deux qualités moins souvent conjuguées qu'il ne voulait l'admettre. Il avait muni deux d'entre eux, experts en armes à feu, d'un pistolet pour l'un, d'un fusil d'assaut avec viseur de nuit pour l'autre, en position au sommet du rocher de la Dame. Ils avaient pour consigne de ne pas tirer, sauf sur son ordre direct. Lawson espérait sincèrement avoir dramatisé la situation en les faisant venir.

Il avait réussi à arracher d'autres uniformes à leur routine, qui consistait à surveiller les carreaux de mines et les centrales thermiques. Leurs copains n'avaient pas apprécié leur détachement, d'autant plus que Lawson n'avait pas été en mesure d'expliquer pourquoi ils étaient temporairement placés sous son commandement. Il avait posté ces extras sur les terrains vagues des deux côtés du bois, les points les plus proches du lieu de rendez-vous où des véhicules pouvaient se garer. Ils devaient ainsi être capables d'empêcher les ravisseurs de s'enfuir si la tentative de coup de filet de Lawson et de son équipe immédiate tournait mal lors de l'échange.

Ce qui était plus que probable. Les conditions étaient cauchemardesques. Il avait tenté de persuader Grant de refuser, d'insister pour qu'ils proposent un autre lieu de rendez-vous. Tout sauf une foutue plage au beau milieu de la nuit. Il aurait aussi bien fait d'économiser sa salive. Pour Grant, Lawson et ses hommes jouaient un peu le rôle d'une brigade de sécurité privée. Il se comportait comme s'il leur faisait déjà une faveur en les invitant à l'accompagner, contrairement aux instructions expresses de ceux qui avaient enlevé sa fille et son petit-fils. Malgré son discours sur son assurance enlèvement, il ne semblait pas se rendre compte que les choses pouvaient prendre une mauvaise tournure. Mieux valait vraiment ne pas y penser.

Lawson jeta un œil au cadran lumineux de sa montre. Encore trois minutes. Tout était très calme, alors qu'il s'attendait à entendre le moteur de leur voiture au loin. Mais les phénomènes acoustiques étaient toujours imprévisibles en plein air. Lorsqu'il avait parcouru le sentier plus tôt en reconnaissance, il avait remarqué que la masse redoutable du rocher de la Dame faisait office de déflecteur et coupait le bruit de la mer aussi efficacement qu'une paire de boules Quies. Dieu seul savait à quel point les bois pouvaient atténuer le bruit d'un véhicule à l'approche.

Puis, tout à coup, Lawson fut aveuglé par un brillant jet de lumière blanche venu du pied du rocher. Tout ce qu'il arrivait à discerner, c'était l'hypnotisant cercle de lumière. Sans réfléchir, il recula un peu plus parmi les arbres, de peur d'avoir été repéré.

« Bon Dieu ! cria Brodie Grant en lâchant sa femme et en s'avançant de quelques pas.

— Restez où vous êtes ! » Un cri désincarné provenant de derrière la lumière. Lawson essaya de définir l'accent, mais il n'avait rien de caractéristique, sinon qu'il était écossais.

Lawson distingua le profil de Grant, qui avait perdu toutes ses couleurs dans la lumière éclatante. Il avait les lèvres retroussées et montrait les dents. Lawson sentit l'anxiété lui brûler l'estomac. Bon sang, comment les ravisseurs avaient-ils fait pour se placer à côté du rocher sans qu'il les voie ? La lune était assez lumineuse pour éclairer le chemin dans les deux sens. Il s'attendait à ce qu'ils aient un véhicule. Ils avaient deux otages, après tout. Ils pouvaient difficilement leur faire parcourir deux kilomètres à pied sur la plage depuis West Wemyss ou East Wemyss. La falaise abrupte dans son dos excluait Newton of Wemyss.

Le kidnappeur cria de nouveau. « Bien, allons-y ! Exactement comme on a dit. Madame Grant, vous venez vers nous avec l'argent.

— Pas sans preuve de vie ! » aboya Grant.

À peine avait-il prononcé ces paroles qu'une silhouette apparut devant la lumière en trébuchant telle une triste marionnette, qui rappela à Lawson les affiches utilisées par les ravisseurs pour transmettre leurs revendications. Sa vision s'ajusta et il vit que c'était Cat. « C'est moi, papa ! cria-t-elle d'une voix rauque. Maman, apporte-moi l'argent.

— Et Adam ? » lança Grant en attrapant sa femme par le coude tandis qu'elle se penchait vers le sac. Mary faillit faire un faux pas et tomber, mais son mari ne lui prêta aucune attention. « Où est mon petit-fils, bande de salauds ?

— Il va bien. Dès qu'ils auront l'argent et les diamants, ils le relâcheront, répondit Cat avec une voix où perçait le désespoir. S'il te plaît, maman, apporte l'argent comme convenu.

— Bon Dieu ! » pesta Grant. Il donna brusquement le sac à sa femme. « Vas-y, fais ce qu'elle dit. »

La situation leur échappait complètement, Lawson le savait. Au diable le silence radio qu'il avait exigé. Il prit son talkie-walkie et parla aussi distinctement qu'il put. « Tango un et Tango deux. Ici Tango Lima. Envoyez des hommes sur le côté rivage du rocher de la Dame. Maintenant. Ne répondez pas. Déployez simplement vos hommes. Tout de suite. »

Tout en parlant, il vit Mary marcher d'un pas hésitant vers sa fille, les épaules voûtées. Il estima qu'environ trente mètres les séparaient. Il lui sembla que Mary couvrait une plus grande partie de cette distance que sa fille. Lorsqu'elles furent près de se toucher, il vit Cat tendre la main vers le sac.

À sa grande surprise, Mary choisit ce moment pour briser le conditionnement de trente années de mariage avec Brodie Grant. Au lieu de faire ce que lui avaient dit d'abord les kidnappeurs dans leur message puis son mari, Mary se cramponna au sac de sport malgré les efforts de Cat pour le lui prendre. Il perçut l'exaspération de Cat quand elle s'écria : « Pour l'amour de Dieu, maman, donne-moi ce sac ! Tu ne sais pas à qui tu as affaire !

— Donne-lui ce foutu sac, Mary ! » hurla Grant. Lawson entendit son souffle saccadé.

Puis la voix du ravisseur résonna de nouveau. « Donnez-lui, madame Grant. Ou vous ne reverrez jamais Adam. »

Lawson remarqua l'expression d'horreur de Cat qui jeta un regard désespéré vers la lumière par-dessus son épaule. « Non, attendez ! cria-t-elle. Tout va bien se passer. » Elle parut arracher le sac à sa mère et reculer d'un pas.

Tout à coup, Grant avança de cinq ou six pas, et sa main disparut dans son pardessus. « Et puis merde ! dit-il, avant d'élever la voix. Je veux mon petit-fils, et je le veux maintenant. » Sa main reparut, révélant sans doute possible le reflet terne d'un pistolet semi-automatique dans la lumière éblouissante. « Personne ne bouge. J'ai un pistolet et je n'ai pas peur de m'en servir. Faites sortir Adam maintenant. »

Plus tard, Lawson s'étonnerait de l'ensemble de mauvais clichés qu'incarnait Brodie Maclennan Grant. Mais sur le moment, tout ce qu'il perçut, ce fut le poids d'un désastre imminent tandis que le temps semblait ralentir. Il s'élança vers Grant quand l'homme d'affaires leva les bras pour se mettre en position de tir à deux mains. Mais avant que Lawson ait pu faire un deuxième pas, la lumière s'éteignit, lui ôtant toute visibilité et toute possibilité d'agir. Il vit un éclair près de lui, entendit un coup de feu, sentit une odeur de cordite. Puis le même enchaînement, mais cette fois au loin. Il trébucha sur une branche morte et tomba la tête la première. Il entendit un cri. Les pleurs d'un enfant. Une voix aiguë qui répétait « Merde ! ». Puis il se rendit compte que c'était sa propre voix.

Un troisième coup de feu retentit, cette fois dans les bois. Lawson essaya de se relever, mais une douleur cinglante le lança au niveau de la cheville. Il roula sur le côté et chercha à tâtons sa torche et son talkie-walkie. « Cessez le feu ! hurla-t-il dans la radio. Cessez le feu, c'est un ordre ! » Il vit au même moment les faisceaux des lampes torches de ses hommes balayer le secteur alors qu'ils se réunissaient au pied du rocher.

« Ils ont un putain de bateau ! » entendit-il quelqu'un crier. Puis le vrombissement du moteur qui démarrait, couvrant le bruit des vagues. Lawson ferma les yeux un instant. Quel fiasco. Il aurait dû insister davantage pour que Grant refuse ces conditions de rendez-vous. C'était voué à l'échec depuis le début. Il se demanda ce qu'ils avaient réussi à emporter avec eux. Le gosse, à coup sûr. L'argent, sans doute. La fille, peut-être.

Mais il se trompait concernant Catriona Maclennan Grant. Il se trompait terriblement.

Lundi 2 juillet 2007 ; Peterhead

« Brodie Maclennan Grant avait une arme ? » Karen poussa presque un petit cri. « Il a tiré un coup de feu ? Et vous n'avez pas mis ça dans le rapport ?

— Je n'avais pas le choix. Et sur le moment, ça semblait être une bonne idée, expliqua Lawson avec l'air cynique d'un homme qui cite ses supérieurs.

— Une bonne idée ? Cat Grant est morte cette nuit-là. En quoi est-ce que c'était une bonne idée ? » Karen n'en croyait pas ses oreilles. L'idée d'un comportement aussi dédaigneux lui était complètement étrangère.

Lawson soupira. « Les choses ont changé, Karen. On n'avait pas de service d'inspection générale de la police. On n'était pas soumis au genre de contrôle que vous connaissez maintenant.

— C'est certain, dit-elle sèchement, se rappelant pourquoi il était là. Mais quand même. Vous vous êtes débrouillés pour couvrir un civil qui a utilisé une arme en pleine opération de police ? L'argent est roi, pas de doute. »

Lawson secoua la tête d'un air agacé. « Ce n'était pas seulement le pouvoir de l'argent, Karen. Le directeur de police a également réfléchi en termes d'image. L'enfant unique de Grant était morte. Son petit-fils avait disparu. Aux yeux des gens, c'était une victime. Si on l'avait poursuivi pour utilisation illégale d'une arme à feu, on aurait eu l'air vindicatifs – cela aurait semblé vouloir dire qu'à défaut des vrais bandits, on s'en prenait à lui. Notre point de vue, c'était que personne n'avait intérêt à ce qu'on révèle que Grant avait eu une arme.

— Est-ce que le tir de Grant pourrait avoir tué Cat ? » questionna Karen, les avant-bras sur la table, la tête en avant comme un pilier de rugby.

Lawson remua et fit porter son poids sur un côté. « Elle a reçu la balle par derrière. Je vous laisse trouver la solution. »

Karen se laissa aller sur sa chaise. Elle n'aimait pas la conclusion à laquelle elle arrivait, mais elle savait qu'elle ne tirerait rien de mieux de l'homme assis en face d'elle. « Vous étiez une vraie bande de putains de cow-boys dans le temps, hein ? dit-elle, sans aucune admiration.

— On a fait notre boulot, répondit Lawson. Et le public a eu ce qu'il voulait.

— Le public ne connaissait pas la moitié de l'histoire, manifestement. » Elle soupira. « On a donc trois coups de feu, non pas deux comme indiqué dans le rapport ? »

Il hocha la tête. « Pour ce que ça change. » Il bougea de nouveau, cette fois pour se tourner vers la porte.

« Y a-t-il autre chose que je devrais savoir et qui n'est jamais apparu dans le dossier ? » demanda Karen, se réaffirmant dans son rôle d'interrogatrice.

Lawson inclina la tête en arrière et suivit du regard la ligne de jointure entre les murs et le plafond. Il expira bruyamment puis fit la moue. « Je crois que c'est tout », dit-il finalement. Il se tourna de nouveau vers elle et croisa son regard las. « On pensait que c'était Fergus Sinclair à l'époque. Et il ne s'est rien passé depuis qui m'ait fait changer d'avis. »

Campora, Toscane

La chaleur du soleil toscan faisait fondre la raideur dans les épaules de Bel. Elle était assise à l'ombre d'un châtaignier caché derrière le groupe de maisons à l'extrémité de Boscolata. Si elle tendait le cou, elle pouvait voir un coin du toit en tuiles de terre cuite de la villa en ruines de Paolo Totti. Cependant, la vue plus immédiate qui s'offrait à elle était plus attirante. Sur une table basse devant elle se trouvaient une carafe de vin rouge, une bouteille d'eau et une coupe de figues. Autour, ses principales sources d'information : Giulia, une jeune femme dotée d'une imposante crinière de cheveux noirs et la peau marquée de vilaines cicatrices rouge-brun laissées par l'acné, qui fabriquait des jouets peints à la main pour le marché touristique dans une porcherie reconvertie ; et Renata, une blonde hollandaise au teint de la couleur du gouda, qui travaillait à temps partiel au service de restauration de la Pinacothèque nationale de Sienne. D'après Grazia, qui était appuyée contre le tronc de l'arbre en train d'écosser un sac de pois, les *carabinieri* avaient déjà interrogé les deux femmes.

Elles échangèrent des propos aimables suivant les règles de la courtoisie, et Bel dut se contenir tandis qu'elles bavardaient. Finalement, Grazia amorça le sujet attendu. « Bel s'intéresse aussi à ce qui s'est passé à la villa Totti », indiqua-t-elle.

Renata hocha la tête de manière pompeuse. « Je me suis toujours dit que quelqu'un viendrait poser des questions là-dessus, déclara-t-elle dans un italien à la prononciation parfaite, qu'on aurait cru tout droit sorti d'un ordinateur.

— Pourquoi ? demanda Bel.

— Ils sont partis si soudainement. La veille ils étaient là, le lendemain ils n'y étaient plus, expliqua Renata.

— Ils ont décampé sans dire un mot, renchérit Giulia d'un air renfrogné. Je n'en suis pas revenue. Dieter était censé être mon petit ami, mais il ne m'a même pas dit au revoir. C'est moi qui ai découvert qu'ils avaient disparu. J'y suis allée ce matin-là pour prendre le café avec Dieter ; je le faisais toujours quand ils ne se mettaient pas en route de bonne heure pour un spectacle. Mais l'endroit était désert. Comme s'ils avaient jeté tout ce qui leur était tombé sous la main dans les camionnettes et qu'ils étaient partis. Je n'ai eu aucune nouvelle de cet enfoiré depuis.

— Quand est-ce que ça s'est passé ? demanda Bel.

— Fin avril. On avait des projets pour le 1er Mai, mais tout est tombé à l'eau. » Giulia était toujours clairement dégoûtée.

« Combien étaient-ils ? » poursuivit Bel. Giulia et Renata firent le compte sur leurs doigts. Dieter, Maria, Rado, Sylvia, Matthias, Peter, Luka, Ursula et Max. Un melting-pot issu des quatre coins de l'Europe. Un groupe hétéroclite qui n'avait à première vue rien à voir avec Cat Grant. « Que faisaient-ils ici ? » demanda-t-elle.

Renata eut un grand sourire. « On pourrait sans doute dire qu'ils empruntaient la maison. Ils étaient arrivés au printemps dernier dans deux vieilles camionnettes aménagées toutes cabossées et un camping-car tape-à-l'œil, et ils s'étaient installés. Ils étaient très sympathiques, très sociables. » Elle haussa les épaules. « On est tous un peu liés aux mouvements alternatifs ici, à Boscolata. L'endroit était en ruines dans les années 1970, lorsque quelques-uns d'entre nous nous y sommes installés illégalement. On a ensuite racheté les propriétés petit à petit et on les a restaurées pour en faire ce que tu vois maintenant. On était donc plutôt compréhensifs vis-à-vis de nos nouveaux voisins.

— Ils sont devenus nos amis, ajouta Giulia. Les *carabinieri* sont fous, ils se comportent comme si c'étaient des criminels ou je ne sais quoi.

— Ils sont donc simplement arrivés à l'improviste ? Comment savaient-ils que la maison était là ?

— Rado avait travaillé à la cimenterie dans la vallée deux ou trois ans plus tôt. Il m'a raconté qu'il venait souvent se balader dans les bois, et un jour il a découvert la villa. Et donc, quand ils ont eu besoin d'un endroit permettant d'accéder facilement aux principales villes de cette partie de la Toscane, il s'est souvenu de la villa et ils sont venus s'installer, expliqua Giulia.

— Et que faisaient-ils exactement ? » questionna Bel, qui cherchait un lien avec les événements passés au centre de son enquête.

Renata répondit : « Ils avaient un théâtre de marionnettes. » Elle semblait étonnée que Bel ne soit pas au courant. « Du théâtre de rue. Pendant la saison touristique, ils avaient des lieux de représentation réguliers. Florence, Sienne, Volterra, San Gimignano, Greve, Certaldo Alto. Ils participaient aussi à des festivals. Chaque petite ville de Toscane a son festival de quelque chose : des cèpes, des anciennes trancheuses à salami, des tracteurs d'époque. BurEst donnait donc son spectacle partout où il y avait un public.

— BurEst ? Comment tu épelles ça ? » demanda Bel.

Renata lui répondit. « C'est l'abréviation de *Burattinaio Estemporaneo.* Ils faisaient beaucoup d'improvisation.

— L'affiche de la villa – un dessin en noir et blanc d'un marionnettiste avec des marionnettes plutôt bizarres –, est-ce que c'est celle qu'ils utilisaient pour faire leur pub ? » interrogea Bel.

Renata fit non de la tête. « Seulement pour des représentations exceptionnelles. Je ne les ai vus s'en servir qu'une seule fois, quand ils ont donné un spectacle à Colle di Val d'Elsa pour la fête des Morts. En général, ils en utilisaient une aux couleurs vives, genre *commedia dell'arte.* Une version moderne des images traditionnelles du théâtre de marionnettes. Ça correspondait plus à leur spectacle que l'affiche monochrome.

— Est-ce qu'ils avaient du succès ? demanda Bel.

— Je crois qu'ils s'en sortaient pas mal, dit Giulia. Ils étaient allés dans le sud de la France l'été avant leur arrivée. Dieter disait que l'Italie était un meilleur endroit pour travailler. Il disait que les touristes étaient plus ouverts d'esprit, et que les habitants étaient plus tolérants vis-à-vis d'eux. Ils ne gagnaient pas énormément d'argent, mais ils s'en sortaient. Ils avaient toujours à manger sur la table et du vin en abondance. Et tout le monde était le bienvenu chez eux.

— C'est vrai, confirma Renata. Ce n'étaient pas des profiteurs. S'ils mangeaient un jour chez vous, la fois suivante ils vous invitaient chez eux. » Un coin de sa bouche se convulsa vers le bas. « C'est moins courant qu'on pourrait le croire dans ce milieu. Ils parlent beaucoup de partage, de valeurs communes, mais en général ils sont encore plus égoïstes que les gens qu'ils méprisent.

— Excepté Ursula et Matthias, précisa Giulia. Ils étaient plus réservés. Ils n'étaient pas très amicaux avec les gens, contrairement aux autres. »

Renata poussa un petit rire moqueur. « C'est parce que Matthias se prenait pour le chef. » Elle resservit tout le monde en vin et continua. « C'est Matthias qui avait lancé la compagnie, alors il aimait toujours bien que les autres le traitent comme leur Monsieur Loyal. Et Ursula, cette femme, elle jouait complètement son jeu. Bien sûr, Matthias se taillait aussi la part du lion dans leurs recettes. Ils avaient la meilleure camionnette, ils portaient toujours des vêtements chers de hippie. Je crois que c'était en partie une histoire de conflit de générations – Matthias devait avoir la cinquantaine, mais la plupart des autres étaient beaucoup plus jeunes. Entre vingt et trente ans, trente et quelques au maximum. »

Tout cela était fascinant, mais Bel avait beaucoup de mal à voir le lien avec le décès de Cat Grant et la disparition de son fils. Ce fameux Matthias semblait être le seul qui fût assez vieux pour avoir eu un quelconque rapport avec ces lointains événements. « Est-ce qu'il a un fils, Matthias ? » demanda-t-elle.

Les deux femmes se regardèrent d'un air perplexe. « Il n'avait pas d'enfant avec lui, répondit Renata. Je ne l'ai jamais entendu parler d'un fils. »

Giulia prit une figue et, lorsqu'elle mordit dedans, la chair violette se déchira et des graines lui coulèrent sur les doigts. « Il avait un ami qui venait lui rendre visite de temps en temps. Un Britannique. Lui avait un fils. »

Comme tout bon journaliste, Bel avait un instinct indescriptible pour repérer le nœud d'une intrigue. Et cet instinct lui disait qu'elle venait de découvrir le filon. « Quel âge avait le fils ? »

Giulia se lécha les doigts en réfléchissant. « Vingt ans ? Peut-être un peu plus, mais pas beaucoup. »

Une douzaine de questions se bousculaient dans la tête de Bel, mais elle se garda bien de les décliner à toute vitesse. Elle but une petite gorgée de vin puis demanda : « Vous vous souvenez d'autre chose sur lui ? »

Giulia haussa les épaules. « Je l'ai vu deux ou trois fois, mais je n'ai eu qu'une fois l'occasion de faire vraiment sa connaissance. Il s'appelait Gabriel. Il parlait parfaitement italien. Il disait qu'il avait grandi en Italie, qu'il ne se rappelait pas avoir vécu en Angleterre. Il étudiait, mais je ne sais pas où ni quoi. » Elle prit un air contrit. « Désolée, je ne me suis pas beaucoup intéressée à lui. »

D'accord, il n'y avait pas de quoi tirer des conclusions. Mais ça semblait être une piste. « À quoi ressemblait-il ? »

Giulia parut encore plus hésitante. « Je ne sais pas comment le décrire. Grand, avec des cheveux châtains. Plutôt beau garçon. » Elle fit la grimace. « Je ne suis pas douée pour ce genre de chose. Mais pourquoi est-ce qu'il t'intéresse tant, d'abord ? »

Renata évita à Bel de devoir répondre. « Est-ce qu'il était à la soirée du nouvel an ? » demanda-t-elle.

Le visage de Giulia s'éclaira. « Oui. Il était là avec son père.

— Alors il pourrait être sur une photo », signala Renata. Elle se tourna vers Bel. « J'avais mon appareil avec moi. J'ai pris des dizaines de photos ce soir-là. Je vais chercher mon ordinateur. » Elle se leva d'un bond et partit en direction de sa maison.

« Et le père de Gabriel ? questionna Bel. Tu disais qu'il était britannique ?

— C'est ça.

— Mais alors, comment connaissait-il Matthias ? Est-ce qu'il était anglais lui aussi ? »

Giulia sembla dubitative. « Je croyais qu'il était allemand. Ursula et lui s'étaient mis ensemble il y a des années en Allemagne. Mais il parlait italien, tout comme son ami. Ils avaient le même accent. Alors peut-être qu'il était anglais aussi. Je ne sais pas.

— Comment s'appelait le père de Gabriel ? »

Giulia soupira. « Je ne te suis pas très utile. Je ne me souviens pas de son nom. Désolée. C'était juste un type de plus de l'âge de mon père, tu vois ? J'étais avec Dieter, je ne me suis pas intéressée à un vieux dans la cinquantaine. »

Bel cacha sa déception. « Est-ce que tu sais comment il gagne sa vie ? Le père de Gabriel, je veux dire. »

Giulia s'anima, contente de connaître enfin une réponse. « Il est peintre. Il peint des paysages pour les touristes. Il vend à deux galeries – une à San Gimignano et une à Sienne. Il va aussi dans le genre de festivals où BurEst fait des spectacles, et il y vend ses tableaux.

— C'est comme ça qu'il a rencontré Matthias ? » demanda Bel en essayant de ne pas se sentir chagrinée par le fait que le père du mystérieux Gabriel ne soit pas l'intendant Fergus Sinclair. Après tout, un artiste collait parfaitement avec l'environnement de Cat. Peut-être que le père d'Adam était une personne qu'elle avait connue au moment de ses études. Ou quelqu'un qu'elle avait rencontré dans une galerie ou une exposition en Écosse. Bel aurait le temps d'examiner ces possibilités plus tard. Dans l'immédiat, elle devait se concentrer sur Giulia.

« Je ne pense pas. Je crois qu'ils se connaissaient bien avant. »

Renata revint avec son portable et s'immisça dans la conversation : « Vous parlez de Matthias et du père de Gabriel ? C'est drôle. On n'avait pas l'impression qu'ils s'appréciaient tant que ça. Je ne sais pas pourquoi je me dis ça, mais c'est ce que j'ai ressenti. C'était plus... vous savez, quand parfois on reste en contact avec quelqu'un parce que c'est la seule personne restante à partager le même passé que vous ? Tu ne l'aimes pas forcément beaucoup, mais il te renvoie à quelque chose qui a été important pour toi. Parfois, c'est à la famille, parfois c'est à un moment de ta vie où des choses importantes se sont passées. Et tu veux te raccrocher à ce lien. C'est l'impression qu'ils m'ont donnée quand je les ai vus ensemble. » Tout en prononçant ces paroles, elle avait pianoté sur le clavier pour retrouver le dossier de photos. Elle plaça l'ordinateur de façon à ce que Giulia et Bel puissent voir l'écran, puis vint se mettre derrière elles et se pencha en avant pour faire défiler les images.

C'était une fête ressemblant à la plupart de celles où Bel était allée dans sa vie. Des gens assis à table en train de boire. Des gens qui faisaient des grimaces devant l'objectif. Des gens en train de danser. Des gens de plus en plus rougeauds, au regard de plus en plus brumeux et aux mouvements de moins en moins bien coordonnés au fil de la soirée. Les deux femmes de Boscolata gloussaient et s'exclamaient, mais elles n'identifiaient ni Gabriel ni son père.

Bel avait presque cessé d'espérer quand Giulia pointa soudain le doigt sur l'écran en poussant un cri. « Là ! C'est Gabriel dans le coin. » La photo n'était pas parfaitement nette, mais Bel n'eut pas le sentiment de se faire des idées. Cinquante années les séparaient, mais il n'était pas difficile de percevoir une ressemblance entre ce garçon et Brodie Grant. Cat avait été une version féminine de son père, dont elle avait gardé les traits. Aussi improbable que ce fût, un simulacre de l'original la regardait depuis une soirée de nouvel an dans un squat en Italie. Les mêmes yeux enfoncés, le même nez crochu, la mâchoire forte et cette tignasse caractéristique, à la différence qu'elle était blonde et non gris argent. Elle fouilla dans son sac à main et en sortit une clé USB.

« Je peux copier cette photo ? » demanda-t-elle.

Renata marqua une pause, l'air songeur. « Tu n'as pas répondu quand Giulia t'a demandé pourquoi tu t'intéressais à ce garçon. C'est peut-être le moment de le faire. »

East Wemyss, Fife

River enleva ses gants de travail et se redressa en essayant de ne pas gémir. Le problème, quand elle travaillait avec ses étudiants, c'était qu'elle ne pouvait révéler aucun signe de faiblesse. Certes, ils avaient au moins une dizaine d'années de moins qu'elle, mais River était bien décidée à leur prouver qu'elle était au moins aussi capable qu'eux. Ils pouvaient donc se plaindre d'avoir mal aux bras ou au dos à force de déplacer des pierres et des gravats, mais elle devait continuer à jouer les Superwoman. Elle se doutait bien que la seule personne qu'elle dupait, c'était elle-même, mais peu importait. Elle devait maintenir l'illusion pour l'image qu'elle se faisait d'elle-même.

Elle traversa la grotte jusqu'à l'endroit où trois de ses étudiants passaient au tamis la terre dégagée sous les pierres. Jusque-là, ils n'avaient rien découvert qui fût d'un intérêt archéologique ou juridique, mais leur enthousiasme ne semblait pas décroître. River se rappela ses premières enquêtes, et comment le fait de jouer un rôle dans une véritable affaire était assez excitant pour surmonter le caractère assommant d'une tâche répétitive et en apparence vaine. Elle vit ses propres réactions reflétées chez ces étudiants et prit plaisir à penser qu'elle contribuait à s'assurer que la prochaine génération de criminalistes porterait le même engagement à faire parler les morts.

« Du nouveau ? » demanda-t-elle en sortant de l'obscurité pour pénétrer dans la lumière qui éclairait leur petit groupe.

On lui répondit par des hochements de tête et des marmonnements négatifs. Un des étudiants de troisième cycle leva les yeux. « Ça deviendra intéressant quand les manœuvres auront fini de dégager les pierres. »

River eut un grand sourire. « Il vaudrait mieux que mes anthropologues ne vous entendent pas les appeler des manœuvres. » Elle jeta un regard affectueux dans leur direction. « Avec un peu de chance, ils devraient avoir dégagé la plus grande partie des pierres d'ici la fin de l'après-midi. » Ils avaient tous été surpris de découvrir que le tas ne faisait qu'un ou deux mètres d'épaisseur. D'après l'expérience de River, quand un plafond s'effondrait, c'était généralement sur une grande surface. Il fallait en effet qu'une faille prenne des proportions importantes avant que le morceau de roche atteigne sa masse critique et s'écroule d'un plafond stable jusque-là. Aussi, lorsqu'il s'effondrait, c'était une grande quantité de roche qui se décrochait. Mais là, c'était différent. Ce qui rendait le cas d'autant plus intéressant.

Ils avaient déjà déblayé les deux mètres supérieurs sur toute la longueur. Deux ou trois des plus intrépides avaient grimpé sur le tas pour jeter un œil derrière quand River était partie chercher des sandwichs et des tartes pour le déjeuner. Ils avaient rapporté que l'espace semblait dégagé derrière l'effondrement lui-même, mis à part plusieurs grosses pierres qui avaient roulé du tas.

River sortit passer quelques coups de fil et profiter en prime de l'air marin. À peine avait-elle terminé sa conversation avec la secrétaire de sa section qu'un des étudiants surgit par l'entrée étroite.

« Docteur Wilde ! cria-t-il. Il faut que vous veniez voir ça ! »

Campora, Toscane

Bel avait raconté son histoire de manière à provoquer un maximum d'émotion chez ses auditrices. D'après le silence stupéfait de Renata et Giulia, elle semblait avoir atteint son objectif.

« C'est si triste. J'aurais été démolie si c'était arrivé dans ma famille, déclara finalement Giulia, s'appropriant le drame à la façon d'une femme nourrie aux feuilletons à l'eau de rose et aux revues people. Ce pauvre bébé. »

Renata garda plus de recul. « Et tu penses que Gabriel pourrait être ce garçon ? »

Bel haussa les épaules. « Je n'en ai aucune idée. Mais cette affiche est la première vraie piste qu'on a découverte en plus de vingt ans. Et Gabriel ressemble incroyablement au grand-père du garçon disparu. Peut-être que je prends mes désirs pour des réalités, mais je me demande si on ne tient pas quelque chose. »

Renata hocha la tête. « On doit faire tout notre possible pour vous aider.

— Je ne reparlerai pas aux *carabinieri*, déclara Giulia. Bande de porcs.

— Hé ! protesta Grazia, en laissant ses pois de côté. N'insulte pas les porcs. Ce sont des créatures merveilleuses. Intelligentes. Utiles. Pas comme les *carabinieri*. »

Renata tendit la main. « Donne-moi la clé USB. Ça ne sert à rien de parler aux *carabinieri* puisqu'ils se fichent de cette affaire. Pas comme toi. Pas comme la famille. C'est pour ça qu'on doit tout partager avec toi. » D'une main experte, elle copia l'image sur la clé de Bel. « Maintenant, il faut qu'on regarde s'il y a d'autres photos de Gabriel et son père. »

Au bout de leur recherche, elles avaient récolté trois photos où Gabriel apparaissait, même si aucune n'était plus nette que la première. Renata avait également trouvé deux images de son père – une de profil, et une où la moitié de son visage était cachée par la tête d'une personne. « Vous croyez que quelqu'un d'autre a des photos de cette soirée ? » demanda Bel.

Les deux femmes parurent sceptiques. « Je ne me souviens pas avoir vu quelqu'un d'autre prendre des photos, répondit Renata. Mais avec les téléphones portables, qui sait ? Je demanderai.

— Merci. Et ça me rendrait service si vous pouviez demander si quelqu'un d'autre connaissait Gabriel ou son père. » Bel prit la précieuse clé USB. Dès qu'elle en aurait la possibilité, elle enverrait l'image à un collègue spécialisé dans l'optimisation de photos douteuses des gens du gratin en train de faire des choses qu'ils n'auraient pas dû faire avec des gens qu'ils n'auraient pas dû fréquenter.

« J'ai une meilleure idée, lança Grazia. Pourquoi est-ce que je n'amènerais pas un cochon ce soir ? On peut le mettre sur la broche, et tu peux rencontrer tout le monde. Après un bon morceau de porc et quelques verres de vin, ils seront prêts à te dire tout ce qu'ils savent sur Gabriel et son père. »

Renata sourit et leva son verre pour porter un toast. « Je bois à cette idée. Mais je te préviens, Grazia, peut-être que ton cochon va griller pour rien. D'après mes souvenirs, ce type n'était pas très sociable. Il ne se mêlait pas beaucoup aux gens d'ici. »

Grazia ramassa ses cosses de pois et les fourra dans un sac plastique. « Peu importe. C'est une bonne excuse pour s'amuser un peu avec mes voisins. Bel, est-ce que tu restes ici ou tu veux que je te ramène en haut de la colline ? »

Maintenant que s'offrait à elle la perspective de bavarder avec toute la population locale, Bel se sentait moins pressée. « Je vais rentrer maintenant. À tout à l'heure, les filles, dit-elle en vidant son verre de vin.

— Tu ne veux pas savoir pour le sang ? » demanda Giulia.

Déjà à moitié debout, Bel faillit tomber à la renverse. « Le sang sur le sol, tu veux dire ? s'enquit-elle.

— Ah. Tu es au courant. » Giulia parut déçue.

« Je sais qu'il y a une tache de sang sur le sol de la cuisine, dit Bel. Rien de plus.

— On est allées jeter un œil après que les *carabinieri* sont partis vendredi, expliqua Giulia. Et la tache de sang était différente de la première fois où je l'avais vue. Le lendemain de leur départ.

— Comment ça, différente ?

— Elle est toute marron et rouille maintenant, et incrustée dans la pierre. Mais la première fois, elle était encore assez rouge et luisante. Comme si elle était fraîche.

— Et tu n'as pas appelé les flics ? » Bel s'efforça de cacher son incrédulité.

« Ça ne nous regardait pas, expliqua Renata. Si les gens de BurEst avaient estimé que c'était du ressort de la police, ils l'auraient appelée. » Elle haussa les épaules. « Je sais que ça te paraît bizarre, et si ça s'était passé en Hollande, je ne suis pas sûre que je serais restée sans rien faire. Mais c'est différent ici. Personne de gauche n'a confiance en eux. Tu as vu comment la police italienne a réagi au G8 de Gênes, la façon dont elle a traité les manifestants ? Giulia a demandé à quelques-uns d'entre nous si elle devait appeler, et on a tous été d'accord pour dire que les flics s'en serviraient juste d'excuse pour s'en prendre aux marionnettistes, peu importe ce qui s'était passé.

— Vous avez donc fait comme si de rien n'était ? »

Renata haussa les épaules. « C'était dans la cuisine. Qu'est-ce qui prouvait que ce n'était pas du sang animal ? Ça ne nous regardait pas. »

Kirkcaldy

Karen parcourut la rue en regardant les numéros des maisons. Elle allait visiter pour la première fois la nouvelle maison de Phil Parhatka dans le centre de Kirkcaldy. Il y avait emménagé trois mois plus tôt ; il promettait sans arrêt d'organiser une pendaison de crémaillère, mais il n'avait pas tenu parole jusque-là. À une époque, Karen avait nourri le rêve qu'ils achètent un jour une maison ensemble. Mais ça lui était passé. Un mec comme Phil ne serait jamais attiré par une petite boulotte comme elle, surtout depuis que sa récente promotion en avait fait sa supérieure. Certains hommes aimaient sans doute l'idée de baiser leur chef. Mais Karen savait d'instinct que ça ne faisait pas partie des fantasmes de Phil. Elle avait donc préféré préserver leur amitié et leur complicité dans leurs relations de travail plutôt que de s'accrocher à ce qu'elle considérait comme des chimères d'adolescent. Si elle devait se résoudre à rester une célibataire carriériste, elle pouvait au moins s'assurer que cette carrière soit aussi satisfaisante que possible.

Or, la recette pour arriver à cette satisfaction professionnelle consistait notamment à avoir quelqu'un à qui soumettre ses idées. Aucun inspecteur n'était assez intelligent pour dresser seul le tableau complet d'une enquête compliquée. Tout le monde avait besoin d'être écouté par une personne ayant une vision différente, et assez perspicace pour articuler ces différences. C'était particulièrement important aux affaires non classées où, loin de diriger une grosse équipe d'agents, un chargé d'enquête pouvait n'avoir qu'un ou deux hommes à sa disposition. Et ces subalternes n'avaient généralement pas l'expérience pour lui apporter l'aide précieuse qu'elle souhaitait. Mais pour Karen, Phil remplissait toutes les conditions. Et à en juger par le nombre de fois où il lui avait demandé son opinion sur des affaires, c'était réciproque.

Ils se concertaient habituellement dans le bureau de Karen ou dans un coin tranquille d'un pub à mi-chemin entre chez elle et chez lui. Mais lorsqu'elle l'avait appelé en revenant de Peterhead ce jour-là, il avait déjà bu deux verres de vin. « Je suis sans doute en règle, mais tout juste, avait-il expliqué. Pourquoi tu ne viens pas chez moi ? Tu m'aideras à choisir les rideaux pour mon salon. »

Karen repéra le numéro qu'elle cherchait et se gara devant l'allée de Phil. Elle resta assise un moment, suivant son habitude de flic de jeter un œil alentour avant d'oser abandonner son véhicule. C'était une rue modeste de maisons mitoyennes en pierres, carrées et solides, apparemment en aussi bon état que lors de leur construction à la fin du dix-neuvième siècle. Des allées de gravier et des parterres de fleurs bien entretenus. Les rideaux tirés aux étages où les enfants dormaient, abrités de la lumière persistante par les doublures épaisses. Elle se rappela le mal qu'elle avait à s'endormir, enfant, les soirs clairs d'été. Mais les rideaux de sa chambre étaient fins. Sans parler de la musique et du bruit des conversations venues du pub au coin de la rue. Pas comme ici. On avait peine à croire que le centre-ville n'était qu'à cinq minutes à pied. On se serait cru dans une banlieue éloignée.

Alerté par le bruit de sa voiture, Phil ouvrit la porte avant que Karen n'eût quitté son siège. Sa silhouette se détacha dans la lumière, et il lui parut plus costaud. Il prit l'attitude menaçante et désinvolte d'un portier : un bras à l'horizontale pour s'appuyer sur le chambranle de la porte, une jambe croisée devant l'autre, la tête inclinée. Mais il n'y avait rien de menaçant dans son expression. Ses yeux ronds et sombres brillaient dans la lumière, et son sourire plissait ses joues. « Entre », lança-t-il en lui cédant le passage.

Elle pénétra dans un hall imitant parfaitement le style victorien, au sol alternant carreaux en terre cuite et losanges blancs, bleus et écarlates. « C'est très joli, dit-elle en remarquant la cimaise et le papier peint gaufré au-dessous.

— La copine de mon frère est historienne de l'architecture. Elle a tout retourné dans cette maison. Ça va ressembler à un monument historique avant même qu'elle ait terminé, rouspéta-t-il gentiment. Tourne à droite au bout du couloir. »

Karen éclata de rire en entrant dans la pièce. « Bon sang, Phil ! s'écria-t-elle en gloussant. C'est le colonel Moutarde dans la bibliothèque avec la matraque. Tu devrais porter une veste d'intérieur, pas un T-shirt des Raith Rovers[1] ! »

Il haussa les épaules d'un air penaud. « Faut voir le côté marrant. Moi, un flic, dans un décor de "meurtre au manoir". » Il fit un grand geste pour désigner les sombres étagères en bois, le bureau recouvert de cuir et les fauteuils club qui encadraient la cheminée ouvragée. La pièce n'était visiblement pas immense au départ, mais elle était désormais carrément surchargée. « Elle dit que c'est ce qu'aurait choisi un vrai maître de maison.

— Dans une baraque de cette taille ? demanda Karen. Je crois qu'elle a la folie des grandeurs. Et à vrai dire, je ne pense pas qu'il aurait opté pour cette moquette en tartan. »

La gêne fit rougir les oreilles de Phil. « Apparemment, c'est de l'ironie postmoderne. » Il haussa les sourcils d'un air sceptique. « Mais il ne faut pas se fier aux apparences », dit-il en s'égayant avant de manipuler un des livres. Une section d'étagères pivota et dévoila une télé à écran plasma.

« Dieu merci, dit Karen. Je commençais à me poser des questions. Pas grand-chose à voir avec ton ancien chez-toi, hein ?

— Je crois que j'ai passé l'âge de vivre comme un jeune déluré, répondit Phil.

— Prêt à se ranger ? »

Il haussa les épaules en évitant son regard. « Peut-être. » Il lui désigna un fauteuil et se laissa tomber dans celui d'en face. « Comment ça s'est passé avec Lawson ?

— C'est un homme changé. Et pas dans le bon sens. J'y ai réfléchi sur le chemin du retour. Ça a toujours été une sale

1. Club de football de Kircaldy. (*N.d.T.*)

teigne, mais jusqu'à ce qu'on découvre ce qu'il avait vraiment fait, j'avais l'impression qu'il avait de bonnes intentions, tu comprends ? Mais ce qu'il m'a dit aujourd'hui... je ne sais pas. J'ai presque eu le sentiment qu'il tentait de prendre sa revanche.

— Comment ça ? Qu'est-ce qu'il t'a dit ? »

Karen leva la main. « J'y viens dans une minute. J'ai juste envie de décharger ma bile, je suppose. J'ai eu l'impression qu'il m'avait dit tout ça par malveillance. Parce qu'il savait que ça nuirait à la réputation de la police, pas parce qu'il veut nous aider à comprendre ce qui est arrivé à Cat et Adam Grant. »

Pendant qu'elle parlait, Phil avait pris son paquet de cigarillos et en avait allumé un. Elle se rendit compte qu'il ne fumait presque plus jamais en sa compagnie. Il y avait tellement peu d'endroits où c'était permis. L'arôme aigre-doux familier remplit les narines de Karen et lui procura une sensation étrangement réconfortante après la journée qu'elle venait de passer. « Est-ce qu'on doit se préoccuper de ses intentions ? dit-il. Tant que ce qu'il nous dit est vrai ?

— Peut-être pas. Et il s'avère qu'il avait en effet quelque chose de très intéressant à nous apprendre. Quelque chose qui fait voir sous un jour complètement nouveau ce qui s'est passé la nuit où Cat Grant est morte. Apparemment, il n'y avait pas que les flics et les ravisseurs qui étaient armés ce soir-là. Notre pilier de la société, sir Broderick Maclennan Grant, avait un pistolet sur lui. Et il s'en est servi. »

Phil resta bouche bée, laissant s'échapper un filet de fumée. « Grant avait un flingue ? Tu déconnes. Comment ça se fait qu'on apprend ça seulement maintenant ?

— Lawson dit que c'est les huiles qui ont voulu étouffer l'affaire. Grant était une victime, ça n'aurait avancé à rien de l'inculper. Pour des questions d'image, tout ce baratin. Mais je crois que cette décision a complètement changé l'issue des choses. » Karen sortit un dossier de son sac. Elle en tira le plan des lieux du crime fait à l'époque par les experts criminalistes et l'étala entre eux. Elle lui montra l'endroit où chacun s'était trouvé. « Tu vois ? »

Phil hocha la tête.

« Et donc, qu'est-ce qui s'est passé ? demanda-t-elle.

— La lumière s'est éteinte, le type de chez nous a tiré à côté, puis il y a eu un autre coup de feu derrière Cat. Celui qui l'a tuée. »

Karen fit non de la tête. « Pas d'après Lawson. Ce qu'il dit maintenant, c'est que Cat et sa mère se sont arraché le sac de billets. Cat a réussi à l'avoir et a fait demi-tour. Mais à ce moment-là, Grant a sorti son pistolet et a exigé de voir Adam. La lumière s'est éteinte, Grant a tiré. Puis il y a eu un deuxième coup de feu, tiré derrière Cat. Et ensuite, l'agent Armstrong a tiré à côté. »

Phil fronça les sourcils tout en digérant ce qu'elle venait de dire. « D'accord, dit-il doucement. Mais je ne vois pas bien ce que ça change.

— La balle qui a tué Cat a pénétré par le dos et est ressortie par sa poitrine. Pour atterrir dans le sable. On ne l'a jamais retrouvée. La blessure ne correspondait pas à l'arme d'Armstrong. Donc, vu que le flingue de Grant n'a jamais été mentionné, il n'y avait qu'une seule explication possible pour le public. Les ravisseurs ont tué Cat. Ce qui veut dire qu'ils étaient recherchés pour meurtre.

— Oh, putain ! dit Phil. Et bien sûr, c'est ce qui a ruiné toute possibilité de récupérer Adam. Ces mecs savent qu'ils en prendront pour perpète maintenant que Cat est morte. Ils ont un sac plein de fric et le gosse. Il n'y a aucune chance qu'ils se risquent à une nouvelle confrontation avec Grant. Ils vont disparaître dans la nuit. Et Adam n'est plus qu'un handicap pour eux. Il ne leur sert à rien, vivant ou mort.

— Exactement. Et on sait tous les deux de quel côté penche la balance. Mais il y a autre chose. On a toujours soutenu que la nature de la blessure, plus le fait que Cat avait reçu la balle dans le dos, accusaient inévitablement les ravisseurs. Mais d'après Lawson, ça pourrait être l'arme de Grant qui a infligé la blessure mortelle. Il dit que Cat avait commencé à revenir vers les ravisseurs quand la lumière s'est éteinte. » Elle regarda Phil d'un œil sombre. « Il est très possible que Grant ait tué sa propre fille.

— Et le fait d'étouffer l'affaire lui a coûté la perte de son petit-fils. » Phil tira une longue bouffée sur son cigarillo. « Tu comptes parler de ça à Brodie Grant ? »

Karen soupira. « Je ne vois pas comment je pourrais l'éviter.

— Tu devrais peut-être laisser le Macaron s'en charger ? »

Karen rigola avec une joie sincère. « Quel plaisir ce serait ! Mais on sait tous les deux qu'il serait prêt à se jeter d'un building pour dévier cette balle. Non, je vais devoir l'affronter moi-même. Je ne suis juste pas certaine de la meilleure manière de m'y prendre. Je vais peut-être attendre de voir ce que les Italiens ont pour moi. Voir s'il y a quoi que ce soit qui ferait mieux passer la pilule. » Avant que Phil ait pu répondre, le téléphone de Karen se mit à sonner. « Saleté de machine », grommela-t-elle en le sortant. Puis elle regarda l'écran et sourit. « Salut, River, dit-elle. Comment ça va ?

— On ne peut mieux, répondit River dans un crépitement. Écoute, je crois que tu devrais venir.

— Quoi ? Tu as trouvé quelque chose ?

— La liaison est merdique, Karen. Le mieux, ce serait que tu viennes en vitesse.

— D'accord. Donne-moi vingt minutes. » Elle raccrocha. « Enlève tes pantoufles, Sherlock. Et que Brodie Grant aille se faire foutre. Notre cher docteur a quelque chose pour nous. »

Boscolata

Bel devait reconnaître que Grazia savait créer l'ambiance parfaite pour délier les langues. Alors que le soleil se couchait peu à peu derrière les lointaines collines et que les lumières des villages médiévaux se répandaient sur leurs flancs assombris comme des poignées d'étoiles, les habitants de Boscolata se gavaient de cochon de lait fondant accompagné de montagnes de pommes de terre rôties parfumées à l'ail et au romarin et de salade de tomates relevée au basilic et à l'estragon. Les viticulteurs de Boscolata avaient fourni des cruches de vin issu de leurs propres vignes, et Maurizio avait ajouté au festin des bouteilles de son *vin santo* fait maison.

Les gens savaient que cette fête imprévue avait lieu en l'honneur de Bel et étaient donc bien disposés envers elle. Elle se déplaçait parmi eux et bavardait facilement de toutes sortes de choses. Mais la conversation revenait toujours aux marionnettistes qui avaient squatté la villa de Paolo Totti. Elle parvint ainsi petit à petit à se constituer mentalement un dossier sur les personnes qui avaient vécu là. Rado et Sylvia, un Serbe du Kosovo et une Slovène qui possédaient un don pour fabriquer des marionnettes. Matthias, qui avait lancé la compagnie et qui concevait et fabriquait à présent les décors. Sa compagne, Ursula, chargée d'organiser leur calendrier et d'huiler les rouages pour qu'ils puissent le respecter. Les Autrichiens Maria et Peter, les principaux marionnettistes, et leur fille de trois ans qu'ils étaient bien décidés à tenir hors du système scolaire traditionnel. Dieter, un Suisse responsable de l'éclairage et du son. Luka et Max, les marionnettistes remplaçants qui posaient les affiches, faisaient le plus gros du sale boulot et qu'on laissait jouer leur propre spectacle quand une représentation spéciale tombait en même temps que leurs séances régulières.

Et puis il y avait les gens de passage. Ils avaient apparemment été très nombreux. Gabriel et son père n'avaient pas particulièrement marqué les esprits, excepté que le père était à l'évidence un ami de Matthias plutôt qu'un ami de la maison. Il se tenait à l'écart. Toujours poli, mais jamais vraiment ouvert. Les avis sur son prénom divergeaient. L'un pensait que c'était David, l'autre Daniel, un troisième Darren.

Au fil de la soirée, Bel commença à se demander si sa première réaction en voyant la photo que lui avait montrée Renata était fondée. Tout le reste semblait tellement inconsistant. Puis, alors qu'elle se servait un verre de *vin santo* en prenant une poignée de *cantuccini*, un ado vint se faufiler jusqu'à elle.

« C'est vous qui voulez des renseignements sur BurEst, non ? marmonna-t-il.

— En effet.

— Et ce garçon, Gaby ?

— Qu'est-ce que tu sais ? demanda Bel en s'approchant de lui pour lui donner un sentiment de complicité.

— Il était là la nuit où ils ont mis les voiles.

— Gabriel, tu veux dire ?

— Oui. J'ai rien dit à personne avant, parce que j'étais censé être à l'école, seulement j'y étais pas, vous voyez ? »

Bel lui tapota le bras. « Crois-moi, j'en sais quelque chose. C'était pas vraiment mon truc non plus, l'école. Il y avait tellement de choses bien plus intéressantes.

— Oui, d'accord. Enfin, j'étais à Sienne, donc, et j'ai vu Matthias qui remontait la rue de la gare avec Gaby. Matthias était parti quelques jours. Je n'avais rien de mieux à faire, alors je les ai suivis. Ils ont traversé la ville jusqu'au parking en passant par la Porta Romana, et ils sont partis avec la camionnette de Matthias.

— Est-ce qu'ils discutaient ? Est-ce qu'ils avaient l'air d'être amis ?

— Ils avaient l'air de mauvais poil. Ils marchaient tête baissée sans dire grand-chose. Sans être vraiment froids. Plutôt comme s'ils étaient tous les deux tracassés par quelque chose.

— Est-ce que tu les as revus ? En revenant ici ? »

Le garçon eut un petit haussement d'épaules. « Je les ai jamais revus. Mais quand je suis rentré, la camionnette de Matthias était là. Les autres étaient partis à Grossetto pour une représentation spéciale. C'est à deux bonnes heures de route, donc ils n'étaient déjà plus là quand je suis rentré. J'ai supposé que Matthias et Gaby étaient à la villa. » Il fit un sourire insolent. « En train de faire je ne sais quoi. »

À en juger par le sang sur le sol, pensa Bel, ce n'était certainement rien d'aussi amusant que ce que ce jeune homme sans imagination se représentait. La vraie question était de savoir à qui appartenait le sang. Les membres de BurEst s'étaient-ils enfuis parce qu'ils avaient trouvé leur chef mort et baignant dans son sang à leur retour ? Ou s'étaient-ils dispersés parce que celui-ci avait le sang de Gabriel sur les mains ? « Merci », dit-elle avant de se retourner et de remplir son verre, qu'elle avait vidé malgré elle. Elle s'éloigna du groupe en train de bavarder et marcha le long des vignes. Son informateur lui avait donné matière à réfléchir. Matthias était parti quelques jours. Il était revenu avec Gabriel. Ils s'étaient trouvés tous les deux à la villa. Avant le milieu du lendemain matin, toute la troupe avait décampé en laissant les affiches qu'avait un jour utilisées l'Alliance anarchiste d'Écosse et une grande tache de sang au sol.

Il n'y avait pas besoin d'être un grand détective pour comprendre qu'il était arrivé quelque chose d'affreux. Mais à qui ? Et, plus important encore peut-être, pourquoi ?

East Wemyss

L'été en Écosse, se dit Karen avec mauvaise humeur en descendant péniblement le chemin qui menait à la grotte du Baron. Alors qu'il faisait encore jour à neuf heures du soir, une fine bruine la trempait et les *midges*[1] la dévoraient frénétiquement. Elle en voyait une nuée tourner autour de la tête de Phil, qu'elle suivait en direction de la plage. Elle était certaine qu'ils étaient pires maintenant que quand elle était gosse. Saloperie de réchauffement climatique. Ces sales bestioles étaient de plus en plus néfastes et le climat empirait.

Le sentier s'aplanit et elle put voir deux des étudiants de River qui s'offraient une clope en s'abritant tant bien que mal sous un surplomb. Peut-être que si elle allait contre le vent, leur fumée ferait fuir les *midges*. River marchait de long en large un peu plus loin, le téléphone à l'oreille, la tête baissée, ses longs cheveux foncés attachés en une queue-de-cheval qui sortait par l'arrière de sa casquette de baseball. Karen frissonna, non tant à cause de la pluie que de l'éclat de la combinaison en papier blanc que portait River. L'anthropologue se retourna, les aperçut et mit brusquement fin à son appel. « Je disais juste à Ewan de ne pas s'attendre à ce que je rentre avant quelques jours, expliqua-t-elle d'un air peiné.

— Alors, qu'est-ce que tu as trouvé ? demanda Karen, à qui la curiosité avait ôté toute notion de courtoisie.

1. Petits moucherons particulièrement voraces, qui se déplacent en essaim. (*N.d.T.*)

— Venez, je vais vous montrer. »

Ils la suivirent dans la grotte où les lampes de travail créaient un jeu d'ombres et de lumières auquel il fallait un certain temps pour s'adapter. Les membres de l'équipe de déblaiement avaient arrêté de travailler et étaient assis ici et là avec des sandwichs et des canettes de soda. Karen et Phil étaient au centre de leur attention, et ils ne les quittaient pas une seconde des yeux.

River les emmena là où l'effondrement avait bloqué le passage s'enfonçant dans la roche. La plus grosse partie des rochers et des petites pierres avait été déplacée, faisant naître une étroite ouverture. Elle promena une puissante torche sur les gravats restants et leur montra que l'éboulement ne faisait en réalité qu'un mètre vingt de profondeur. « On a été surpris de voir combien cet écroulement était peu épais. On s'attendait à ce qu'il s'étende sur au moins six mètres. Ça a tout de suite éveillé mes soupçons.

— Qu'est-ce que vous voulez dire par là ? questionna Phil.

— Je ne suis pas géologue. Mais comme je le comprends d'après ce qu'ont pu me dire mes collègues en sciences de la terre, il faut beaucoup de pression pour qu'un plafond s'effondre naturellement. À l'époque où les mines des environs étaient exploitées, ça soumettait la roche située audessus à des efforts importants, ce qui entraînait de grandes fractures et des effondrements. C'est une pression géologique de cette ampleur qui provoque des écroulements de plafond dans de vieilles grottes comme celle-ci. Elles existent depuis huit mille ans. Elles ne s'effondrent pas sans raison. Mais quand ça arrive, c'est comme si on enlevait la clé de voûte d'un pont. Ça donne un écroulement important. » Tout en parlant, River continuait de déplacer le faisceau de sa torche et leur montrait que le plafond était étonnamment solide de chaque côté de l'endroit effondré. « Par contre, si on sait ce qu'on fait, avec une petite charge explosive, on peut provoquer un effondrement maîtrisé qui ne touchera qu'une zone relativement petite. » Elle regarda Karen en soulevant les sourcils. « Le genre de choses qu'on fait sans arrêt dans les mines.

— Tu es en train de dire que cet effondrement a été provoqué volontairement ? demanda Karen.

— Il faudrait l'avis d'un expert pour avoir une réponse catégorique, mais d'après le peu que je sais, je dirais que c'est mon impression. » Elle se retourna et éclaira une partie de la paroi à environ un mètre cinquante du sol. La roche présentait un trou à peu près conique où des veines noires tachaient le grès rouge. « Pour moi, ça ressemble à une marque d'explosion, indiqua River.

— Merde, fit Karen. Mais alors, qu'est-ce que tu as fait ?

— Eh bien, quand j'ai vu ça, je me suis dit qu'on devrait faire très attention pour passer une fois qu'on aurait libéré un passage. J'ai donc enfilé ma combi et j'y suis allée toute seule. Le passage fait peut-être trois mètres de long, et puis il débouche sur une chambre assez grande. De cinq mètres sur quatre environ. » River soupira. « Ça va être une vraie galère à passer au peigne fin.

— Et il y a une raison de faire ça ? demanda Phil.

— Oh oui, il y a une raison. » Elle éclaira le sol à leurs pieds. « Comme vous pouvez le voir, c'est simplement de la terre tassée sur le sol. Juste à l'entrée dans la chambre, sur la gauche, la terre est meuble. Elle a été piétinée, mais j'ai bien vu que la texture était différente d'ailleurs. J'ai installé des lampes et une caméra, et je me suis mise à déblayer la terre. » River avait pris un ton détendu et distrait. « Je n'ai pas dû aller bien loin. À environ quinze centimètres de profondeur, j'ai trouvé un crâne. Je ne l'ai pas bougé. Je voulais que vous le voyiez in situ avant de faire quoi que ce soit de plus. » Elle s'éloigna du tas de gravats et leur fit signe de la suivre. « Vous allez avoir besoin de combinaisons, dit-elle en se tournant vers ses étudiants. Jackie, est-ce que tu pourrais m'apporter des combinaisons et des chaussons pour l'inspecteur Pirie et le sergent Parhatka ? »

River récapitula les différentes possibilités pendant qu'ils s'habillaient. Ça se résumait soit à laisser les étudiants travailler sous sa direction attentive, soit à faire intervenir la police scientifique. « C'est à toi de décider, indiqua River. Tout ce que je peux dire, c'est qu'en plus d'offrir une solution économique, on est une équipe de spécialistes récemment entraînés. Je ne sais pas à quel point vous êtes experts en archéologie et en anthropologie, mais je parierais qu'une petite antenne de police comme celle du Fife n'a pas une équipe de spécialistes hyper qualifiés parmi ses effectifs. »

Karen lui jeta ce regard qui donnait à ses agents l'impression d'être des gamins. « On n'a jamais eu d'affaire comme celle-ci depuis que je suis dans la police. À chaque fois que quelque chose sort de l'ordinaire, on fait appel à des experts extérieurs. Le plus important, c'est de s'assurer que les pièces à conviction tiennent la route en justice. Je sais que tu es une experte judiciaire qualifiée, par contre ce n'est pas le cas de tes étudiants. Je vais devoir en parler au Macaron, mais je crois qu'on devrait continuer avec ton équipe. En revanche, il faudra deux caméras qui filment en permanence, et que tu sois sur les lieux dès qu'ils travailleront. » Elle ferma sa combinaison, bien contente que Jackie lui en ait donné une assez grande pour contenir ses proportions généreuses. Les types de la police scientifique n'étaient pas toujours si prévenants. Elle se disait parfois qu'ils le faisaient exprès, pour la faire se sentir mal à l'aise dans ce qu'ils considéraient être leur domaine. « Allons jeter un œil, alors. »

River tendit une torche à chacun. « Je n'ai pas balisé de voie d'accès, dit-elle en s'équipant d'une lampe frontale. Restez juste le plus à droite possible. »

Ils suivirent sa lumière qui ballottait dans l'obscurité. Karen jeta un dernier coup d'œil par-dessus son épaule, mais il était difficile de voir quoi que ce soit derrière la silhouette de Phil. Lorsqu'ils dépassèrent les restes de l'effondrement, la qualité de l'air changea, l'odeur de sel cédant la place à une légère odeur de renfermé mêlée aux relents acides des vieilles fientes d'oiseaux et de chauves-souris. Ils aperçurent plus loin la lueur terne du projecteur de la caméra qui tournait toujours.

River s'arrêta à l'endroit où les murs s'écartaient et où commençait la chambre. Le faisceau de sa torche vint s'ajouter à celui de la caméra et révéla une petite zone du sol où la terre avait été grattée pour former un creux peu profond. Sur la terre rougeâtre ressortait la forme caractéristique d'un crâne humain.

« Tu avais raison, dit doucement Phil.

— Tu ne peux pas savoir comme ça me fait chier », répliqua Karen d'une voix accablée, en enregistrant tous les détails. Elle se détourna pour rassembler ses esprits. « Mon pauvre gars, qui que tu sois. »

Mardi 3 juillet 2007 ; Glenrothes

Karen se gara sur le parking du commissariat et coupa le moteur. Elle resta assise un long moment à regarder la pluie noyer son pare-brise. Cette matinée n'allait pas être la plus facile de sa carrière. Elle avait un corps, mais ce n'était techniquement pas le bon. Elle devait mettre fin à la confusion du Macaron pour qui il s'agissait d'un des ravisseurs de Catriona Maclennan Grant. Et pour cela, elle devrait reconnaître qu'elle avait travaillé sur une affaire dont il n'était pas au courant. Phil avait eu raison. Elle n'aurait pas dû céder à son désir de jouer les électrons libres. C'était une petite consolation de penser qu'elle avait fait plus de progrès dans l'affaire Mick Prentice qu'en auraient fait les uniformes. Ce serait une réussite si elle arrivait à s'en sortir sans recevoir de blâme.

Elle prit ses dossiers en soupirant et courut sous la pluie battante. Elle poussa la porte, tête baissée, et se dirigea vers les ascenseurs. Mais la voix de Dave Cruickshank la coupa dans son élan. « Inspecteur Pirie, appela-t-il. Il y a une dame qui veut vous voir. »

Karen se retourna et vit Jenny Prentice qui se levait d'un air hésitant de son siège dans le hall d'accueil. Il était évident qu'elle avait fait un effort. Elle avait soigneusement tressé ses cheveux gris et mis la tenue qu'elle réservait à coup sûr pour les grandes occasions. Normalement, cela aurait été pure folie de porter ce manteau en laine grenat en juillet, mais pas cette année. « Madame Prentice, dit Karen en espérant que l'angoisse qui la tenaillait n'était pas aussi visible de l'extérieur.

— Il faut que je vous parle, déclara Jenny. Ça ne sera pas long, ajouta-t-elle en voyant Karen jeter un coup d'œil à l'horloge murale.

— Bien. Parce que je n'ai pas beaucoup de temps », répondit Karen. Il y avait une petite salle d'interrogatoire attenante au hall d'accueil, et elle l'y conduisit. Elle déposa ses dossiers sur une chaise située dans un coin puis s'assit à une petite table face à Jenny. Elle n'était pas d'humeur à faire des cajoleries. « Je suppose que vous êtes venue pour répondre aux questions que j'ai essayé de vous poser hier ?

— Non, répondit Jenny, aussi têtue que pouvait l'être Karen. Je suis venue pour vous dire d'abandonner.

— Abandonner quoi ?

— Vos recherches pour retrouver Mick, soi-disant disparu. » Elle jeta un regard de défi à Karen. « Il n'a pas disparu. Je sais où il est. »

C'était la dernière chose que Karen s'attendait à entendre. « Comment ça, vous savez où il est ? »

Jenny haussa les épaules. « Je ne sais pas comment le dire autrement. Ça fait des années que je sais où il est. Et que je sais qu'il ne veut plus entendre parler de nous.

— Alors pourquoi l'avoir caché ? Pourquoi est-ce que je l'apprends seulement maintenant ? Vous ne savez pas que c'est un délit de faire perdre son temps à la police ? » Karen savait qu'elle criait presque, mais elle s'en fichait.

« Je ne voulais pas blesser Misha. Comment vous réagiriez si on vous disait que votre père ne voulait plus entendre parler de vous ? Je voulais lui épargner ça. »

Karen la dévisagea d'un air hésitant. L'expression et la voix de Jenny étaient convaincantes. Mais Karen ne pouvait se permettre de se fier aux apparences. « Et Luke ? Vous devez sûrement être prête à tout pour le sauver ? Misha n'a-t-elle pas le droit de demander l'aide de son père ? »

Jenny la regarda avec mépris. « Vous croyez que je ne lui ai pas déjà demandé ? Je l'ai supplié. Je lui ai envoyé des photos du petit Luke pour essayer de le faire changer d'avis. Mais il a simplement dit qu'il n'avait rien à voir avec ce garçon. » Elle détourna les yeux. « Je crois qu'il a une nouvelle famille maintenant. On ne compte plus pour lui. Les hommes semblent mieux réussir à faire ça que les femmes.

— Il va falloir que je lui parle », indiqua Karen.

Jenny fit non de la tête. « Pas question.

— Écoutez, madame Prentice, commença Karen dont l'irritation grandissait, un homme a été porté disparu. Vous dites qu'en réalité il ne l'est pas, mais je n'ai que votre parole pour y croire. Il faut que je vérifie ce que vous me dites. Je ferais mal mon travail si je n'exigeais pas ça.

— Et qu'est-ce qui va se passer, alors ? » Jenny agrippa le bord de la table. « Que direz-vous à Misha quand elle vous demandera où en est l'enquête ? Vous allez lui mentir ? Ça fait partie de votre boulot ? Vous allez lui mentir en espérant qu'elle n'apprenne jamais la vérité de la bouche d'un autre flic sous vos ordres ? Ou vous allez lui dire la vérité et laisser Mick lui briser le cœur encore une fois ?

— Ce n'est pas mon boulot de décider ça. Je suis censée découvrir la vérité, ensuite ce n'est plus de mon ressort. Vous devez me dire où est Mick, madame Prentice. » Karen savait qu'il était difficile de lui résister quand elle y mettait toute la force de sa personnalité. Mais cette petite femme rebelle rendait coup pour coup.

« Tout ce que je vous dis, c'est que vous perdez votre temps à chercher une personne disparue qui ne l'est pas. Arrêtez vos recherches, inspecteur. Arrêtez-les. »

Il y avait quelque chose qui sonnait faux chez Jenny Prentice. Karen ne parvenait pas à identifier ce que c'était, mais tant qu'elle n'aurait pas trouvé, elle ne lâcherait rien. Elle se leva et se dirigea ostensiblement vers ses dossiers pour les ramasser. « Je ne vous crois pas. Et, de toute façon, vous arrivez trop tard, Jenny, expliqua-t-elle en se retournant pour lui faire face. On a trouvé un corps. »

Elle avait déjà lu que les visages des gens pouvaient perdre toute leur couleur, mais elle n'avait jamais vu le phénomène se produire auparavant. « C'est pas possible. » La voix de Jenny n'était qu'un murmure.

« C'est plus que possible, Jenny. Et l'endroit où on l'a trouvé… grâce à vous, on sait que c'est un endroit où Mick venait souvent. » Karen ouvrit la porte. « On reste en contact. » Elle attendit tranquillement que Jenny revienne à elle et passe la porte d'un pas traînant, écrasée sous le poids des mots. Pour une fois, Karen avait peu de compassion. Quelles que soient les raisons qui avaient poussé Jenny Prentice à faire ce petit numéro, Karen était désormais certaine que c'était bien du chiqué. Jenny ne savait pas plus que Karen où se trouvait Mick Prentice.

Il lui restait seulement à comprendre pourquoi il importait tant à Jenny que la police abandonne ses recherches. À chaque rencontre, une nouvelle énigme. Les deux semblaient aller de pair ces temps-ci. Il y avait des semaines où il était impossible d'obtenir une réponse claire.

« Mais c'est formidable, inspecteur ! » Il n'arrivait pas souvent que les rapports de Karen Pirie apportent satisfaction à Simon Lees, encore moins qu'ils le réjouissent. Mais il ne pouvait cacher le fait qu'il était doublement heureux des nouvelles qu'elle lui apportait ce jour-là. Non seulement elle avait découvert un corps qui ferait progresser une affaire en sommeil depuis plus de vingt ans, mais ils avaient accompli cet exploit pour un budget minime.

Une pensée affreuse le traversa ensuite. « Est-ce que c'est un squelette adulte ? demanda-t-il, la poitrine tendue par l'appréhension.

— Oui, monsieur. »

Pourquoi faisait-elle cette tête ? Elle avait suivi son intuition, et ça avait marché. À sa place, il aurait été aux anges. D'ailleurs, c'était à peu près ce qu'il ressentait. C'était son opération, en fin de compte ; le mérite lui revenait autant qu'à ses agents. Pour une fois, elle lui avait apporté un rayon de soleil plutôt que des nouvelles de merde. « Bien joué, lança-t-il en reculant sa chaise. Je crois qu'on devrait aller directement à Rotheswell annoncer la bonne nouvelle à sir Broderick. » Diverses expressions parcoururent sa face de lune, pour finir par ce qui ressemblait fort à de la consternation. « Qu'est-ce qui ne va pas ? Vous ne lui avez pas encore dit ?

— Non, répondit-elle doucement. Et c'est parce que je ne suis vraiment pas convaincue qu'il y ait un quelconque rapport avec la disparition d'Adam Grant. »

Il comprit ses paroles, mais cela n'avait pas de sens. Elle avait organisé toute cette opération sous prétexte que cet effondrement avait été découvert après la catastrophe de la remise de rançon. Elle avait laissé entendre qu'un des ravisseurs pourrait se trouver sous les gravats. Il n'aurait jamais donné son aval sans cela. Mais à présent, elle semblait insinuer que ce corps n'avait rien à voir avec l'affaire sur laquelle elle était censée enquêter. C'était digne d'Alice de l'autre côté du miroir. « Je ne comprends pas, dit-il d'un ton plaintif. Vous m'avez dit que vous pensiez qu'il y avait peut-être un bateau. Vous m'avez laissé entendre qu'il pourrait y avoir un corps. Et vous trouvez un corps. Mais au lieu de vous réjouir d'avoir eu raison, vous me dites que ce n'est pas le bon corps.

— Je ne l'aurais pas mieux dit moi-même, déclara-t-elle en osant un sourire.

— Mais pourquoi ? » Il s'entendit presque hurler et se racla bruyamment la gorge. « Pourquoi ? » répéta-t-il, une octave plus bas.

Elle remua sur son siège et croisa les jambes. « C'est un peu difficile à expliquer.

— Je m'en fous. Commencez quelque part. De préférence par le début. » Lees ne pouvait s'empêcher de serrer et desserrer les poings. Il regrettait de ne plus avoir la balle antistress que ses gamins lui avaient offerte un Noël, cette balle qu'il avait jetée à la poubelle parce qu'il maîtrisait bien trop ses émotions pour avoir besoin d'un tel objet.

« On a une affaire très peu commune qui est arrivée l'autre jour », commença-t-elle. Sa voix était hésitante ; il ne l'avait encore jamais vue comme ça. S'il n'avait pas eu de quoi être tout à fait exaspéré, il aurait presque pu prendre plaisir à la voir ainsi. « Un homme porté disparu par sa fille.

— Ce n'est pas vraiment hors du commun, dit-il d'un ton brusque.

— C'est que la disparition remonte à 1984. Au beau milieu de la grève des mineurs, répliqua Karen du tac au tac, libérée de toute hésitation. J'ai jeté un petit coup d'œil, et j'ai découvert deux personnes qui avaient de bonnes raisons de vouloir se débarrasser de lui. Elles travaillaient toutes les deux dans l'industrie minière. Elles savaient comment faire sauter la roche. Aucune n'aurait eu beaucoup de mal à se procurer des explosifs. Et comme j'ai déjà essayé de vous l'expliquer, monsieur, tout le monde par ici connaît les grottes. » Elle marqua un temps d'arrêt et lui lança un regard glacial qui frisait l'insubordination. « Je savais que vous n'autoriseriez jamais ces fouilles pour un mineur en grève porté disparu.

— Vous m'avez donc menti ? » s'indigna Lees. Il ne pouvait plus supporter cette impertinence.

« Non, je n'ai pas menti, répondit-elle calmement. J'ai juste un peu arrangé la vérité. Cet effondrement a vraiment été découvert après la mort de Catriona Maclennan Grant. Et l'hélico n'a pas trouvé le bateau avec lequel les ravisseurs se sont enfuis. Ce que je vous ai présenté, c'était une hypothèse raisonnable. Mais dans la balance des probabilités, je dis qu'il y a plus de chances pour qu'il s'agisse du corps de Mick Prentice que de celui d'un kidnappeur inconnu. »

Lees sentit son sang battre dans ses tempes. « Incroyable…

— À vrai dire, monsieur, je pense que vous pouvez reconnaître qu'on est arrivés à quelque chose. Je veux dire, c'est pas comme si on avait dépensé tout cet argent pour rien. On a au moins découvert un corps. Certes, ça amène peut-être plus de questionnements que de réponses. Mais vous savez, monsieur, on dit que c'est notre boulot de faire parler les morts, d'obtenir justice pour des gens qui ne peuvent y arriver par eux-mêmes. Si vous regardez les choses sous cet angle, c'est une chance d'être dans la police. »

Lees sentit quelque chose craquer dans sa tête. « Une chance ? Sur quelle planète vous vivez ? C'est un putain de cauchemar, oui ! Vous êtes censée mettre tous vos moyens en œuvre pour découvrir qui a tué Catriona Grant et ce qui est arrivé à son fils, pas perdre votre temps sur une pauvre affaire de disparition qui date de 1984. Qu'est-ce que je suis censé dire à sir Broderick ? “On s'occupera de votre famille une fois que l'inspecteur Pirie en aura envie.” Vous croyez pouvoir faire ce que vous voulez ? s'emporta-t-il. Vous vous fichez éperdument du protocole. Vous suivez votre instinct comme si c'était autre chose que de l'intuition féminine. Vous… vous…

— Attention, monsieur. Vous frôlez le sexisme, là, indiqua Karen d'une voix douce, avec un regard faussement innocent.

Les hommes aussi ont de l'intuition. Seulement, vous appelez ça de la logique. Prenez les choses du bon côté. Si c'est Mick Prentice, on a déjà réuni beaucoup d'informations sur ce qui se passait à l'époque de sa disparition. On aura déjà une longueur d'avance si ça doit devenir une enquête pour meurtre. Et ce n'est pas comme si on avait mis de côté l'affaire Grant. Je travaille en étroite collaboration avec la police italienne, mais ces choses-là prennent du temps. Bien sûr, si je me rendais en Italie, les choses pourraient aller plus vite… ?

— Vous n'irez nulle part. Une fois que tout ça sera réglé, vous ne serez peut-être même pas… » La sonnerie du téléphone le coupa avant la fin de sa menace. Il décrocha. « Je croyais vous avoir dit de ne pas me déranger, Emma ? … Oui, je sais qui est le docteur Wilde… » Il poussa un grand soupir. « Très bien. Faites-la entrer. » Il raccrocha le combiné avec précaution et jeta un regard noir à Karen. « Nous reviendrons là-dessus. Mais le docteur Wilde est là. Voyons voir ce qu'elle a à dire. »

La femme qui pénétra dans la pièce ne correspondait pas aux attentes de Lees. Pour commencer, elle avait l'air d'une adolescente qui n'avait pas encore eu sa poussée de croissance. Elle mesurait à peine un mètre cinquante et était aussi maigre qu'un lévrier. Ses cheveux foncés ramenés en arrière et son visage dominé par de grands yeux gris et une bouche large accentuaient la comparaison. Elle portait des brodequins, un pantalon et une chemise en jean devenus presque blancs par endroits sous une veste en coton huilé abîmée. Lees n'avait jamais vu personne ayant si peu l'allure d'un universitaire. Elle lui tendit une main fine et déclara : « Vous devez être Simon Lees. Ravie de vous rencontrer. »

Il regarda sa main en imaginant les endroits où elle avait été et les choses qu'elle avait touchées. Il retint un frisson et serra brièvement ses doigts froids, puis il lui fit signe de s'asseoir dans le deuxième fauteuil. « Merci de votre aide, dit-il en essayant de mettre pour l'instant de côté sa colère contre Karen.

— Je vous en prie, répondit River d'un ton qui parut sincère. C'est une grande chance pour moi de travailler sur une vraie affaire avec mes étudiants. Ils font beaucoup de travaux pratiques, mais ce n'est pas comparable à la réalité. Et ils ont fait du super boulot.

— C'est ce qu'il semble. Mais voyons, dois-je supposer que vous êtes venue parce que vous avez des nouvelles à nous apprendre ? » Il savait qu'il devait paraître aussi raide qu'un des cadavres de Wilde, mais c'était son seul moyen de se maîtriser. River échangea un rapide regard indéchiffrable avec Karen, et il sentit la colère le regagner. « Ou est-ce que vous avez besoin de plus de matériel ? C'est ça ?

— Non. On a tout ce qu'il nous faut. Je voulais simplement mettre l'inspecteur Pirie au courant de l'avancement de nos recherches, et quand le sergent Parhatka m'a dit qu'elle était en réunion avec vous, je me suis dit que j'allais profiter de l'occasion pour faire votre connaissance. J'espère ne pas vous avoir interrompus ? » River se pencha en avant et lui fit admirer pleinement son sourire, qui rappela à Lees celui de Julia Roberts. On pouvait difficilement rester irrité face à un tel sourire.

« Pas du tout, répondit-il, instantanément rasséréné. C'est toujours bon de pouvoir mettre un visage sur un nom.

— Même quand c'est un prénom aussi stupide, indiqua River d'un air abattu. Des parents hippies, avant que vous demandiez d'où ça vient. Mais vous voulez sûrement savoir ce que j'ai appris jusque-là. » Elle sortit son agenda électronique et appuya sur quelques touches. « On a travaillé jusque tard dans la nuit pour dégager le squelette de sa tombe de fortune. » Elle se tourna vers Karen. « J'ai donné une copie de la vidéo à Phil. » Elle se repencha sur son agenda. « J'ai fait un examen préliminaire tôt ce matin et je peux vous donner certaines informations. Notre squelette est de sexe masculin. Il avait plus de vingt ans et moins de quarante. Il y a quelques cheveux, mais on peut difficilement dire de quelle couleur ils étaient à l'origine. Ils ont été teintés par la terre. Il avait reçu des soins dentaires, donc je pense qu'une fois qu'on aura restreint les possibilités, on pourra orienter nos recherches à partir de ça. Et on va pouvoir relever son ADN.

— Quand a-t-il été enterré ? » demanda Lees.

River haussa les épaules. « On peut faire des tests plus poussés, mais aussi plus chers et qui prennent beaucoup de temps. Mais dans l'immédiat, c'est dur de dire précisément combien de temps il a passé sous terre. Cependant, je peux vous dire avec une assez grande certitude qu'il était encore en vie pendant au moins une partie de 1984.

— C'est incroyable ! s'exclama Lees. Vous m'épatez, à la police scientifique. »

Karen lui jeta un regard froid. « Il avait de la monnaie dans ses poches, c'est ça ? demanda-t-elle à River.

— Il n'avait plus vraiment de poches, en fait, expliqua River. Il portait des vêtements en coton et en laine, donc il n'en reste plus grand-chose. Les pièces se trouvaient dans la ceinture pelvienne. » Elle sourit de nouveau à Lees. « Désolé, ce n'est pas la science cette fois. Juste de l'observation. »

Lees se sentit bête et se racla la gorge. « Y a-t-il autre chose que vous puissiez nous dire à ce stade ?

— Oh oui, dit River. Il n'est absolument pas décédé de mort naturelle. »

San Gimignano

Tout en faisant pour la troisième fois le tour du parking en quête d'une place introuvable, Bel se remémora ce à quoi San Gimignano ressemblait avant d'être inscrit sur la liste du Patrimoine mondial de l'Unesco. Le village méritait cette distinction, assurément. Les habitants du Moyen Âge avaient utilisé la pierre calcaire gris perle pour construire un labyrinthe compact de rues autour d'une piazza centrale avec un puits d'époque. Une quinzaine de tours dépassaient de la ligne de toits, donnant à la ville un aspect découpé et édenté depuis la plaine en contrebas. Un lieu indéniablement exceptionnel. Indéniablement digne du Patrimoine mondial. Et indéniablement massacré par son statut.

Bel avait visité pour la première fois le spectaculaire village toscan au début des années 1980, lorsque les rues étaient pratiquement vides de touristes. Il y avait de vrais commerces à l'époque : des boulangeries, des magasins de fruits et légumes, des boucheries, des cordonneries. Des boutiques où on pouvait acheter de la lessive, des sous-vêtements ou un peigne. Les villageois buvaient vraiment leur café dans les bars. Mais le village s'était à présent transformé. La seule occasion de pouvoir acheter de la nourriture et des vêtements normaux, c'était lors du marché du jeudi. Mis à part ça, tout ciblait les touristes. Des œnothèques qui vendaient du *vernaccia* et du *chianti* hors de prix que les gens de la région n'auraient pas bu même si on les avait payés. Des magasins de cuir qui proposaient tous les mêmes sacs à main et les mêmes portefeuilles manufacturés. Des boutiques de souvenirs et des *gelaterie*. Et, bien sûr, des galeries d'art pour ceux qui avaient plus d'argent que de bon sens. Bel espérait que l'argent revenait aux habitants du village, car c'étaient eux qui en faisaient les frais.

Au moins les rues ne seraient-elles pas trop bondées de si bonne heure, avant l'arrivée des bus touristiques. Bel réussit enfin à se garer sur une place de parking et se dirigea vers l'énorme portail en pierre qui gardait l'entrée la plus haute de la ville. Au bout d'à peine trente mètres, elle tomba sur la première galerie d'art. Le propriétaire était en train de lever le rideau de fer quand elle arriva devant. Bel l'examina : probablement de son âge environ, la peau lisse et les cheveux bruns, avec des lunettes à monture branchée qui lui faisaient de petits yeux, un peu trop grassouillet pour son jean serré et sa chemise Ralph Lauren. La meilleure approche consistait sans doute à flatter sa vanité. Elle attendit patiemment puis le suivit à l'intérieur. Les murs étaient couverts de gravures et d'aquarelles bourrées de clichés toscans : cyprès, tournesols, fermes rustiques, coquelicots. Toutes ces œuvres étaient assez belles et bien réalisées, mais il n'y en avait pas une seule qu'elle aurait mise sur ses murs. Des tableaux faits à la chaîne pour les touristes qui attendaient de pouvoir cocher la prochaine ville sur leur liste. Mon Dieu, elle était déjà devenue snob à son âge.

Le propriétaire s'était installé derrière un bureau à plateau en cuir, qui devait visiblement passer pour une antiquité. Sans doute aussi vieux que sa voiture, se dit Bel. Elle approcha, affichant son sourire le moins rapace. « Bonjour, dit-elle. Quelle belle exposition de tableaux ! Quelle chance ce doit être de les avoir chez soi.

— Nous sommes fiers de la qualité de nos œuvres d'art, déclara-t-il sans un soupçon d'ironie.

— Incroyable. Ils donnent vie au paysage. Je me demandais si vous pourriez m'aider ? »

Il la toisa de la tête aux pieds. Avant de décider quelle intensité donner à son propre sourire, elle le vit estimer tout ce qu'elle portait, de sa robe d'été de chez Harvey Nicks à son sac en paille acheté au marché. Ce qui sembla le satisfaire, puisqu'il lui fit contempler tout le travail esthétique de son dentiste. « Avec plaisir, répondit-il. Qu'est-ce que vous cherchez ? » Il se leva et rajusta sa chemise pour cacher ses kilos en trop.

Un sourire contrit. « En fait, je ne cherche pas un tableau, expliqua-t-elle. Je cherche un peintre. Je suis journaliste. » Bel sortit sa carte de la poche de sa robe et la lui tendit en ignorant le regard glacial qui avait remplacé son air chaleureux. « Je cherche un peintre paysagiste britannique qui a vécu ici et gagné sa vie grâce à son travail pendant les vingt dernières années environ. Le problème, c'est que je ne connais pas son nom. Ça commence par un D – David, Darren, Daniel. Quelque chose comme ça. Il a un fils d'une vingtaine d'années, Gabriel. » Elle avait imprimé les photos de Renata et les sortit de son sac. « Voici le fils, et là le peintre que je veux retrouver. Mon rédacteur en chef pense qu'il y a de quoi faire un article. » Elle haussa les épaules. « Je ne sais pas. Il faut que je lui parle, que je me renseigne sur son histoire. »

Il jeta un coup d'œil aux photos. « Je ne le connais pas, dit-il. Tous mes artistes sont italiens. Êtes-vous sûre qu'il est professionnel ? Il y a beaucoup d'amateurs qui vendent dans la rue. Beaucoup d'entre eux sont des étrangers.

— Oh non, c'est bien un professionnel. Il est représenté ici et à Sienne. » Elle fit un geste pour désigner tout ce qui se trouvait aux murs. « Mais il n'est pas assez bon pour vous, on dirait. » Elle reprit ses photos. « Merci pour le temps que vous m'avez accordé. » Il s'était déjà détourné pour regagner son fauteuil confortable au milieu de ses tableaux sans âme. Pas de vente à la clé, pas de raison de discuter davantage.

Les galeries ne manquaient pas, elle le savait. Encore deux, et elle prendrait un café et fumerait une cigarette. Trois de plus, puis une glace. Des petits plaisirs pour faire passer le travail.

Cependant, elle n'alla pas jusqu'à la glace. À la cinquième galerie où elle se rendit, elle fit mouche. C'était un lieu clair et spacieux, où l'on pouvait apprécier les peintures et les sculptures mises en valeur. Bel prit d'ailleurs plaisir à traverser la pièce jusqu'au bureau situé au fond. Elle trouva cette fois-ci une femme d'une cinquantaine d'années derrière un bureau moderne et fonctionnel couvert de brochures et de catalogues. Celle-ci portait l'uniforme en lin fripé de la catégorie plus détendue des femmes de la classe moyenne italienne. Elle leva les yeux de son ordinateur et jeta à Bel un regard distrait, l'air légèrement importunée. « Je peux vous aider ? » bredouilla-t-elle.

Bel se lança dans son laïus. Au bout de quelques phrases, la femme mit la main devant la bouche et écarquilla les yeux, stupéfaite. « Oh, mon Dieu ! s'écria-t-elle. Daniel. Vous voulez dire Daniel ? »

Bel sortit les photos et les montra à la femme. Elle parut sur le point de fondre en larmes. « C'est Daniel », indiqua-t-elle. Elle tendit la main et toucha la tête de Gabriel du bout des doigts. « Et Gaby. Ce pauvre petit Gaby.

— Je ne comprends pas, dit Bel. Il y a un problème ? »

La femme prit une profonde inspiration frémissante. « Daniel est mort. » Elle écarta les mains en signe de désarroi. « Il est mort en avril dernier. »

Ce fut au tour de Bel d'avoir un choc. « Qu'est-ce qui s'est passé ? »

La femme se laissa aller en arrière dans son fauteuil et passa la main dans ses cheveux noirs bouclés. « Un cancer du pancréas. On l'a détecté juste avant Noël. Ça a été horrible. » Des larmes brillèrent dans ses yeux. « Ça n'aurait pas dû lui arriver. Il était… c'était un homme tellement adorable. Très doux, très réservé. Et il aimait tellement son garçon. La mère de Gaby est morte en couches. Daniel l'a élevé tout seul, et il s'en est très bien sorti.

— Je suis vraiment désolée », dit Bel. Au moins, le sang sur le sol de la villa Totti n'était pas celui de Daniel. « Je n'en avais aucune idée. J'avais simplement entendu parler de cet artiste anglais génial qui travaillait par ici depuis des années. Je voulais faire un article sur lui.

— Vous connaissez son travail ? » La femme se leva et fit signe à Bel de la suivre. Elles arrivèrent dans une petite pièce à l'arrière de la galerie. Aux murs pendaient une série de triptyques saisissants, des représentations abstraites de paysages et de marines. « Il faisait aussi des aquarelles, expliqua la femme. Elles étaient plus figuratives. Il en vendait davantage. Mais c'étaient ces tableaux-ci qu'il aimait.

— Ils sont magnifiques, commenta sincèrement Bel, qui regrettait réellement de ne pas avoir rencontré l'homme qui avait vu le monde ainsi.

— Oui. Vraiment. Ça me fend le cœur de me dire qu'il n'y en aura pas d'autres. » Elle tendit la main et effleura la matière de la peinture acrylique. « Il me manque. C'était un ami autant qu'un client.

— Vous croyez que vous pourriez me mettre en relation avec son fils ? demanda Bel, qui ne perdait pas de vue la raison de sa présence. Je pourrais peut-être encore faire cet article. Une sorte d'hommage. »

La femme eut un petit sourire triste. « Daniel a toujours rejeté la publicité de son vivant. Le culte de la personnalité ne l'intéressait pas. Il voulait que ses peintures parlent pour lui. Mais maintenant… ce serait bien qu'on apprécie son travail à sa juste valeur. L'idée pourrait plaire à Gaby. » Elle hocha lentement la tête.

« Vous pouvez me donner son numéro de téléphone ? Ou son adresse ? » demanda Bel.

La femme parut un peu choquée. « Oh non, je ne peux pas faire ça. Daniel a toujours insisté pour qu'on respecte sa vie privée. Donnez-moi votre carte, s'il vous plaît, et je contacterai Gaby. Je lui demanderai s'il est disposé à parler de son père avec vous.

— Alors, il est toujours dans les parages ?

— Où voulez-vous qu'il soit d'autre ? La Toscane est le seul endroit qu'il ait jamais connu. Tous ses amis sont ici. On va à tour de rôle lui apporter à manger pour s'assurer qu'il ait au moins un repas correct par semaine. »

Tandis qu'elles retournaient vers le bureau, Bel se rendit compte qu'elle n'avait pas découvert le nom de famille de Daniel. « Est-ce que vous avez une brochure ou un catalogue sur son travail ? » demanda-t-elle.

La femme acquiesça. « Je vais vous l'imprimer. »

Dix minutes plus tard, Bel était de nouveau dans la rue. Elle avait enfin quelque chose de concret à quoi s'accrocher. La chasse était ouverte.

Coaltown of Wemyss

Les cottages blanchis à la chaux qui bordaient la rue principale étaient pimpants, les toits de leurs porches soutenus par des troncs d'arbres rustiques. Ils avaient toujours été bien entretenus parce que c'étaient eux que les visiteurs voyaient quand ils traversaient le village. À présent, les rues secondaires étaient tout aussi soignées. Mais Karen savait qu'il n'en avait pas toujours été ainsi. Les taudis de Plantation Row formaient un bas-quartier tristement célèbre et ignoré des propriétaires, qui ne voyaient pas de raison de se soucier de ce qui était invisible pour la bonne société. Mais même depuis le seuil de cette maison en particulier, Karen avait le sentiment que si Effie Reekie s'était retrouvée dans un bouge, elle en aurait fait un petit paradis. La porte d'entrée donnait l'impression qu'on l'avait lavée le matin même, il n'y avait pas une fleur fanée dans les jardinières, et les voilages étaient parfaitement plissés. Elle se demanda si Effie et sa mère avaient pu être des jumelles séparées à la naissance.

« Alors, tu frappes ou quoi ? dit Phil.

— Désolée. J'ai juste eu une impression de déjà-vu. Ou un truc du genre. » Karen appuya sur la sonnette, en culpabilisant de laisser son empreinte.

La porte s'ouvrit presque immédiatement. La sensation de revivre une scène du passé continuait. Karen n'avait pas vu une femme avec un foulard noué autour de la tête de cette façon depuis que sa grand-mère était morte. Avec sa blouse et ses manches relevées, Effie Reekie ressemblait à une Rosie la Riveteuse[1] à la retraite. Elle regarda Karen des pieds à la tête, comme si elle évaluait si elle était assez propre pour pouvoir franchir le pas de sa porte. « Oui ? » fit-elle. Ce n'était pas un mot de bienvenue.

Karen se présenta, ainsi que Phil. Effie fronça les sourcils, apparemment offusquée d'avoir des agents de police à sa porte. « Je n'ai jamais rien vu ni entendu, déclara-t-elle d'un ton brusque. Ça a toujours été ma politique.

— Nous devons vous parler, indiqua gentiment Karen, qui sentit la fragilité que cette femme âgée tentait désespérément de cacher.

— Je ne veux pas le savoir », répliqua-t-elle.

Phil fit un pas en avant. « Madame Reekie, dit-il, même si vous n'avez rien à nous dire, je vous serais éternellement reconnaissant si vous pouviez nous offrir une tasse de thé. J'ai la gorge sèche comme le Sahara. »

Elle hésita et les regarda l'un après l'autre d'un œil craintif. Le tiraillement entre son souci d'hospitalité et sa vulnérabilité lui tordit le visage. « Vous feriez mieux d'entrer alors, dit-elle enfin. Mais je n'ai rien à vous dire. »

La cuisine était impeccable. River aurait pu mener une autopsie sur la table sans risque de contamination. Karen constata avec satisfaction qu'elle avait vu juste. Comme sa mère, Effie Reekie considérait que chaque surface disponible méritait qu'on y dépose bibelots et babioles. C'était une manière épouvantable de gaspiller les ressources de la planète, se dit Karen. Elle essaya de ne pas penser à toutes les saloperies qu'elle avait ramenées de voyages scolaires. « Vous avez une maison charmante, signala-t-elle.

— J'ai toujours essayé de bien l'entretenir, expliqua Effie en mettant de l'eau à chauffer. J'ai jamais laissé Ben fumer dans la maison. C'était mon homme, Ben. Ça fait maintenant cinq ans qu'il est mort, mais c'était quelqu'un dans le coin. Tout le monde connaissait Ben Reekie. Il n'y aurait pas les embêtements qu'il y a aujourd'hui dans cette rue si Ben était encore en vie. Ça non ! Ça n'arriverait pas.

---

1. Icône populaire symbolisant les femmes américaines qui travaillèrent dans l'industrie de l'armement pendant la seconde guerre mondiale. (*N.d.T.*)

— C'est de Ben dont il faut qu'on discute, madame Reekie », dit Karen.

Elle se retourna, les yeux écarquillés, tétanisée. « Il n'y a rien à dire sur Ben. Ça fait cinq ans qu'il est mort. D'un cancer, en fait. Cancer des poumons. Après des années passées à fumer. Des années de réunions du comité local, où ils fumaient tous comme des pompiers.

— Il était secrétaire de l'antenne locale, c'est bien ça ? » demanda Phil. Il étudiait un groupe d'assiettes décoratives fixées au mur. Elles représentaient divers événements marquants de l'histoire des syndicats. « Un travail important, en particulier pendant la grève.

— Il adorait ses hommes, indiqua Effie avec véhémence. Il aurait fait n'importe quoi pour eux. Ça lui a brisé le cœur de voir comment cette salope de Thatcher les a anéantis. Et Scargill. » Elle apporta le thé sur la table en entrechoquant les tasses. « Je n'ai jamais pu encadrer le roi Arthur. Dans la vallée de la mort, voilà où il les a conduits. Ç'aurait été différent si Mick McGahey avait mené la barque. Très différent. Il avait du respect pour les hommes. Comme mon Ben. Il avait du respect pour ses hommes. » Elle regarda Karen d'un air presque désespéré.

« Je comprends, madame Reekie. Mais il est temps maintenant de mettre les choses au clair. » Karen savait qu'elle risquait le tout pour le tout. Mick Prentice avait pu se tromper. Ben Reekie avait peut-être gardé ses intentions pour lui. Et il se pouvait qu'Effie Reekie soit bien décidée à ne pas admettre que son mari avait trahi la confiance des hommes qu'il prétendait aimer.

Le corps entier d'Effie parut se tendre. « Je ne sais pas de quoi vous parlez. » La violence de ses paroles rendait le mensonge évident.

« Je crois que si, Effie, rétorqua Phil en venant s'asseoir à la table avec les deux femmes. Je crois que ça vous ronge depuis longtemps. »

Effie se couvrit le visage des mains. « Allez-vous-en », dit-elle d'une voix étouffée. Elle tremblait à présent comme un mouton qu'on vient de tondre.

Karen soupira. « Ça n'a pas dû être facile pour vous. De voir les difficultés que traversait tout le monde, quand vous vous en sortiez plutôt bien. »

Effie se calma et ôta les mains de son visage. « De quoi est-ce que vous parlez ? lança-t-elle. Vous ne pensez quand même pas qu'il gardait l'argent pour lui ? » L'affront lui avait redonné des forces. Ou lui avait fait perdre sa retenue.

Merde, merde, merde. Karen se rendit compte qu'elle s'était complètement trompée sur la situation. Mais si c'était le cas, ça avait donc pu arriver à d'autres aussi. D'autres comme Mick Prentice. Mick Prentice dont le meilleur ami avait été représentant syndical. Qui avait pu être complice des manœuvres de Ben Reekie. Tandis que ses pensées se bousculaient dans sa tête, elle s'efforça de se concentrer de nouveau sur la conversation.

« Bien sûr qu'on ne pense pas ça, dit Phil. Karen voulait simplement parler du fait que vous receviez encore un salaire. »

Effie les regarda tous les deux d'un air dubitatif. « Il l'a seulement fait quand ils ont commencé à séquestrer les fonds du syndicat », dit-elle. Elle avait lâché ces mots comme si c'était un soulagement. « Il m'a dit : "À quoi bon passer de l'argent aux gars du bureau local si c'est pour qu'ils le redonnent au siège ?" Il disait que l'argent récolté localement devait servir à aider les mineurs du coin, pas à être mis au placard. » Elle fit un sourire apitoyant. « C'est ce qu'il disait tout le temps. "Pas à être mis au placard." Il en prenait juste un peu de temps en temps, pas assez pour que les huiles le remarquent. Et il était très discret pour le distribuer. Il faisait dépouiller les lettres de demande d'aide par Andy Kerr et il le donnait à ceux qui en avaient le plus besoin.

— Est-ce que quelqu'un s'en est rendu compte ? demanda Phil. Quelqu'un l'a découvert ?

— Qu'est-ce que vous croyez ? Ils l'auraient pendu avant même de poser des questions. Le syndicat était sacré par ici. Il ne s'en serait jamais sorti si on l'avait seulement soupçonné.

— Mais Andy le savait. » Karen n'était pas encore prête à lâcher prise.

« Non, non, il ne l'a jamais su. Ben ne lui a jamais dit qu'il donnait de l'argent aux hommes. Il demandait juste à Andy de les classer par priorité, soi-disant pour les indemnités du bureau local. Sauf que le bureau local n'avait aucun fonds de soutien à ce moment-là parce qu'ils partaient tous au niveau national. » Effie se frotta les mains comme si elles lui faisaient mal. « Il savait qu'il ne pouvait confier ça à personne. Vous voyez, même s'ils avaient cru qu'il le faisait pour les hommes et leurs familles, ils auraient quand même vu ça comme une trahison. Tout le monde était censé placer le syndicat avant tout, en particulier ses représentants. Ce qu'il a fait, on ne lui aurait pas pardonné. Et il le savait. »

San Gimignano

Bel trouva enfin un bar qui n'était pas bondé de touristes. Il était perdu dans une ruelle et avait pour seuls clients une demi-douzaine d'hommes en train de jouer aux cartes et de boire des petits verres de vin violacé. Elle commanda un expresso et un verre d'eau puis s'assit près de la porte de derrière, qui ouvrait sur une minuscule cour pavée.

Elle passa quelques minutes à regarder le catalogue qu'elle avait récupéré à la galerie. Daniel Porteous était un artiste dont elle aurait volontiers mis quelques œuvres chez elle. Mais qui avait-il bien pu être ? Quelle était son histoire ? Et son chemin avait-il vraiment croisé celui de Cat, ou Bel se faisait-elle des idées ? Ce n'était pas parce que Daniel Porteous était un artiste et qu'il y avait un vague rapport entre lui et l'endroit où on avait découvert les affiches qu'il était impliqué dans l'enlèvement. Elle s'intéressait peut-être au mauvais bonhomme. C'était peut-être Matthias le lien, l'homme qui concevait les marionnettes et les décors. L'homme qui était potentiellement un assassin ou une victime.

Tout en continuant de regarder les reproductions du travail de Porteous, elle appela son étudiant stagiaire Jonathan avec son portable.

« J'ai essayé de vous joindre hier soir, l'informa-t-il. Mais votre portable était éteint. Alors j'ai appelé la femme-glaçon à Rotheswell et elle m'a dit que vous n'étiez pas disponible. »

Bel rigola. « Elle aime vraiment bien faire l'importante, hein ? Désolée d'avoir raté ton coup de fil hier soir. J'étais à une fête.

— Une fête ? Je croyais que vous étiez censée jouer les Alice détective ? »

Elle trouvait légèrement déplacée la manière effrontée qu'avait Jonathan de lui faire du charme. Mais l'absurdité de la situation l'amusait et elle le laissait donc jouer. « C'est bien le cas. La fête se passait en Italie.

— En *Italie* ? Vous êtes en *Italie* ? »

Rapidement, Bel mit Jonathan au courant des derniers événements. « Tu sais tout maintenant, dit-elle en conclusion.

— Ouah ! s'écria-t-il. Qui aurait cru que ça allait devenir aussi palpitant ? Aucun de mes potes n'a un stage comme ça. C'est digne de Woodward et Bernstein sur la piste du Watergate.

— Ça n'a rien à voir, protesta Bel.

— Bien sûr que si. Vous m'avez dit qu'il y avait du sang sur le sol de la villa. Les gens ne s'enfuient généralement pas après un accident domestique ou un suicide, donc ça laisse plutôt supposer que quelqu'un s'est fait tuer. Et ce, dans une situation en rapport avec un meurtre et un enlèvement qui datent d'il y a vingt-deux ans. Bel, il y a au moins une personne malfaisante dans tout ça, et c'est sûr que vous êtes sur la bonne piste.

— Pour l'instant, Jonathan, je suis sur la piste d'un jeune homme qui vient de perdre son père. C'est censé être effrayant ? » questionna Bel d'un ton badin.

Soudain sérieux, Jonathan répliqua : « Bel, les hommes ne sont pas tous aussi charmants et inoffensifs que moi. On peut être des sauvages. Vous avez écrit assez d'articles sur des viols et des meurtres pour ne pas vous faire d'illusions là-dessus. Arrêtez de me traiter comme un gosse. Ce n'est pas un jeu. Promettez-moi de prendre les choses au sérieux. »

Bel soupira. « Quand je tomberai sur quelque chose qui paraîtra sérieux, je le prendrai au sérieux, Jonathan. C'est promis. Maintenant, en attendant, j'ai besoin que tu fasses quelque chose pour moi.

— Bien sûr, ce que vous voulez. J'imagine que ça n'implique pas un séjour en Toscane ?

— Ça implique une visite au centre des archives familiales d'Islington, pour trouver ce que tu pourras sur un dénommé

Daniel Porteous. Il aurait autour de la cinquantaine. Il est mort en avril en Italie, mais je ne sais pas bien où exactement. En plus, les certificats de décès italiens ne comportent pratiquement aucune information. Je cherche donc son acte de naissance, peut-être un acte de mariage. Tu peux faire ça pour moi ?

— Je m'en charge. Je vous rappelle dès que j'ai quelque chose. Merci, Bel. C'est génial de participer à une affaire aussi complexe.

— Merci », répondit Bel dans le vide. Elle but son expresso à petites gorgées et réfléchit. Elle n'était pas convaincue que la galeriste lui permettrait de rencontrer Gabriel Porteous. Elle allait devoir faire elle-même de sérieuses recherches. Les archives devaient se trouver au chef-lieu de la province, à Sienne. Mais ça ne servait à rien d'y aller maintenant. Le temps qu'elle y arrive, tout le monde aurait déjà terminé sa journée. Les après-midis et la bureaucratie italienne ne faisaient pas bon ménage.

Il n'y avait rien d'autre à faire. Elle allait devoir retourner à Campora et s'étendre au bord de la piscine de Grazia. Peut-être qu'elle appellerait Vivianne, pour avoir des nouvelles de la famille. La vie était parfois vraiment trop dure.

Édimbourg

Karen inclina le siège de voiture en arrière et s'installa pour faire la route jusqu'à Édimbourg. « Tu sais, cette affaire n'arrête pas de me trotter dans la tête, dit-elle. À chaque fois que je crois commencer à comprendre, quelque chose vient me dérouter.

— Tu penses à quelle affaire ? Celle à laquelle le Macaron croit que tu donnes la priorité ou celle sur laquelle tu travailles vraiment ? » demanda Phil en s'engageant sur la petite route qui les conduirait à un salon de thé campagnard près de l'autoroute. Un avantage dans les affaires non classées, c'était qu'on pouvait en général manger à heures régulières. On n'avait pas la pression du tic-tac de l'horloge avant qu'une autre infraction soit commise. C'était un régime qui leur convenait très bien à tous les deux.

« Je ne peux rien faire au sujet de Cat Grant tant que je n'aurai pas reçu un vrai compte rendu de la police italienne. Et on ne peut pas vraiment dire qu'ils mettent la gomme. Non, je te parle de Mick Prentice. D'abord, tout le monde croit qu'il est parti à Nottingham. Mais maintenant il semble qu'il n'a jamais quitté Newton of Wemyss vivant. Il n'a jamais suivi les jaunes, même si l'un d'entre eux a embrouillé les choses en envoyant de l'argent à Jenny. Mais on a appris une chose des jaunes, c'est que Mick était bien vivant et en train de traîner à Newton plus de douze heures après être parti de chez lui.

— Ce qui est bizarre, souligna Phil. S'il voulait quitter Jenny, il aurait à priori dû être loin depuis longtemps. À moins qu'il ait seulement essayé de lui donner une leçon. Il est peut-être resté dehors quelques heures pour la faire marcher. Et peut-être qu'il était en train de rentrer quand il s'est passé quelque chose qui l'a détourné de son but.

— On dirait bien en effet que quelque chose l'a troublé. Les types qui partaient pour Nottingham s'attendaient évidemment à ce qu'il devienne fou de rage contre eux. Quand ils l'ont vu, ils ont cru qu'ils étaient bons pour se faire remonter les bretelles ou pour une bagarre. Mais tout ce qui s'est passé, c'est qu'il les a suppliés de renoncer, l'air prêt à fondre en larmes.

— C'est peut-être ce soir-là qu'il a découvert qu'il se passait quelque chose entre Jenny et Tom Campbell, suggéra Phil. Ça lui aurait fait perdre toute confiance en lui.

— Peut-être. » Elle ne semblait pas convaincue. « Si tu as raison, il aurait été démoli. Il n'aurait pas voulu rentrer chez lui. Il serait peut-être allé pieuter chez son copain Andy au cottage dans les bois.

— Mais s'il a fait ça, pourquoi est-ce que personne ne l'a revu après cette soirée ? Tu sais comment ça se passait dans le coin à l'époque. Quand les gens se séparaient, ils ne quittaient pas la ville. Ils déménageaient simplement trois maisons plus loin. »

Karen soupira. « C'est vrai. Mais il a quand même pu aller chez Andy. Ça a pu se passer autrement. On sait qu'Andy était en arrêt pour dépression. Et on sait par sa sœur qu'il aimait aller faire de la marche dans les Highlands. Et si Mick avait décidé de l'accompagner ? Et s'ils avaient tous les deux eu un accident et que leurs corps se trouvaient toujours au fond d'un ravin ? Ça se passe comme ça là-haut. Des alpinistes disparaissent et on ne les retrouve jamais. Et je ne te parle que de cas recensés.

— C'est possible. » Phil mit son clignotant et entra sur le parking. « Mais alors, à qui appartient le corps dans la grotte ? Je crois que c'est beaucoup plus simple que tu ne l'imagines, Karen. »

Ils pénétrèrent en silence dans le restaurant. Sans regarder la carte, ils commandèrent de la tourte à la viande, des petits pois et des pommes de terre nouvelles, puis Karen demanda : « Comment ça, plus simple ?

— Je crois que tu as raison, qu'il est bien allé chez Andy. Je ne sais pas s'il avait l'intention de partir pour de bon ou s'il voulait juste mettre un peu de distance entre Jenny et lui. Mais je crois qu'il a averti Andy au sujet de Ben Reekie. Et je crois qu'ils ont eu une sorte de confrontation. Je ne sais pas si Andy s'est fâché contre Mick, ou si Ben est arrivé et que ça a complètement dégénéré. Mais je crois que Mick est mort dans ce cottage cette nuit-là.

— Quoi ? Et ils l'ont emmené dans la grotte pour se débarrasser de lui ? Ça me paraît un peu tiré par les cheveux. Pourquoi ils ne l'auraient pas simplement enterré dans les bois ?

— Andy était un gars de la campagne. Il savait que les corps ne restent pas enterrés dans des tombes de fortune dans les bois. C'était beaucoup plus sûr de le mettre dans la grotte, puis de provoquer un effondrement. Et beaucoup plus discret que d'essayer de creuser une tombe au milieu de la forêt de Wemyss. Rappelle-toi comment c'était à l'époque. Les bois grouillaient de braconniers qui essayaient d'attraper un lapin ou même un chevreuil pour le servir à table.

— C'est juste. » Une serveuse apporta leurs cafés, et Karen lui sourit pour la remercier. Elle ajouta une grosse cuillerée de sucre au sien et le remua doucement. « Mais qu'est-ce qui est arrivé à Andy, alors ? Tu crois qu'il est parti et qu'il s'est flingué ?

— Sans doute. D'après ce que tu m'as dit, il avait l'air plutôt sensible. »

Elle devait reconnaître que ça se tenait. Le recul de Phil lui permettait d'y voir plus clair. Elle avait beau être maligne, elle savait quand prendre de la distance et laisser quelqu'un d'autre examiner les faits. « Si ta théorie est la bonne, je suppose qu'on ne saura jamais comment l'affaire a tourné. Si quelque chose s'est passé entre Andy et Mick, ou si Ben Reekie est aussi entré dans le tableau. »

Phil sourit en secouant la tête. « C'est une théorie qu'on ne peut pas expliquer à Effie Reekie. Sauf si on veut se retrouver avec un autre corps sur les bras.

— Elle ferait tout de suite une attaque », reconnut Karen.

Il gloussa. « Bien sûr, on pourrait être en train de perdre notre temps si Jenny disait la vérité quand elle t'a dit de laisser tomber. »

Karen eut un petit rire. « C'est *L'Île fantastique*, cette histoire. À mon avis, elle essaie de se débarrasser de cette contrariété. Elle veut qu'on lui lâche la grappe pour pouvoir retourner à sa vie de martyre. »

Phil parut étonné. « Tu crois qu'elle fait passer sa tranquillité personnelle avant la vie de son petit-fils ?

— Non. Elle est vachement égocentrique, mais je ne pense pas qu'elle voie les choses en ces termes. Je crois qu'au fond elle se sent en partie responsable de la disparition de Mick. Ce qui veut dire qu'elle doit s'estimer coupable du fait qu'il ne soit pas là pour faire un don à Luke. Elle essaie donc de se décharger de ce sentiment en stoppant nos recherches pour pouvoir recommencer à jouer à l'autruche comme avant. »

Phil se gratta le menton. « Les gens sont tellement tordus, dit-il dans un soupir.

— C'est bien vrai. Au moins, cette virée va nous donner certaines réponses.

— Peut-être. Mais ça me fait me demander…, dit Phil.

— Te demander quoi exactement ? »

Il fit une grimace. « On va jusqu'à Édimbourg récupérer un échantillon d'ADN pour que River puisse le comparer à celui du cadavre. Mais… et si Misha n'était pas la fille de Mick ? Et si c'était la gosse de Tom Campbell ? »

Elle le regarda d'un air admiratif. « Tu as l'esprit vraiment mal tourné, Phil. Je crois que tu te trompes, mais c'est quand même bien trouvé.

— Tu veux parier que l'analyse ADN va montrer que ce n'est pas Mick Prentice ? »

Ils reculèrent dans leurs sièges pour laisser la serveuse poser les assiettes chargées de nourriture devant eux. Les arômes étaient à tomber. Karen eut envie de prendre son assiette et d'inspirer à plein nez. Mais elle devait d'abord répondre à Phil. « Non, dit-elle. Et pas parce que je pense que Misha pourrait être la fille de Tom Campbell. Il y a d'autres possibilités. River dit que c'est l'arrière de la tête qui est défoncé, Phil. Si Andy Kerr a tué Mick Prentice, il l'a fait dans le feu de l'action. Il ne l'aurait pas approché en douce par derrière pour lui fendre le crâne. Ta théorie est assez bien trouvée, mais je ne suis pas convaincue. » Elle sourit. « Mais bon, c'est pour ça que tu m'aimes. »

Il la regarda de travers. « Tu es toujours pleine de surprises. »

Karen avala une divine bouchée de viande et de pâte feuilletée. « Je veux des réponses, Phil. De vraies réponses, pas juste des théories tordues qu'on imagine toi et moi pour faire concorder ce qu'on sait. Je veux la vérité. »

Phil dressa la tête et la considéra. « En fait, dit-il, c'est pour *ça* que je vous aime, ma p'tite dame. »

Une heure plus tard, ils se trouvaient sur le seuil de l'immeuble de Marchmont où habitait Misha Gibson. Karen continuait de se demander si elle devait voir plus qu'une taquinerie dans les paroles de Phil. Elle avait longtemps pensé qu'il n'y avait aucun tabou entre eux. Elle semblait s'être trompée. Elle n'allait certainement pas lui demander ce qu'il avait voulu dire. Elle sonna de nouveau à l'interphone, mais personne ne répondit.

Une voix derrière eux demanda alors : « Vous cherchez Misha ?

— En effet », dit Phil.

Un vieux monsieur leur passa devant, ne laissant d'autre choix à Karen que de s'éloigner de la porte à moins de se faire marcher sur les pieds. « Vous ne la trouverez pas chez elle à cette heure-ci. Elle est à l'Hôpital royal pour les enfants avec son fils. » Il leur jeta un regard farouche. « Je ne vous laisserai pas entrer et je ne taperai pas mon code tant que vous serez là à me regarder. »

Karen rigola. « C'est très louable, monsieur. Mais au risque de faire dans le cliché, nous sommes de la police.

— Ce n'est pas un gage d'honnêteté de nos jours », répliqua le vieil homme.

Décontenancée, Karen s'écarta. Où donc allait le monde si les gens en arrivaient à craindre que la police les cambriole ? Ou pire ? Elle était sur le point de protester quand Phil lui posa la main sur le bras. « Ça ne sert à rien, dit-il d'une voix douce. On a ce qu'on voulait.

— Tu te rends compte, lança Karen quand ils ne furent plus à portée de voix. Les gens regardent leurs séries policières américaines où un flic sur deux est un ripou, et ils pensent qu'on est comme ça. Ça me rend dingue.

— C'est un peu fort venant de la femme qui a mis le commissaire divisionnaire derrière les barreaux. Ça n'arrive pas que chez les Américains, dit Phil. Des types véreux, y en a partout. C'est là que les scénaristes trouvent leurs idées.

— Oh, je sais. C'est juste que ça me choque. Depuis toutes ces années que je fais ce boulot, Lawson a été la seule vraie brebis galeuse sur laquelle je suis tombée. Mais il suffit de ça pour que les gens n'aient plus aucun respect.

— Tu sais ce qu'on dit : la confiance, c'est comme la virginité. On ne la perd qu'une fois. Bon, tu es prête pour le coup du "bon flic, mauvais flic" ? » Ils attendirent sur le trottoir de pouvoir s'immiscer dans la circulation, puis ils descendirent en direction de l'hôpital.

« Compte sur moi », répondit-elle.

Il leur fut facile mais très pénible de trouver la chambre de Luke Gibson. Il était impossible d'éviter la présence des enfants malades, dont l'image restait gravée dans votre mémoire. C'était un des quelques avantages qu'il y avait à ne pas avoir d'enfant, se dit Karen. Pas de sentiment d'impuissance face à la souffrance de son gamin.

La porte de la chambre de Luke était ouverte, et Karen ne put s'empêcher de regarder la mère et le fils réunis pendant quelques minutes. Luke paraissait minuscule, il avait les traits tirés, le teint pâle, mais gardait son charme de petit garçon. Misha était assise sur le lit à côté du sien et lui lisait un livre de la série *Capitaine Slip*. Elle faisait toutes les voix et donnait vie à l'histoire pour son fils, que les mauvais jeux de mots et l'intrigue tordue faisaient rire aux éclats.

Karen s'éclaircit finalement la voix et entra. « Bonjour, Misha. » Elle sourit au garçon. « Tu dois être Luke. Je m'appelle Karen. Il faut que je touche un mot à ta maman. Tu veux bien ? »

Luke hocha la tête. « Bien sûr. Maman, je peux regarder mon DVD de *Doctor Who* si tu t'en vas ?

— Je reviens tout de suite, dit Misha en descendant tant bien que mal du lit. Mais oui, tu peux mettre le DVD. » Elle prit un lecteur de DVD portable et le lui installa.

Karen attendit patiemment, puis la conduisit dans le couloir où était resté Phil. « Il faut qu'on vous parle, expliqua Karen.

— D'accord, répondit Misha. Il y a une salle pour les parents un peu plus loin. » Elle se mit en route sans attendre de réponse et ils la suivirent jusqu'à une petite pièce aux couleurs vives avec une machine à café et trois divans affaissés. « C'est ici qu'on se réfugie quand ça devient trop dur. » Elle les invita d'un geste à s'asseoir. « On peut s'endormir sur n'importe quoi après douze heures au chevet d'un enfant malade.

— Excusez-nous de vous déranger…

— Vous ne nous dérangez pas, coupa Misha. C'est bien que vous ayez rencontré Luke. C'est un petit ange, n'est-ce pas ? Vous comprenez maintenant pourquoi je suis décidée à poursuivre ces recherches, même si ça ne plaît pas à ma mère que vous fourriez votre nez dans le passé. Je lui ai dit qu'elle s'était mal comportée dimanche. Vous devez lui poser ces questions si vous voulez retrouver mon père. »

Karen jeta un coup d'œil furtif à Phil, qui parut aussi étonné qu'elle. « Est-ce que vous saviez que votre mère était venue me voir ce matin ? » demanda-t-elle.

Misha fronça les sourcils. « Je n'en avais aucune idée. Est-ce qu'elle vous a dit ce que vous vouliez savoir ?

— Elle voulait qu'on arrête de chercher votre père. Elle m'a dit que, d'après elle, il n'avait pas disparu. Qu'il vous avait abandonnées toutes les deux de son plein gré et qu'il ne voulait pas revenir.

— Ça n'a aucun sens, dit Misha. Même s'il nous avait abandonnées, il ne tournerait pas le dos à son petit-fils quand il a besoin de son aide. Tout ce que j'ai entendu sur mon père, c'est que c'était un type bien.

— Elle dit qu'elle essaie de vous protéger, précisa Karen. Elle a peur que si on arrive à le trouver, il vous rejette une seconde fois.

— Soit c'est la vérité, soit elle en sait plus sur sa disparition qu'elle ne le dit, indiqua Phil d'un air sévère. Ce que vous ne savez sans doute pas, c'est qu'on a trouvé un corps. »

Campora

Assise sur sa minuscule terrasse, Bel admirait le ciel et la chaîne des collines à travers le spectre du soleil qui se couchait lentement. Elle picorait les restes de porc et de pommes de terre que Grazia avait laissés dans son frigo en réfléchissant à ce qu'elle allait faire le lendemain. Les démêlés qui l'attendaient avec la bureaucratie italienne ne l'enchantaient guère, mais si elle voulait retrouver Gabriel Porteous, elle allait devoir s'y coller. Elle ressortit les photos de Renata pour vérifier que la ressemblance n'était pas le fruit de son imagination.

Mais encore une fois, celle-ci lui sauta aux yeux. Ces yeux enfoncés, ce nez crochu, cette large bouche. Tous ces traits singuliers de Brodie Grant. La bouche était légèrement différente, certes. Les lèvres étaient plus charnues, mieux proportionnées. Elles donnaient indéniablement plus envie d'être embrassées, se dit Bel en se reprochant immédiatement cette pensée. La couleur des cheveux aussi était différente. Brodie Grant et sa fille avaient tous deux eu des cheveux si foncés qu'ils étaient presque noirs. Ceux du garçon étaient bien plus clairs, même en tenant compte des effets du soleil italien. Il avait également le visage plus large. Il y avait des différences. On n'aurait pas pu confondre Gabriel Porteous avec Brodie Grant jeune, pas d'après les photos que Bel avait vues à Rotheswell. On aurait pu les prendre pour des frères.

La sonnerie du téléphone l'interrompit dans ses réflexions. Elle le ramassa en soupirant. C'était pénible que l'affichage du numéro ne marche pas toujours à l'étranger. On ne pouvait jamais savoir si la personne qui appelait était quelqu'un qu'on tentait d'éviter. Et ça revenait vite horriblement cher de laisser les gens tomber sur le répondeur pour filtrer les appels. En plus, étant en partie responsable de son neveu, elle ne pouvait se permettre d'ignorer les numéros inconnus. « Allô ? dit-elle d'un ton circonspect.

— Bel ? C'est Susan Charleson. Je vous dérange ?

— Non, pas du tout.

— J'ai reçu votre e-mail. Sir Broderick m'a demandé de vous dire qu'il était très content de vos progrès jusque-là. Il voulait savoir s'il pouvait faire quoi que ce soit pour vous aider. Nous pouvons coordonner des recherches d'archives, ce genre de choses. »

Bel ravala un rire de pitié. Elle avait toujours accompli elle-même les tâches ingrates dans son travail, ou elle avait persuadé d'autres personnes de les faire à sa place. Mais il ne lui était pas venu à l'esprit que le fait de travailler pour Brodie Grant l'autorisait à se décharger de tout le sale boulot. « J'ai la situation en main, répondit-elle. Là où vous pouvez m'aider, c'est sur la vie privée de Catriona. Je ne peux pas m'empêcher de penser qu'il doit y avoir un moment dans sa vie où elle a dû croiser le chemin soit de Daniel Porteous, soit de ce Matthias, qui pourrait être allemand ou britannique. Je crois qu'il pourrait même être suédois, étant donné que Catriona a étudié là-bas. Il faut que je sache quand et où ils ont pu se rencontrer. Je ne sais pas si elle tenait un journal ou si elle avait un carnet d'adresses ? Quand je reviens, ça pourrait aussi bien me servir de retrouver ses amies. Le genre de femmes auxquelles elle se serait confiée. »

Susan Charleson eut un petit rire affecté. « Vous allez être déçue, dans ce cas. Vous vous dites peut-être que son père ne révèle rien de ses états d'âme, mais à côté de Catriona, c'est un homme transparent. C'était la pire des solitaires. Sa mère était sa meilleure amie, à vrai dire. Elles étaient très proches. À part Mary, la seule personne à avoir vraiment pu pénétrer les pensées de Cat a été Fergus. » Elle laissa le nom planer entre elles.

« Je suppose que vous ne savez pas où je peux le trouver ?

— Vous pourrez demander à son père quand vous reviendrez. Fergus rend souvent visite à sa famille à cette période de l'année, expliqua Susan. Ce n'est pas quelque chose que Willie ressent le besoin de signaler à sir Broderick. Mais je suis au courant.

— Merci.

— Et je vais voir si je peux retrouver un journal ou un carnet d'adresses. Mais n'espérez pas grand-chose. Le problème avec les artistes, c'est qu'ils laissent leur travail parler pour eux. Quand pensez-vous revenir ?

— Je ne suis pas sûre. Ça dépend de comment les choses se passent demain. Je vous tiendrai au courant. »

Il n'y avait rien de plus à dire, pas de propos aimables à échanger. Bel ne pouvait se rappeler la dernière fois qu'elle avait échoué aussi radicalement à nouer un lien avec une autre femme. Elle avait passé sa vie adulte à apprendre comment faire en sorte que les gens l'apprécient assez pour lui confier des choses qu'ils ne souhaitaient pas raconter à qui que ce soit. Mais avec Susan Charleson, elle n'y était pas parvenue. Ce travail, qui au départ lui avait seulement fait caresser l'espoir de persuader un homme célèbre pour son isolement de parler, l'avait mise face à elle-même de la manière la plus inopinée.

Qu'est-ce qui l'attendait ensuite ? se demanda-t-elle en buvant une longue gorgée de vin. Qu'est-ce qui l'attendait ?

Mercredi 4 juillet 2007 ; East Wemyss

À la radio, une Américaine chantait à tue-tête une chanson de country sur la fête de l'Indépendance. Seulement, il n'était pas question de la bannière étoilée, mais d'une approche radicale de la violence domestique. En tant qu'agent de police, Karen ne pouvait approuver ; mais en tant que femme, elle devait reconnaître que la solution présentée dans la chanson avait son intérêt. Si Phil avait été là, elle aurait parié une livre contre une montre en or que l'homme qu'elle était sur le point de rencontrer n'aurait pas mis *Independence Day* à pleins tubes sur son autoradio.

Elle monta lentement la rue étroite qui conduisait autrefois au carreau et aux bureaux de la mine de Michael. Il ne restait désormais qu'une aire bétonnée portant les marques des endroits où s'étaient trouvés la cantine et le bureau des paies. Tout le reste avait été transformé. Sans le pylône rouillé du chevalement d'extraction, il était difficile de s'orienter. Mais tout au bout de l'étendue de bitume était garée une voiture, seule face à la mer. Son rendez-vous.

Elle s'arrêta à côté du véhicule, une assez vieille Rover lustrée sur chaque centimètre carré. Karen se sentit un peu embarrassée par la collection d'insectes morts collés à sa propre plaque d'immatriculation. La portière de la Rover s'ouvrit en même temps que la sienne et les deux conducteurs sortirent simultanément, comme dans un plan de film chorégraphié. Karen marcha jusqu'à l'avant de sa voiture et attendit qu'il la rejoigne.

Il était plus petit qu'elle ne l'avait imaginé. Il avait dû tout juste atteindre le mètre soixante-douze requis pour devenir flic. Il y était peut-être arrivé grâce à ses cheveux. Ils étaient à présent gris acier, mais sa mèche aurait fait passer Elvis pour un loser. On ne l'aurait pas laissé porter la banane et les favoris à l'époque où il était en service, mais en matière de coiffure, Brian Beveridge avait bien profité de son départ à la retraite.

Comme Elvis, il avait pris de la brioche depuis l'époque où il frimait dans les rues des villages de Wemyss. Les boutons de sa chemise blanche immaculée fermaient difficilement sur sa grosse bedaine, mais ses jambes étaient d'une minceur incongrue et ses pieds étonnamment fins. Il avait le visage rougeaud et joufflu d'un homme destiné à l'accident cardio-vasculaire. Lorsqu'il souriait, ses joues se transformaient en deux boules roses tendues, comme si on les avait bourrées de coton. « Inspecteur Pirie ? demanda-t-il gaiement.

— Karen, répondit-elle. Et vous devez être Brian ? Merci d'être venu me rencontrer. » C'était comme serrer la main de Bibendum, toute molle et chaude.

« C'est mieux que de faire mon jardin en me regardant vieillir, dit-il avec un fort accent du Fife resté intact. Ça me fait plaisir de rendre service. J'ai fait des rondes dans ces villages pendant trente ans et, pour être honnête, ça me manque, ce sentiment de connaître chaque trottoir et chaque maison. À l'époque, on pouvait faire carrière comme îlotier. Rien ne nous poussait à rechercher de l'avancement ou à entrer dans la PJ. » Il leva les yeux au ciel. « Ça y est. J'ai promis à ma femme de ne pas faire mon Dixon of Dock Green[1], mais je ne peux pas m'en empêcher. »

Karen rigola. Ce petit homme joyeux lui plaisait déjà, même si elle se rendait bien compte que ça aurait été une autre affaire de travailler à ses côtés dans le temps. « J'imagine que vous vous souvenez de l'affaire Catriona Maclennan Grant », déclara-t-elle.

---

1. Personnage d'une série de la BBC diffusée entre 1955 et 1976, qui ne s'intéressait pas tant aux affaires de crimes qu'au quotidien de policiers en uniforme dans un petit commissariat. (*N.d.T.*)

Il s'assombrit soudain et hocha la tête. « Je ne l'oublierai jamais. J'y étais cette nuit-là… Vous le savez, bien sûr, c'est pour ça que je suis ici. Mais il m'arrive encore d'en rêver. Les coups de feu, l'odeur de la cordite dans l'air marin, les cris et les pleurs. Après toutes ces années, qu'est-ce qu'on a comme résultats ? Lady Grant dans sa tombe à côté de sa fille. Jimmy Lawson en taule pour le restant de ses jours. Et Brodie Grant maître de l'univers. Avec une nouvelle femme, un nouvel héritier. C'est drôle de voir où en arrivent les choses, hein ?

— On ne sait jamais, répliqua Karen, prête à céder aux clichés pour l'instant. Alors, vous pouvez me raconter l'histoire en détail sur le chemin du rocher de la Dame ? »

Ils se mirent en route et longèrent une rangée de maisons semblables à celles de la rue de Jenny Prentice à Newton of Wemyss, coupées du monde et désolées maintenant qu'elles avaient perdu leur raison d'exister. Ils pénétrèrent bientôt dans les bois et le sentier se mit à descendre, bordé d'un côté d'un muret en pierres à hauteur de taille, flanqué d'épaisses broussailles. Tandis qu'ils approchaient du niveau de la côte, elle vit le scintillement de la mer au loin et le soleil qui pour une fois brillait. « On avait des équipes postées ici, au sommet, et d'autres le long de la côte à West Wemyss, expliqua Beveridge. À ce moment-là, on ne pouvait pas longer le rivage vers East Wemyss à cause du crassier de la mine. Mais quand ils ont fait le chemin côtier, ils ont reçu de l'argent de l'Union européenne et ils ont évacué tous les déchets de mine du littoral. Quand on regarde maintenant, on ne se doute de rien. »

Il avait raison. Lorsqu'ils arrivèrent au niveau du rivage, Karen put voir tout le bord de mer jusqu'à Buckhaven sur son haut promontoire, au-delà d'East Wemyss. En 1985, cette vue n'aurait pas existé. Elle se tourna vers West Wemyss et fut surprise de ne pas apercevoir le rocher de la Dame.

Karen suivit Beveridge sur le chemin et essaya de s'imaginer l'ambiance de cette nuit-là. Le dossier disait que c'était la nouvelle lune. Elle se représenta cette faucille dans le ciel, les étoiles scintillantes dans la nuit glaciale. La Grande Ourse telle une grosse casserole. La ceinture et l'épée d'Orion, et toutes les autres constellations dont elle ne connaissait pas les noms. Les flics cachés dans les bois, respirant la bouche ouverte pour que leur souffle refroidisse avant de faire de la fumée. Elle observa les hauts sycomores et se demanda à quel point ils avaient grandi depuis. Sur leurs branches épaisses étaient accrochées des cordes, auxquelles les gamins devaient se balancer comme elle l'avait fait étant petite. Aux yeux de Karen, dont l'imagination s'enflammait, elles évoquaient des nœuds de pendus, immobiles dans l'air doux du matin, attendant leurs victimes. Elle eut un léger frisson et se dépêcha de rattraper Beveridge.

Il montra du doigt les hautes falaises où s'arrêtait la cime des arbres. « Là-haut, c'est Newton. Vous pouvez voir comme les falaises sont abruptes. Personne ne pouvait descendre par là sans qu'on le sache. Les chefs pensaient que les ravisseurs devraient arriver par le sentier d'un côté ou de l'autre, et ils avaient donc posté la plus grande partie de l'équipe ici, parmi les arbres. » Il se retourna et désigna ce qui ressemblait à un galet géant au bord du sentier. « Et un type armé d'un fusil là-haut, au sommet du rocher de la Dame. » Il poussa un petit rire moqueur. « Tourné du mauvais côté, en fait.

— Il est beaucoup moins grand que dans mon souvenir de gosse. » En le regardant maintenant, Karen eut du mal à croire qu'on ait pu prendre la peine de donner un nom à un morceau de grès aussi insignifiant. La face du côté du chemin formait un à-pic d'environ sept mètres de haut, plein de trous et de fissures. Un paradis de petits garçons. De l'autre côté, le rocher avait une pente à quarante-cinq degrés parsemée de touffes d'herbe drue et de petits arbustes. Elle en avait un souvenir bien plus imposant et menaçant.

« Ce n'est pas seulement que votre mémoire vous joue des tours. Je sais qu'il n'est plus très impressionnant, mais il y a vingt ans, le niveau de la mer était beaucoup plus bas et le rocher bien plus gros. Venez, je vais vous montrer ce que je veux dire. »

Beveridge lui fit longer le rocher. Le chemin n'était à peine plus qu'une piste d'herbe foulée – bien loin du beau sentier de l'Union européenne. Ils firent une dizaine de pas après le rocher, sur ce qui ressemblait à une étroite route en bitume grossier. Quelques mètres plus loin, un anneau en métal rouillé était fixé dans le sol. Karen fronça les sourcils et essaya de comprendre ce dont il s'agissait. Elle suivit la route du regard, qui tournait avant de rejoindre la mer. « Je ne comprends pas, dit-elle.

— C'était un quai, expliqua Beveridge. C'est un anneau d'amarrage. Il y a vingt ans, on pouvait amener un bateau de taille raisonnable jusqu'ici. La mer était plus basse que maintenant, entre deux mètres cinquante et quatre mètres cinquante selon les endroits. C'est comme ça qu'ils ont fait.

— Bon Dieu ! » s'écria Karen en observant tout ce qui l'entourait : la mer, le rocher, le quai, l'évasement des bois derrière eux. « Vous avez quand même dû les entendre arriver ? »

Beveridge lui sourit, comme un prof à son élève préféré. « C'est ce qu'on pourrait croire, n'est-ce pas ? Mais s'ils utilisaient un petit bateau ouvert, ils ont pu venir juste en ramant à marée montante. Avec un bon rameur, on n'aurait rien entendu. En plus, quand on est sur le chemin plus haut, le rocher fait effet de déflecteur. On entend à peine la mer. Au moment de s'enfuir, ils pouvaient mettre les gaz à fond, bien sûr. Le temps que l'alerte soit lancée à l'hélicoptère et qu'il décolle, ils pouvaient être à Dysart ou Buckhaven. »

Karen examina une nouvelle fois les environs. « C'est dur de croire que personne n'ait pensé à la mer.

— Mais on y a pensé, déclara Beveridge d'un ton brusque.

— Vous voulez dire, vous ?

— Oui. Ainsi que mon sergent. » Il se retourna et regarda la mer.

« Pourquoi est-ce que personne ne vous a écoutés ? »

Il haussa les épaules. « Ils nous ont écoutés, je leur reconnais au moins ça. On a eu un briefing avec l'inspecteur Lawson et Brodie Grant. Mais ni l'un ni l'autre n'a cru que c'était possible. Un gros bateau serait trop repérable, trop facile à identifier et à retrouver. Et un petit bateau, c'était impossible parce qu'on ne peut pas maîtriser un otage adulte dans un bateau ouvert. Ils ont dit que les ravisseurs avaient montré leur capacité à planifier et leur intelligence et qu'ils ne prendraient pas de risques stupides comme celui-là. » Il se retourna vers elle et soupira. « Peut-être qu'on aurait dû insister davantage. Peut-être que l'issue aurait été différente si on l'avait fait.

— Peut-être », convint pensivement Karen. Jusque-là, tout le monde avait considéré le fiasco de la remise de rançon du point de vue de la police et de Brodie Grant. Mais ces événements méritaient d'être examinés sous un autre angle. « Cependant, leur argument était valable, non ? Comment ont-ils réussi leur coup avec un petit bateau ? Ils avaient un otage adulte. Ils avaient un bébé. Ils devaient manœuvrer le bateau et maîtriser les otages, alors qu'ils ne pouvaient pas être nombreux dans un bateau assez petit pour arriver sur les lieux sans se faire repérer. Je n'aurais pas aimé devoir diriger cette opération.

— Moi non plus, renchérit Beveridge. Ç'aurait déjà été difficile d'amener tout ce petit monde à destination si les passagers avaient été dans le même camp, alors je n'imagine même pas dans une situation de conflit.

— À moins qu'ils soient arrivés un bon moment avant l'échange. Il a dû faire nuit à quatre heures, et le quai lui-même pouvait cacher un petit bateau de la plupart des angles de vision… » Elle s'arrêta pour réfléchir. « Quand avez-vous pris position ?

— À priori, toute la zone était sous notre surveillance à partir de deux heures. Les équipes avancées étaient en place à six heures.

— Alors, en théorie, ils auraient pu arriver furtivement avant la nuit et avant que vos gars soient à leurs postes, dit-elle pensivement.

— C'est possible, admit Beveridge d'un ton peu convaincu. Mais comment auraient-ils pu être sûrs qu'on ne surveillait pas le quai ? Et comment être sûr de faire taire un gamin de six mois par un froid glacial pendant trois ou quatre heures ? »

Karen avança sur le vieux quai et repensa avec émerveillement à l'évolution du niveau de la mer. Plus elle découvrait de choses sur les détails pratiques de cette affaire, moins elle y voyait clair. Elle ne pensait pas être bête. Mais elle n'arrivait pas à faire concorder les éléments. Personne n'avait pu confirmer avoir vu Cat ou Adam après leur enlèvement. On n'avait vu personne surveiller sa maison, et il n'y avait aucun témoin du kidnapping. Personne ne les avait vus arriver sur les lieux de la remise de rançon. Personne ne les avait vus s'enfuir. S'il n'y avait pas eu le cadavre bien réel de Cat Grant, elle aurait presque pu croire que ce n'était jamais arrivé.

Mais ça l'était.

Château de Rotheswell

Brodie Grant passa le rapport de Bel à sa femme et se mit à manipuler la machine à expresso de son bureau. « Elle se débrouille étonnamment bien, dit-il. Je n'étais pas sûr de ce voyage organisé par Susan, mais ça semble être payant. Je me disais qu'on devrait faire appel à un détective privé, mais cette journaliste a l'air de s'en sortir tout aussi bien.

— Il y a plus d'enjeux pour elle que pour un privé, Brodie. Je crois qu'elle est prête à tout pour arriver à quelque chose, presque autant que nous, commenta Susan Charleson en se servant un verre d'eau et en s'asseyant sur la banquette située sous la fenêtre. Je la soupçonne de vouloir tirer un best-seller de cette affaire grâce à l'exclusivité qu'elle a auprès de vous.

— Si elle nous aide à obtenir certaines réponses après tout ce temps, elle mérite bien ça, déclara Judith. Tu as raison, c'est un excellent début. Qu'en pense l'inspecteur Pirie ? »

Grant et Susan échangèrent un rapide regard complice. « On ne lui a pas encore transmis le rapport, répondit Grant.

— Pourquoi pas encore ? J'imagine que ça lui servirait. » Judith les scruta l'un après l'autre, perplexe.

« Je crois qu'on va le garder pour nous dans l'immédiat, expliqua Grant en appuyant sur le bouton qui envoyait de l'eau chaude sous pression à travers le café pour donner un parfait expresso digne d'un *barista* italien. Ma dernière expérience avec la police n'a pas vraiment été heureuse. Ils ont tout fait foirer et ma fille y a laissé sa peau. Cette fois-ci, je préfère leur laisser le moins de latitude possible.

— Mais c'est une affaire de police, protesta Judith. Tu les y as mêlés. Tu ne peux plus les ignorer maintenant.

— Vraiment ? » Il dressa la tête. « Peut-être que si je les avais ignorés la dernière fois et que j'avais fait les choses à ma façon, Cat serait encore en vie. Et ce serait Adam… » Il s'arrêta brusquement en se rendant compte que rien de ce qu'il dirait ne pourrait le sortir du pétrin dans lequel il venait de se mettre.

« Je vois », répliqua Judith d'un ton aussi sec qu'un morceau de bois mort. Elle jeta les papiers sur son bureau et sortit.

Grant fit la grimace. « Un puits de glace, dit-il en même temps que la porte se fermait derrière sa femme. Je ne m'y suis pas aussi bien pris que j'aurais pu. Les mots sont pervers.

— Elle s'en remettra, lança Susan d'un ton dédaigneux. Je suis d'accord. Il vaut mieux garder ce rapport pour nous dans l'immédiat. On sait bien que la police est incapable de dissimuler des informations.

— Ce n'est pas ça qui m'inquiète. Ce dont j'ai peur, c'est qu'ils fassent encore tout foirer. C'est peut-être la dernière chance qu'on a de découvrir ce qui est arrivé à ma fille et à mon petit-fils, et je ne veux pas courir le risque de voir les choses mal tourner. C'est trop important. J'aurais dû prendre les choses en main la dernière fois. Je ne referai pas cette erreur.

— On finira par devoir le dire à la police, si Bel Richmond trouve un suspect sérieux », fit remarquer Susan.

Grant haussa les sourcils. « Pas forcément. Pas s'il est mort.

— Ils voudront classer le dossier.

— Ce n'est pas mon problème. Ceux qui ont détruit ma famille méritent la mort. Ça n'arrivera pas si on implique la police. S'ils sont déjà morts, très bien. Mais s'ils ne le sont pas… eh bien, on règlera ça en temps voulu. »

Peu de choses choquaient Susan Charleson après trois décennies au service de Brodie Grant. Mais pour une fois, elle sentit s'ébranler son assurance et son calme habituels. « Je vais faire comme si je n'avais jamais entendu ça, dit-elle.

— C'est sans doute une bonne idée, convint Grant en terminant son expresso. Une très bonne idée. »

Glenrothes

Quand Karen revint au bureau, Phil était au téléphone, le combiné entre l'oreille et l'épaule, en train de griffonner dans son calepin. « Et vous êtes sûre de ça ? » l'entendit-elle demander tandis qu'elle jetait son sac sur son bureau et se dirigeait vers le frigo. Lorsqu'elle revint avec un Coca Light, il regardait ses notes d'un air sombre. « C'était le docteur Wilde, indiqua-t-il. Elle a fait faire une rapide première analyse d'ADN. Il n'y a pas de lien entre Misha Gibson et le corps de la grotte.

— Merde, fit Karen. Ça veut donc dire que ce n'est pas le corps de Mick Prentice.

— Ou alors que Mick Prentice n'était pas le père de Misha. »

Karen se laissa aller en arrière dans son fauteuil. « C'est bien pensé, mais à vrai dire je ne pense pas vraiment que Jenny Prentice trompait Mick quand il était encore là. On en aurait déjà entendu parler. Un endroit comme Newton, c'est une usine à ragots. Il y a toujours quelqu'un prêt à vendre son voisin. Je pense qu'il y a de grandes chances que ce ne soit pas le corps de Mick.

— En plus, tu m'as dit que la voisine a maintenu que Jenny était amoureuse de lui. Que Tom Campbell n'était qu'un pauvre remplaçant.

— Mais alors, si comme on le pense Mick était bien le père de Misha, c'est peut-être lui qui a mis le corps là. Il connaissait les grottes, et il aurait sans doute pu mettre la main sur des explosifs. Il faut qu'on vérifie s'il avait une quelconque expérience de leur utilisation. Mais si c'est lui qui a enterré le corps dans la grotte du Baron, ça lui faisait une sacrément bonne raison de disparaître. Et on sait que quelqu'un d'autre a disparu dans la même période... » Karen s'empara de son carnet de notes et le feuilleta rapidement jusqu'à trouver ce qu'elle cherchait. Elle jeta un coup d'œil à sa montre. « Tu crois que onze heures et demie, c'est trop tard pour appeler quelqu'un ? »

Phil parut déconcerté. « Comment ça, trop tard ? C'est même pas l'heure du déjeuner.

— Je veux dire le soir. En Nouvelle-Zélande. » Elle décrocha le combiné et composa le numéro d'Angie Mackenzie. « Après tout, c'est une enquête pour meurtre à présent. Ça passe toujours avant le besoin de dormir. »

Un homme à la voix bougonne répondit. « C'est qui ?

— Je suis désolée de vous déranger, c'est la police du Fife. Il faut que je parle à Angie, expliqua Karen en s'efforçant de prendre un ton avenant.

— Bon sang. Vous savez quelle heure il est ?

— Oui, je suis désolée. Mais il faut vraiment que je lui parle.

— Ne quittez pas, je l'appelle. » Elle l'entendit crier le prénom de sa femme à l'écart du combiné.

Après une bonne minute, Angie reprit l'appel. « J'étais sous la douche, dit-elle. C'est l'inspecteur Pirie ?

— Oui, répondit Karen d'une voix plus douce. Je suis vraiment désolée de vous déranger, mais je voulais vous informer qu'on a découvert des restes humains derrière un effondrement de roche dans une des grottes de Wemyss.

— Et vous croyez que ça pourrait être Andy ?

— C'est possible. Les dates pourraient correspondre.

— Mais qu'est-ce qu'il aurait été faire dans ces grottes ? Il aimait le grand air. Une des choses qui lui plaisait dans son travail de délégué syndical, c'était de ne plus jamais devoir retourner sous terre.

— Nous ne savons pas encore s'il s'agit de votre frère, précisa Karen. Ces questions se poseront plus tard, Angie. Il faut encore qu'on identifie ces restes. Est-ce que par hasard vous savez qui était le dentiste de votre frère ?

— Comment est-il mort ?

— Nous n'en sommes pas encore sûrs, répondit Karen. Comme vous le comprendrez, ça remonte à loin. C'est une sorte de défi pour nos experts. Je vous tiendrai au courant, bien sûr. Mais en attendant, on doit considérer qu'il s'agit d'une mort inexpliquée. Alors, le dentiste d'Andy ?

— Il allait chez M. Torrance à Buckhaven. Mais il est mort quelques années avant que je quitte l'Écosse. Je ne sais même pas si son cabinet a été repris. » Elle paraissait quelque peu paniquée. Les premiers effets du choc, se dit Karen.

« Ne vous en faites pas, on va vérifier, dit-elle.

— L'ADN, lâcha Angie. Est-ce que vous pouvez relever l'ADN de… ce que vous avez trouvé ?

— Oui, en effet. Est-ce qu'on peut s'arranger pour que la police de chez vous fasse un prélèvement du vôtre ?

— Ce n'est pas la peine. Avant que je parte en Nouvelle-Zélande, j'ai fait en sorte que mon avocat garde une copie certifiée de mon analyse ADN. » Sa voix dérailla légèrement. « Je pensais qu'il avait sauté d'une montagne. Ou qu'il s'était peut-être enfoncé dans un *loch* les poches remplies de cailloux. Je ne voulais pas que son corps reste à l'abandon. Mon avocat avait pour consignes de fournir mon empreinte ADN à la police si on découvrait un corps non identifié du bon âge. » Karen entendit un sanglot à l'autre bout du monde. « J'ai toujours espéré…

— Je suis désolée, dit Karen. Je vais contacter votre avocat.

— Alexander Gibb, indiqua Angie. À Kirkcaldy. Excusez-moi, mais il faut que je vous laisse. » Elle raccrocha brutalement.

« C'était pas trop tard, alors », commenta Phil.

Karen soupira en secouant la tête. « Ça dépend de ce que tu entends par “trop tard”. »

Hoxton, Londres

Jonathan composa le numéro abrégé du portable de Bel. Lorsqu'elle répondit, il lui lança à toute vitesse : « Je ne peux pas discuter, j'ai rendez-vous avec mon directeur d'études. J'ai des choses à vous envoyer par e-mail, je ferai ça dans environ une heure. Mais voici la nouvelle du jour : Daniel Porteous est mort.

— Ça, je le sais, répliqua Bel avec impatience.

— Ce que vous ne savez pas, c'est qu'il est mort en 1959, à l'âge de quatre ans.

— Oh, merde ! s'écria Bel.

— Je ne l'aurais pas mieux dit moi-même. Mais voilà la cerise sur le gâteau : en novembre 1984, Daniel Porteous a déclaré la naissance de son fils. »

Bel se sentit étourdie, puis elle se rendit compte qu'elle retenait son souffle et le relâcha dans un soupir. « Pas possible.

— Croyez-moi, c'est pas des craques. Notre Daniel Porteous a réussi d'une manière ou d'une autre à avoir un fils vingt-cinq ans après sa mort.

— C'est du délire. Et qui était la mère ? »

Jonathan gloussa. « C'est là que ça devient le plus fort, j'en ai peur. Je vais vous l'épeler. F-R-E-D-A C-A-L-L-O-W est le nom qui figure sur l'acte de naissance. Prononcez-le à voix haute, Bel.

— Freda Callow. » Comme Frida Kahlo. Le salopard. Quel culot.

« Il a de l'humour, notre Daniel Porteous. »

Dundee

Karen trouva River à l'université, assise devant son ordinateur portable dans une petite pièce bourrée d'étagères pleines de boîtes en plastique contenant de minuscules os. « Bon Dieu, qu'est-ce que c'est que cet endroit ? demanda-t-elle en se laissant tomber sur la seule autre chaise.

— Le professeur qui travaille ici est le plus grand spécialiste au monde des ossements de bébés et d'enfants en bas âge. Tu as déjà vu un crâne de fœtus ? »

Karen fit non de la tête. « Et je ne veux pas, merci bien. »

River eut un grand sourire. « D'accord, je ne vais pas te forcer. Laisse-moi juste te dire qu'une fois que tu as vu ça, tu comprends d'où est venu E.T. Bon, je présume que ce n'est pas une visite de courtoisie ? »

Karen poussa un petit rire. « Si, bien sûr. Le département d'anatomie de l'université de Dundee est ma destination préférée pour faire une sortie sympa. Non, River, ce n'est pas une visite de courtoisie. Je suis ici pour m'assurer de la traçabilité d'une pièce à conviction dans le cadre d'une enquête pour homicide. » Elle posa une feuille de papier sur la table. L'avocat d'Angela Kerr avait répondu au quart de tour. « C'est l'ADN de la sœur d'Andy Kerr, Angie. Je te demande officiellement de le comparer avec l'ADN prélevé sur les restes humains découverts dans le lieu connu sous le nom de grotte du Baron, situé entre East Wemyss et Buckhaven. Je te mets tout ça par écrit dès que je retourne à mon bureau. »

River regarda le document avec curiosité. « T'as pas perdu de temps, Karen. D'où ça vient ? questionna-t-elle.

— Angie Mackenzie est une femme prévoyante, expliqua Karen. Elle l'avait déposé chez son avocat. Juste au cas où on découvrirait un jour un corps. » Tout en l'écoutant, River pianotait sur le clavier de son ordinateur.

« Je vais te faire un rapport détaillé par écrit, dit-elle doucement, distraite par ce qu'elle regardait. Et je vais devoir faire un examen systématique pour être sûre… Mais ma première analyse dit que ces deux personnes sont de proches parents. » Elle leva les yeux. « On dirait que tu as peut-être une identité pour ton homme mystère. »

Sienne

Comment les journalistes d'investigation italiens s'en sortaient-ils, se demanda Bel ? Elle avait toujours jugé la paperasserie britannique fastidieuse et pesante. Mais comparée aux démarches administratives en Italie, c'était de la rigolade. On l'avait d'abord envoyée de bureau en bureau. Puis, il y avait eu la confusion des formulaires à remplir. Puis les fonctionnaires qui l'avaient laissée à la porte avec un regard indifférent, visiblement dérangés par cette personne qui voulait qu'ils fassent leur boulot et qui venait les interrompre dans leurs loisirs. Ça tenait du miracle de réussir à obtenir le moindre renseignement dans ce pays.

Vers la fin de la matinée, elle commença à craindre que les bureaux ne ferment avant qu'elle ait appris ce qu'elle devait savoir. Puis, seulement quelques minutes avant la fermeture du bureau d'état civil pour le déjeuner, une fausse blonde à l'air blasé l'appela. Bel accourut au guichet, persuadée qu'on l'enverrait balader jusqu'au lendemain. Mais au lieu de cela, en échange d'une poignée de billets acceptés sans reçu, on lui donna deux feuilles de papier photocopiées sur une machine apparemment à court d'encre. L'une indiquait *Certificato di Morte*, l'autre *Certificato di Residenza*. Au bout du compte, elle avait obtenu plus que ce qu'elle attendait.

L'acte de décès de Daniel Simeon Porteous spécifiait simplement qu'il était mort le 7 avril 2007 à l'âge de cinquante-deux ans à la Policlinico Le Scotte, à Sienne. Ses parents se dénommaient Nigel et Rosemary Porteous. Et c'était tout.

Pas de cause de décès, pas d'adresse. Aussi utile qu'un emplâtre sur une jambe de bois, pensa Bel avec amertume. Elle songea à se rendre à l'hôpital pour voir si elle pourrait découvrir quoi que ce soit, mais elle écarta aussitôt cette idée. Ouvrir une brèche dans les remparts de l'administration serait impossible pour quelqu'un qui ne connaissait pas le système. Et ses chances de trouver une personne corruptible qui se souvienne de Daniel Porteous après tout ce temps étaient minces et dépassaient sans doute sa maîtrise de la langue.

Elle soupira et consulta l'autre certificat. Ça ressemblait à une courte liste d'adresses et de dates. Il ne lui fallut pas longtemps pour comprendre qu'il s'agissait d'un registre des endroits où avait habité Daniel depuis son arrivée à la municipalité de Sienne en 1986. Et que la dernière adresse sur la liste était son domicile au moment de son décès. Le plus surprenant était qu'elle savait plus ou moins où il se trouvait. Costalpino était le dernier village qu'elle avait traversé en venant de Campora. La route sinueuse en devenait la rue principale et était bordée de maisons ainsi que de rares magasins ou bars un peu en retrait.

Bel courut presque jusqu'à la voiture, malgré la chaleur étouffante du milieu de journée. Elle souffla de soulagement quand la climatisation se mit en route, puis sortit sans attendre du parking et prit la route de Costalpino. L'homme derrière le comptoir du premier bar où elle se rendit lui fournit d'excellentes indications, et à peine quinze minutes après avoir quitté Sienne, elle se garait à quelques portes de la maison où elle espérait trouver Gabriel Porteous. C'était une rue agréable, plus large que la plupart dans cette partie de la Toscane. De grands arbres ombrageaient les trottoirs étroits, et des murets à hauteur de taille surmontés de grilles en fer séparaient de petites villas bien entretenues. Bel sentit son pouls s'intensifier dans son cou sous l'effet de l'excitation. Si elle ne se trompait pas, elle était peut-être sur le point de se trouver nez à nez avec le fils perdu de Catriona Maclennan Grant. La police avait échoué à deux reprises, mais Bel Richmond s'apprêtait à leur montrer à tous comment il fallait s'y prendre.

Elle était si sûre d'elle qu'elle put à peine croire ce qu'annonçait le panneau planté devant la villa couverte de stuc jaune. Elle revérifia les numéros pour s'assurer qu'elle se trouvait devant la bonne maison, mais il n'y avait pas d'erreur. Les volets vert sombre étaient fermés. Les plantes dans les hauts pots en terre cuite qui bordaient l'allée paraissaient fatiguées et poussiéreuses. Quelques mauvaises herbes poussaient dans le gravier tandis que des publicités dépassaient de la boîte aux lettres. Tout cela donnait foi au panneau Se Vende indiquant le nom et le numéro d'un agent immobilier de la proche Sovicille. Où que se trouvât Gabriel Porteous, ce n'était apparemment pas là.

C'était un échec. Mais ce n'était pas la fin du monde. Elle avait surmonté des obstacles bien plus grands que celui-ci dans sa course aux scoops qui avaient bâti sa réputation de femme à la hauteur de ses promesses. Tout ce qu'elle avait à faire, c'était d'élaborer un plan de campagne et de le suivre. Et pour une fois, si elle se heurtait à des choses qui dépassaient ses compétences, elle pouvait faire appel aux ressources de Brodie Grant pour en venir à bout. Ce n'était pas vraiment un sentiment réconfortant, mais c'était mieux que rien.

Avant de se remettre en route pour Sovicille, cependant, elle décida d'aller voir les voisins. Cela n'aurait pas été la première fois qu'une personne se sachant recherchée faisait l'impossible pour que sa maison paraisse inhabitée. Bel avait déjà repéré un homme sur la loggia d'une villa diagonalement opposée à la maison Porteous. Il ne s'était pas du tout caché pour la regarder parcourir la rue et examiner le panneau. Il était temps de forcer un peu la vérité.

Elle traversa la route et le salua de la main. « Bonjour », dit-elle.

L'homme, qui pouvait avoir cinquante-cinq ans comme soixante-quinze, la scruta du regard, ce qui lui fit regretter de ne pas porter un T-shirt ample plutôt que le haut près du corps à fines bretelles qu'elle avait choisi ce matin-là. Elle adorait l'Italie, mais bon sang, elle détestait la manière dont tant d'hommes reluquaient les femmes, comme des morceaux de viande sur pattes. Celui-ci n'était même pas beau : un œil plus grand que l'autre, un nez aux airs de panais malformé et une touffe de poils qui dépassait du haut de son débardeur. Il se lissa un sourcil avec le petit doigt et lui sourit du coin des lèvres. « Bonjour, dit-il, parvenant à donner l'impression que le mot était chargé de sens.

— Je cherche Gabriel », indiqua-t-elle. Elle pointa le doigt par-dessus son épaule en direction de la maison. « Gabriel Porteous. Je suis une amie de la famille, je viens d'Angleterre. Je n'ai pas vu Gabriel depuis la mort de Daniel, et c'est la seule adresse que j'aie. Mais la maison est à vendre, et on ne dirait pas que Gaby habite encore là. »

L'homme enfonça ses mains dans ses poches et haussa les épaules. « Ça fait plus d'un an que Gabriel n'habite plus ici. Il est censé étudier quelque part, je sais pas où. Il est revenu un moment avant que son père meure, mais ça fait environ deux mois que je l'ai pas vu. » Il refit un sourire, un peu plus large que la première fois. « Si vous voulez me donner votre numéro, je pourrais vous appeler s'il se pointe ? »

Bel sourit. « C'est très gentil, mais je ne suis là que pour quelques jours. Vous avez dit que Gaby est "censé" étudier quelque part. » Elle lui lança un regard complice. « Vous croyez qu'il a repris ses mauvaises habitudes ? »

La ruse fonctionna. « Daniel travaillait dur. Il ne perdait pas son temps, lui. Mais Gaby ? Il est toujours en train de traîner avec ses amis et de glander. Je l'ai jamais vu avec un livre entre les mains. Quel genre d'études est-ce qu'il pourrait faire ? S'il avait été sérieux, il se serait inscrit à l'université de Sienne pour pouvoir vivre avec son père et se concentrer sur ses études. Mais non, il est parti s'amuser je ne sais où. » Il souffla entre ses lèvres en signe de désapprobation. « Daniel a été malade pendant des semaines avant que Gaby revienne.

— Peut-être que Daniel ne lui avait pas dit qu'il était malade. Ça a toujours été quelqu'un de très secret, signala Bel, qui improvisait au fur et à mesure.

— Un bon fils lui aurait rendu visite assez régulièrement pour savoir, répliqua obstinément l'homme.

— Et vous n'avez aucune idée de l'endroit où il étudie ? »

L'homme secoua la tête. « Non. Je l'ai vu une fois dans le train. Je revenais de Florence. Donc quelque part plus au nord. Florence, Bologne, Padoue, Pérouse. Ça pourrait être n'importe où.

— Bon, tant pis. Je suppose qu'il ne me reste plus qu'à tenter ma chance avec l'agent immobilier. J'avais vraiment envie de le voir. Je m'en veux d'avoir raté les funérailles. Est-ce que beaucoup des vieux copains étaient là ? »

Il parut surpris. « C'était des funérailles privées. Aucun des voisins n'a rien su avant que tout soit terminé. J'ai parlé à Gaby après. Je voulais lui présenter mes respects, vous voyez ? Il m'a dit que son père avait voulu que ça se passe comme ça. Mais d'après ce que vous dites maintenant, on dirait qu'on a raté quelque chose. » Il sortit un paquet de cigarettes et en alluma une. « On ne peut pas faire confiance aux jeunes pour dire la vérité. »

Elle n'avait aucune vraie raison d'essayer de brouiller les pistes face à quelqu'un qu'elle ne reverrait jamais, mais elle avait toujours jugé important de garder la main. « Je parlais plus d'un rassemblement des vieux amis de Daniel. Pas de funérailles en tant que telles. »

Il hocha la tête. « Les bohèmes. Il ne les mélangeait pas à ses amis du village. J'en ai rencontré deux une fois. Ils sont arrivés à la villa à un moment où on était quelques-uns à jouer aux cartes là-bas. Un autre Anglais et une Allemande. » Il se racla la gorge et cracha par-dessus la balustrade en pierre. « Je ne supporte pas les Allemands. Mais cet Anglais, on aurait dit qu'il était allemand, à sa façon de se comporter.

— Matthias ? devina Bel.

— C'est ça. Un type autoritaire. Il traitait Daniel comme un chien. Comme si c'était lui qui avait le cerveau et le talent. Ça l'avait amusé de trouver Daniel en train de jouer aux cartes avec les gens du village. Le plus bizarre, c'est que Daniel se laissait faire. On n'est pas restés, on a juste fini la partie puis on les a laissés. Si c'est ça vos intellectuels bohèmes, vous pouvez vous les garder.

— Moi non plus, je n'ai jamais beaucoup aimé Matthias, déclara Bel. En tout cas, merci de votre aide. Je vais aller à Sovicille voir si les agents peuvent me mettre en relation avec Gaby. »

C'était incroyable de voir à quel point même la rencontre la moins prometteuse pouvait augmenter votre stock d'informations, se dit Bel en reprenant la route. Désormais, une deuxième personne pensait que Matthias était anglais malgré son nom germanique et sa compagne allemande. Un Britannique qui ne reconnaissait pas ses racines, qui avait des tendances artistiques, un lien avec les affiches de demande de rançon, et qui était ami avec l'homme dont le fils ressemblait étrangement à Cat Grant et à son père. Tout ça commençait à prendre une forme terriblement excitante dans son esprit.

Deux jeunes hommes, des artistes tirant le diable par la queue, qui connaissaient Cat Grant parce qu'elle appartenait au même milieu. Qui connaissaient également la fortune de son père. Ils trament un plan pour se remplir les poches. Ils enlèvent Cat et son gosse, en faisant passer ça pour un acte politique. Ils partent avec la rançon et n'ont plus jamais besoin de peindre pour personne d'autre qu'eux-mêmes. À première vue, l'idée paraît géniale. Seulement les choses tournent très mal et Cat meurt. Ils se retrouvent avec le gamin et l'argent de la rançon, mais ils font maintenant l'objet d'une chasse à l'homme pour meurtre.

Des professionnels du crime sauraient comment réagir et seraient assez impitoyables pour faire le nécessaire. Mais il s'agit là de gentils garçons raffinés qui pensaient seulement se permettre quelque chose d'un peu plus sérieux qu'une farce d'étudiant en art. Ils ont un bateau, donc ils continuent simplement leur chemin vers l'Europe à travers la mer du Nord. Daniel finit en Italie, Matthias en Allemagne. Et à un moment donné, ils décident de ne pas tuer ou abandonner l'enfant. Pour une raison X ou Y, ils le gardent. Daniel l'élève comme si c'était son fils. Grâce à l'argent de la rançon, il les fait vivre dans le confort puis, ironiquement, il rencontre un certain succès en tant qu'artiste. Mais il ne peut pas en tirer profit en accordant des interviews aux médias ou en utilisant son image, parce qu'il sait qu'il est recherché par la police. Et il sait que son fils n'est pas Gabriel Porteous, mais Adam Maclennan Grant, un jeune homme maudit aux traits caractéristiques.

C'était un scénario séduisant, assurément. Certes, il soulevait des questions : comment avaient-ils réussi à trouver la femme morte qui portait la rançon et à s'emparer du sac alors qu'ils piétinaient dans l'obscurité ? Comment avaient-ils déjoué les mouchards que les flics avaient dissimulés dans les billets ? Comment s'étaient-ils enfuis en bateau sans se faire repérer par l'hélicoptère ? Comment deux étudiants en art avaient-ils mis la main sur un pistolet à l'époque ? Tant de questions pertinentes, qu'elle était cependant certaine de pouvoir contourner d'une façon ou d'une autre. Il le faudrait ; l'occasion était trop belle pour qu'elle passe à côté à cause de simples détails délicats.

Elle savait depuis le début que son exclusivité auprès de Brodie Grant serait un bon filon, mais les choses s'avéraient infiniment plus positives qu'elle n'avait pu l'espérer. C'était le genre d'affaire qui la rendrait célèbre. Qui l'imposerait parmi la poignée de journalistes dont le nom seul donnait du prix à l'article. Stanley et la découverte du docteur Livingstone. Woodward et Bernstein et le Watergate. Max Hastings et la libération de Port Stanley. On pourrait désormais ajouter à la liste Annabel Richmond et le mystère Adam Maclennan Grant.

Il restait de nombreuses failles dans l'histoire à ce stade, mais elle pourrait les combler plus tard. L'important pour Bel, dans l'immédiat, c'était de trouver ce jeune homme connu sous le nom de Gabriel Porteous. Avec ou sans sa coopération, il lui fallait un prélèvement de son ADN afin que Brodie Grant puisse déterminer s'il s'agissait vraiment de son petit-fils disparu. Alors, sa renommée serait assurée. Des gros titres dans les journaux, un livre, peut-être même un film. C'était une affaire en or.

L'agence immobilière se trouvait dans une petite rue transversale à la Via Nuova. La vitrine était couverte de feuilles A4 donnant quelques renseignements sur chaque propriété, accompagnés de photos. Parmi les annonces figurait la villa Porteous, ses différentes pièces et équipements énumérés sans commentaires. Bel poussa la porte et se retrouva dans un petit bureau gris. Des classeurs à tiroirs gris, une moquette grise, des murs pâles, des bureaux gris. La seule occupante des lieux, une femme d'une trentaine d'années, était comme un oiseau de paradis en comparaison. Son chemisier écarlate et son collier turquoise resplendissaient et faisaient porter le regard sur sa crinière de cheveux bruns et son visage parfaitement maquillé. Elle savait vraiment se mettre en valeur, songea Bel alors qu'elles entamaient les civilités.

« Je le regrette, mais je ne cherche pas vraiment à acheter, expliqua Bel avec un geste d'excuse. J'essaie de contacter le propriétaire de la villa que vous avez en vente à Costalpino. Je suis une ancienne amie du père de Gabriel Porteous, Daniel. Malheureusement, j'étais en Australie quand Daniel est décédé. Je suis de retour en Italie pour quelque temps et je voulais voir Gabriel pour lui présenter mes respects. Vous serait-il possible de me mettre en contact avec lui ? »

La femme roula des yeux. « Je suis vraiment désolée. Je ne peux pas faire ça. »

Bel sortit son portefeuille. « Je saurai vous remercier, indiqua-t-elle, utilisant une des formules classiques de la corruption.

— Non, non, ce n'est pas ça, répliqua la femme, pas choquée le moins du monde. Quand je dis que je ne peux pas, c'est la vérité. Non pas que je ne veuille pas. Je ne peux pas. » Elle paraissait troublée. « C'est très inhabituel. Je n'ai ni adresse, ni numéro de téléphone, ni même un e-mail pour Signor Porteous. Pas même un numéro de portable. J'ai tenté de lui expliquer que c'était très peu conventionnel, mais il m'a répondu qu'il l'était lui aussi. Il m'a dit que maintenant que son père était mort, il avait l'intention de voyager et qu'il ne voulait pas être enchaîné à son passé. » Elle eut un petit sourire de travers. « Le genre de choses qui paraissent très romantiques aux jeunes hommes.

— Et que nous jugeons ridiculement complaisantes, déclara Bel. Gabriel a toujours eu ses idées. Mais comment êtes-vous censée vendre la maison si vous ne pouvez pas le contacter ? Comment peut-il accepter une offre d'achat ? »

La femme ouvrit les mains. « Il nous téléphone tous les lundis. Je lui ai dit : "Et si quelqu'un vient faire une offre un mardi matin ?", mais il m'a répondu : "Autrefois, les gens devaient attendre que les lettres arrivent à leur destinataire et que celui-ci réponde. Ça ne tuera pas cette personne d'attendre le lundi suivant si elle veut vraiment acheter la maison."

— Et est-ce qu'il y a eu beaucoup d'offres ? »

La femme prit un air morose. « Pas à ce prix-là. Je crois qu'il devra le baisser d'au moins cinq mille avant que quelqu'un soit sérieusement intéressé. Mais on verra bien. C'est une belle maison, elle devrait trouver un acheteur. Et il l'a vidée, ce qui donne l'impression que les pièces sont bien plus grandes. »

Bel avait envisagé de demander ensuite à faire le tour des lieux pour voir si elle pouvait trouver quoi que ce soit indiquant où le trouver, et elle fut déçue par cette dernière révélation. Elle préféra donc sortir une carte de visite de son Filofax. Une de celles où figuraient son nom, son numéro de portable et son adresse e-mail. « Tant pis, dit-elle. Vous pourriez peut-être lui demander de me contacter quand il appellera lundi ? J'ai connu son père pendant près de vingt ans, j'aimerais juste le voir. » Elle tendit la carte.

Une main aux ongles écarlates la saisit. « Bien sûr, je lui transmettrai le message. Et si jamais vous voulez acheter une propriété par ici… » Elle désigna l'étalage d'annonces dans la vitrine. « Nous avons un large choix. Et comme je le répète sans arrêt, on est du côté moins chic de l'autoroute, les prix sont donc plus bas, mais les propriétés tout aussi belles. »

Sachant qu'elle ne pouvait rien faire de plus ici, Bel retourna à sa voiture. Il restait cinq jours avant que Gabriel Porteous reçoive son message, et ensuite qui savait s'il la contacterait ? S'il ne le faisait pas, il faudrait engager un détective privé italien pour le retrouver, quelqu'un qui connaisse toutes les ficelles et qui sache à qui verser des pots-de-vin. Ça resterait son affaire, mais quelqu'un d'autre pourrait se charger du sale boulot. En attendant, elle devait retourner à Rotheswell pour essayer d'avoir une petite conversation avec Fergus Sinclair.

Le moment était venu de profiter des moyens que Brodie Grant avait mis à sa disposition. Elle composa le numéro de Susan Charleson. « Bonjour, Susan, dit-elle. Il me faut un vol de retour le plus tôt possible. »

Glenrothes

Le problème avec les affaires non classées, se dit Karen, c'était le nombre de murs auxquels on se heurtait. Quand il n'y avait vraiment rien de plus à faire dans l'immédiat. Aucun témoin à interroger. Aucune expertise criminalistique appropriée à organiser. Dans des moments comme celui-ci, elle était livrée à ses pensées et manipulait le Rubik's Cube des informations déjà collectées dans l'espoir que l'ensemble prenne forme.

Elle avait interrogé toutes les personnes susceptibles de lui fournir une piste sur ce qui était arrivé à Mick Prentice. D'une certaine façon, cela aurait dû l'aider pour ses recherches sur la mort d'Andy Kerr, puisqu'elle leur avait parlé dans le cadre d'une enquête sur une personne disparue. À moins qu'ils aient quelque chose à cacher, les gens se montraient en général assez ouverts avec la police lorsqu'il s'agissait d'aider à retrouver les personnes disparues. En cas de meurtre, en revanche, ils étaient plus réticents à parler. Et le peu qu'ils disaient était biaisé par leurs réserves et leurs angoisses. Elle savait qu'elle aurait théoriquement dû retourner voir ses témoins pour recueillir de nouvelles dépositions qui pourraient la mener à d'autres témoins se souvenant des paroles et des activités d'Andy Kerr avant son décès. Mais son expérience lui disait que ce serait une perte de temps maintenant que sa mort s'avérait suspecte. Néanmoins, elle avait envoyé la Flèche et un tout nouvel assistant de la PJ faire une nouvelle série d'interrogatoires. Peut-être qu'ils auraient de la chance et qu'ils relèveraient quelque chose qui lui avait échappé. L'espoir faisait vivre.

Elle se pencha sur le dossier Cat Grant. Là aussi, elle était au point mort. Tant qu'elle n'aurait pas un vrai rapport de la police italienne, elle pouvait difficilement voir où faire des progrès. Elle avait tout de même eu de la veine dans cette affaire. Elle avait contacté les parents de Fergus Sinclair en espérant découvrir où travaillait leur fils afin de prendre des dispositions pour l'interroger. À sa grande surprise, Willie Sinclair lui avait répondu que son fils arrivait le soir même avec sa femme et ses enfants pour leurs vacances annuelles en Écosse. Le lendemain matin, elle aurait donc l'occasion de parler avec Fergus Sinclair. C'était à priori la seule personne désormais qui serait peut-être prête à dévoiler qui était Cat Grant. Sa mère était morte, son père refusait de parler, et les dossiers ne mentionnaient aucun ami proche.

Karen se demanda si cette absence d'amis était le résultat d'un choix ou le fait de sa personnalité. Elle connaissait des gens tellement investis dans leur travail qu'ils remarquaient à peine l'absence de proches dans leur vie. Elle en connaissait aussi d'autres qui rêvaient d'intimité mais qui avaient pour unique don de faire fuir les gens. Au bout du compte, elle s'estimait heureuse ; elle avait des amis qui tenaient une place importante dans son quotidien par leur soutien et les moments de rire qu'ils partageaient. Il manquait peut-être une personne au cœur de sa vie, mais l'existence qu'elle menait lui donnait une impression de stabilité et de confort.

Quelle impression Cat Grant avait-elle eue sur sa vie ? Karen avait vu des femmes qui ne vivaient plus que pour leurs gamins. Devant leurs regards remplis d'adoration, elle s'était sentie mal à l'aise. Les enfants étaient des êtres humains, pas des dieux auxquels rendre un culte. Le fils de Cat avait-il été le centre de son monde ? Adam avait-il occupé toute la place dans son cœur ? C'était le sentiment de Karen, d'un point de vue extérieur. Tout le monde présumait que Fergus était le père du bébé, mais même si ce n'était pas le cas, une chose paraissait claire. Le père d'Adam avait été banni de la vie de son fils ; sa mère semblait avoir voulu le garder pour elle seule.

Ou peut-être pas. Karen se demanda si elle ne regardait pas par le petit bout de la lorgnette. Et si ce n'était pas Cat qui avait chassé le père d'Adam ? Et s'il avait lui-même eu ses raisons de refuser de jouer un rôle dans la vie de son fils ? Il n'avait peut-être pas voulu de cette responsabilité. Il en avait peut-être déjà d'autres, une autre famille envers laquelle il avait eu des obligations, obligations dont il avait pris conscience à la perspective d'avoir un nouvel enfant. Peut-être qu'il n'avait fait que passer et qu'il était reparti avant même qu'elle sache qu'elle était enceinte. Il existait indéniablement d'autres possibilités qui méritaient d'être examinées.

Karen soupira. Elle en saurait plus après avoir interrogé Fergus. Avec un peu de chance, il l'aiderait à écarter certaines de ses hypothèses les plus folles. « Les affaires non classées », dit-elle à voix haute. Elles vous brisaient le cœur. Comme les amants, elles vous allèchaient en vous promettant que les choses seraient différentes cette fois-ci. Tout était nouveau et excitant au départ, on essayait d'ignorer ces petits doutes qui disparaîtraient, c'était certain, au fur et à mesure que les choses s'éclairciraient. Et puis tout à coup, c'était l'impasse. Les roues s'embourbaient. Et avant qu'on ait le temps de dire ouf, c'était fini. Retour à la case départ.

Elle jeta un coup d'œil à Phil, qui parcourait des bases de données informatiques pour trouver un témoin dans une autre affaire. C'était sans doute aussi bien qu'il ne se soit jamais rien passé entre eux. Mieux valait le garder comme ami que voir l'amertume et la déception les forcer à garder leurs distances.

Le téléphone sonna alors. « Eranc, inspecteur Pirie à l'appareil, annonça-t-elle en s'efforçant de ne pas paraître aussi à cran qu'elle l'était.

— C'est le capitaine Di Stefano des *carabinieri* de Sienne, répondit une voix avec un fort accent. Vous êtes l'agent à qui j'ai parlé de la villa Totti près de Boscolata ?

— Oui. » Karen s'assit bien droit et prit un stylo et une feuille. Elle se souvenait de la manière de parler de Di Stefano d'après leur précédente conversation. Son anglais était étonnamment bon au niveau du vocabulaire et de la grammaire, mais son accent était à couper au couteau. Il prononçait l'anglais comme s'il s'agissait d'un livret d'opéra, en accentuant des syllabes improbables avec une prononciation frisant le bizarre. Mais peu importait. Ce qui comptait, c'était le fond, et Karen était prête à tout pour en avoir une idée précise. « Merci de m'appeler.

— Avec plaisir, répondit-il en soulignant chaque voyelle. Alors. Nous sommes allés voir la villa et nous avons parlé aux voisins. »

Qui aurait cru qu'on puisse prononcer autant de voyelles dans si peu de mots ? « Merci. Qu'est-ce que vous avez découvert ?

— Nous avons trouvé d'autres exemplaires de l'affiche que vous nous avez envoyée par e-mail. Et nous avons trouvé le cadre de sérigraphie qui a servi à les imprimer. Nous relevons maintenant des empreintes sur le cadre et à d'autres endroits dans la villa. Vous comprenez, beaucoup de gens y sont passés, et il y a des traces partout. Dès qu'on aura analysé les empreintes et les autres données, on vous transmettra nos résultats ainsi que les copies des empreintes et des séquences d'ADN. Je suis désolé, mais cet aspect n'est pas une priorité pour nous, vous comprenez ?

— Bien sûr, je comprends. Est-ce que par hasard vous pourriez nous envoyer des prélèvements pour qu'on puisse faire nos propres analyses ? C'est juste pour gagner du temps. » *Rien à voir avec le fait que tout le monde dans mon service pense que vous êtes des branques.*

« *Si.* C'est déjà fait. Je vous ai envoyé des échantillons de la tache de sang sur le sol et d'autres taches de sang dans la cuisine et le salon. Et aussi d'autres prélèvements dont on a plusieurs exemplaires. J'espère que vous recevrez ça demain.

— Qu'est-ce que les voisins ont raconté ? »

Di Stefano souffla dans le téléphone d'un air réprobateur. « Je crois que vous appelez ça des gauchistes. Ils n'aiment pas les *carabinieri.* C'est le genre à aller à Gênes pour le G8. Ils sont plus du côté des gens qui vivaient illégalement à la villa Totti. Mes hommes n'ont donc pas appris grand-chose. Ce qu'on sait, c'est que les squatters avaient une compagnie de théâtre de marionnettes itinérant dénommée BurEst. On a quelques photos d'un journal local, mon collègue vous les envoie. On a des noms, mais c'est le genre de personnes qui disparaissent très facilement. Ils vivent dans le monde de l'économie souterraine. Ils ne paient pas d'impôts. Certains d'entre eux sont sans doute des clandestins. »

Karen put presque le voir ouvrir les mains et hausser les épaules en signe de dépit. « Je comprends vos difficultés. Vous pouvez m'envoyer une liste de noms ?

— Je peux vous les dire tout de suite. Nous n'avons que les prénoms. Aucun nom de famille, pour l'instant. Dieter, Luka, Maria, Max, Peter, Rado, Sylvia, Matthias et Ursula. Matthias était le chef. Je vous envoie cette liste. Pour certains, on pense savoir leur nationalité, mais je crois que c'est surtout des suppositions.

— Des Britanniques ?

— Apparemment pas, même si un des voisins pense que Matthias pouvait être anglais d'après son accent.

— Ce n'est pas un prénom très anglais.

— Peut-être qu'il ne s'est pas toujours appelé comme ça, indiqua Di Stefano. L'autre truc avec ces gens-là, c'est qu'ils essaient toujours de renaître. Un nouveau nom, une nouvelle histoire. Alors, je suis désolé. On dirait qu'il n'y a pas grand-chose pour vous aider.

— Je vous suis reconnaissante de ce que vous avez pu faire. Je sais que c'est dur de justifier le fait de mobiliser des hommes sur une affaire comme celle-ci.

— Inspecteur, pour moi, tout laisse à croire qu'il y a eu un meurtre dans cette villa. Nous menons notre enquête dans cette optique. Nous essayons de vous aider en même temps, mais nous nous intéressons plus à ce qui a pu se passer il y a trois mois qu'à ce qu'il s'est passé il y a vingt-deux ans dans votre pays. Nous recherchons très activement ces personnes. Et demain, on fait venir les chiens et le détecteur de métaux pour voir si on peut trouver un site d'inhumation. Ça va être difficile parce que l'endroit est entouré de bois. Mais on doit essayer. Alors vous voyez, mobiliser des hommes, ce n'est pas le problème.

— Bien sûr. Je ne voulais pas suggérer que vous ne preniez pas cette affaire au sérieux. Je sais ce que c'est, croyez-moi.

— On a découvert autre chose. Je ne sais pas si ça a de l'importance pour vous, mais il y a une journaliste anglaise qui est venue par ici poser des questions. »

Karen resta perplexe pendant un moment. Rien n'avait été divulgué aux médias. Pourquoi une journaliste venait-elle fourrer son nez dans cette affaire ? Puis tout s'éclaircit soudain. « Bel Richmond, dit-elle.

— Annabel, précisa Di Stefano. Elle logeait dans une ferme en haut de la colline. Elle est partie cet après-midi. Elle rentre ce soir en Angleterre. Les voisins ont dit qu'elle posait des questions sur les gens de BurEst. Un adolescent a dit à un de mes hommes qu'elle s'intéressait aussi à deux amis de Matthias. Un peintre anglais et son fils. Mais je n'ai pas de noms, pas de photos, rien du tout. Vous pourriez lui parler ? Peut-être que les voisins de Boscolata se disent qu'il vaut mieux parler à une journaliste qu'à un flic, vous ne pensez pas ?

— C'est tragique, mais je crois que avez sans doute raison », répondit Karen avec amertume. Ils échangèrent des civilités, se promirent vainement de se rendre visite, puis l'appel fut terminé. Karen chiffonna un morceau de papier et le jeta à Phil. « Tu te rends compte ?

— De quoi ? » Il leva les yeux, interloqué. « Je me rends compte de quoi ?

— Cette pétasse de Bel Richmond, lança-t-elle. Pour qui elle se prend ? L'inspecteur privé de Brodie Grant ?

— Qu'est-ce qu'elle a fait ? » Il étendit les bras au-dessus de sa tête et grogna en s'étirant la colonne vertébrale.

« Elle est tout simplement allée en Italie. » Karen donna un coup de pied dans sa poubelle. « La garce insolente ! Quel toupet ! Oser aller là-bas et discuter avec les voisins. Les voisins qui ne veulent presque rien dire à la police parce que c'est une bande de gauchos invétérés. Bon Dieu !

— Attends une seconde, dit Phil. Est-ce qu'on ne devrait pas être contents ? Je veux dire, d'avoir quelqu'un qui fasse le sale boulot, même si ce n'est pas nos collègues italiens ?

— Tu peux venir ici regarder dans ma boîte mail et me montrer le foutu message de Bel Richmond où elle nous raconte ce qu'elle a déterré en Toscane ? Tu peux fouiller ma corbeille et me montrer le fax qu'elle a envoyé avec toutes les infos qu'elle a réunies là-bas ? Ou c'est peut-être mon répondeur que je ne sais plus consulter ? Phil, elle a pu découvrir toutes sortes de choses. Mais c'est pas à nous qu'elle les raconte. »

Entre l'aéroport d'Édimbourg et le château de Rotheswell

Incapable de réfléchir tant elle était épuisée, Bel regardait tourner à vide le carrousel à bagages. Après le trajet jusqu'à l'aéroport de Florence, mystérieusement caché quelque part dans la banlieue de la ville, et un vol déprimant via Charles de Gaulle, un aéroport certainement conçu par un marquis de Sade des temps modernes, il lui restait encore des kilomètres à parcourir avant de pouvoir dormir. Et même pas dans son propre lit. Les valises et les sacs commencèrent enfin à apparaître. Mauvais signe : la sienne n'était pas dans le premier groupe. Elle était sur le point de faire un scandale au guichet des services au sol quand sa valise arriva finalement de travers, une lanière détachée. Au fond d'elle-même, Bel savait que Susan Charleson n'avait rien à voir avec ses misères, mais ça faisait du bien d'avoir une personne sur qui rejeter la faute de façon irraisonnée. Par pitié, pourvu qu'elle ait envoyé quelqu'un la chercher.

Elle aurait dû retrouver le moral quand elle entra dans le hall des arrivées et vit qu'un chauffeur l'attendait effectivement. Mais le fait que ce fût Brodie Grant en personne ne fit qu'accentuer sa lassitude. Elle avait envie de se mettre en boule et dormir ou de se mettre en boule et boire. Elle n'avait pas envie de subir un interrogatoire pendant les quarante prochaines minutes. Il ne la payait même pas, maintenant qu'elle y pensait. Il ne faisait que couvrir ses dépenses et lui ouvrir des portes. Ce qui n'en faisait pas exactement un mauvais job. Mais d'après elle, ça ne donnait pas droit à un service vingt-quatre heures sur vingt-quatre, sept jours sur sept. *Comme si tu allais lui dire ça.*

Grant la salua d'un hochement de tête, puis ils se disputèrent la valise un instant avant que Bel ne cède sans courtoisie. Tandis qu'ils traversaient le terminal, Bel prit conscience des regards qui se portaient sur eux. De toute évidence, on reconnaissait Brodie Grant dans la rue. Peu d'hommes d'affaires accédaient à ce statut. Richard Branson, Alan Sugar. Mais c'étaient des visages qu'on voyait souvent à la télé, pour des raisons qui n'avaient rien à voir avec les affaires. Elle ne pensait pas qu'on aurait remarqué Brodie Grant à Londres, mais ici en Écosse, les gens connaissaient son visage malgré sa timidité médiatique. Était-ce dû à son charisme, ou simplement à sa condition de gros poisson dans une petite mare ? Bel n'aurait pas voulu hasarder une hypothèse.

Mais il n'y avait pas que le regard des gens. À l'extérieur du terminal, là où des panneaux et des annonces au haut-parleur rappelaient qu'il était strictement interdit de se garer, un agent de police armé se tenait près de la Land Rover de Grant. Cependant, il n'était pas là pour le sermonner ou lui mettre une amende ; il était là pour s'assurer que personne n'approche de sa Defender. Grant lui adressa un signe de tête patriarcal en chargeant la valise, puis il fit un geste de la main en guise de remerciement lorsqu'ils démarrèrent.

« Je suis impressionnée, dit Bel. Je pensais que ce genre de traitement de faveur était réservé à la famille royale. »

Le visage de Grant se contracta, comme s'il se demandait s'il s'agissait d'une critique. « Dans mon pays, on respecte la réussite.

— Quoi ? Même après trois cents ans de répression anglaise, vous croyez toujours ça ? »

Grant sursauta nerveusement, puis il comprit qu'elle le taquinait. Au grand soulagement de Bel, il rigola. « Oui. Vous tenez beaucoup plus à réussir que nous. Je crois que vous aimez aussi le succès, Annabel. N'est-ce pas pour cette raison que vous restez ici à travailler avec moi au lieu d'être à

Londres pour dévoiler je ne sais quelle horrible histoire de viol et de commerce sexuel ?

— En partie. Et en partie aussi parce que ça m'intéresse de découvrir ce qui s'est passé. » À peine ces paroles prononcées, Bel se serait giflée de lui avoir offert une si parfaite entrée en matière.

« Et qu'est-ce que vous avez découvert en Toscane ? » demanda-t-il.

Tandis qu'ils fonçaient dans la nuit sur les routes désertes, elle lui expliqua ce qu'elle avait appris et ce qu'elle en avait déduit. « Je suis revenue parce que je n'ai pas les ressources pour retrouver Gabriel Porteous, dit-elle en conclusion. L'inspecteur Pirie sera peut-être en mesure de faire bouger les flics italiens…

— Nous n'allons pas parler de ça à l'inspecteur Pirie, objecta Grant avec fermeté. On va engager un détective privé. Il paiera pour obtenir les informations qu'il nous faut.

— Vous n'allez pas dire à la police ce que j'ai découvert ? Vous n'allez pas leur faire partager ces tuyaux ? Ni les photos ? » Elle savait qu'elle ne devait pas se scandaliser du cinéma des très riches, mais elle était décontenancée par cette réaction si catégorique.

« Les flics sont des incompétents. On peut régler tout ça nous-mêmes. Si ce garçon est bien Adam, c'est une affaire de famille. Ce n'est pas à la police de le trouver.

— Je ne comprends pas, indiqua Bel. C'est vous qui êtes allé les chercher au départ. Et maintenant vous voulez les mettre hors course ? »

Il y eut un long silence. Le tableau de bord éclairait son profil dans l'obscurité et révélait les muscles tendus de sa mâchoire. Il prit enfin la parole : « Excusez-moi de vous dire ça, mais je crois que vous n'avez pas tout pesé dans cette affaire, Bel.

— Qu'est-ce qui m'a échappé ? » Elle sentit s'emparer d'elle cette vieille peur que les rédacteurs en chef avaient toujours provoquée avec leurs questions sur ses papiers.

« Vous avez parlé d'une quantité importante de sang sur le sol de la cuisine. Vous vous êtes dit qu'une personne ayant perdu autant de sang devait sans doute être morte. Ce qui signifie qu'il y a un corps quelque part, et que maintenant que la police mène son enquête, elle va probablement le trouver. Et lorsqu'elle le trouvera, elle cherchera un assassin…

— Or, Gabriel était là le dernier soir avant qu'ils disparaissent tous. Vous pensez que Gabriel va être considéré comme suspect, déclara Bel en comprenant tout à coup. Et si c'est bien votre petit-fils, vous voulez que la police l'oublie.

— Vous y êtes, Bel, dit-il. Et surtout, je ne veux pas que la police italienne lui fasse porter le chapeau parce qu'ils n'arrivent pas à trouver le véritable assassin. S'il n'est pas dans les parages, ce sera moins tentant, d'autant qu'il y aura d'autres suspects plus attirants sur place. Les privés italiens ne chercheront pas que Gabriel Porteous. »

Oh mon Dieu, il va faire porter le chapeau à quelqu'un d'autre. Juste en guise de sécurité. Bel eut la nausée. « Vous voulez dire que vous allez trouver un bouc émissaire ? »

Grant lui jeta un regard interloqué. « Quelle drôle de suggestion. Je vais juste m'assurer que la police italienne ait toute l'aide qu'elle mérite. » Il eut un sourire sans joie. « Nous sommes tous des citoyens de l'Europe à présent, Bel. »

Jeudi 5 juillet 2007 ; Kirkcaldy

Karen avait mené des interrogatoires dans des lieux étranges avant cela, mais le château de Ravenscraig devait sans doute entrer dans son Top 5. C'est Fergus Sinclair qui avait suggéré l'endroit lorsqu'elle avait demandé à le rencontrer. « Comme ça, ma femme peut faire visiter le château aux enfants et les emmener sur la plage, avait-il expliqué. Ce sont nos vacances d'été. Je ne vois pas pourquoi on resterait enfermés juste parce que vous voulez me parler. »

« Le mauvais temps » aurait été une réponse tout à fait valable. Karen était assise sur les vestiges d'un mur, le col de son anorak relevé pour se protéger de la brise marine pénétrante, avec Phil emmitouflé dans son blouson en cuir à côté d'elle. « Ça a intérêt à valoir le coup, lança-t-il. Je ne sais pas bien si c'est des rhumatismes ou des hémorroïdes que je suis en train d'attraper, mais je sais que c'est pas bon pour moi.

— Il a sans doute l'habitude. À force de travailler sur un domaine de chasse. » Karen jeta un coup d'œil au ciel. Les nuages étaient hauts et légers, mais elle était quand même prête à parier qu'il pleuvrait avant midi. « Tu sais qu'au Moyen Âge, c'était le siège de la famille Saint Clair ?

— C'est pour ça que cette partie de Kirkcaldy s'appelle Sinclairtown, Karen, répliqua Phil en levant les yeux au ciel. Tu crois qu'il essaie de nous intimider ? »

Elle rigola. « Si je peux survivre à Brodie Grant, je peux survivre à un descendant des Saint Clair de Ravenscraig. Tu penses que c'est lui ? »

Un homme grand et élancé franchit le corps de garde du château, suivi d'une femme presque aussi grande que lui et de deux petits garçons vigoureux ayant la même tignasse blonde et brillante que leur mère. Les gamins regardèrent autour d'eux avant de partir en courant et en sautant escalader et explorer les lieux. La femme leva la tête et l'homme lui planta un baiser sur le front, puis il lui donna de petites tapes dans le dos quand elle partit à la poursuite des garçons. Il regarda autour de lui et aperçut les deux flics. Il leva la main pour les saluer et vint dans leur direction à grands pas rapides.

Tandis qu'il approchait, Karen étudia ce visage qu'elle n'avait vu que sur des photos vieilles de vingt-deux ans. Il avait bien vieilli, même si ses yeux bleu vif étaient entourés d'un réseau de fines rides blanches qui attestaient du temps qu'il avait passé exposé au soleil et au vent. Son visage était maigre, ses joues creuses, et on devinait le contour de ses os sous sa peau. Ses cheveux châtains coupés en frange lui donnaient presque un air moyenâgeux. Il portait une chemise en tissu écossais feutré rentrée dans un pantalon de moleskine et de légères chaussures de marche. Elle se leva et le salua d'un signe de tête. « Vous devez être Fergus Sinclair, dit-elle en lui tendant la main. Je suis l'inspecteur Pirie, et voici le sergent Phil Parhatka. »

Il lui serra la main avec cette poigne rude qui lui donnait chaque fois envie de gifler l'autre avec sa main libre. « Je vous remercie d'avoir accepté qu'on se rencontre ici, commença-t-il. Je ne voulais pas faire revivre ces mauvais souvenirs à mes parents. » Il avait presque totalement perdu l'accent du Fife. Si elle avait dû se prononcer, Karen aurait pu jurer que c'était un Allemand parlant exceptionnellement bien anglais.

« Pas de problème, mentit-elle. Vous savez pourquoi on a rouvert cette affaire ? »

Il s'assit sur une pièce de maçonnerie à angle droit par rapport à Karen et Phil. « Mon père m'a dit que c'était lié à l'affiche de demande de rançon. Vous avez découvert un nouvel exemplaire ?

— Oui. Dans une villa en ruines en Toscane. » Karen attendit. Il ne dit rien.

« Pas si loin de là où vous vivez », signala Phil.

Sinclair haussa les sourcils. « Ce n'est pas vraiment la porte à côté.

— À environ sept heures de route, d'après Internet.

— Si vous le dites. J'aurais plutôt dit huit ou neuf. Mais dans tous les cas, je ne suis pas sûr de comprendre ce que vous insinuez.

— Je n'insinue rien, monsieur. Je vous aide juste à situer l'endroit, expliqua Phil. Les gens qui squattaient la villa formaient un groupe de marionnettistes. Leur compagnie s'appelait BurEst. Elle était dirigée par deux Allemands dénommés Matthias et Ursula. Vous êtes déjà tombé sur eux ?

— Bon sang, lança Sinclair exaspéré. C'est un peu comme de demander à un Écossais s'il est déjà tombé sur votre vieille tante de Londres. Je crois que je ne suis jamais allé à un spectacle de marionnettes. Même pas avec les enfants. Et je ne connais personne du nom de Matthias. La seule Ursula que je connaisse travaille à ma banque, et je doute fort qu'elle s'adonne aux marionnettes pendant son temps libre. » Il se tourna vers Karen. « Je croyais que vous vouliez parler de Cat.

— En effet. Je suis désolée, je pensais que vous vouliez savoir pourquoi nous avions rouvert l'affaire, déclara-t-elle avec sérieux en se glissant tranquillement dans le rôle du bon flic. Je suppose que vous avez oublié tout ça maintenant. Avec votre femme et vos enfants. »

Il laissa tomber ses mains entre ses genoux et entrelaça les doigts. « Je n'oublierai jamais. Je l'aimais toujours quand elle est morte. Même si elle m'a envoyé promener, il ne s'est jamais passé un jour sans que je pense à elle. Je lui ai écrit tellement de lettres. Sans lui en envoyer aucune. » Il ferma les yeux. « Mais même si je pouvais oublier Cat, je n'arriverais jamais à en faire autant pour Adam. » Il cligna fort des yeux et croisa le regard de Karen. « C'est mon fils. Cat m'a privé de lui quand il était bébé, mais les ravisseurs, eux, m'ont privé de lui pendant vingt-deux ans et demi.

— Vous croyez qu'il est toujours en vie ? demanda Karen avec douceur.

— Je sais qu'il y a de grandes chances qu'il soit mort dans les heures qui ont suivi le décès de sa mère. Mais je suis un père. Je ne peux pas m'empêcher d'espérer qu'il soit quelque part dans le monde. Qu'il mène une vie correcte. C'est comme ça que j'aime imaginer les choses.

— Vous avez toujours été sûr que c'était votre fils, dit Karen. Même si Cat ne vous a rien confirmé, vous n'en avez jamais douté. »

Il se tordit les mains. « Pourquoi aurais-je des doutes ? Écoutez, je sais que ma relation avec Cat battait de l'aile quand elle est tombée enceinte. On s'était séparés et remis ensemble une demi-douzaine de fois. On ne se voyait pratiquement plus. Mais on a passé la nuit ensemble presque neuf mois exactement avant la naissance d'Adam. Quand nous avons eu nos... difficultés, je lui ai demandé s'il y avait quelqu'un d'autre, mais elle m'a juré que non. Et Dieu sait qu'elle n'avait aucune raison de me mentir. Ç'aurait peut-être été plus simple pour elle de me dire qu'elle voyait quelqu'un d'autre. J'aurais alors dû accepter le fait que c'était terminé. Mais il n'y avait personne d'autre. » Il dénoua les mains et écarta les doigts. « Il avait même mon teint. J'ai su qu'il était de moi à la seconde où je l'ai vu.

— Vous avez dû être fâché quand Cat a refusé d'admettre qu'Adam était de vous, dit Karen.

— J'étais furieux, répondit-il. Je voulais aller en justice, faire tous les tests possibles.

— Et pourquoi vous ne l'avez pas fait ? » questionna Phil.

Sinclair baissa les yeux au sol. « Ma mère m'en a dissuadé. Brodie Grant ne supportait pas l'idée que Cat et moi soyons ensemble. Il avait grandi dans la misère à Kelty, et il avait donc une vision assez ambitieuse du type de compagnon qui pourrait convenir à sa fille. Le fils d'un garde-chasse n'y correspondait sûrement pas. Il dansait pratiquement la gigue quand on s'est séparés. » Il soupira. « Ma mère m'a dit que si j'attaquais Cat au sujet d'Adam, Grant s'en prendrait à elle et mon père. Ils vivent dans une maison de fonction. Grant a un jour promis à mon père qu'ils pourraient rester là après leur retraite. Ils ont travaillé toute leur vie pour des salaires de misère. Ils n'ont rien mis de côté. J'ai donc pris sur moi par égard pour eux. Et je suis parti dans un endroit où je n'allais pas devoir être confronté chaque jour à Cat ou à son père.

— Je sais qu'on vous a déjà posé la question à l'époque, mais avez-vous jamais pensé à vous venger de ces gens qui avaient brisé votre vie ? » demanda Karen.

Le visage de Sinclair se tordit, comme s'il était pris de douleur. « Si j'avais su comment me venger, je l'aurais fait. Mais je n'en avais pas la moindre idée, ni les moyens. J'avais vingt-cinq ans, je travaillais comme nouvel intendant sur un domaine de chasse en Autriche. J'avais des journées très longues, et je passais mon temps libre à apprendre la langue et à boire, pour essayer d'oublier ce que j'avais laissé derrière moi. Croyez-moi, inspecteur, l'idée d'enlever Cat et Adam ne m'a jamais traversé l'esprit. Ce n'est simplement pas mon mode de pensée. Et vous, ça vous serait venu à l'esprit ? »

Karen haussa les épaules. « Je ne sais pas. Par chance, je ne me suis jamais retrouvée dans cette position. Mais je sais que si on m'avait traitée comme vous l'avez été, j'aurais voulu prendre ma revanche. »

Sinclair lui concéda ce point en hochant la tête. « Mais voici ce que je pense. Ma mère m'a toujours dit que la meilleure des vengeances, c'était d'avoir une bonne vie. Et c'est ce que j'ai essayé de faire. J'ai la chance d'avoir un travail que j'aime dans une magnifique région du monde. Je peux chasser, pêcher, faire de l'escalade, du ski. Je suis heureux dans mon mariage, j'ai deux fils en bonne santé et intelligents. Je n'envie aucun homme, surtout pas Brodie Grant. Il m'a enlevé tout ce à quoi je tenais. Lui et sa fille, ils m'ont fait du mal. Ça ne s'oublie pas. Mais j'ai reconstruit ma vie, et elle est belle. J'ai un passé qui m'a laissé des cicatrices, mais ces trois-là… – il désigna sa femme et ses fils en train de grimper un talus d'herbe –, ces trois personnes compensent énormément. »

C'était un beau discours, mais il n'avait pas tout à fait convaincu Karen. « Je crois que je lui en voudrais davantage, à votre place.

— Dans ce cas, c'est aussi bien que vous n'y soyez pas. La rancune n'est pas un sentiment sain, inspecteur. Elle vous dévore comme le cancer. » Il la regarda droit dans les yeux. « Certains croient qu'il y a un lien direct entre les deux. Moi, je ne veux pas mourir d'un cancer.

— Mes collègues vous ont interrogé après le décès de Cat. Je suppose que vous vous en souvenez bien ? »

Son visage se crispa, et Karen entrevit le feu que Fergus Sinclair gardait bien au fond de lui. « Être traité comme suspect dans une enquête sur la mort de la femme que vous aimez ? Ce n'est pas quelque chose qu'on oublie facilement, dit-il d'une voix tendue et chargée d'une colère contenue.

— Demander un alibi à quelqu'un, ce n'est pas forcément le considérer comme un suspect », précisa Phil. Karen vit bien qu'il avait pris Sinclair en grippe, et elle espéra que ça ne fasse pas avorter l'interrogatoire. « Nous devons écarter des gens dans nos enquêtes afin de ne pas perdre de temps à étudier le cas d'innocents. Et parfois, la manière la plus rapide de mettre quelqu'un hors de cause, c'est qu'il ait un alibi.

— Peut-être, admit Sinclair en avançant le menton d'un air hostile. Mais ce n'est pas l'impression que j'ai eue à l'époque. J'ai eu le sentiment que vos collègues faisaient des pieds et des mains pour prouver que je n'étais pas là où je disais être. »

Il était temps de ramener le calme, se dit Karen. « Est-ce que quelque chose vous est venu à l'esprit depuis qui pourrait nous servir ? »

Il secoua la tête. « Qu'est-ce que je pourrais savoir d'utile ? La politique ne m'a jamais intéressé le moins du monde, surtout pas les groupes anarchistes dissidents. Les gens que je fréquente ne veulent pas faire la révolution. » Il eut un petit sourire satisfait. « À moins peut-être d'une révolution dans la conception des skis.

— À vrai dire, on pense qu'il ne s'agit pas d'un groupe anarchiste, indiqua Karen. Nous sommes assez bien renseignés sur le genre de personnes qui croient à l'action directe pour servir leurs ambitions politiques. Et on n'a jamais entendu parler de l'Alliance anarchiste d'Écosse, ni avant ni après ces événements.

— Oui, mais ils n'allaient pas attirer l'attention sur eux après ça, si ? Pas avec les inculpations pour meurtre et enlèvement qui leur pendaient au nez.

— Pas sous ce nom-là, non. Mais ils y ont gagné un million de livres en liquide et en diamants. Ça représente plus de trois millions aujourd'hui. Si c'étaient des activistes convaincus, on pourrait s'attendre à retrouver une partie de cet argent dans les caisses de groupes radicaux aux visées similaires. Mes prédécesseurs dans cette affaire ont demandé au MI5 de veiller à leurs intérêts. Mais sur les cinq années qui ont suivi la mort de Cat, il ne s'est jamais rien passé. Aucun groupe d'extrémistes fanatiques ne s'est retrouvé subitement en fonds. On ne pense donc pas que les ravisseurs étaient vraiment des activistes politiques. On pense qu'ils étaient plus proches des victimes. »

L'expression de Sinclair voulait tout dire. « Et c'est pour ça que je suis ici. » Il ne pouvait effacer son sourire sarcastique.

« Pas pour la raison que vous croyez, assura Karen. Vous n'êtes pas là parce que je vous soupçonne. » Elle leva les mains en signe de renoncement. « On n'a jamais réussi à prouver que vous ayez pu être sur les lieux de l'enlèvement ou de la remise de rançon. Vos comptes bancaires n'ont jamais révélé de fonds injustifiés. Oui, je sais, ça vous agace d'entendre qu'on a regardé vos comptes en banque. Mais ne soyez pas fâché. Pas si Cat ou Adam comptent vraiment pour vous. Vous devriez être content qu'on ait fait notre boulot du mieux qu'on pouvait pendant toutes ces années. Et que ça vous ait pratiquement blanchi de tout soupçon.

— Malgré le venin que Brodie Grant a essayé de déverser sur moi. »

Karen secoua la tête. « Vous seriez peut-être agréablement surpris à ce niveau-là. Mais voilà ce qui se passe. Vous êtes ici parce que vous êtes la seule personne qui a vraiment connu Cat. Elle ressemblait trop à son père ; j'ai dans l'idée qu'ils auraient pu finir meilleurs amis, mais ils étaient encore dans la phase de dispute. Sa mère est morte. Elle n'avait pas l'air d'avoir de copines proches. Il ne me reste donc que vous pour me faire découvrir la vie de Cat. Et je crois que c'est là que réside le secret de sa mort. » Elle cloua Sinclair du regard. « Alors, qu'est-ce que vous allez faire, Fergus ? Vous allez m'aider ? »

Dimanche 14 août 1983 ; Newton of Wemyss

Catriona Maclennan Grant tournoya sur la pointe d'un pied, les bras tendus. « C'est à moi, rien qu'à moi ! » s'exclama-t-elle sur le ton d'une méchante sorcière. Elle s'arrêta subitement et chancela légèrement, prise de vertiges. « Qu'est-ce que tu en penses, Fergus ? N'est-ce pas tout simplement parfait ? »

Fergus Sinclair examina la pièce sordide. La maison de gardien du domaine de Wemyss ne valait en rien le cottage sans prétention mais impeccable dans lequel il avait grandi. Elle était bien plus loin du château de Rotheswell et avait encore moins de charme que les maisons d'étudiants où il avait vécu. Certes, l'endroit était resté inoccupé pendant deux ans et était donc totalement dépourvu de l'atmosphère qu'avaient pu y créer ses anciens habitants. Mais Fergus avait quand même du mal à se montrer enthousiaste. Ce n'était pas comme ça qu'il avait imaginé s'installer avec elle. « Ce sera bien une fois qu'on aura mis un bon coup de peinture, dit-il.

— Bien sûr que ce sera bien, répondit-elle. Je veux que ça reste simple. Lumıneux mais simple. Abricot ici, je crois. » Elle se dirigea vers la porte. « Citron pour le couloir, les escaliers et le palier. Jaune canari dans la cuisine. Je vais utiliser l'autre pièce du bas comme bureau, donc quelque chose de neutre. » Elle gravit l'escalier en courant et s'appuya sur la rampe en lui souriant. « Bleu dans ma chambre. Un beau bleu comme on en trouve en Suède. »

Sinclair rit devant son engouement. « Je n'ai pas mon mot à dire ? »

Le sourire de Cat s'évanouit. « Pourquoi tu aurais ton mot à dire, Fergus ? Ce n'est pas ta maison. »

Ces paroles lui firent l'effet d'un coup de poing. « Comment ça ? Je croyais qu'on allait vivre ensemble ? »

Cat s'assit sur la marche la plus haute, les genoux serrés et les bras repliés sur elle-même. « Qu'est-ce qui t'a fait penser ça ? Je n'ai jamais rien dit de tel. »

Le sol parut instable sous les pieds de Sinclair. Il se retint au pilier de l'escalier. « C'est ce qu'on a toujours dit. Qu'on finirait notre formation et qu'on s'installerait ensemble. Moi intendant, toi maître verrier. C'était notre projet, Cat. » Il la dévisagea en l'adjurant intérieurement d'admettre qu'il avait raison.

Ce qu'elle fit, mais d'une manière qui ne le rassura absolument pas. « Fergus, on était à peine plus que des enfants à ce moment-là. C'est comme quand tu es petit et que ton cousin dit qu'il va se marier avec toi quand tu seras plus grande. Tu y crois quand tu le dis, mais ensuite tu renonces à ta promesse en grandissant.

— Non, protesta-t-il en s'engageant dans l'escalier. Non, on n'était pas des enfants. On savait ce qu'on disait. Je t'aime toujours autant. Toutes les promesses que je t'ai faites... je veux toujours les tenir. » Il vint s'installer à côté d'elle et la força à se pousser tout à fait contre le mur. Il passa le bras autour de ses épaules. Mais elle garda les siens contre elle.

« Fergus, je veux vivre seule, expliqua Cat en regardant l'endroit où il s'était trouvé quelques instants plus tôt, comme si elle lui parlait toujours de face. C'est la première fois que j'ai mon propre espace de travail et mon propre chez-moi. J'ai plein d'idées en tête, des choses que je veux réaliser. Et je sais de quelle manière je veux vivre.

— Je ne me mêlerai pas de tes idées, insista Sinclair. Tu peux tout faire comme tu le veux.

— Mais tu seras *là*, Fergus. Quand j'irai me coucher la nuit, quand je me réveillerai le matin. Je devrai penser à des choses du genre qu'est-ce qu'on va manger, et quand on va le manger.

— Je ferai la cuisine », dit-il. Il pouvait se nourrir lui-même, ça ne serait pas plus difficile de nourrir deux personnes... « On peut faire ça suivant tes conditions.

— Je devrai quand même penser aux heures des repas et à des choses qui se passent à heures fixes, pas quand ça me paraît naturel ou bon pour mon rythme créatif. Je devrai penser à tes lessives, à quand tu as besoin de la salle de bains. À ce que tu veux regarder à la télé. » Cat se balançait à présent d'avant en arrière, envahie par cette angoisse naturelle qu'elle s'était toujours efforcée de dissimuler. « Je ne veux pas avoir à me préoccuper de tout ça.

— Mais Cat…

— Je suis une artiste, Fergus. Je ne dis pas ça comme si c'était un rang important qui me place au-dessus de tout le monde. Ce que je veux dire, c'est que je suis un peu tordue. J'ai du mal à rester avec des gens pendant de longues périodes.

— On a l'air de s'en sortir plutôt bien ensemble. » Il entendit la note implorante dans sa voix et n'en eut pas honte. Cat valait la peine d'oublier son amour-propre.

« Mais on ne passe finalement pas beaucoup de temps tous les deux, Fergus. Regarde ces dernières années. J'étais en Suède, toi à Londres. On s'est retrouvés un week-end de temps en temps, mais on s'est surtout vus à Rotheswell. On a passé à peine plus de quelques nuits ensemble. Et ça me va bien comme ça.

— Moi, ça ne me va pas, répliqua-t-il d'un ton bourru. Je veux être tout le temps avec toi. Comme je te l'ai dit, on peut le faire suivant tes conditions. »

Elle se dégagea de l'emprise de son bras et descendit quelques marches, puis se tourna pour pouvoir le regarder. « Tu ne vois pas à quel point ça me fait peur ? Rien que de t'entendre le dire, je me sens oppressée. Tu parles de le faire suivant mes conditions, mais aucune de mes conditions n'inclut l'idée d'avoir quelqu'un sous le même toit que moi. Fergus, tu comptes tellement pour moi. Il n'y a personne à qui je sois autant attachée. Je t'en prie, ne gâche pas ça en me forçant ou en me faisant culpabiliser pour que je fasse quelque chose dont je ne supporte même pas l'idée. »

Il eut l'impression d'avoir le visage gelé, comme s'il se tenait au sommet de l'East Lomond par grand vent, la peau tirée sur les os, les yeux remplis de larmes. « C'est ce que les gens font quand ils s'aiment », dit-il.

Elle avança la main vers lui et la posa sur son genou. « C'est une manière de vivre l'amour, dit-elle. La plus courante. Mais c'est en partie pour des raisons économiques, Fergus. Les gens vivent ensemble parce que c'est moins cher que de vivre séparés. Ça peut revenir au même prix de vivre à deux que seul. Mais ça ne veut pas dire que c'est le mieux pour tout le monde. Beaucoup de gens ont des relations qui ne se conforment pas à ce modèle. Et ces autres façons de faire marchent tout aussi bien. Tu crois que parce que je ne veux pas vivre avec toi, ça signifie que je ne t'aime pas ? Mais Fergus, c'est tout le contraire. Si je vivais avec toi, ça détruirait notre relation. Je deviendrais folle. Je voudrais te tuer. C'est parce que je t'aime que je ne veux pas vivre avec toi. »

Il repoussa sa main et se leva. « Putain, t'as vraiment passé trop de temps en Suède ! cria-t-il, la gorge serrée. Écoute-toi parler. Des manières de vivre l'amour. Se conformer à des modèles. C'est pas ça, l'amour. L'amour, c'est… c'est… Cat, quelle place ont l'affection, la gentillesse, l'entraide dans ton monde ? »

Elle se leva à son tour et s'appuya contre le mur. « La même place que ces sentiments ont toujours eue. Fergus, on a toujours été gentils l'un envers l'autre. On a toujours eu de l'attention l'un pour l'autre. Pourquoi devrait-on changer la forme de notre relation ? Pourquoi risquer de détruire toutes ces belles choses qui marchent si bien entre nous ? Même le sexe. Tous les gens que je connais, une fois qu'ils se mettent à vivre ensemble, leurs rapports ne sont plus aussi excitants. Au bout de deux ou trois ans, ils ne baisent pratiquement plus. Mais regarde-nous. » Elle monta une marche en faisant un pas de côté pour être à son niveau. « On ne se considère pas acquis l'un à l'autre. C'est pour ça que quand on se voit c'est encore électrique. » Elle s'avança vers lui, posa une main sur sa poitrine et prit ses couilles dans l'autre. Malgré lui, il sentit le sang affluer dans son sexe. « Allez, Fergus… baise-moi, murmura-t-elle. Ici. Maintenant. »

Et elle arriva à ses fins. Comme toujours.

Jeudi 5 juillet 2007

« Comme son père, elle était très forte pour arriver à ses fins. Elle était plus subtile que lui, mais le résultat final était le même », conclut Sinclair.

Pour la première fois depuis que le Macaron l'avait briefée sur l'affaire, Karen eut l'impression de percevoir un peu qui était Catriona Maclennan Grant. Une femme qui savait ce qu'elle voulait. Une artiste ayant une conception de la vie qu'elle était bien décidée à mettre en pratique. Une solitaire qui ne prenait plaisir à voir des gens que lorsqu'elle était d'humeur à cela. Une amoureuse qui n'avait appris à accepter de prendre des engagements qu'après être devenue mère. Une femme difficile mais aussi courageuse, imaginait Karen. « Est-ce que vous connaissez quelqu'un qui aurait croisé son chemin et qui aurait pu vouloir la punir ? demanda-t-elle.

— La punir de quoi ?

— Vous l'avez dit vous-même. Son talent. Ses privilèges. Son père. »

Il y réfléchit. « C'est dur à imaginer. Elle venait de passer quatre ans en Suède. Elle se faisait simplement appeler Cat Grant. Je crois que personne là-bas n'avait la moindre idée de qui était Brodie Maclennan Grant. » Il étendit les jambes et les croisa au niveau des chevilles. « Elle est revenue ici prendre des cours à l'université d'été pendant ses deux premières années en Suède. Elle traînait avec certaines des personnes qu'elle connaissait depuis l'époque où elle avait été aux beaux-arts à Édimbourg. »

Karen se redressa. « Je ne savais pas qu'elle avait été aux beaux-arts à Édimbourg, signala-t-elle. Il n'y a rien là-dessus dans le dossier. Il est seulement indiqué qu'elle a étudié en Suède. »

Sinclair hocha la tête. « En théorie, c'est vrai. Mais au lieu de faire sa dernière année de lycée dans son établissement privé bourgeois d'Édimbourg, elle a suivi un cours d'initiation aux beaux-arts. Ce n'est sans doute pas dans le dossier parce que son père n'était pas au courant. Il était hors de question pour lui qu'elle devienne artiste. C'était donc un grand secret entre Cat et sa mère. Elle partait tous les matins en train et rentrait plus ou moins à l'heure habituelle. Mais au lieu d'aller au lycée, elle allait aux beaux-arts. Vous ne le saviez vraiment pas ?

— On ne le savait vraiment pas. » Karen regarda Phil. « Il faut qu'on se renseigne sur les gens qui ont suivi ce cours d'initiation.

— La bonne nouvelle, c'est qu'ils n'étaient pas très nombreux, indiqua Sinclair. Seulement dix ou douze. Bien sûr, elle connaissait d'autres élèves, mais elle traînait surtout avec ceux de sa classe.

— Vous vous rappelez qui étaient ses copains ? »

Sinclair acquiesça. « Ils étaient cinq. Ils aimaient les mêmes groupes, les mêmes artistes. Ils parlaient sans arrêt du modernisme et de son legs. » Il leva les yeux au ciel. « J'avais l'impression d'être un vrai péquenaud dans ces moments-là.

— Vous avez des noms ? Des infos ? » Phil recommençait à mettre la pression. Il prit son carnet de notes et l'ouvrit.

« Il y avait une fille de Montrose : Diana Macrae. Une autre de Peebles, comment elle s'appelait… ? Un prénom italien… Demelza Gardner.

— Demelza, ce n'est pas italien, ça vient de Cornouailles », corrigea Phil. Karen le fit taire d'un regard.

« N'importe. Pour moi ça sonne italien, dit Sinclair. Il y avait aussi deux autres mecs. Un type de Crieff ou de je ne sais quel bled paumé du Perthshire : Toby Inglis. Et enfin, Jack Docherty. Un sale con de la classe ouvrière de Glasgow. C'étaient tous des gentils gosses de bourges et Jack était leur bête de foire. Ça n'avait pas l'air de le déranger. Il faisait partie de ces gens qui se moquent du genre d'attention qu'on leur accorde tant qu'ils en reçoivent.

— Est-ce qu'elle est restée en contact avec certains d'entre eux quand elle est partie en Suède ? »

Voyant ses garçons arriver vers lui en courant, Sinclair ignora sa question et se leva. Ils se jetèrent sur lui dans un torrent d'exclamations que Karen supposa être en allemand. Sinclair les laissa s'agripper à lui et les porta péniblement sur quelques pas comme des bébés chimpanzés. Il les reposa ensuite au sol, leur dit quelque chose, leur ébouriffa les cheveux et les envoya à la recherche de leur mère, qui avait disparu derrière les marches descendant vers le rivage. « Excusez-moi, dit-il en revenant vers eux et en se rasseyant. Pour répondre à votre question… je ne sais pas vraiment. Je me rappelle vaguement avoir entendu Cat parler de l'un ou l'autre quelques fois, mais je n'ai pas bien fait attention. Je n'avais rien en commun avec eux. Je ne les ai jamais revus après que Cat a quitté les beaux-arts. » Il se passa la main sur la mâchoire. « Avec le recul, je me dis que plus on vieillissait, moins on avait de choses en commun, Cat et moi. Si elle avait survécu, on ne se serait jamais remis ensemble.

— Vous auriez peut-être fini par trouver un terrain d'entente au sujet d'Adam, dit Karen.

— J'aimerais le croire. » Il couva du regard l'arche par laquelle ses fils avaient disparu. « Il y autre chose ? C'est juste que j'aimerais bien retourner à ma vie.

— D'après vous, est-ce que quelqu'un de sa période aux beaux-arts aurait pu lui garder rancune de quelque chose ? » demanda Karen.

Sinclair secoua la tête. « Elle ne m'a jamais rien dit qui puisse me faire penser ça, répondit-il. Elle avait une forte personnalité, mais c'était difficile de ne pas l'aimer. Je ne me rappelle pas l'avoir entendue se plaindre que quelqu'un lui en ait fait baver. » Il se leva de nouveau et lissa son pantalon. « À vrai dire, je ne peux pas croire que quelqu'un qui l'ait connue ait pu penser s'en tirer après l'avoir kidnappée. Elle était bien assez forte pour arriver à ses fins. »

Glenrothes

La Flèche frappait le clavier avec ses index. Il se demandait pourquoi on parlait de « taper au toucher », parce qu'il était impossible de taper sur un clavier sans le toucher. Ça revenait toujours à taper au toucher, en y regardant de près. Il se demandait aussi pourquoi sa chef persistait à lui refiler les recherches informatiques, à moins que ce ne fût simplement par pur sadisme. Tout le monde croyait que les jeunes comme lui étaient très à l'aise devant un ordinateur, mais pour la Flèche c'était comme un pays étranger où il n'aurait même pas connu le mot pour dire « bière ».

Il aurait été beaucoup plus heureux si elle l'avait envoyé à l'école des beaux-arts avec Parhatka pour parler à de vrais gens et éplucher des annuaires et des archives bien réelles. Il était plus fort pour ça. Et en plus, on rigolait bien avec le sergent. Mais il n'y avait rien de marrant à fouiller le forum et les listes de membres de www.plusbellesannéesdenosvies.com pour retrouver les noms écrits sur une feuille de carnet arrachée que sa chef avait posée sur son bureau.

Ça correspondait tellement peu à ce qui l'avait motivé à s'engager. Où était passée l'action ? À quand les courses-poursuites et les arrestations spectaculaires ? Au lieu d'émotions fortes, il avait la chef et le Chapeau qui se comportaient comme un duo comique à l'ancienne, du genre French et Saunders. Ou était-ce Flanders et Swann ? Il les confondait tout le temps.

Il n'avait même pas eu besoin d'impressionner qui que ce soit pour pouvoir accéder au contenu intégral du site web. La femme à qui il avait parlé avait tout fait pour se rendre utile. « On a déjà aidé la police, nous sommes toujours heureux de faire notre possible », avait-elle bafouillé dès qu'il lui avait expliqué ce qu'il voulait. Quelle que fût la personne à qui elle avait eu affaire auparavant, celle-ci l'avait laissée dans un état de soumission tremblante. Il aimait bien percevoir ça chez les gens auxquels il s'adressait.

Il regarda de nouveau la liste de noms. Diana Macrae. Demelza Gardner. Toby Inglis. Jack Docherty. C'était l'année 1977/1978 qu'il recherchait. Après quelques clics aux mauvais endroits, il accéda enfin à la liste des membres. Un seul des noms y figurait. Diana Macrae était devenue Diana Waddell, mais ce n'était pas difficile à deviner. Il cliqua sur son profil.

Suite à mon cours d'initiation à l'école des beaux-arts, j'ai fait une licence à l'école d'art de Glasgow, spécialité sculpture. Après ces études, j'ai commencé à travailler dans le domaine de l'art-thérapie pour des personnes atteintes de maladies mentales. J'ai rencontré Desmond, mon mari, quand nous travaillions tous les deux à Dundee. Nous nous sommes mariés en 1990 et avons deux enfants. Nous vivons à Glenisla, un coin que nous adorons tous. Je me suis remise à la sculpture sur bois et j'ai un contrat avec la jardinerie locale, mais aussi avec une galerie à Dundee.

Une galerie à Dundee, songea la Flèche avec mépris. De l'art ? À Dundee ? C'était à peu près aussi inimaginable que la paix au Moyen-Orient. Il lut en diagonale d'autres bêtises sur son mari et ses gosses, puis parcourut les messages et les e-mails qu'elle avait reçus d'anciens amis étudiants. Pourquoi ces gens se donnaient-ils tant de peine ? Leurs vies étaient aussi ennuyeuses qu'un match de foot à East Fife. Après avoir fait défiler une vingtaine d'échanges insipides, il tomba sur un message d'une dénommée Shannon.

Est-ce que tu as eu des nouvelles de Jack Docherty? demandait-elle.

Ce cher Jack! On s'est échangé des cartes de vœux.

Sa suffisance se lisait dans chaque mot de son e-mail, indéniablement dénué de subtilité.

Il est en Australie-Occidentale maintenant. Il a sa propre galerie à Perth. Il travaille beaucoup avec des artistes aborigènes. On a quelques œuvres de lui, elles sont remarquables. Il est très heureux. Il a un petit copain aborigène. Plus jeune de quelques années et très beau, mais ça a l'air d'être un amour. Une fois que nos deux chéris seront à la fac, on a prévu d'aller lui rendre visite.

D'une pierre deux coups, se dit la Flèche en griffonnant ces informations. Il poursuivit jusqu'à la fin du stupide message puis décida qu'il avait besoin d'une pause avant de se relancer.

Une tasse de café plus tard, il reprit ses recherches. Il ne trouva aucune trace de Toby Inglis et Demelza Gardner dans la section beaux-arts du site web. Mais grâce à la dévotion de son contact, il avait accès à l'intégralité du site. Il entra le nom de la femme et, à son grand étonnement, il fit mouche. Il cliqua sur le résultat et tomba sur un message où Gardner était décrite comme étant « de loin ma prof préférée ». C'était sur le site d'un lycée de Norwich.

Il eut au moins le bon sens de rechercher ce lycée sur Google. Et il y trouva Demelza Gardner. Responsable de la section Art. Bon sang, une fois qu'on avait pigé le truc, c'était vraiment du gâteau, l'informatique. Il entra le nom de Toby Inglis dans le moteur de recherche et parvint une nouvelle fois à des résultats. La Flèche suivit le lien vers un forum où les anciens élèves d'une école privée de Crieff pouvaient s'étendre à n'en plus finir sur leurs vies incroyablement fabuleuses. Il lui fallut un moment pour s'y retrouver dans ces correspondances, mais il dénicha finalement ce qu'il cherchait.

Plutôt content de lui, il arracha la première page de son bloc-notes et partit à la recherche de l'inspecteur Pirie.

Voilà comment s'étaient passées les choses, résuma intérieurement Karen. Elle avait appelé Bel Richmond et l'avait invitée à venir le plus tôt possible aux bureaux de l'Eranc pour un entretien. De préférence dans l'heure. Bel avait refusé. Karen avait mentionné le petit problème que pouvait poser l'obstruction à une enquête de police.

Bel était alors allée voir Brodie Grant pour se plaindre qu'elle ne voulait pas courir à Glenrothes chaque fois que Karen Pirie le lui ordonnait. Sur quoi Grant avait appelé le Macaron et expliqué que Bel ne voulait pas être interrogée et que l'inspecteur Pirie avait intérêt à arrêter de la menacer. Le Macaron l'avait ensuite convoquée et lui avait passé un savon pour avoir dérangé Brodie Grant, puis il lui avait dit de foutre la paix à Bel Richmond.

Karen avait alors rappelé Bel Richmond. De sa voix la plus douce, elle lui avait demandé de se présenter à l'Eranc à deux heures. « Si vous ne venez pas, avait-elle dit, une voiture de police se présentera à Rotheswell dix minutes plus tard pour vous arrêter pour obstruction à l'enquête. » Puis elle avait raccroché.

Il était à présent deux heures moins une minute, et Dave Cruickshank venait de l'appeler pour lui annoncer que Bel Richmond se trouvait dans le bâtiment. « Faites-la conduire en salle d'interrogatoire n°1 par un uniforme, et qu'il attende avec elle jusqu'à ce que j'arrive. » Karen se prit un Coca Light dans le frigo et s'assit cinq minutes à son bureau. Elle but la dernière lampée de sa canette puis se dirigea vers le couloir menant à la salle d'interrogatoire.

Elle trouva Bel assise à la table de la pièce grise sans fenêtres, l'air furieuse. Un paquet de Marlboro rouges était posé devant elle, une cigarette à côté. Elle avait manifestement oublié que les Écossais avaient passé l'interdiction de fumer dans les lieux publics avant les Anglais, jusqu'à ce que l'agent le lui rappelle.

Karen tira une chaise et s'assit lourdement dessus. Le coussin en mousse avait été moulé par d'autres fesses que les siennes, et elle se tortilla pour s'installer confortablement. Les coudes sur la table, elle se pencha en avant. « N'essayez plus jamais de me rouler, dit-elle d'un ton détendu, avec un regard de granit.

— Oh, je vous en prie, répliqua Bel. On ne va pas se crêper le chignon. Je suis là, alors passons. »

Karen ne lâcha pas Bel des yeux. « Il faut qu'on parle de l'Italie.

— Pourquoi pas ? C'est un pays merveilleux. La cuisine est fantastique, le vin meilleur d'année en année. Et puis il y a l'art...

— Arrêtez ça. Je ne rigole pas. Je vais vous inculper pour obstruction à la police, vous mettre dans une cellule et vous y laisser jusqu'à ce que je puisse vous faire passer devant un juge. Je ne vais certainement pas me laisser mener en bateau par sir Broderick Maclennan Grant ou ses larbins.

— Je ne suis pas le larbin de Brodie Grant, corrigea Bel. Je suis une journaliste d'investigation indépendante.

— Indépendante ? Vous vivez sous son toit. Vous mangez à sa table, vous buvez son vin. Qui à tous les coups n'est pas italien, d'ailleurs. Et qui vous a payé cette petite virée en Italie ? Vous n'êtes pas indépendante, vous êtes à sa solde.

— Vous vous trompez.

— Non, Bel. J'ai une plus grande liberté d'action que vous en ce moment. Je peux envoyer mon chef au diable. D'ailleurs, je viens de le faire. Vous pouvez en dire autant ? Sans la police italienne, je ne saurais même pas que vous êtes allée en Toscane questionner des gens sur la villa Totti. Le seul fait que vous ayez rendu des comptes à Grant sans rien nous dire me prouve que vous lui appartenez.

— Foutaises. Les journalistes ne parlent pas de leurs recherches aux flics tant que leur travail n'est pas fini. C'est ce qui se passe maintenant. »

Karen remua lentement la tête de gauche à droite. « Je ne crois pas. Et à vrai dire, je suis étonnée. Je ne pensais pas que vous étiez ce genre de femme.

— Vous ne savez rien de moi, inspecteur. » Bel s'installa plus confortablement sur sa chaise, comme si elle se préparait à quelque chose d'agréable.

« Je sais que vous ne vous êtes pas forgé votre réputation en débitant des phrases toutes faites comme celle-ci. » Karen rapprocha sa chaise de la table et réduisit ainsi la distance qui les séparait à une cinquantaine de centimètres. « Et je sais que vous avez été une journaliste militante pendant presque toute votre carrière. Vous savez ce que les gens disent de vous, Bel ? Ils disent que vous êtes une battante. Ils disent que vous êtes une personne qui agit pour le bien, même si ce n'est pas le plus facile. Par exemple en accueillant votre sœur et son fils sous votre toit quand ils avaient besoin qu'on s'occupe d'eux. Ils disent que vous vous fichez de la popularité que vous vaut votre position, que vous arrachez la vérité à coups de pied et à coups de gueule pour que les gens la regardent en face. Ils disent que vous êtes une franc-tireuse. Quelqu'un qui suit ses propres règles. Quelqu'un qui n'a d'ordres à recevoir de personne. » Elle marqua une pause et fixa Bel d'un regard intimidant. La journaliste cligna des yeux, mais ne les détourna pas. « Vous pensez qu'ils vous reconnaîtraient maintenant ? S'ils vous voyaient recevoir des ordres d'un homme comme sir Broderick Maclennan Grant ? Un homme qui incarne le système capitaliste ? Un homme qui a résisté à toutes les tentatives qu'a fait sa fille pour s'affirmer, au point qu'elle a fini par se mettre en danger ? C'est à ça que vous en êtes réduite ? »

Bel prit sa cigarette et la tassa sur la table. « Il faut parfois se trouver une place dans la tente de l'ennemi pour pouvoir découvrir qui il est véritablement. S'il y a une personne qui devrait comprendre ça, c'est bien vous. Les flics s'infiltrent tout le temps quand il n'y a pas d'autre moyen de se représenter une situation. Avez-vous la moindre idée du nombre d'interviews que Brodie Grant a accordées au cours des vingt dernières années ?

— Au hasard, je dirais… aucune ?

— Exact. Quand j'ai trouvé une preuve susceptible de faire rouvrir cette affaire non classée, je me suis dit que beaucoup de gens s'intéresseraient à Grant. Des éditeurs. Mais seulement si quelqu'un pouvait l'approcher et voir qui il était réellement. » Elle souleva un coin de sa bouche en un demi-sourire cynique. « Alors je me suis dit : autant que ce soit moi.

— Très bien. Je ne vais pas perdre mon temps à relever les failles dans votre autojustification. Mais en quoi votre volonté d'offrir au monde le livre de référence sur cette pauvre famille vous donne-t-elle le droit de vous placer au-dessus des lois ?

— Ce n'est pas comme ça que je vois les choses.

— Bien sûr que ce n'est pas comme ça que vous les voyez. Vous avez besoin de vous voir comme la personne qui agit pour le compte de Cat Grant. La personne qui va ramener son fils dans sa famille, mort ou vivant. L'héroïne. Vous ne pouvez pas vous permettre de vous voir sous votre vrai jour. Parce que ce vrai jour vous révèle comme étant la personne qui fait obstacle à toutes ces choses. Eh bien, voilà le scoop, Bel. Vous n'avez pas les moyens de mener cette affaire à son terme. Je ne sais pas ce que Brodie Grant vous a promis, mais ça ne va pas être propre. Dans tous les sens du terme. » Karen sentit la colère monter en elle, prête à éclater. Elle recula sa chaise pour laisser un peu d'espace entre elles.

« La police italienne se fiche de ce qui est arrivé à Cat Grant, dit Bel.

— Vous avez raison. Et pourquoi s'en préoccuperait-elle ? » Karen se sentit rougir. « En revanche, elle s'intéresse à la personne dont le sang tapisse le sol de la cuisine de la villa Totti. Il y en a tellement qu'il est presque certain que cette personne est morte. Elle s'intéresse à ça, et elle fait tout son possible pour découvrir ce qui s'est passé là-bas. Et dans le cadre de cette enquête, elle découvrira des choses qui vont nous aider. C'est comme ça qu'on procède. On n'engage pas des privés qui adaptent leurs rapports en fonction de ce que le client veut entendre. On ne construit pas notre propre système juridique pour servir nos intérêts. Laissez-moi vous poser une question, Bel. Juste entre nous. » Karen se tourna vers l'agent en uniforme toujours posté à côté de la porte. « Vous pouvez nous laisser une minute ? »

Elle attendit qu'il ait fermé la porte derrière lui. « Selon la loi écossaise, je ne peux rien utiliser de ce que vous me direz maintenant. Il n'y a pas de témoin, vous voyez. Alors voilà ma question. Et je veux que vous y réfléchissiez très attentivement. Je ne vous demande pas de me donner une réponse. Je veux simplement être sûre que vous y ayez vraiment réfléchi sincèrement. Si vous deviez retrouver les ravisseurs, que croyez-vous que Brodie Grant ferait de cette information ? »

Les muscles autour de la bouche de Bel se contractèrent. « Je crois que c'est un sous-entendu calomnieux.

— Je n'ai rien sous-entendu. C'est vous qui faites des déductions. » Karen se leva. « Je ne suis pas une imbécile, Bel. Ne me traitez pas comme si c'était le cas. » Elle ouvrit la porte. « Vous pouvez revenir maintenant. »

L'agent reprit sa place près de la porte, et Karen retourna s'asseoir. « Vous devriez avoir honte, lança-t-elle. Mais pour qui vous vous prenez, à faire votre propre loi ? C'est à ça que vous avez consacré votre carrière ? À établir une loi pour les riches et les puissants, qui fasse un pied de nez au reste d'entre nous ? » *Bien envoyé. Il était grand temps.*

Bel secoua la tête. « Vous vous méprenez sur mon compte.

— Prouvez-le. Dites-moi ce que vous avez découvert en Toscane.

— Pourquoi ? Si vous faisiez correctement votre boulot dans la police, vous l'auriez découvert par vous-mêmes.

— Vous croyez que j'ai besoin de justifier de mes capacités ? La seule chose dont je doive me défendre, c'est que nos enquêtes souffrent du poids des règlements et des limitations de moyens. Ce qui signifie qu'il nous faut parfois du temps, à moi et mon équipe, pour nous rendre sur le terrain. Mais vous pouvez être certaine qu'une fois que nous y sommes, il n'y a pas un brin d'herbe qui ne soit examiné. Si vous vous moquez de la justice, dites-le-moi. » Elle sourit froidement à Bel. « Sinon, vous pourriez bien vous retrouver à répondre aux journalistes au lieu de poser les questions.

— C'est une menace ? »

Pour Karen, c'était plutôt de la provocation. Bel n'était pas loin de lâcher le morceau, elle le sentait. « Je n'ai pas besoin de vous menacer, répondit-elle. Même Brodie Grant sait à quel point la police est une passoire à informations. Elles semblent arriver naturellement aux oreilles du public. Et vous savez à quel point la presse se réjouit quand une personne moralement respectée est prise dans une coulée de boue. » Oh non, elle ne se trompait pas. Bel commençait vraiment à flipper.

« Écoutez, Karen… Je peux vous appeler Karen ? demanda Bel d'une voix chaude comme une tasse de chocolat.

— Appelez-moi comme vous voulez, ça m'est complètement égal. Je ne suis pas votre copine, Bel. J'ai six heures pour vous interroger sans avocat et je compte bien ne pas en perdre une minute. Dites-moi ce que vous avez découvert en Italie.

— Je ne vais rien vous dire, rétorqua Bel. J'ai envie d'aller fumer une cigarette dehors. Je vais juste laisser mon sac sur la table. Faites attention de ne pas le renverser, des choses pourraient en tomber. » Elle se leva. « Ça vous va, inspecteur ? »

Karen s'efforça de ne pas sourire. « L'agent va devoir vous tenir compagnie. Mais prenez votre temps. Fumez-en deux. J'ai largement de quoi m'occuper. » Elle regarda Bel quitter la pièce et ne put s'empêcher de ressentir un bref élan d'admiration pour le style de cette femme. Renoncer sans capituler. *Joli, Bel.*

Son bras effleura le cabas en paille qui se renversa sur le côté et révéla le coin d'une liasse de papiers. Karen la ramassa sans la lire et courut à son bureau. Dix minutes plus tard, elle avait photocopié toutes les pages et rangé un exemplaire dans son tiroir fermé à clé. L'original en main, elle retourna à la salle d'interrogatoire, où elle s'installa pour lire.

Au fur et à mesure qu'elle digérait le rapport de Bel pour Brodie Grant, elle relevait les points importants. Un groupe hétéroclite de marionnettistes squattant la villa Totti. Daniel Porteous, peintre britannique, qui n'était pas tant un ami de la maison que de Matthias, le chef, et de sa petite amie. Matthias le décorateur et le réalisateur des affiches. Gabriel Porteous, fils de Daniel. Vu avec Matthias la veille du jour où BurEst s'était éparpillée aux quatre vents. Du sang sur le sol de la cuisine, frais ce matin-là. Daniel Porteous imposteur. Et ce dès novembre 1984, où il avait établi une fausse déclaration de naissance pour son fils.

Elle buta un instant sur le nom de la mère, qu'elle savait avoir déjà rencontré mais n'arrivait pas à resituer. Puis elle le prononça à voix haute et eut un déclic. Frida Kahlo. Cette artiste mexicaine sur laquelle Michael Marra avait écrit la chanson *Frida Kahlo's Visit to the Taybridge Bar.* Son homme lui en avait fait baver. Mais ça ne disait rien de neuf. Si ce n'est que notre bonhomme avait joué les malins avec l'état civil et s'était moqué sous cape d'un petit fonctionnaire incapable de distinguer Frida Kahlo de Michel-Ange. Il avait fait l'intéressant. Il s'était cru intelligent mais ne s'était pas rendu compte qu'il donnait par la même occasion des renseignements sur lui-même. Ça avait quand même dû être un faussaire habile, ce Daniel Porteous, pour réussir à fournir tous les documents nécessaires et convaincre l'officier d'état civil. Et culotté, pour aller au bout de son projet.

Tout ça était très intéressant, mais qu'est-ce qui avait persuadé Bel que Gabriel Porteous était Adam Maclennan Grant ? Et, par extension logique, Daniel Porteous son père biologique ? Et en poussant encore plus loin cette logique, que Daniel Porteous et Matthias étaient les ravisseurs ? Toujours en contact après toutes ces années, toujours en possession du cadre de sérigraphie original. À partir de l'affiche, on pouvait tout faire coïncider, mais seulement d'après des présomptions.

Réalisant que Bel allait revenir d'un instant à l'autre, Karen feuilleta plus vite le dossier en quête d'éléments significatifs, de quelque chose qui puisse transformer la théorie en fait établi. Les dernières pages étaient composées de photos : des clichés pris lors d'une fête, et des agrandissements avec des légendes.

Son estomac fit un tour sur lui-même et son esprit refusa d'abord d'accepter ce qu'elle voyait. Oui, c'était vrai que ce Gabriel avait une ressemblance frappante avec Brodie et Cat Grant. Mais ce n'était pas ça qui avait provoqué ce haut-le-cœur. Karen regarda fixement la photo de Daniel Porteous, prise de nausée. Bon Dieu, qu'est-ce qu'elle devait en penser ? Puis, aussi subitement qu'une lumière s'allume, elle comprit quelque chose qui renversait toute la situation.

Daniel Porteous avait déclaré la naissance de son fils trois mois avant l'enlèvement. Il avait pris une fausse identité au moins trois mois avant le moment où il allait l'utiliser pour s'enfuir. Soit. Ça montrait qu'il était prévoyant. Mais il s'était aussi mis en droit d'emmener son fils avec lui. « On ne fait pas ça quand on a l'intention de l'échanger contre une rançon », dit-elle à voix basse.

Karen fourra les papiers de Bel dans le cabas en paille et se dirigea vers la porte. C'était du délire. Il fallait qu'elle parle à quelqu'un capable de l'aider à y voir clair. Mais où était donc Phil quand elle avait besoin de lui ?

Elle sortit de la salle d'interrogatoire et faillit rentrer dans la Flèche. Il fit un pas de côté, l'air désorienté. « Je vous cherchais », dit-il.

Moi certainement pas. « Je n'ai pas le temps maintenant, déclara-t-elle en le bousculant pour passer.

— J'ai ça pour vous », dit-il d'un ton plaintif.

Karen virevolta, saisit la feuille de papier et partit en courant. Elle avait l'impression qu'une armée de messagers tournaient en rond dans sa tête, chacun avec une pièce du puzzle. Pour l'instant, elles ne s'assemblaient pas. Mais elle avait dans l'idée que, quand ce moment arriverait, le résultat ferait tomber tout le monde à la renverse.

Château de Rotheswell

L'équipe de sécurité avait été relevée depuis que Bel était partie pour son entretien avec Karen Pirie, si bien que le garde de l'entrée dut contacter le château pour autoriser son retour en taxi. Ce qui anéantissait tout espoir de rentrer discrètement. Tandis qu'elle payait le taxi, la porte de la maison s'ouvrit pour révéler un Grant à la mine sévère. Bel prit un air enjoué et se dirigea vers lui.

Pas de civilités ce jour-là. « Qu'est-ce que vous lui avez dit ? questionna-t-il.

— Rien, répondit Bel. Un bon journaliste protège ses sources et les informations qu'il détient. Je ne lui ai rien dit. » D'un point de vue théorique, c'était la vérité. Elle n'avait rien dit à Karen Pirie. Ça n'avait pas été nécessaire. L'inspecteur était sortie en trombe du bâtiment et s'était seulement arrêtée pour annoncer à Bel qu'elle était libre de partir.

« Il vient d'y avoir du nouveau dans une autre affaire sur laquelle je travaille, je dois me rendre à Édimbourg. Je vous appellerai. Vous pouvez retourner à Rotheswell maintenant. » Puis elle avait fait un clin d'œil à Bel. « Et vous pouvez mettre la main sur le cœur pour promettre à Brodie Grant que vous n'avez pas parlé. »

Avec la certitude qu'elle ne mentait pas réellement, Bel entra dans la maison, ne laissant d'autre choix à Grant que de la retenir par le bras ou de la suivre.

« Vous êtes en train de me dire que vous ne lui avez rien raconté et qu'elle vous a tranquillement laissée partir ? » Il dut hâter le pas pour rester à son niveau alors qu'elle se dirigeait vers les escaliers d'un air affairé.

« J'ai bien fait comprendre à l'inspecteur Pirie que je n'allais pas parler. Elle a reconnu que ça ne servait à rien de prolonger cette situation sans issue. » Bel jeta un coup d'œil par-dessus son épaule. « Ce n'est pas la première fois dans ma carrière que je dois cacher des informations à la police. Je vous avais dit que ce n'était pas la peine d'essayer de lui filer les jetons. »

Grant le lui concéda d'un hochement de tête. « Désolé de ne pas vous avoir prise au mot.

— Vous pouvez l'être, déclara Bel. Je… » Elle s'interrompit pour décrocher son téléphone. « Bel Richmond », annonça-t-elle en levant un doigt pour faire patienter Grant.

Un torrent de paroles en italien se déversa dans son oreille. Elle distingua « Boscolata » puis reconnut la voix du jeune qui avait vu Gabriel avec Matthias la nuit où BurEst avait disparu. « Doucement, prends ton temps, protesta-t-elle gentiment en empruntant sa langue.

— Je l'ai vu, dit le garçon. Hier. J'ai vu Gaby à Sienne. Et je savais que vous vouliez le trouver, alors je l'ai suivi.

— Tu l'as suivi ?

— Ouais, comme dans les films. Il a pris un bus, et j'ai réussi à monter sans qu'il me voie. On s'est retrouvés à Greve. Vous connaissez Greve in Chianti ? »

Elle connaissait Greve. Un parfait petit bourg rempli de boutiques branchées pour les riches Anglais, sauvé par quelques bars et trattorias où les habitants pouvaient encore manger et boire. Un lieu de rendez-vous pour les jeunes le vendredi et le samedi. « Je connais Greve, dit-elle.

— On arrive ensuite sur la *piazza* principale et il va dans ce bar, il s'assied avec un groupe de types du même âge. Je suis resté dehors, mais je le voyais à travers la fenêtre. Il a pris deux bières et une assiette de pâtes, puis il est sorti.

— Tu as encore pu le suivre ?

— Pas vraiment. Je pensais pouvoir, mais il avait une Vespa garée quelques rues plus loin. Il a pris la route pour quitter la ville vers l'est. »

On y était presque, mais pas tout à fait. « Tu t'en es bien sorti, assura-t-elle.

— J'ai fait mieux. J'ai attendu une vingtaine de minutes, puis je suis entré dans le bar où il était. J'ai dit que je cherchais Gaby, que j'étais censé le retrouver là. Ses copains m'ont dit que je l'avais raté de peu. J'ai alors fait l'innocent et je leur ai demandé s'ils pouvaient m'expliquer comment aller chez lui, parce que je ne connaissais pas le chemin.

— Incroyable », dit Bel, sincèrement épatée par son initiative. Grant commença à s'éloigner, mais elle lui fit signe de revenir.

« Et donc, ils m'ont dessiné un plan, dit-il. Plutôt cool, hein ? Apparemment, c'est à deux pas d'une roulotte de berger.

— Qu'est-ce que tu as fait ?

— J'ai pris le dernier bus pour rentrer chez moi », répondit-il comme si ça allait de soi. Ce qui était sûrement le cas pour un garçon de son âge.

« Et tu as ce plan ?

— Je l'ai ramené avec moi, dit-il. Je me suis dit qu'il aurait une certaine valeur pour vous. Peut-être cent euros ?

— On en discutera. Écoute, je vais revenir dès que je peux. Ne parle de ça à personne d'autre que Grazia, d'accord ?

— D'accord. »

Bel conclut l'appel et se tourna vers Grant en levant le pouce. « On y arrive, dit-elle. Oubliez vos détectives privés. Mon contact a découvert où vit Gabriel. Maintenant, il faut que je retourne en Italie pour lui parler. »

Le visage de Grant s'éclaira. « En voilà une nouvelle formidable ! Je viens avec vous. Si ce garçon est mon petit-fils, je veux le voir en tête à tête. Le plus tôt sera le mieux.

— Je ne crois pas que ce soit une bonne idée. Nous devons agir avec prudence », contra Bel.

Une voix lui fit écho derrière elle. « Elle a raison, Brodie. On doit en savoir beaucoup plus sur ce garçon avant que tu ne prennes le risque de t'exposer. » Judith avança et posa une main sur le bras de son mari. « Tout ça pourrait bien être un piège élaboré. S'il s'agit vraiment des gens qui ont enlevé Adam et qui t'ont volé il y a vingt-deux ans, on sait qu'ils sont capables de se montrer extrêmement cruels. On ne sait rien d'autre avec certitude. Laisse Bel s'en charger. » Grant éleva une protestation, mais elle le fit taire. « Bel, pensez-vous pouvoir récupérer un échantillon ADN de ce jeune homme sans qu'il s'en rende compte ?

— Ce n'est pas si difficile, répondit Bel. Je suis sûre que je peux y arriver d'une façon ou d'une autre.

— Je continue de penser que je devrais y aller, insista Grant.

— Bien sûr, chéri. Mais cette fois, c'est les femmes qui ont raison. Tu dois juste prendre ton mal en patience. Alors, où est l'avion ? »

Grant soupira. « À Édimbourg.

— Parfait. Le temps que Bel fasse son sac, Susan aura tout réglé. » Elle jeta un coup d'œil à sa montre. « Tu as dit que tu emmènerais Alec à la pêche après l'école, donc je peux conduire Bel. » Elle sourit à la journaliste. « Mieux vaut se dépêcher. Je vous retrouve en bas dans un quart d'heure ? »

Bel acquiesça, trop estomaquée pour discuter. S'il lui était arrivé de se demander comment Judith Grant s'imposait dans son couple, elle venait d'en avoir une démonstration spectaculaire. Grant s'était fait complètement écraser et, à moins de piquer une crise de colère, il n'avait aucun moyen de reprendre le dessus. Elle se retourna et monta l'escalier en courant. *Autant ajouter un zéro à mon avance.* C'était en train de devenir l'affaire de sa carrière. Tous ceux qui s'étaient un jour payé sa tête allaient devoir ravaler leurs paroles. Ça allait être merveilleux. Certes, il lui restait encore un travail pénible à accomplir sur le terrain, mais il y avait toujours des travaux pénibles. Ils ne menaient simplement pas toujours à la gloire.

Kirkcaldy

Karen arpentait le salon, en faisant systématiquement dix pas, un demi-tour sur elle-même, puis dix pas dans l'autre sens. Bouger l'aidait d'habitude à mettre de l'ordre dans ses idées. Mais ce soir-là, ça ne marchait pas. L'imbroglio qui régnait dans sa tête était inextricable et lui donnait l'impression de se battre contre des moulins à vent. Elle supposait que c'était parce que, quelque part au fond d'elle-même, elle refusait d'admettre l'inévitable conclusion. Elle avait besoin de Phil pour lui tenir la main pendant qu'elle pensait l'impensable.

Mais, bon sang, où était-il ? Elle avait laissé un message sur son répondeur presque deux heures plus tôt, sans succès. Ce n'était pas son genre de faire silence radio. Alors qu'elle ressassait cette pensée pour la centième fois, sa sonnette retentit.

Elle n'avait jamais parcouru aussi vite la distance qui la séparait de sa porte. Phil se tenait sur le seuil, l'air penaud. « Je suis désolé, dit-il. Je suis allé à la Bibliothèque nationale à Édimbourg, et j'ai dû éteindre mon téléphone. J'avais oublié de le rallumer jusqu'à il y a quelques minutes. Je me suis dit que ce serait plus rapide de venir directement. »

Karen le fit entrer dans le salon pendant qu'il s'expliquait. Il regarda autour de lui avec curiosité. « C'est sympa, remarqua-t-il.

— Non, pas du tout. C'est juste une machine à habiter, dit-elle.

— Mais c'en est une bonne. Elle est reposante. Les couleurs sont bien assorties. Tu as le coup d'œil. »

Elle n'eut pas le cœur de lui avouer que c'était l'œil de quelqu'un d'autre. « Je ne t'ai pas demandé de venir pour me faire des compliments sur ma déco, signala-t-elle. Tu veux une bière ? Ou un verre de vin ?

— Je suis en voiture, objecta-t-il.

— Ne te préoccupe pas de ça. Tu pourras toujours prendre un taxi. Crois-moi, il va te falloir un verre. » Elle lui mit la photocopie des notes de Bel sous le nez. « Bière ou vin ?

— Tu as du vin rouge ?

— Lis ça. Je reviens tout de suite. » Karen se rendit dans la cuisine, choisit le meilleur rouge parmi la demi-douzaine que contenait le casier à bouteilles, le déboucha et servit deux grands verres. Le parfum épicé de la syrah australienne lui chatouilla les narines lorsqu'elle prit les verres. C'était le premier phénomène extérieur qu'elle remarquait depuis qu'elle avait quitté le bureau.

Installé à la table de la salle à manger, Phil était absorbé par le rapport. Elle déposa le verre à côté de sa main. Il but distraitement une gorgée. Karen ne tenait pas en place. Elle s'assit, puis se releva. Elle retourna à la cuisine et revint avec une assiette de crackers au fromage. Puis elle se souvint de la feuille que lui avait donnée la Flèche. Elle l'avait fourrée dans son sac sans la regarder.

Elle retrouva son sac dans la cuisine. Les notes de la Flèche n'étaient pas exactement les plus claires et succinctes qu'elle ait pu lire, mais elle comprit l'essentiel de ce qu'il avait découvert. Trois des amis de Cat ne présentaient aucun intérêt par rapport à l'affaire. Mais le message qu'il avait recopié sur un forum au sujet de Toby Inglis lui sauta aux yeux avec la force d'un ressort.

... comme le livre de Kate Mosse. Mais tu ne devineras jamais sur qui on est tombés dans un resto de Perpignan. Toby Inglis, ni plus ni moins. Tu te rappelles qu'il voulait casser la baraque et devenir le nouveau Laurence Olivier? Évidemment, ça n'a pas exactement marché comme il l'avait prévu. Il est resté assez évasif quand on lui a

demandé des précisions, mais il a dit qu'il était metteur en scène et décorateur de théâtre. À mon avis, il a un peu arrangé le tableau. Brian a trouvé qu'il ressemblait plus à un hippie en retard sur son époque. Ce qu'il y a de sûr, c'est qu'il puait l'herbe et le patchouli. On lui a demandé où on pourrait voir une de ses mises en scène, mais il a répondu qu'il était en vacances d'été. Je mourais d'envie d'en savoir plus, mais c'est là que cette Allemande est arrivée. Je crois qu'elle pensait qu'ils allaient déjeuner là, mais il l'a embarquée aussi vite qu'il a pu. Je crois qu'il ne voulait pas qu'on parle avec elle et qu'on découvre la vérité. Quelle qu'elle soit. Et donc, après Perpignan…

Karen relut les notes griffonnées par la Flèche. Pouvait-il s'agir de Matthias ? Ça ressemblait vraiment au mystérieux Matthias, que personne n'avait revu depuis qu'on l'avait aperçu à Sienne avec Gabriel Porteous. Une autre pièce qui semblait appartenir au puzzle mais qui ne trouvait pas sa place.

Karen se força à prendre une profonde inspiration puis rejoignit Phil à la table de la salle à manger. Il avait étalé les photos devant lui. Il en poussa une de l'index pour l'aligner avec les autres. « C'est lui, n'est-ce pas ? dit-il.

— Adam ? »

Il fit un geste impatient en direction de Karen. « Oui, bon, bien sûr que c'est Adam. Ça ne peut être qu'Adam. Pas seulement parce qu'il ressemble à sa mère et à son grand-père. Mais parce que l'homme qui l'a élevé est Mick Prentice. »

Pendant un instant, Karen eut l'impression de se trouver en apesanteur. Puis le trouble de son esprit se dissipa et ses idées s'éclaircirent de nouveau. Elle n'était pas en train de perdre la tête ou de se laisser emporter par son imagination. « Tu es sûr ?

— Il n'a pas tellement changé, en fait, indiqua Phil. Et regarde, on voit sa cicatrice… » Il la désigna du bout du doigt. « La marque laissée par le charbon en travers de son sourcil droit. Cette fine ligne bleue. C'est Mick Prentice. Je suis prêt à le parier.

— Mick Prentice était un des ravisseurs ? » Karen perçut elle-même un léger tremblement dans sa voix.

« On sait tous les deux qu'il était plus que ça, je crois, répondit Phil.

— Les déclarations à l'état civil, dit Karen.

— Tout juste. Mick avait tout planifié avant même de quitter Jenny. Il s'était créé cette fausse identité pour pouvoir démarrer une nouvelle vie. Mais il n'avait qu'une raison possible de devoir donner une fausse identité à Adam.

— Il n'avait pas l'intention de l'échanger contre la rançon, dit Karen. Parce que c'était le père d'Adam. Pas Fergus Sinclair. Mick Prentice. » Elle but une gorgée de vin rouge. « C'était un coup monté, n'est-ce pas ? Il n'y a jamais eu d'anarchistes ?

— Non, répondit Phil dans un soupir. On dirait qu'il y a eu deux mineurs. Mick et son copain Andy.

— Tu crois qu'Andy était dans le coup ?

— On dirait bien. Sinon, comment tu expliques qu'il ait fini enterré dans la grotte à ce moment précis ?

— Mais pourquoi ? Pourquoi l'avoir tué ? C'était le meilleur copain de Mick, protesta Karen. S'il y avait une personne à qui il pouvait faire confiance, c'était Andy. Vu comme vous fonctionnez, vous les mecs, il aurait sans doute plus fait confiance à Andy qu'à Cat.

— C'était peut-être un accident. Peut-être qu'il s'est pris un coup sur la tête en montant ou en descendant du bateau.

— River nous a dit qu'il avait l'arrière du crâne fracassé. Ça ne ressemble pas à un accident en montant dans un bateau. »

Phil jeta les mains en l'air comme pour dire « peu importe ». « Il a pu trébucher et s'éclater la tête sur le quai. C'était le chaos cette nuit-là. Il a pu se passer n'importe quoi. Je serais prêt à parier qu'Andy était le co-conspirateur.

— Et Cat ? Elle était de mèche ou c'était leur victime ? Est-ce que Mick et elle étaient toujours ensemble ou est-ce qu'il essayait d'avoir son fils et assez du fric de Brodie Grant pour qu'ils soient tous les deux tranquilles jusqu'à la fin de leurs jours ? »

Phil se gratta la tête. « Je crois qu'elle était dans le coup, dit-il. S'ils s'étaient séparés et qu'il les avait emmenés tous les deux, elle ne l'aurait jamais laissé lui prendre Adam des bras. Elle aurait eu trop peur qu'il lui enlève son bébé.

— J'arrive pas à croire qu'ils s'en soient tirés », dit-elle.

Phil rassembla les feuilles et en refit un tas propre. « Lawson était sur la mauvaise piste. Et pour cause.

— Non, non. Je ne parle pas de l'enlèvement. Je parle de la liaison entre Mick et Cat. Tout le monde sait tout sur tout le monde dans un village comme Newton. Et ils n'auraient jamais laissé passer une relation extraconjugale.

— Enfin, on dirait donc qu'on a réussi là où Lawson avait échoué. On a élucidé l'enlèvement et retrouvé Adam Maclennan Grant.

— Pas tout à fait, rétorqua Karen. On ne sait pas vraiment où il est. Et il reste le détail de l'énorme flaque de sang en Toscane. Qui pourrait être le sien.

— Ou qui pourrait avoir été versé par lui. Auquel cas il ne tiendra pas beaucoup à ce qu'on le retrouve.

— Il y a une chose qu'on n'a pas prise en compte, précisa Karen en passant à Phil les résultats des recherches de la Flèche. Il semblerait que Matthias le marionnettiste soit peut-être en fait un ami de Cat, de son année aux beaux-arts. La description de Toby Inglis a l'air de correspondre à Matthias, le chef de leur petite bande disparate. Quel est son rôle dans l'histoire ? »

Phil regarda la feuille. « Intéressant. S'il a été mêlé à l'enlèvement, ça a pu s'avérer plus que gênant pour sa carrière peu florissante et le forcer à faire profil bas. » Il termina son verre de vin et l'inclina vers Karen. « Il te reste de ce nectar ? »

Elle alla chercher la bouteille et le resservit. « Une théorie lumineuse ? »

Phil but une lente gorgée. « Eh bien, si ce Toby est Matthias, c'était un vieil ami de Cat. C'est peut-être comme ça qu'il a rencontré Mick. Ça n'était pas forcément prévu, il a pu simplement venir par hasard un jour où Mick était là. Tu sais comment sont les artistes.

— À vrai dire, non. Je crois que je n'ai jamais rencontré personne qui ait fait les beaux-arts.

— La copine de mon frère les a faits. Celle qui s'occupe de la déco chez moi.

— Et elle a tendance à ne pas être fiable ? demanda Karen.

— Non, admit Phil. Mais imprévisible, par contre. Je ne sais jamais ce qu'elle s'apprête à m'infliger. J'aurais peut-être dû te demander de faire ma déco à sa place. Ça a vraiment beaucoup plus de charme.

— Ma raison d'être, dit-elle. Tout ce qui a du charme. » Un silence tendu s'installa entre eux, puis Karen s'empressa de s'éclaircir la voix et reprit : « Mais il y a un problème, Phil. S'ils avaient fait connaissance quand Mick était avec Cat, puis qu'ils s'étaient rencontrés par hasard en Italie, comment Mick a-t-il bien pu expliquer ce qui était arrivé à Cat et pourquoi il avait fini avec le gamin ?

— Tu es en train de me dire qu'il devait donc aussi être impliqué dans l'enlèvement ? »

Elle haussa les épaules. « Je ne sais pas. Je ne sais vraiment pas. Mais ce que je sais, c'est qu'il faut que la police italienne retrouve la personne dont le sang n'est pas répandu sur le sol de la villa, pour qu'on puisse lui poser quelques questions pertinentes.

— Un nouveau défi pour la femme qui a mis Jimmy Lawson derrière les barreaux. » Il leva son verre dans sa direction.

« Ça va toujours me poursuivre, cette histoire, hein ?

— Pourquoi ça te dérange ? »

Karen détourna le regard. « Ça me donne parfois l'impression de traîner un boulet. Comme dans *L'homme qui tua Liberty Valance.*

— C'est pas pareil, objecta Phil. Tu as pincé Lawson à la loyale.

— Après que quelqu'un d'autre avait fait tout le boulot. Exactement comme maintenant, où Bel fait tout sur le terrain.

— C'est toi qui as fait le plus important, dans les deux cas. On serait encore à la case départ si tu n'avais pas demandé à fouiller la grotte et interrogé correctement les gars de Nottingham. Si tu veux faire référence à ce film, rappelle-toi cette phrase : "Quand la légende rejoint les faits, alors imprimez la légende." Tu es une légende, Karen. Et tu mérites de l'être.

— Tais-toi, tu me mets mal à l'aise. »

Phil s'adossa à sa chaise et lui fit un grand sourire. « On peut se faire livrer une pizza par ici ?

— Pourquoi ? T'invites ?

— J'invite. On mérite bien de fêter ça, tu crois pas ? On a pratiquement résolu deux affaires non classées où c'était le flou total. Même si on aurait pu se passer de découvrir le meurtre d'Andy Kerr en prime. Tu commandes la pizza, je regarde tes DVD.

— Il faudrait que j'appelle les Italiens, dit Karen sans enthousiasme.

— Avec le décalage horaire, il est presque huit heures là-bas. Tu penses vraiment qu'il y aura quelqu'un d'un tant soit peu gradé dans les parages ? Tu ferais aussi bien d'attendre demain matin pour parler au type à qui tu as déjà eu affaire. Détends-toi, pour une fois. Décroche. On va finir le vin, se taper une pizza et regarder un film. Qu'est-ce que t'en dis ? »

Oui, oui, oui ! « C'est une idée, dit Karen. Je vais chercher le menu. »

Celadoria, près de Greve in Chianti

Alors que Bel quittait Greve vers l'est, le soleil descendait sur les collines, un disque écarlate dans son rétroviseur. Elle avait retrouvé Grazia dans un bar de la *piazza* principale, qui lui avait donné la feuille avec les indications pour se rendre à la petite maison où vivait Gabriel Porteous. À seulement trois kilomètres de la ville, elle trouva à droite la route signalée sur le plan griffonné. Elle s'y engagea lentement, en essayant de repérer deux montants de portail en pierre sur la gauche. Elle était censée trouver un chemin de terre tout de suite après.

Elle le trouva. Un étroit sentier qui serpentait entre les rangs de vigne suivant le contour de la colline, et devant lequel on pouvait passer sans le remarquer si on ne le cherchait pas. Mais Bel était aux aguets, et elle n'hésita pas. Le plan était marqué d'une croix sur la gauche du chemin, mais il n'était clairement pas à l'échelle. L'angoisse commença à la gagner au fur et à mesure qu'elle s'éloignait de la route principale. Puis, tout à coup, rosie par le soleil couchant, une maison basse en pierre apparut dans son champ de vision. Elle semblait être à deux doigts de s'écrouler. Mais ce n'était pas rare, même dans une région aussi prisée que le Chianti toscan.

Bel se gara et sortit de la voiture, puis elle s'étira le dos, raide après toutes ces heures passées assise. Elle n'eut pas le temps de faire deux pas que la porte en bois s'ouvrit en grinçant ; le jeune homme des photos apparut sur le seuil, vêtu d'un jean coupé et d'un débardeur noir qui mettait en valeur son bronzage uniforme. Il prit une attitude désinvolte : une main sur la porte, l'autre sur le chambranle, un regard interrogateur mais poli. À le voir en chair et en os, la ressemblance avec Brodie Grant était frappante au point de donner des frissons. Seule la couleur des cheveux différait. Alors que Brodie Grant les avait eus aussi noirs que Cat dans sa jeunesse, ceux de Gabriel étaient caramel, parsemés de mèches dorées par le soleil. À part ça, ils auraient pu être frères.

« Vous devez être Gabriel », déclara-t-elle en anglais.

Il pencha la tête de côté et fronça les sourcils, masquant un peu plus ses yeux enfoncés. « Je ne crois pas qu'on se connaisse », dit-il. Il parlait anglais avec la musicalité de l'italien.

Elle se rapprocha et lui tendit la main. « Je m'appelle Bel Richmond. Andrea, la galeriste de San Gimignano, ne vous a pas prévenu que je passerais ?

— Non, répondit-il en croisant les bras sur la poitrine. Je n'ai aucune œuvre de mon père à vendre. Vous avez perdu votre temps en venant ici. »

Bel rit, de ce rire léger et charmant auquel elle s'était exercée au fil des années pour des moments comme celui-ci, où elle attendait sur un pas de porte. « Vous m'avez mal comprise. Je n'essaye pas de vous arnaquer, vous ou Andrea. Je suis journaliste. J'avais entendu parler du travail de votre père et je voulais écrire un article sur lui. Et puis j'ai découvert que j'arrivais trop tard. » Son visage s'adoucit et elle lui fit un petit sourire compatissant. « Je suis vraiment désolée. Pour avoir réalisé ces peintures, ce devait être un homme remarquable.

— Ça l'était », confirma Gabriel, comme s'il lui en voulait de l'avoir contraint à prononcer ces deux mots. Son visage resta impénétrable.

« Je me disais qu'il serait peut-être encore possible d'écrire quelque chose ?

— Ça ne sert à rien, si ? Il est mort. »

Bel lui lança un regard pénétrant. La réputation ou l'argent, voilà la question qui se posait. Elle ne connaissait pas assez bien ce garçon pour savoir ce qui lui permettrait de franchir la porte. Et elle voulait la franchir avant de lâcher la bombe que constituait ce qu'elle savait vraiment sur lui et son père. « Ça rehausserait sa réputation, indiqua-t-elle. Ça assurerait que son nom soit établi. Et évidemment, ça augmenterait aussi la valeur de son travail.

— Ça ne m'intéresse pas d'attirer l'attention des médias. » Il recula, et la porte commença à se fermer doucement.

Il est temps de jeter les dés. « Je comprends bien pourquoi, Adam. » Ça avait marché, à en juger par l'expression de stupéfaction qui parcourut son visage. « Vous voyez, j'en sais beaucoup plus que je ne l'ai dit à Andrea. Assez pour écrire un article, ça ne fait aucun doute. Vous voulez qu'on en discute ? Ou bien vous préférez que je m'en aille et que j'écrive ce que je sais sans que vous ayez votre mot à dire sur la manière dont le monde vous verra, vous et votre père ?

— Je ne sais pas de quoi vous parlez », répliqua-t-il.

Bel avait vu assez de gens essayer de la baratiner pour ne pas être dupe. « Oh, s'il vous plaît, fit-elle. Ne me faites pas perdre mon temps. » Elle fit demi-tour et se dirigea vers la voiture.

« Attendez ! cria-t-il. Écoutez, je crois que vous comprenez tout de travers. Mais venez boire un verre de vin. » Bel se retourna sans hésiter une seconde et revint vers lui. Il haussa les épaules avec un sourire attendrissant. « C'est la moindre des choses, après tout le chemin que vous avez fait pour venir ici. »

Elle le suivit dans cette pièce sombre typiquement toscane qui servait de salon, de salle à manger et de cuisine. Il y avait même une alcôve pour mettre un lit après la cheminée, mais au lieu d'un matelas étroit, elle accueillait une télé à écran plasma et une chaîne hi-fi que Bel aurait été heureuse de posséder chez elle.

À côté de la cuisinière se trouvait une table en pin éraflée et récurée. Un paquet de Marlboro Lights et un briquet jetable étaient posés près d'un cendrier plein à ras bord. Gabriel recula une chaise pour que Bel s'assoie à une extrémité, puis alla chercher deux verres et une bouteille de vin rouge sans étiquette. Tandis qu'il avait le dos tourné, elle prit un mégot de cigarette dans le cendrier et le glissa dans sa poche. Elle pouvait partir à tout moment maintenant qu'elle avait ce qu'il lui fallait pour vérifier si ce jeune homme était réellement Adam Maclennan Grant. Gabriel s'installa à l'autre bout de la table, servit le vin et leva son verre vers elle. « Santé. »

Bel trinqua avec lui. « Heureuse de faire enfin votre connaissance, Adam, dit-elle.

— Pourquoi est-ce que vous m'appelez sans arrêt Adam ? » questionna-t-il, l'air perplexe. Il était fort, elle devait le reconnaître. Il savait mieux cacher son jeu que Harry, qui n'avait jamais pu s'empêcher de rougir lorsqu'il mentait. « Je m'appelle Gabriel. » Il tira une cigarette de son paquet et l'alluma.

« Maintenant, oui, concéda Bel. Mais ce n'est pas votre vrai prénom, pas plus que Daniel Porteous n'était le vrai nom de votre père. »

Il rit à demi et leva une main en l'air en signe d'incompréhension. « Vous voyez, c'est très bizarre pour moi. Vous débarquez chez moi, je ne vous ai jamais vue avant, et vous commencez à me déballer tout ça… Je ne veux pas vous paraître impoli, mais c'est vraiment des conneries ce que vous me racontez, il n'y a pas d'autre mot. Comme si je ne connaissais pas mon propre nom.

— Je crois que vous le connaissez, votre nom. Je crois que vous savez exactement de quoi je parle. Qui que fût votre père, il ne s'appelait pas Daniel Porteous. Et vous n'êtes pas Gabriel Porteous. Vous êtes Adam Maclennan Grant. » Bel ramassa son sac et en sortit un dossier. « Voici votre mère. » Elle lui montra une photo de Cat Grant sur le yacht de son père, en train de rire la tête en arrière. « Et voici votre grand-père. » Elle lui passa un portrait de Brodie Grant au début de la quarantaine. Elle leva les yeux et vit la poitrine de Gabriel se soulever et retomber au rythme de sa respiration saccadée. « La ressemblance est frappante, vous ne trouvez pas ?

— Bon, vous avez trouvé deux personnes qui me ressemblent un peu. Qu'est-ce que ça prouve ? » Il tira avec force sur sa cigarette et plissa les yeux dans la fumée.

« Rien, en soi. Mais on vous retrouve en Italie avec un homme utilisant l'identité d'un garçon qui est mort des années plus tôt. Vous êtes ici peu de temps après l'enlèvement d'Adam Maclennan Grant et de sa mère. La mère d'Adam est morte quand la remise de rançon a mal tourné, mais Adam a disparu sans laisser de traces.

— C'est plutôt mince », objecta Gabriel. Il ne la regardait plus dans les yeux. Il vida son verre et le remplit à nouveau. « Je ne vois pas vraiment le rapport avec mon père et moi.

— La demande de rançon était faite sous une forme bien particulière. Une affiche de marionnettiste. On a trouvé la même dans une villa près de Sienne qui était squattée par une troupe de marionnettistes dirigée par un certain Matthias.

— Je ne vous suis plus. » Son regard était fixé sur un point derrière elle, mais son sourire était enchanteur. Tout comme celui de son grand-père.

Bel posa sur la table une photo de Gabriel à la fête de Boscolata. « Mauvaise réponse, Adam. C'est vous à une fête où Matthias vous a invité avec votre père. Ce qui vous lie tous les deux à une demande de rançon faite pour vous et votre mère il y a vingt-deux ans. C'est plus que suggestif, vous ne trouvez pas ?

— Je ne vois pas de quoi vous parlez », dit-il. Elle reconnut cette mâchoire obstinée qu'elle avait déjà vue chez Brodie Grant. Vraiment, elle pouvait partir maintenant et compter sur l'ADN pour faire le nécessaire. Mais c'était plus fort qu'elle. Elle ne pouvait résister à cet instinct du journaliste qui vous pousse à traquer le gibier jusqu'à décrocher le scoop.

« Bien sûr que si. C'est une histoire fabuleuse, Adam. Et je vais l'écrire avec ou sans votre aide. Mais ce n'est pas tout, n'est-ce pas ? »

Le regard que Gabriel lui lança n'avait rien de sympathique. « C'est des conneries. Vous avez relevé quelques coïncidences et vous vous êtes imaginé tout ça. Qu'est-ce que vous espérez y gagner ? Du fric de ce Grant ? Un article dans un magazine de merde ? Si vous avez la moindre réputation, vous allez la détruire en écrivant ces histoires. »

Bel sourit. Les petites menaces de Gabriel lui indiquaient qu'elle l'avait mis en mauvaise posture. Le moment était venu de le prendre à la gorge. « Comme je le disais, ce n'est pas tout. Vous pensez peut-être ne pas être en danger, Adam, mais vous vous trompez. Il y a un témoin, voyez-vous... » Elle laissa cette phrase en suspens.

Il écrasa sa cigarette et en sortit immédiatement une autre. « Un témoin de quoi ? » Bel sentit une tension dans sa voix qui la persuada qu'elle était sur la bonne voie.

« On vous a vu avec Matthias la veille du jour où la troupe BurEst a disparu de la villa Totti. Vous y étiez avec lui ce soir-là. Le lendemain, ils étaient tous partis. Et vous aussi.

— Et alors ? » Désormais, il avait l'air en colère. « Même si c'est vrai, qu'est-ce que ça fait ? Je retrouve un ami de mon père. Mon père qui vient de mourir. Le lendemain, il quitte la ville avec sa bande. Et alors quoi, putain ? »

Bel laissa peser ses paroles. Elle prit le paquet de cigarettes et se servit. « Et alors, il y a une tache de sang de plusieurs litres sur le sol de la cuisine. Mais d'accord, ça, vous le savez déjà. » Elle alluma le briquet dont la flamme révéla à quel point l'obscurité s'était épaissie durant le peu de temps passé depuis son arrivée. La cigarette rougeoya, elle aspira une bouffée et la recracha du coin de la bouche. « Ce que vous ne savez sans doute pas, c'est que la police italienne a lancé une chasse à l'homme. » Elle tapota en vain sa cigarette contre le bord du cendrier. « Je crois que le moment est venu pour vous de tout déballer sur ce qui s'est passé en avril dernier. »

Jeudi 26 avril 2007 ; villa Totti, Toscane

Jusqu'aux derniers jours de la vie de son père, Gabriel Porteous n'avait pas compris son rapport à l'homme qui l'avait élevé seul. Il n'avait jamais vraiment réfléchi au lien entre père et fils. Si on avait insisté, il aurait qualifié leur relation de courtoise plutôt que de passionnée, en particulier lorsqu'il la comparait au rapport complice et dynamique que la plupart de ses copains entretenaient avec leur père. Il mettait ça sur le compte des origines britanniques du sien. Après tout, les British passaient pour des gens coincés et réservés, non ? En plus, tous ses copains avaient de grandes familles qui s'étendaient verticalement et horizontalement à travers le temps et l'espace. Dans un tel environnement, il fallait établir son droit, ou alors on sombrait sans laisser de traces. Mais Gabriel et Daniel n'avaient personne d'autre. Ils n'avaient pas besoin de se battre pour qu'on leur prête attention. Ce n'était donc pas un problème de se montrer peu démonstratif. Du moins, c'était ce qu'il se disait. Ça ne servait à rien d'aspirer à avoir le genre de famille qu'il ne pourrait jamais avoir. Étant un enfant unique dont les grands-parents étaient morts, il n'appartiendrait jamais à un clan comme ceux de ses amis. Il resterait stoïque, comme son père, et accepterait ce qu'il ne pouvait changer. Avec les années, il renoncerait au désir de vivre autre chose, il apprendrait à s'incliner devant l'inévitable en se concentrant sur les avantages que lui conférait sa situation.

Ainsi, quand Daniel lui avait annoncé qu'on lui avait diagnostiqué un cancer, Gabriel s'était enfoncé dans le déni. Il ne pouvait accepter l'idée de vivre sans Daniel. Cette terrible information n'avait pas de sens dans sa vision du monde, et il avait donc simplement continué de mener sa vie comme s'il n'avait jamais appris cette nouvelle. Pas la peine de revenir plus souvent à la maison. Pas la peine de saisir toutes les occasions possibles pour passer du temps avec Daniel. Pas la peine de parler d'un avenir où son père serait absent. Parce que ça n'arriverait pas. Gabriel n'allait pas être abandonné par la seule famille qu'il eût.

Mais pour finir, il lui avait été impossible d'ignorer une réalité plus forte que sa capacité à la défier. Le jour où Daniel l'avait appelé de la Policlinico Le Scotte et lui avait dit d'une voix à peine chuchotée qu'il avait besoin de lui, la vérité l'avait frappé avec la force d'un sac de sable reçu en plein visage. Ces derniers jours au chevet de son père avaient été insoutenables pour Gabriel, notamment parce qu'il avait refusé de s'y préparer.

Il était trop tard pour cette conversation qu'il brûlait finalement d'avoir, mais dans un de ses moments de lucidité, Daniel lui avait dit que Matthias gardait une lettre pour lui. Il ne pouvait lui donner aucune indication sur le contenu de cette lettre, juste lui dire qu'elle était importante. Ça ressemblait bien à son père l'artiste de communiquer par écrit plutôt qu'en tête à tête, s'était dit Gabriel. Il avait donné par avance les instructions pour ses funérailles dans un e-mail. Un service privé déjà payé et organisé dans une petite mais parfaite église de la Renaissance à Florence, avec seulement Gabriel pour l'accompagner jusqu'à sa tombe dans un cimetière quelconque de la périphérie ouest de la ville. Daniel avait mis en pièce jointe un fichier MP3 des *Répons des Ténèbres* de Gesualdo, que son fils devait charger sur son iPod et écouter le jour de l'enterrement. Ce choix musical avait laissé Gabriel perplexe ; son père écoutait toujours de la musique en peignant, mais jamais rien de ce genre. Il n'y avait cependant pas d'explication à cela. Juste un mystère de plus, comme la lettre confiée à Matthias.

Gabriel avait prévu de rendre visite à ce dernier à la villa en ruines près de Sienne une fois que l'amertume première de son chagrin aurait passé. Mais en sortant du cimetière, il trouva le marionnettiste en train de l'attendre. Matthias et sa compagne Ursula étaient les personnes les plus semblables à un oncle et une tante que Gabriel ait connues. Ils avaient toujours fait partie de sa vie, même s'ils n'étaient jamais restés assez longtemps à un endroit pour qu'il s'habitue à cette relation. Ils n'avaient jamais non plus été très accessibles sur le plan affectif : Matthias était trop centré sur lui-même et Ursula trop centrée sur Matthias. Mais il avait passé ses vacances avec eux étant gosse, quand son père partait seul pour quelques semaines. Gabriel finissait bronzé, les cheveux en bataille et les genoux écorchés ; Daniel revenait avec un cartable plein de nouvelles œuvres de pays lointains : Grèce, Yougoslavie, Espagne, Afrique du Nord. Gabriel était toujours content de retrouver son père, mais sa joie était atténuée par la nécessité de renoncer aux bons soins détendus d'Ursula et Matthias.

Les deux hommes s'embrassèrent sans un mot devant les portes du cimetière et restèrent cramponnés l'un à l'autre tels des naufragés à un morceau de bois, aussi instable fût-il. Ils se séparèrent finalement et Matthias lui tapota gentiment l'épaule. « Reviens avec moi, proposa-t-il.

— Tu as une lettre pour moi, répliqua Gabriel en marchant à côté de lui.

— Elle est à la villa. »

Durant tout le trajet, d'abord en bus jusqu'à la gare, puis en train jusqu'à Sienne, et enfin jusqu'à la villa Totti avec la camionnette de Matthias, ils échangèrent à peine un mot. Ils étaient écrasés par le chagrin, qui leur faisait pencher la tête et voûtait leurs épaules. Une fois arrivés à la villa, ils ne purent envisager qu'une seule solution, boire. Heureusement, les membres de BurEst étaient partis plus tôt donner un spectacle à Grosseto, laissant Gabriel et Matthias seuls pour enterrer leur mort.

Matthias servit du vin et plaça une épaisse enveloppe devant Gabriel. « Voici la lettre », annonça-t-il avant de s'asseoir et de rouler un joint.

Gabriel la prit puis la reposa. Il but une grande partie de son verre de vin, puis suivit le contour de l'enveloppe avec son doigt. Il but ensuite une autre gorgée, tira sur le joint et but de nouveau. Il ne pouvait s'imaginer ce que Daniel avait à lui dire qui nécessitait une telle quantité de papier. Ça laissait présager une révélation, et Gabriel n'était pas certain d'en avoir envie à ce moment-là. C'était déjà assez difficile de se raccrocher au souvenir de ce qu'il avait perdu.

À un moment donné, Matthias se leva et mit un CD sur le lecteur portable. Gabriel fut étonné de reconnaître les étranges dissonances de la musique qu'il avait écoutée plus tôt. « Papa m'a envoyé cet album, expliqua-t-il. Il m'a demandé de l'écouter aujourd'hui. »

Matthias hocha la tête. « Gesualdo. Il a assassiné sa femme et son amant, tu sais. Certains racontent qu'il aurait tué son second fils parce qu'il n'était pas sûr d'en être vraiment le père. Et son beau-père aussi, soi-disant, parce que le vieil homme voulait se venger et que Gesualdo aurait riposté par avance. Il s'est ensuite repenti et a passé le reste de sa vie à écrire de la musique religieuse. Ça prouve bien qu'on peut faire des choses atroces et quand même trouver la rédemption.

— Je ne comprends pas, dit Gabriel, l'air troublé. Pourquoi il voulait que j'écoute ça ? » Ils en étaient déjà à la deuxième bouteille de vin et au troisième joint. Il se sentait un peu dans les vapes, mais rien de bien sérieux.

« Tu devrais vraiment lire cette lettre, déclara Matthias.

— Tu sais ce qu'il y a dedans, comprit Gabriel.

— Plus ou moins. » Matthias se leva et se dirigea vers la porte. « Je vais prendre un peu l'air sur la loggia. Lis la lettre, Gaby. »

Face à une lettre remise de cette manière, on pouvait difficilement ne pas s'attendre à quelque chose de capital. Et ne pas craindre que le monde en soit changé à tout jamais. Gabriel aurait voulu se défiler ; laisser l'enveloppe fermée et continuer sa vie comme si de rien n'était. Mais il ne pouvait ignorer l'ultime message de son père. Il s'empressa de la prendre et l'ouvrit d'un geste. Les larmes lui montèrent aux yeux en reconnaissant cette écriture familière, mais il se força à lire.

Cher Gabriel,

J'ai toujours voulu te dire la vérité sur ton identité mais le moment ne m'a jamais paru bien choisi. Maintenant, je suis en train de mourir et tu mérites de connaître la vérité, mais j'ai trop peur que tu ne t'en ailles et que tu ne me laisses seul face à la fin pour te le dire. Alors je t'écris cette lettre que Matthias te remettra une fois que je serai parti. Essaie de ne pas être trop dur avec moi. J'ai fait des choses stupides, mais je les ai faites par amour.

La première chose que je vais te dire, c'est que même si je t'ai raconté beaucoup de mensonges, s'il y a une chose qui est la vérité, toute la vérité et rien que la vérité, c'est que je suis ton père et que je t'aime plus que quiconque. Souviens-toi de ça quand tu souhaiteras que je sois encore vivant pour pouvoir me tuer.

C'est difficile de savoir par où commencer cette histoire. Essayons quand même. Je ne m'appelle pas Daniel Porteous et je ne viens pas de Glasgow. Mon prénom est Michael, mais tout le monde m'appelait Mick. Mick Prentice, voilà qui j'étais autrefois. Un mineur, né et élevé à Newton of Wemyss dans le Fife. J'avais une femme et une fille, Misha. Elle avait quatre ans quand tu es né. Mais je brûle les étapes, car vous n'avez pas la même mère et je dois t'expliquer cela.

La seule chose pour laquelle j'étais doué, à part extraire du charbon, c'était la peinture. Même si j'étais fort en arts plastiques à l'école, c'était sans espoir pour quelqu'un comme moi. J'étais destiné à aller à la mine, point. Puis le centre social des mineurs a proposé un cours de peinture et j'ai eu la chance d'apprendre auprès d'une véritable artiste. Il s'est avéré que j'avais un don pour l'aquarelle. Les gens aimaient bien mes peintures, et je pouvais leur en vendre de temps en temps pour quelques livres. Du moins, je le pouvais avant la grève des mineurs de 1984, quand les gens avaient encore de l'argent pour ce genre de luxe.

Un après-midi de septembre 1983, je suis sorti de la mine après le travail. La lumière était incroyable, alors je suis allé sur les falaises de l'autre côté du village avec mon matériel de peinture. Je me suis mis à peindre une vue sur la mer entre les troncs d'arbres. L'eau semblait rayonner, je me rappelle encore à quel point cela paraissait trop beau pour être réel. Enfin, j'étais complètement absorbé par ce que je faisais, je ne prêtais attention à rien d'autre. Mais tout à coup, une voix m'a dit : « Vous êtes vraiment doué. »

Et ce qui m'a tout de suite frappé, c'est qu'elle n'avait pas l'air étonnée. J'avais l'habitude que les gens soient épatés de voir un mineur peindre un beau paysage. Comme une sorte de singe savant. Mais pas elle. Pas Catriona. Dès ce premier moment, elle m'a parlé comme si on était sur un pied d'égalité.

Note bien que j'ai failli me faire dessus. Je pensais être tout seul, et tout à coup quelqu'un est là juste à côté de moi en train de me parler. En voyant que j'avais la trouille, elle a rigolé et s'est excusée de me déranger. C'est là que j'ai remarqué que c'était une vraie beauté. Des cheveux noirs comme une aile de choucas, un visage qu'on aurait cru sculpté avec un ciseau divin. Des yeux enfoncés au point qu'il fallait être tout près pour être sûr de leur couleur (bleu comme du jean, à propos) et un grand sourire à faire pâlir le soleil. Tu lui ressembles tellement que parfois ça me prend aux tripes et j'ai envie de pleurer comme un gosse.

J'étais donc là dans les bois, nez à nez avec cette créature incroyable, incapable de prononcer un mot. Elle m'a alors tendu la main en disant : « Je m'appelle Catriona Grant. » Je me suis presque étranglé en m'éclaircissant la voix pour me présenter. Elle m'a dit qu'elle était aussi artiste, sculptrice sur verre. J'étais encore plus épaté. La seule autre artiste que j'avais jamais rencontrée, c'était la femme qui donnait les cours de peinture, et elle n'était pas fameuse. Mais j'ai tout de suite su que Catriona avait le profil de l'emploi. Elle marchait avec cette assurance qu'on perçoit seulement chez les vrais artistes. Mais encore une fois, je brûle les étapes.

On a donc discuté du genre de travaux qu'on aimait faire, et on s'est plutôt bien entendu. Pour ma part, j'étais simplement ravi d'avoir quelqu'un avec qui parler d'art. Je n'avais pas vu beaucoup d'œuvres en chair et en os, si je puis dire, juste ce qu'ils avaient à la galerie de Kirkcaldy. Mais il se trouve qu'il y avait des choses vraiment pas mal, qui m'ont peut-être un peu aidé à mes débuts.

Catriona m'a expliqué qu'elle avait un atelier et une petite maison sur la grand-route et elle m'a proposé de passer visiter. Puis elle a poursuivi son chemin, et j'ai eu l'impression que la lumière s'était ternie.

Il m'a fallu deux semaines pour trouver le courage d'aller voir son atelier. Ce n'était pas difficile d'y aller – seulement quelques kilomètres à travers les bois – mais je ne savais pas bien si elle avait sincèrement voulu que je vienne ou si elle avait juste été polie. Ça montre bien comme je la connaissais mal à l'époque ! Catriona ne disait jamais rien qu'elle ne pensait sincèrement. De même qu'elle ne se retenait jamais quand elle avait quelque chose à dire.

J'y suis allé un jour où il pleuvait et où je ne trouvais pas de peinture. Elle vivait dans une ancienne maison de gardien du domaine de Wemyss. Elle n'était pas plus grande que celle où j'habitais avec ma femme et ma fille, mais elle avait tout repeint avec des couleurs vives qui grandissaient les pièces et les rendaient lumineuses même par les jours de très sale temps. Mais le mieux, c'était l'atelier et la galerie qu'elle avait à l'arrière. Il y avait un grand four à verre avec un immense espace de travail et, de l'autre côté, une salle d'exposition où les gens pouvaient venir acheter. Son travail était magnifique. Des lignes fluides, de beaux arrondis. Des formes très sensuelles. Et des couleurs étonnantes. Je n'avais jamais vu du verre comme elle en faisait, et même ici en Italie, tu aurais beaucoup de mal à trouver des couleurs aussi riches et intenses. Le verre semblait contenir des flammes de différentes couleurs. On avait envie de le prendre dans ses mains et de le coller contre soi. Je regrette de ne pas avoir une de ces œuvres, mais je n'ai jamais pensé que j'aurais besoin d'une partie d'elle jusqu'à ce qu'il soit trop tard. Peut-être qu'un jour tu en retrouveras une, et tu comprendras alors la force de son travail.

On a passé un bon après-midi. Elle m'a fait du café, du vrai café comme on n'en trouvait pas beaucoup en Écosse à l'époque. J'ai dû rajouter du sucre, ça avait un drôle de goût au début. Et on a discuté. Je n'arrivais pas à croire qu'on parle comme ça. De tout ce qu'on pouvait imaginer, semblait-il. Dès la première fois où elle avait ouvert la bouche, le jour où on s'était rencontrés dans les bois, j'avais bien compris qu'on n'était pas de la même classe sociale, mais cet après-midi-là, il ne semblait pas y avoir une grande différence.

On a décidé de se revoir à son atelier quelques jours plus tard. Je crois qu'aucun de nous deux n'avait imaginé qu'on puisse courir un risque en le faisant. Mais on jouait avec le feu. On ne connaissait personne avec qui discuter comme on pouvait le faire ensemble. On était jeunes – j'avais vingt-huit ans et elle vingt-quatre, mais on était alors beaucoup plus innocents que toi et tes amis au même âge. Et dès les tout premiers instants de notre rencontre, il y a eu de l'électricité entre nous.

Je sais que tu ne veux pas t'imaginer ta mère et ton père amoureux et tout ce qui va avec, alors je ne vais pas t'ennuyer avec les détails. Tout ce que je vais te dire, c'est qu'on a assez vite eu une liaison, et je crois que pour nous deux, c'était comme de se retrouver en plein soleil après s'être habitué à la lumière électrique. On était fous l'un de l'autre.

Et bien sûr, c'était un amour impossible. Je n'ai pas tardé à apprendre la vérité sur ta mère. Ce n'était pas juste une jolie fille de la classe moyenne. Ce n'était pas simplement Catriona Grant. C'était la fille du dénommé sir Broderick Maclennan Grant. C'est un nom que tout le monde connaît en Écosse, comme tout le monde connaît celui de Silvio Berlusconi en Italie. Grant est entrepreneur et promoteur immobilier. Où que tu ailles en Écosse, tu vois le nom de son entreprise sur des grues et des panneaux publicitaires. Mais il possède des tas d'autres choses comme des stations de radio, un club de foot, une distillerie de whisky, une entreprise de transports routiers et une chaîne de centres de loisirs. C'est aussi un tyran. Il a essayé d'empêcher Catriona de devenir sculptrice. Tout ce qu'elle faisait, elle le faisait par mépris pour lui. Il n'aurait jamais toléré qu'elle ait une relation avec une personne aussi quelconque qu'un mineur. Encore moins un mineur déjà marié à quelqu'un d'autre.

Oui, j'étais marié à quelqu'un d'autre. Je n'essaie pas de me chercher des excuses. Je n'ai jamais voulu être un de ces salauds qui trompent leur femme, mais j'ai eu le coup de foudre pour Catriona. Je n'ai jamais ressenti ça pour personne d'autre avant ou depuis. Tu as peut-être remarqué que je n'ai jamais eu beaucoup de copines. En fait, personne n'a jamais pu égaler Catriona. Ce que je ressentais pour elle, je crois que je ne le ressentirai jamais pour quelqu'un d'autre.

Et puis elle est tombée enceinte de toi. Ainsi, mon fils, tu n'es pas Gabriel Porteous. Tu t'appelles en réalité Adam Maclennan Grant. Ou Adam Prentice, si tu préfères.

Quand c'est arrivé, j'étais prêt à quitter ma femme pour Catriona, sans hésiter. C'est ce que je voulais faire et je le lui ai dit. Mais Catriona sortait depuis peu d'une relation qui avait duré des années par intermittence. Elle n'était pas prête à vivre avec moi ni à affronter une nouvelle fois son père. Je crois que personne n'a même jamais soupçonné qu'on se connaissait. On faisait attention. À chaque fois, je venais et je repartais par les bois, et comme tout le monde savait que j'étais peintre, personne ne prêtait attention à mes allées et venues.

On s'est donc mis d'accord pour continuer de la même façon. On se voyait presque tous les jours, même si c'était seulement pour une vingtaine de minutes. Et une fois que tu es né, j'ai passé autant de temps que possible avec vous deux. J'étais en grève à ce moment-là, donc je n'avais pas de travail qui m'empêche de vous voir.

Je ne vais pas te casser les pieds à tout te raconter sur la grève des mineurs, qui a duré une année entière, démoli le syndicat et sapé le moral des hommes. Il y a plein de livres là-dessus. Tu n'as qu'à lire GB 84 *de David Peace si tu veux te faire une idée de ce qui s'est passé. Ou regarde* Billy Elliot. *Tout ce qu'il faut que tu saches, c'est que chaque semaine qui passait me faisait rêver à quelque chose de différent, à une vie où on pourrait être tous les trois ensemble.*

Quelques mois après ta naissance, Catriona aussi avait changé d'avis. Elle voulait qu'on soit ensemble. Qu'on reparte de zéro quelque part où personne ne nous connaissait. Mais le gros problème, c'était qu'on n'avait pas d'argent. Catriona gagnait tout juste sa vie avec ses œuvres, et je ne travaillais pas du tout à cause de la grève. Elle pouvait se permettre de garder sa maison et son atelier seulement parce que sa mère payait le loyer. C'était une sorte de chantage pour que Catriona reste dans les parages. On savait donc que sa mère refuserait de nous aider à nous installer autre part. Mais on ne pouvait pas non plus rester sans rien faire. Aux yeux des gens, laisser tomber ma femme et ma fille au plus fort de la grève pour aller vivre avec une femme de la classe dirigeante, ç'aurait été pire que de briser la grève. Ils auraient jeté des briques à travers nos fenêtres. Et donc, sans un minimum d'argent pour démarrer, on était coincés.

C'est alors que Catriona a eu une idée. La première fois qu'elle me l'a expliquée, je me suis dit qu'elle avait perdu la tête. Mais plus elle m'en parlait, plus elle me persuadait que ça marcherait. L'idée était de simuler un enlèvement. J'abandonnais ma famille en faisant croire que j'étais parti chez les jaunes, et je me cachais chez Catriona. Quelques semaines plus tard, Catriona et toi disparaissiez et son père recevait une demande de rançon. Tout le monde aurait cru qu'on vous avait enlevés. On savait que son père paierait la rançon, sinon pour elle, au moins pour toi. Je prenais l'argent, Catriona et toi rentriez, puis quelques semaines plus tard, Catriona partait avec toi en expliquant qu'elle était trop bouleversée par l'enlèvement pour pouvoir continuer à vivre là. Et on pouvait commencer à vivre ensemble tous les trois.

Ça paraît simple à première vue. Mais ça s'est compliqué, et les choses ont mal tourné. Au bout du compte, elle n'aurait pas pu avoir une pire idée, même si elle avait consacré toute sa vie à y réfléchir.

La première chose dont on s'est rendu compte en commençant à élaborer notre projet, c'est qu'on ne pouvait pas faire ça juste tous les deux. Il nous fallait un troisième complice. Tu t'imagines essayer de trouver une personne en qui on puisse avoir confiance pour participer à un projet comme celui-là ? Je ne connaissais personne d'assez fou pour faire ça, mais Catriona si. Un de ses anciens copains des beaux-arts d'Édimbourg, un dénommé Toby Inglis. Un de ces bourgeois tarés prêts à n'importe quoi. Tu l'as toujours connu sous le nom de Matthias, le marionnettiste. L'homme qui te donnera cette lettre. Et c'est toujours un taré, soit dit en passant.

Il a eu l'idée de génie de faire passer l'enlèvement pour un acte politique. Il a dessiné ces affiches avec un sinistre marionnettiste et il s'en est servi pour transmettre les demandes de rançon comme si elles venaient d'un groupe anarchiste. C'était une bonne idée. Elle aurait été encore meilleure s'il avait détruit le cadre qu'il avait utilisé pour les imprimer, mais Toby s'est toujours cru plus intelligent que tout le monde. Il a donc gardé le cadre, et il se sert toujours parfois de cette affiche pour des représentations spéciales. À chaque fois que je la vois, ça me retourne le ventre. Il suffirait qu'une personne la reconnaisse pour qu'on se retrouve dedans jusqu'au cou.

Mais je brûle encore les étapes. Je ne savais vraiment pas si je devais te raconter tout ça, et Toby pensait que ce serait mieux de ne pas réveiller l'eau qui dort, surtout maintenant que tu vas devoir faire face au fait que je ne suis plus là. Mais plus j'y réfléchis, plus il me semble que tu as le droit de savoir toute la vérité, même si tu dois avoir du mal à l'encaisser. Rappelle-toi seulement les années qu'on a passées ensemble. Souviens-toi des bonnes choses, c'est ce qui compense toutes les conneries que j'ai faites. Du moins, j'espère que c'est comme ça que ça marche.

Il s'est passé une chose horrible la nuit où j'ai quitté ma femme et ma fille. Je suis sorti le matin sans rien dire qui puisse suggérer que je m'en allais. J'avais cru comprendre qu'un groupe de jaunes allait partir pour Nottingham cette nuit-là, et je me suis dit que tout le monde croirait que j'étais avec eux. Je suis allé directement chez Catriona et j'ai passé la journée à m'occuper de toi pendant qu'elle travaillait. Il faisait un froid de canard ce jour-là, et on consommait beaucoup de bois. À la nuit tombée, je suis sorti couper quelques bûches.

C'est difficile pour moi. Je n'en ai pas parlé pendant vingt-deux ans, et ça me hante toujours. Quand j'étais môme, j'avais deux copains. Comme toi tu as Enzo et Sandro. L'un d'eux, Andy Kerr, était devenu représentant syndical. Il a beaucoup souffert de la grève et on l'a mis en arrêt pour dépression. Il vivait dans un cottage dans les bois, à environ cinq kilomètres à l'ouest de chez Catriona. Il adorait l'histoire naturelle, et il avait l'habitude de se balader la nuit dans la forêt pour observer les blaireaux, les hiboux, ce genre d'animaux. Je l'aimais comme un frère.

J'étais en train de couper du bois quand il est apparu derrière le coin de l'atelier. Je ne sais pas à qui ça a fait le plus grand choc. Il m'a demandé ce que je foutais là, à couper du bois pour Catriona Maclennan Grant. Puis il a pigé. Et il a pété les plombs. Il s'est jeté sur moi comme un fou furieux. J'ai laissé tomber la hache et on s'est battus comme deux stupides gosses.

J'ai un souvenir assez flou de cette bagarre. Je me rappelle simplement que, tout à coup, Andy s'est arrêté net. Il s'est écroulé sur moi, et j'ai dû le rattraper dans mes bras pour l'empêcher de tomber. Je l'ai regardé fixement. Je ne comprenais rien. Puis j'ai vu Catriona derrière lui avec la hache entre les mains. Elle l'avait frappé avec le côté non tranchant, mais c'était une femme costaude et elle l'avait cogné si fort qu'elle lui avait fracassé le crâne.

Je n'arrivais pas à y croire. Quelques heures plus tôt, on était aux anges. Et soudain je me retrouvais en enfer, avec le cadavre de mon meilleur ami dans les bras.

Je ne sais pas comment j'ai tenu le choc pendant les heures qui ont suivi. Mon cerveau semblait fonctionner indépendamment du reste de ma personne. Je savais que je devais régler la situation, pour protéger Catriona. Andy avait un side-car. J'ai traversé les bois jusqu'à chez lui et j'ai ramené le side-car chez Catriona. On a mis Andy dans le panier et je suis allé à la grotte du Baron à East Wemyss. Il y a un ensemble de grottes là-bas que les hommes ont utilisées pendant cinq mille ans, et j'appartenais à l'association de préservation, donc je savais ce que je faisais. J'ai pu traîner le side-car jusqu'à l'entrée de la grotte du Baron. J'ai ensuite porté Andy sur le reste du chemin et je lui ai creusé une tombe de fortune dans la partie arrière de la grotte.

Je suis revenu deux jours plus tard et j'ai fait s'effondrer le plafond pour que personne ne trouve Andy. Je savais où mettre la main sur des explosifs : la meilleure amie de ma femme était mariée à un chef de mine, et je me rappelais l'avoir entendu se vanter d'avoir quelques bâtons de dynamite dans son abri de jardin.

Mais revenons à cette soirée. Je n'ai pas terminé. Je suis reparti avec le side-car, j'ai traversé East Wemyss et je suis allé au crassier. J'ai mis les gaz et j'ai laissé l'engin s'enfoncer dans le côté du crassier. Les stériles l'ont recouvert sous mes yeux.

Je suis rentré à pied, complètement étourdi. L'ironie, c'est que je suis tombé sur les types qui s'enfuyaient à Nottingham. Je n'ai aucune idée de ce que je leur ai dit, je n'étais pas moi-même.

Quand je suis arrivé chez Catriona, elle était complètement retournée. Je crois qu'aucun de nous deux n'a dormi cette nuit-là. Mais quand le matin est arrivé, on a su qu'on devait aller au bout de son idée. À présent, en plus de l'envie de démarrer une nouvelle vie, on avait besoin de creuser une certaine distance entre Andy et nous. On a donc commencé à mettre notre plan à exécution.

Paradoxalement, la mort d'Andy a résolu un des problèmes qu'on avait pour faire croire à un enlèvement – à savoir où vous cacher, Catriona et toi, sans que personne ne le sache. L'idée m'est venue de faire un faux mot en imitant l'écriture d'Andy au cas où quelqu'un de sa famille viendrait voir pourquoi ils n'avaient plus de nouvelles de lui. Ce n'était pas une vraie lettre de suicide. Je ne voulais pas leur faire de peine, alors je suis resté assez ambigu. Je sais que ça paraît bizarre, mais je te dis les choses telles quelles, sans essayer de me faire passer pour le gentil.

Comme je te l'ai dit, j'ai fait des choses dont j'ai honte, mais je les ai toutes faites par amour.

On a laissé un peu de temps passer avant de simuler l'enlèvement, car on ne voulait pas que quelqu'un puisse faire un rapprochement avec mon départ. Et on voulait aussi être sûrs que la famille d'Andy avait accepté l'idée qu'il était parti et qu'ils ne viendraient pas faire un tour chez lui à tout hasard. À ma grande honte, je dois dire que j'ai écrit quelques cartes postales en imitant son écriture et que je suis monté dans le Nord les poster après le nouvel an pour qu'ils ne viennent pas chez lui voir s'il était revenu. Il fallait qu'on soit sûrs d'être tranquilles.

Le jour convenu, on est allés tous les trois chez Andy avec tes jouets et tes vêtements, et on est restés là jusqu'à la nuit de la remise de rançon. Toby ne venait pas souvent : il réglait la question des bateaux. On avait décidé d'organiser la remise à un endroit d'où on pouvait s'échapper en bateau. On avait indiqué à Grant de ne pas prévenir la police, mais on n'était pas sûrs qu'il s'y tiendrait, et donc on s'était dit qu'on laisserait la police en plan si on s'enfuyait sur l'eau.

À ce moment-là, Toby vivait sur le bateau de son père, un cabin cruiser à quatre couchettes. Il s'y connaissait en bateaux, et il avait décidé qu'on devrait s'échapper avec un zodiac à moteur hors-bord. Il connaissait quelqu'un qui en avait un dans un hangar à bateaux de Johnstown. D'après lui, personne ne se rendrait compte qu'il avait disparu avant le mois de mai, et ça nous avait donc paru être une bonne idée.

Finalement, la nuit de la remise est arrivée et on s'est mis en route. On avait convenu que Catriona irait chercher l'argent, puis qu'on te confierait à sa mère. On repartirait ensuite avec Catriona, puis le lendemain elle arriverait en marchant au bord d'une route où les ravisseurs l'auraient prétendument larguée après avoir vérifié qu'il n'y avait pas d'arnaque avec la rançon. Entre-temps, j'en donnais un tiers à Toby qui partait de son côté, et moi j'allais trouver quelque part où vivre et travailler dans les Highlands.

Mais rien ne s'est passé comme prévu. L'endroit grouillait de flics armés, même si on ne s'en est pas rendu compte. Toby avait un flingue aussi, mais je ne m'en suis pas aperçu non plus avant qu'on descende du bateau au lieu du rendez-vous. Et Grant avait un pistolet. Tout était réuni pour mener à la catastrophe. Et c'est ce qu'il s'est passé.

Même après tout ce temps, j'ai la gorge serrée quand je repense à cette nuit-là. Tout se passait comme prévu, mais pour une raison inconnue la mère de Catriona a fait un véritable cinéma au moment de remettre la rançon. Grant a perdu les pédales et s'est mis à agiter son flingue dans tous les sens. Toby a alors éteint le projecteur et la fusillade a commencé. Catriona s'est retrouvée prise entre deux feux. J'avais des jumelles de vision nocturne achetées dans un surplus de l'armée et je l'ai vue tomber juste à quelques mètres de moi. J'ai couru jusqu'à elle. Elle est morte dans mes bras. Tout s'est terminé en quelques secondes. Elle avait laissé tomber le sac avec la rançon quand elle a reçu la balle, et Toby l'a ramassé. Je ne savais pas quoi faire. Tu étais près du bateau, dans ton porte-bébé. On avait prévu de te laisser là. Mais je savais que je ne pouvais pas t'abandonner, pas maintenant que ta mère était morte. Je ne voulais pas que Grant t'élève à son image. On a donc couru jusqu'au bateau. J'ai attrapé ton porte-bébé et je l'ai posé à bord, puis on est partis aussi vite qu'on a pu.

La seule chose qui a fonctionné selon notre plan, c'est ce qu'on avait décidé de faire pour éviter d'être repéré par un mouchard. On a mis l'argent dans un autre sac qu'on avait amené avec nous et j'ai jeté celui d'origine par-dessus bord. Puis j'ai traîné celui avec les diamants dans la mer. On avait supposé que l'eau bousillerait l'émetteur s'ils en avaient placé un parmi les diamants. Ça a eu l'air de marcher, puisque personne ne nous a suivis tandis qu'on filait vers Dysart, où le bateau de Toby était amarré depuis quelques jours. C'était seulement à quelques kilomètres et on est donc arrivés avant que l'hélicoptère soit en l'air. On l'a entendu et on l'a vu depuis le bateau. Une fois qu'il est reparti, Toby a sorti le zodiac du port et l'a coulé au large de la plage. On est ensuite restés planqués là jusqu'à l'aube, puis on est partis avec la marée du matin. J'étais en état de choc, à vrai dire. À deux reprises, j'ai été sur le point d'aller au commissariat le plus proche et de me rendre. Mais Toby contrôlait ses émotions et il nous a tous sauvés.

Il nous a fallu quelques semaines pour arriver en Italie. On a blanchi presque tout l'argent dans des distributeurs automatiques et des casinos sur la côte française. La plus grosse partie de la rançon était en diamants non taillés et on les a mis de côté.

Une fois arrivés, on s'est séparés. J'ai laissé Toby avec le bateau et j'ai loué une maison pour quelques mois dans les collines aux abords de Lucques, le temps de décider où je voulais habiter. Je n'ai pas beaucoup de souvenirs de cette période. J'étais abruti par le chagrin, la culpabilité et la douleur atroce que me causait la perte de Catriona. Sans toi, je ne m'en serais peut-être pas sorti. Je n'arrive toujours pas à croire que tout ait aussi mal tourné.

Je sais qu'en regardant ma vie, tu te dis sans doute qu'elle a été plutôt facile. J'ai pu nous acheter une maison à Costalpino avec l'argent de la rançon, et il en restait un peu pour investir. Les bénéfices que j'en ai tirés ont mis du beurre dans les épinards, et j'ai gagné de l'argent avec mes peintures. Au bout du compte, j'ai pu passer le reste de ma vie dans un endroit magnifique à élever mon fils et à peindre ce que je voulais sans jamais trop avoir à me soucier des questions d'argent.

Mais la seule raison pour laquelle tu pourrais croire ça, c'est parce que tu n'as jamais connu ta mère. Lorsqu'elle est morte, la lumière s'est éteinte. Tu as été la seule vraie lumière dans ma vie depuis lors, et ne sous-estime pas la joie que ça m'a procuré de passer ces années avec toi. Ça me brise le cœur de ne pas vivre assez longtemps pour voir ce que tu accompliras pendant le restant de ta vie. Tu comptes énormément pour moi, Adam. Je t'appelle comme ça parce que c'est le prénom qu'on t'avait choisi ensemble.

Il y a une dernière chose que je veux que tu fasses. Je veux que tu prennes contact avec ton grand-père. Pour la première fois, j'ai cherché son nom sur Google la semaine dernière : sir Broderick Maclennan Grant. Ses proches l'appellent Brodie. Il vit au château de Rotheswell dans le Fife. Sa première femme, ta grand-mère, s'est suicidée deux ans après le décès de Catriona. Il s'est remarié depuis et a un fils qui s'appelle Alec. Donc, tu vois, tu as une famille. Tu as un grand-père et un oncle qui a quelques bonnes années de moins que toi ! Profites-en au maximum, mon fils. Tu as beaucoup de temps à rattraper, et tu es assez adulte à présent pour affronter un tyran comme Brodie Grant.

Tu sais tout maintenant. À toi de décider si tu veux me maudire ou me pardonner. Mais ne doute jamais que tu as été conçu et que tu es né dans l'amour, et que tu as été aimé chaque jour de ta vie. Prends soin de toi, Adam.

Avec tout mon amour,

Ton père, Mick le mineur

Gabriel laissa tomber la dernière feuille sur le haut de la pile. Il revint ensuite à la première page et relut intégralement la lettre, conscient que Matthias était revenu dans la pièce à un moment donné. C'était comme lire le synopsis d'un film. Impossible d'établir un rapport avec sa vie. Trop absurde pour être vrai. Il avait l'impression que son existence avait été arrachée à ses fondations et qu'il se trouvait comme suspendu en l'air, tel un personnage de bande dessinée retenant son souffle avant l'inévitable catastrophe finale. « Est-ce qu'Ursula sait tout ça ? demanda-t-il, tout en sachant que la question n'était pas très importante, mais désirant quand même connaître la réponse.

— Une partie. » Matthias s'assit lourdement face à Gabriel, une autre bouteille de vin en main. « Elle ne sait pas qui était ta mère, ni toute l'histoire de Daniel. Elle sait qu'il a monté un faux enlèvement parce qu'il voulait être avec toi et ta mère. Mais elle n'est pas au courant de la fusillade d'OK Corral. »

La légèreté avec laquelle Matthias avait décrit la mort de sa mère lui fit un choc. Toby avait un flingue aussi. Il eut un petit rire de dérision dénué d'enthousiasme. « Pendant toutes ces années, je croyais que je vivais avec une bande de hippies pleins d'idéaux gauchistes dépassés. Mais il s'avère aujourd'hui que vous êtes en fait une bande de criminels en cavale après le pire crime capitaliste. » Il savait qu'il y avait des sujets plus importants à aborder, mais il devait les contourner, comme un chien devant un plat brûlant qui commence par grignoter les bords parce que c'est tout ce à quoi il peut s'attaquer. *Toby avait un flingue aussi.*

« Tu prends les choses complètement de travers, mon pauvre Gaby, dit Matthias, les mains occupées à rouler un autre joint. Considère-nous plutôt comme des Robins des Bois des temps modernes. Qui ont volé des gens pleins de fric pour redistribuer celui-ci équitablement.

— Que toi et mon père vous ayez eu la belle vie, à faire tout ce que vous vouliez – en quoi exactement ça fait avancer le combat contre le capitalisme international ? » Gabriel n'essaya même pas de masquer le mépris qui se lisait dans sa voix et sur son visage. « Si mon grand-père avait soutenu ma mère dans son art, rien de tout ça ne serait arrivé. Alors ne viens pas me raconter que vous avez tous fait ça pour une grande cause. Vous l'avez fait parce que vous vouliez vous la couler douce et que vous avez trouvé comment faire payer quelqu'un pour ça. » Il refusa le joint d'un geste impatient. Il ne voulait pas perdre le peu de lucidité qui lui restait.

« Enfin, Gaby, ne porte pas de jugement trop hâtif sur nous.

— Pourquoi pas ? C'est pas ça que signifie cette musique de Gesualdo ? C'est comme si la dernière chose qu'il ait faite, c'était m'inviter à le juger. Est-ce que je dois le voir comme un assassin ou comme un homme qui s'est racheté par sa peinture ? Ou qui s'est racheté en m'aimant et en m'élevant du mieux qu'il a pu ? » Gabriel tourna rapidement les pages jusqu'à atteindre la dernière. « C'est écrit ici, de sa propre main : “À toi de décider si tu veux me maudire ou me pardonner.” Il voulait que je me fasse ma propre opinion à votre sujet. » La colère l'envahissait, et il avait de plus en plus de mal à rester raisonnable. *Toby avait un flingue aussi.*

« Et tu devrais lui pardonner, déclara Matthias. Tu doutes de nos motivations, mais je te le répète, tout ce qu'il voulait, c'était refaire sa vie avec toi et Cat. Les circonstances allaient à leur encontre. On a juste essayé de rétablir l'équilibre, c'est tout, Gaby. »

Sa suffisance désinvolte agaça un peu plus Gabriel. « Et en quoi ça vous donnait le droit de prendre les décisions à ma place ?

— De quoi est-ce que tu parles ?

— Daniel et toi, vous avez décidé de ce que je pouvais savoir sur qui j'étais et quand je pourrais le savoir. Vous m'avez tenu à l'écart de ma famille. Vous m'avez menti sur mon passé, vous m'avez fait croire que je n'avais que Daniel, toi et Ursula. Vous m'avez enlevé la chance de grandir en connaissant mon grand-père. Ma grand-mère serait peut-être encore en vie si elle m'avait eu auprès d'elle. »

Matthias cracha un jet de fumée. « Gaby, on ne pouvait plus revenir en arrière. Tu crois que ta vie aurait été plus heureuse en grandissant sous la coupe de Brodie Grant ? » Il poussa un petit rire de dérision. « Tu ne dirais pas ça si tu avais la moindre idée de la vie qu'il a menée à Cat. » Il se leva et alla chercher un bloc de shit et un couteau aiguisé pour en couper une nouvelle tranche.

« Mais je n'en ai aucune, n'est-ce pas ? Parce que je n'ai jamais eu l'occasion de le découvrir, grâce à vous deux et aux décisions que vous avez prises pour moi. » Gabriel frappa la table du plat de la main. « Eh bien, je vais rattraper le temps perdu. Je vais retourner en Écosse. Je vais trouver mon grand-père et apprendre moi-même à le connaître. Peut-être que c'est le monstre que toi et Daniel prétendez. Ou peut-être que c'est juste quelqu'un qui voulait ce qui était le mieux pour sa fille. Et à en juger d'après ça – il frappa la lettre d'une main et fit voltiger les pages dans la lumière terne –, il n'était pas tellement à côté de la plaque, si ? Je veux dire, mon père n'était pas vraiment un citoyen modèle, si ? »

Matthias laissa tomber le couteau et dévisagea Gabriel. « Je ne crois pas que ce soit une si bonne idée d'y retourner.

— Pourquoi pas ? Il est temps que je rencontre ma famille, tu ne penses pas ?

— Ce n'est pas le problème.

— Alors c'est quoi ? »

Matthias fit un petit geste d'impuissance. « Ils vont vouloir savoir où tu as passé les vingt et quelques dernières années. Et c'est un peu un problème pour moi.

— Qu'est-ce que tu as à voir là-dedans ?

— Réfléchis, Gaby. Il ne peut pas y avoir prescription pour un meurtre ou un enlèvement. Ils vont me pourchasser et me mettre en taule pour le restant de mes jours. »

Toby avait un flingue aussi. « Je ne leur dirai rien qui te mette en cause, répondit Gabriel avec une moue méprisante. Tu n'as pas à t'inquiéter pour ta peau. »

Matthias rigola. « Tu n'as vraiment pas la moindre foutue idée de qui est ton grand-père. Tu crois que tu peux envoyer balader Brodie Grant comme ça ? Il fouillera ton passé, il reviendra en arrière et il découvrira tout ce que tu as fait pendant toutes ces années. Il ne s'arrêtera pas tant qu'il ne m'aura pas cloué sur une putain de croix. Il ne s'agit pas que de toi.

— Il s'agit de ma vie. » Tous deux criaient à présent, l'indignation et la peur entretenant la paranoïa liée au shit et le sentiment d'abandon procuré par l'alcool. « Si je reviens auprès de lui, pourquoi est-ce que mon grand-père se soucierait de toi ?

— Parce qu'il n'abandonnera jamais l'occasion de se venger, pour ne pas être tenu pour responsable.

— Responsable ? Responsable de quoi ?

— De la mort de Cat. » À ces mots, une expression d'horreur lui déforma le visage. Il comprit l'énormité de ses paroles au moment même où elles sortirent de sa bouche.

Gabriel le dévisagea d'un air incrédule. « Tu es fou. Tu es en train de me dire que mon grand-père a tué sa propre fille ?

— C'est exactement ça. Je ne crois pas qu'il ait voulu... »

Gabriel se leva d'un bond et balança sa chaise par terre. « Je peux pas croire que... sale menteur de... tu serais prêt à tout ! cria-t-il de façon incohérente. Tu avais apporté un flingue. C'est toi qui l'as tuée, n'est-ce pas ? C'est ça qui s'est vraiment passé. C'est pas mon grand-père. C'est toi. C'est pour ça que tu ne veux pas que j'y retourne, parce que tu seras finalement obligé de te confronter à ce que tu as fait. »

Matthias se leva et contourna la table vers Gabriel, les bras tendus. « Tu te trompes complètement, dit-il. S'il te plaît, Gaby. »

Le visage de Gabriel était empreint de rage et d'horreur. Il prit le couteau sur la table et sauta sur Matthias. Dans sa tête, il n'y avait de place que pour la colère et le chagrin, rien de réfléchi ou d'intentionnel. Mais le résultat fut aussi incontestable que s'il avait suivi un plan méticuleux. Matthias s'effondra en arrière, et une tache rouge foncé s'étendit rapidement sur le devant de son T-shirt. Gabriel se tenait au-dessus de lui, haletant, sanglotant, et n'essaya même pas d'étancher le sang. *Toby avait un flingue aussi.*

Matthias mit la main sur son cœur défaillant, qui se retrouvait lentement à cours de sang pour alimenter son corps. Sa poitrine cessa peu à peu de se soulever, jusqu'à s'immobiliser. Gabriel n'eut pas la moindre idée du temps que Matthias mit à mourir ; il sut seulement qu'à la fin, ses propres jambes étaient si fatiguées qu'elles pouvaient à peine le porter. Il s'écroula sur place et atterrit juste à la limite de la mare de sang en train de coaguler qui s'était répandue autour du corps de Matthias.

Le temps fila doucement. Il fut finalement réveillé par des bruits de pas et des bavardages animés provenant de la loggia. Max et Luka entrèrent dans la pièce en se pavanant, comblés par le succès de la représentation de la veille. Mais lorsqu'ils découvrirent le tableau sanglant qui les attendait, ils s'arrêtèrent net. Max jura, Luka fit un signe de croix. Rado arriva ensuite avec Ursula. Celle-ci aperçut Matthias et ouvrit la bouche pour pousser un cri sans voix avant de tomber à genoux et de se traîner jusqu'à lui.

« Il a tué ma mère », expliqua Gabriel d'un ton plat et froid.

Ursula se retourna vivement vers lui en montrant les dents. « Tu l'as tué ?

— Je suis désolé, murmura-t-il. Il a tué ma mère. »

Ursula poussa un gémissement. « Non ! Non, ce n'est pas vrai ! Il n'aurait pas fait de mal à une mouche. » Elle tendit le bras avec hésitation et caressa la main morte de Matthias du bout des doigts.

« Il avait un flingue. C'est dans la lettre. Daniel m'a laissé une lettre.

— Mais putain, qu'est-ce qu'on va faire ? s'écria Max, brisant l'intimité macabre qui s'était installée entre eux. On ne peut pas appeler les flics.

— Il a raison, indiqua Rado. Ils mettraient ça sur le dos de l'un d'entre nous. Un des clandestins, pas le fils du peintre. »

Ursula se prit le visage entre les mains, les doigts écartés, comme si elle allait s'arracher la peau. Son corps se souleva dans un haut-le-cœur. Puis elle parvint visiblement à se reprendre. Le visage couvert de traînées du sang de Matthias, telle une effroyable parodie de militaire peinturluré, elle bondit sur Gabriel avec un cri déchirant.

Instinctivement, Max et Luka se jetèrent entre elle et Gabriel pour la retenir et l'empêcher de lui enfoncer ses griffes dans les yeux. Elle cracha par terre, pantelante. « On t'a aimé comme un fils », gémit-elle. Puis elle prononça quelques mots en allemand, apparemment pour le maudire.

« Il a tué ma mère, insista Gabriel. Tu savais ça ?

— C'est toi qu'il aurait dû tuer ! hurla-t-elle.

— Faites-la sortir ! » cria Rado.

Max et Luka la hissèrent sur ses jambes et la traînèrent vers la porte. « Prie pour que je ne te revoie jamais », lança-t-elle en disparaissant.

Rado s'accroupit à côté de Gabriel. « Qu'est-ce qui s'est passé ?

— Mon père m'a laissé une lettre. » Il secoua la tête, étourdi par le choc et l'alcool. « Tout est fini maintenant, n'est-ce pas ? Il a tué ma mère, mais c'est moi qui vais aller en prison.

— Sûrement pas, putain, dit Rado. Y a pas moyen qu'Ursula aille voir les flics. Ça va à l'encontre de tout ce en quoi elle croit. » Il passa le bras autour des épaules de Gabriel. « En plus, on ne peut pas la laisser nous mêler à cette merde. Y a pas moyen que je retourne là d'où je viens.

Matthias est mort, on ne peut plus rien pour lui. Pas la peine d'empirer les choses.

— Mais elle ne va pas me laisser m'en tirer comme ça, affirma Gabriel en s'appuyant sur Rado. Tu l'as entendue. Elle va vouloir me le faire payer.

— On va l'aider, dit Rado. On t'aime, vieux. Et au bout du compte, elle se rappellera qu'elle t'aime aussi. »

Gabriel baissa la tête entre ses mains et laissa couler ses larmes. « Qu'est-ce que je vais faire ? » geignit-il.

Une fois ses sanglots passés, Rado l'aida à se relever. « J'ai vraiment pas envie de passer pour un connard sans pitié, mais la première chose que tu dois faire, c'est m'aider à nous débarrasser du corps de Matthias.

— Quoi ? »

Rado écarta les mains. « Pas de corps, pas de meurtre. Même si on n'arrive pas à empêcher Ursula d'aller voir les flics, ils ne vont pas se casser la tête s'il n'y a pas de corps.

— Tu veux que je t'aide à l'enterrer ? » Gabriel avait l'air de se sentir mal, comme si c'était un cran au-dessus de ses forces.

« L'enterrer ? Non. Quand on enterre les corps, ils ont tendance à refaire surface. On va le porter jusqu'à l'enclos. Les cochons de Maurizio mangeraient n'importe quoi. »

Le lendemain matin, Gabriel sut que Rado ne s'était pas trompé.

Jeudi 5 juillet 2007 ; Celadoria, près de Greve in Chianti

Le fait de se remémorer cette nuit-là donna à Gabriel l'impression que Bel Richmond lui creusait le ventre à la petite cuillère. Ça avait déjà été dur de perdre son père. Mais la lettre de Daniel et ses conséquences l'avaient anéanti. C'était comme si sa vie était un morceau de tissu qu'on avait déchiré d'un bout à l'autre et jeté en boule. Si la lettre l'avait plongé dans le désarroi, le meurtre de Matthias avait rendu la situation infiniment plus pénible. Son père n'avait pas été l'homme qu'il croyait. Ses mensonges avaient dénaturé tellement de choses. Mais Gabriel, lui, était pire qu'un menteur. C'était un assassin. Il avait commis un acte dont il ne se serait jamais cru capable. Maintenant que tant d'éléments fondamentaux de sa vie apparaissaient comme un fantasme, comment pouvait-il s'y raccrocher avec confiance ?

Pendant toute sa jeunesse, il avait cru que sa mère était une prof d'arts plastiques prénommée Catherine. Qu'elle était morte en lui donnant naissance. Aussi loin qu'il pût se souvenir, il avait dû lutter pour ne pas se sentir coupable. Il avait vu l'isolement et la tristesse de son père et en avait aussi endossé la responsabilité. Il avait grandi en portant un poids qui n'avait aucune raison d'être.

Il ne savait plus qui il était. Son passé n'avait été qu'une simple histoire inventée pour mettre Daniel et Matthias à l'abri des conséquences des terribles événements auxquels ils avaient participé. Pour leur survie, il avait été arraché au pays qui était le sien et élevé sur une terre étrangère. Qui sait ce qu'aurait été sa vie s'il avait grandi en Écosse plutôt qu'en Italie ? Il se sentait à l'abandon, sans racines, délibérément dépossédé des droits qui lui revenaient à la naissance.

Son calvaire était accentué par un sentiment de peur constante, une peur qui pendait derrière lui comme la toile de fond dans un théâtre de marionnettes. À chaque fois qu'il entendait le bruit d'une voiture, il se levait d'un bond et se collait au mur, persuadé que cette fois-ci c'étaient les *carabinieri* qui venaient le chercher devant l'insistance d'Ursula. Il avait essayé d'effacer ses traces, mais il n'avait pas l'expérience de son père et craignait de ne pas y être arrivé.

Puis tout doucement, le temps était passé, et après quelques semaines à rester terré comme un animal malade, il avait commencé à se remettre. Petit à petit, il était parvenu à se distancier de sa culpabilité en se disant que Matthias avait vécu libre et tranquille pendant plus de vingt ans, sans jamais payer un centime de la dette causée par la mort de Catriona. Tout ce que Gabriel avait fait, c'était le forcer à racheter la vie qu'il leur avait volée à tous – Catriona, Daniel et Gabriel lui-même. Ce n'était pas tout à fait satisfaisant vis-à-vis de la morale que Daniel lui avait inculquée, mais s'accrocher à cette conviction permettait à Gabriel d'aller de l'avant, d'assoupir le remords et de digérer son chagrin.

Il était poussé par un impératif. Il voulait trouver la famille qui était sienne en toute justice, le clan qu'il avait toujours rêvé d'avoir, la tribu à laquelle il appartenait. Il voulait rejoindre ce pays dont on l'avait privé, cette terre où les gens lui ressemblaient, plutôt que d'avoir l'air sorti de peintures médiévales. Mais il savait qu'il n'était pas encore prêt. Il lui fallait reprendre le dessus avant d'essayer d'affronter sir Broderick Maclennan Grant. Le peu qu'il avait pu glaner à partir de la lettre de son père, auprès de Matthias et sur Internet, l'avait convaincu que Grant ne serait pas tendre avec un éventuel prétendant. Gabriel savait qu'il devrait être capable de tenir le coup et de rester cohérent dans son discours au cas où cette terrible nuit d'avril reviendrait le hanter.

Et c'était ce qui semblait se passer. Avec ses recherches et sa détermination, cette conne de Bel Richmond allait détruire le seul espoir auquel il avait pu se cramponner pendant les dernières semaines. Elle savait qu'elle était sur une piste intéressante. Gabriel n'avait pas souvent eu affaire aux médias, mais il en savait assez pour comprendre que maintenant qu'elle avait la trame de son histoire, elle n'abandonnerait pas tant qu'elle ne l'aurait pas coincé. Et une fois qu'elle aurait eu son scoop, tout espoir de démarrer une nouvelle vie avec la famille de sa mère serait fichu. Brodie Grant n'embrasserait pas volontiers un meurtrier. Gabriel ne pouvait laisser les choses finir comme ça. Il ne pouvait pas tout perdre une deuxième fois. C'était injuste. Tellement injuste.

Il parvenait cependant à rester posé et soutenait son regard calme. Il devait découvrir ce qu'elle savait exactement. « Qu'est-ce qui s'est passé d'après vous ? demanda-t-il d'un air méprisant. Ou plutôt devrais-je dire, quelle version des faits comptez-vous raconter au monde ?

— Je crois que vous avez tué Matthias. Je ne sais pas si vous l'aviez prévu ou si c'était sur l'impulsion du moment. Mais comme je vous l'ai dit, il y a un témoin qui vous a vus tous les deux plus tôt ce jour-là. La seule raison pour laquelle il ne l'a pas dit à la police, c'est qu'il ne mesure pas l'importance de ce qu'il a vu. Bien sûr, si je devais le lui expliquer… Enfin, ce n'est pas vraiment sorcier, n'est-ce pas, Adam ? Il m'a fallu trois jours pour vous trouver. Je sais que les *carabinieri* ont la réputation d'être un peu longs à la détente, donc ça leur prendra peut-être un peu plus de temps. Assez pour aller vous réfugier sous l'aile protectrice de votre grand-père, je me disais. Oh, mais ce n'est pas votre grand-père, si ? C'est juste mon imagination.

— Vous ne pouvez rien prouver de tout ça », répliqua-t-il. Il vida la fin de la bouteille dans son verre puis alla en chercher une autre dans le casier. Il se sentait piégé. Il avait surmonté une épreuve atroce. Et maintenant, cette connasse allait lui voler le seul espoir qui l'avait fait tenir. Le défi, c'était de trouver comment donner à cette femme une chance de l'empêcher d'avoir à faire le nécessaire pour la stopper.

Il jeta un coup d'œil par-dessus son épaule. Bel ne prêtait pas vraiment attention à lui ; elle était absorbée par sa quête, déterminée à orienter leur discussion dans la direction qu'elle cherchait. D'un air absent, elle indiqua : « Il existe des moyens. Et je les connais tous. »

Il lui avait donné sa chance, et elle avait refusé de la saisir. Le passé de Gabriel était entaché au-delà de toute rédemption. Tout ce qui lui restait, c'était l'avenir. Il ne pouvait pas la laisser lui enlever ça. « Je ne crois pas », dit-il en approchant par derrière.

À la dernière seconde, une sorte de signal d'alerte primitif se déclencha en elle, et elle se retourna juste à temps pour apercevoir la lame qui avançait inéxorablement vers elle.

Kirkcaldy

Une fois que Phil avait fait le premier pas, les choses étaient allées à toute vitesse. Les vêtements qui volent. La fièvre qui grandit entre leurs corps nus. Lui au-dessus. Elle au-dessus. Puis dans la chambre. À plat ventre, agrippée aux barreaux du lit, les mains de Phil sur ses seins. Lorsqu'il leur avait finalement fallu une pause pour trouver un second souffle, ils étaient restés couchés sur le côté et s'étaient regardés en souriant bêtement.

« Qu'est-ce qu'on a fait des préliminaires ? demanda Karen en gloussant.

— C'est ce qu'ont été toutes ces années passées à travailler ensemble, répondit Phil. Les préliminaires. Où tu me mettais dans tous mes états. Ton esprit te rend aussi sexy que ton corps, tu sais ? »

Elle glissa une main entre eux et, du bout des doigts, vint caresser la peau douce sous son nombril. « Ça faisait si longtemps que j'avais envie de ça.

— Moi aussi. Mais je voulais surtout pas foutre la merde dans nos relations professionnelles. On fait une belle équipe. Je ne voulais pas risquer de gâcher ça. On aime trop notre boulot tous les deux pour le mettre en danger. En plus, c'est contre le règlement.

— Et alors, qu'est-ce qui a changé ? questionna Karen, l'estomac noué.

— Il y a un poste d'inspecteur qui se crée à Dunfermline et on m'a annoncé officieusement que je n'avais qu'à demander pour l'avoir. »

Karen se redressa et s'appuya sur un coude. « Tu vas quitter l'Eranc ? »

Il soupira. « Je n'ai pas le choix. Il faut que je monte en grade, et il n'y a pas la place pour un autre inspecteur à l'Eranc. Et puis, comme ça, je peux aussi t'avoir toi. » La crainte se lut sur son visage. « Si c'est ce que tu veux, bien sûr. »

Elle savait à quel point il aimait travailler aux affaires non classées. Elle savait aussi qu'il était ambitieux. Après qu'elle eut bloqué la carrière de Phil en étant promue, elle s'attendait à ce qu'il parte tôt ou tard. Ce qu'elle n'avait pas envisagé, c'était d'être prise en compte dans ses calculs. « C'est la bonne décision, dit-elle. Et tu fais bien de t'éclipser rapidement avant que le Macaron ne se rende compte qu'il devrait te détester autant qu'il me déteste. Mais ça va me manquer de ne plus travailler avec toi. »

Il se rapprocha d'elle en se tortillant et lui frotta doucement les tétons avec la paume de ses mains. « Il y aura des compensations », précisa-t-il.

Elle laissa descendre sa main. « Apparemment, dit-elle. Mais il va en falloir beaucoup. »

Boscolata, Toscane

Le *carabiniere* Nico Gallo écrasa sa cigarette sous le talon de sa botte astiquée et s'écarta de l'olivier sur lequel il était appuyé. Il épousseta l'arrière de sa chemise et de son haut-de-chausses moulant, puis se remit en route sur le chemin qui longeait l'oliveraie de Boscolata.

Il en avait marre. Non seulement il était à des centaines de kilomètres de sa Calabre natale, logé dans une caserne à peine mieux qu'une cabane de pêcheur, mais il se retrouvait encore avec le sale boulot à chaque nouvelle mission : autant dire qu'il se passait rarement un jour où il ne regrettait pas d'avoir choisi de faire carrière chez les *carabinieri*. Son grand-père l'avait encouragé dans ce choix en l'assurant que les femmes craquaient pour les hommes en uniforme. Ça avait peut-être été le cas à l'époque du vieil homme, mais c'était tout le contraire aujourd'hui. Toutes les femmes de son âge qu'il rencontrait semblaient être des féministes, des écolos ou des anarchistes. Pour elles, son uniforme constituait une provocation d'un genre bien différent.

Et pour lui, Boscolata n'était qu'une de ces communes de hippies peuplées de gens sans respect pour la société. À tous les coups, ils ne payaient pas leurs impôts. Et à tous les coups, le tueur qui avait fait une victime inconnue à la villa Totti ne se trouvait pas loin de l'endroit où il marchait à cet instant. C'était une perte de temps de surveiller ces lieux de nuit. Si l'assassin avait voulu effacer ses traces, il avait eu des mois pour le faire. Et même maintenant, d'après Nico, tout le monde à Boscolata savait comment entrer dans la villa en ruines sans qu'il s'en doute une seconde. Si ça avait été son village dans le Sud, c'était exactement ce qui se serait passé.

Le temps de refaire le tour de l'oliveraie, puis il retournerait à sa voiture boire une tasse de café dont il avait judicieusement emmené une Thermos. Il y avait trois clés pour pouvoir rester éveillé et vigilant : du café, des cigarettes et des chewing-gums. Quand il atteindrait le coin le plus proche de la villa Totti, il pourrait fumer une autre cigarette.

Au moment où le bruit de son allumette s'éteignit, Gallo en perçut un autre dans la nuit. À cette hauteur de la colline, on n'entendait normalement que les grillons, et de temps en temps un oiseau nocturne ou un chien qui aboyait. Mais là, le silence avait été envahi par le bruit d'une voiture grimpant avec peine le chemin de terre escarpé vers Boscolata et au-delà. Et curieusement, il n'était pas accompagné de l'éclat des pleins phares. Gallo discernait de faibles lueurs à travers les arbres et les haies, comme si le véhicule roulait en veilleuses. Il n'y avait qu'une explication possible, d'après lui. Le conducteur mijotait quelque chose et ne voulait pas attirer l'attention.

Gallo regarda sa cigarette avec regret. Il s'était assuré d'en avoir assez pour toute la durée de son service, mais ça ne signifiait pas qu'il voulait en gaspiller une. Il la tourna donc dans le creux de sa main et se rapprocha de la villa pour bloquer quiconque tenterait d'entrer sur les lieux du crime.

Il devint bientôt évident qu'il avait fait le mauvais choix. Au lieu de se diriger vers Boscolata et la villa, les phares dévièrent vers la droite, à l'autre bout de l'oliveraie. Gallo pesta, tira une dernière taffe sur sa cigarette, puis se lança aussi vite et aussi discrètement qu'il put le long des plantations.

Il distingua à peine la forme d'une petite fourgonnette. Elle s'arrêta à l'extrémité de l'oliveraie, là où la propriété des Totti cédait la place aux immenses terres exploitées par un éleveur de cochons. Maurizio, c'était ça le nom du vieux ? Un truc comme ça. Gallo, à environ vingt mètres de distance, s'approcha furtivement en essayant de ne faire aucun bruit.

La portière du conducteur s'ouvrit, et la lumière intérieure de la voiture s'alluma. Gallo vit un type assez grand vêtu d'un jogging foncé et d'une casquette de baseball sortir et ouvrir le hayon. Il sembla ensuite tirer un tapis enroulé ou quelque chose du genre et se courber pour se placer dessous et pouvoir supporter sa charge. Lorsqu'il se redressa, chancelant légèrement sous le poids de son fardeau, il s'approcha de la solide haie de barbelés qui parquait les cochons. Gallo comprit avec un terrible haut-le-cœur qu'il ne s'agissait pas simplement d'un type venu balancer des ordures en douce, mais de quelque chose de bien plus sérieux. Ce monstre était sur le point de donner un corps en pâture aux cochons. Tout le monde savait que ces bêtes pouvaient bouffer n'importe quoi. Et il s'agissait indiscutablement d'un corps.

Il empoigna sa torche et l'alluma. « Police ! Pas un geste ! » cria-t-il de son ton le plus ronflant. L'homme trébucha et tomba en avant, son fardeau atterrissant en travers de la clôture. Il se releva et courut jusqu'à la voiture, qu'il atteignit quelques secondes avant Gallo. Il sauta derrière le volant, lança le moteur et partit en marche arrière juste au moment où Gallo se jeta sur le capot. Le *carabiniere* essaya de rester cramponné, mais la voiture fonçait vers le chemin en faisant des bonds tous les mètres, et il finit par tomber honteusement comme une masse tandis que la voiture disparaissait dans la nuit.

« Nom d'un chien ! grogna-t-il en se retournant pour pouvoir attraper sa radio. Centrale ? Ici Gallo, de garde à la villa Totti.

— Bien reçu, Gallo. Quel est votre code 10 ?

— Centrale, je ne connais pas le code 10 pour ça. Mais un type vient d'essayer de larguer un corps dans un enclos à cochons. »

Vendredi 6 juillet 2007 ; Kirkcaldy

Dès la première sonnerie, le téléphone s'insinua dans le sommeil léger de Karen. Vaseuse et désorientée, elle chercha à tâtons le combiné et reprit pleinement conscience en entendant « Téléphone » marmonné près de son oreille. Il était encore là. Il ne s'était pas enfui. Il était encore là. Elle saisit son téléphone en se forçant à ouvrir les paupières. Le réveil indiquait cinq heures quarante-sept. Elle travaillait pour l'Eranc. On ne l'appelait plus à cette heure-là de la nuit. « Inspecteur Pirie, grommela-t-elle.

— Bonjour, inspecteur Pirie, répondit une voix d'une fraîcheur écœurante. Ici Linda de la Centrale. Je viens de recevoir un appel d'un certain capitaine Di Stefano des *carabinieri* de Sienne. En temps normal, je ne vous aurais pas réveillée, mais il m'a dit que c'était urgent.

— C'est pas grave, Linda », dit Karen en s'écartant de Phil et en essayant de se mettre en mode travail. Qu'est-ce qui pouvait bien être urgent à six heures moins le quart du matin dans une affaire de meurtre qui remontait peut-être à trois mois ? « Racontez-moi tout.

— Il n'y a pas tant de choses à raconter, inspecteur. Il m'a dit de vous signaler qu'il vous avait envoyé une photo par e-mail pour savoir si vous pouviez l'identifier. Et c'est urgent. Il l'a répété trois fois, donc je pense qu'il était sérieux.

— Je m'en occupe tout de suite. Merci, Linda. » Elle raccrocha le téléphone, et Phil la tira immédiatement vers lui pour une urgence d'un autre genre.

Elle se tortilla en essayant de se dégager de son étreinte. « Il faut que je me lève, protesta-t-elle.

— Moi aussi. » Il lui couvrit la bouche avec la sienne et commença à l'embrasser.

Étouffée, Karen détourna la tête. « Tu peux faire ça en vitesse ? »

Il éclata de rire. « Je croyais que les femmes n'aimaient pas quand c'était vite fait.

— Il vaudrait mieux que tu apprennes si tu retournes dans la police de terrain », indiqua-t-elle, avant de l'attirer en elle.

Karen ne se sentit que légèrement coupable en accédant à sa boîte e-mail. Le message promis de Di Stefano figurait en tête de la liste. Elle l'ouvrit et lança le téléchargement de la pièce jointe pendant qu'elle lisait le mot.

Quelqu'un a essayé de donner un corps à manger aux cochons Cinta Senese de Maurizio Rossi. C'est peut-être comme ça que l'autre victime a disparu. Voici une photo du visage. Vous savez peut-être qui c'est ?

Bon Dieu, quelle idée horrible ! Elle avait entendu parler de cas où des cochons n'avaient laissé que la boucle de ceinture des malheureux fermiers qui avaient eu un accident dans leur enclos, mais elle n'aurait jamais songé à y voir un moyen de se débarrasser d'un corps.

Puis une pensée encore plus affreuse lui vint à l'esprit. *Le cochon mange la victime. Le cochon incorpore de l'humain à sa viande. Le cochon est transformé en salami. Et au bout du compte, les gens mangent d'autres humains.* Elle n'était pas convaincue que Maurizio Rossi arriverait encore à faire des affaires une fois que la nouvelle serait ébruitée.

Dans un moment de doute, Karen se demanda pourquoi Di Stefano pensait qu'elle pourrait reconnaître la victime. Pouvait-il s'agir d'Adam Maclennan Grant, qui au dernier moment se serait alors vu arracher son avenir au côté de son grand-père ? Ou de ce fameux Matthias mystérieusement disparu, alias Toby Inglis ? L'angoisse lui asséchait la bouche, mais elle cliqua sur la pièce jointe.

Le visage qui s'afficha sur son écran était bel et bien mort. La lueur qui animait même les patients comateux était totalement absente. Mais il n'y avait pas d'erreur possible, aussi atroce que ce fût. La veille, Karen avait interrogé Bel Richmond. Et maintenant elle était morte.

A1, Florence-Milan

Ça ne servait à rien de faire disparaître la voiture de location de Bel, avait décidé Gabriel. Pas à ce stade. Cet enfoiré de flic lui avait foutu la trouille de sa vie, mais il n'avait pas pu relever sa plaque d'immatriculation. Personne ne ferait le rapprochement entre une voiture louée par une journaliste anglaise et ce qui s'était passé sur le coteau de Boscolata. Le plus important à présent, c'était qu'il s'en aille loin de la Toscane. Qu'il laisse le passé et les choses terribles qu'il avait été forcé de faire derrière lui. Qu'il prenne un nouveau départ et fonce vers l'avenir.

Ça avait été horrible, mais il avait déshabillé le corps, d'une part pour que les cochons arrivent plus facilement à faire le sale boulot à sa place, d'autre part pour qu'il soit plus dur de l'identifier dans le cas improbable où on la retrouverait assez tôt pour que ce soit envisageable. Au final, ça avait été une très bonne décision. Ce cinglé de flic avait déjà posé assez de problèmes en sortant de nulle part. La situation aurait été mille fois pire s'il avait laissé quoi que ce soit sur le corps qui ait pu faciliter son identification.

Aussi, la voiture ne représentait pas un danger dans l'immédiat. Il l'avait garée sur le parking de longue durée de l'aéroport de Zurich et il s'était trouvé un vol. Daniel lui avait toujours soutenu qu'il ne trouverait rien d'autre que de la souffrance et des fantômes au Royaume-Uni, mais comme il ne s'y était encore jamais rendu, il n'avait aucune idée des contrôles de sécurité qu'on y pratiquait. Mais il n'y avait pas de raison qu'on prête particulièrement attention à lui avec son passeport britannique.

Il regrettait d'avoir dû tuer Bel. Il n'avait rien d'une machine à tuer de sang-froid. Mais il avait déjà tout perdu une fois. Il savait l'effet que ça faisait, et il n'aurait pas supporté de revivre cette expérience. Même les souris se défendaient quand elles étaient acculées, et il avait indéniablement plus de cran qu'une souris. Elle ne lui avait pas laissé le choix. Comme Matthias, elle l'avait poussé trop loin. D'accord, les choses avaient été différentes avec Matthias. Cette fois-là, il avait perdu le contrôle de lui-même. Lorsqu'il s'était rendu compte que quelqu'un qu'il aimait depuis l'enfance était l'assassin de sa mère, un chagrin immense l'avait envahi, et il l'avait poignardé avant même de s'apercevoir qu'il avait un couteau dans la main.

Avec Bel, il savait ce qu'il faisait. Mais il avait agi par instinct de conservation. Il s'était trouvé sur le point de contacter son grand-père quand Bel avait fait irruption dans sa vie et tout menacé. La dernière chose dont il avait besoin, c'était qu'elle établisse un rapport entre lui et le meurtre de Matthias, et qu'elle aille le raconter. Il voulait arriver chez son grand-père avec un casier vierge, et non voir la vie dont on l'avait privé foutue en l'air par une sale journaliste à l'affût du scandale.

Il se répétait qu'il avait fait ce qu'il fallait. Et que c'était bien qu'il s'en veuille. Ça montrait qu'au fond c'était une bonne personne. Il s'était fait piéger par les événements. Ça ne signifiait pas que c'était un sale type. Il fallait à tout prix qu'il le croie. Il était en route pour démarrer une nouvelle vie. D'ici quelques jours, Gabriel Porteous serait mort et Adam Maclennan Grant serait à l'abri sous l'aile de son riche et puissant grand-père.

Il aurait le temps d'avoir des remords plus tard.

Château de Rotheswell

À l'évidence, Susan Charleson n'aimait pas que la police débarque sans y avoir été invitée. Les quelques minutes de délai entre l'arrivée de Karen au portail et son apparition sur le seuil de la porte principale n'avaient pas suffi au bras droit de Grant pour dissimuler sa consternation. « On ne vous attendait pas, dit-elle au lieu du "bienvenue" des fois précédentes.

— Où est-il ? » Karen entra en trombe, forçant Susan à faire rapidement deux pas de côté.

« Si vous voulez parler de sir Broderick, il n'est pas encore disponible. »

Karen consulta ostensiblement sa montre. « Sept heures vingt-sept. Je parie qu'il en est encore à son petit déjeuner. Vous allez me conduire à lui, ou est-ce que je vais devoir le trouver moi-même ?

— C'est scandaleux, protesta Susan. Le commissaire Lees sait-il que vous êtes ici, à vous comporter de cette manière cavalière ?

— Je suis sûre qu'il le saura bientôt », répliqua Karen pardessus son épaule en s'engageant dans le hall. Elle ouvrit en grand la première porte qu'elle rencontra : un vestiaire. Celle d'après : un bureau.

« Arrêtez ça, ordonna sèchement Susan. Vous outrepassez vos pouvoirs, inspecteur. » Porte suivante : un petit salon. Karen entendait les pas de Susan qui courait derrière elle. « Très bien », fit Susan d'un ton brusque en dépassant Karen.

Elle s'arrêta devant elle et écarta les bras, se faisant apparemment l'illusion que cela bloquerait Karen si elle était sérieusement tentée de continuer. « Je vais vous conduire à lui. »

Karen la suivit jusqu'à l'arrière du bâtiment. Susan ouvrit la porte d'une lumineuse salle à manger qui donnait sur le lac et les bois au-delà. Karen ne prêta aucune attention à la vue ni à tous les plats disposés sur le long buffet. Tout ce qui l'intéressait, c'était le couple assis à la table, leur fils perché entre eux. Grant se leva immédiatement et lui lança un regard noir. « Qu'est-ce qui se passe ? questionna-t-il.

— Il est temps que Lady Grant prépare Alec pour aller à l'école », annonça Karen. Elle se rendit compte que cette phrase semblait sortie d'un mauvais scénario, mais elle se foutait d'avoir l'air ridicule.

« Comment osez-vous faire irruption chez moi en criant ? » Il était le premier à hausser le ton, mais ne semblait pas s'en rendre compte.

« Je ne crie pas, monsieur. J'ai des choses à vous dire, qu'il ne serait pas convenable de prononcer devant un enfant. » Karen croisa son regard furieux et ne fléchit pas. Ce matin-là, sans qu'elle pût l'expliquer, elle ne ressentait plus aucune crainte quant aux conséquences de ses actes.

Grant jeta un coup d'œil déconcerté sur son fils et sa femme. « Dans ce cas, nous allons aller autre part, inspecteur. » Il partit au pas de charge vers la porte. « Susan, du café. Dans mon bureau. »

Karen s'efforça de suivre ses longues enjambées et l'avait à peine rattrapé quand il déboula dans une pièce spartiate avec un bureau en verre sur lequel étaient posés un grand bloc-notes à spirales et un mince ordinateur portable. Derrière celui-ci se trouvait un fauteuil fonctionnel et ergonomique. Des classeurs à tiroirs garnissaient un mur. Contre le mur opposé étaient disposées deux chaises que Karen reconnut pour les avoir vues lors d'un voyage à Barcelone, où elle était descendue par erreur du bus touristique au pavillon Mies van der Rohe et s'était trouvée étonnamment captivée par le calme et la simplicité du lieu. D'une certaine façon, le fait de les voir ici la mettait à l'aise. Elle pouvait tenir tête à n'importe quel grand ponte, se dit-elle.

Grant se jeta sur son fauteuil comme un gosse irrité. « C'est en quel honneur, tout ce cinéma ? »

Karen déposa son lourd cartable par terre et s'appuya contre un des meubles de classement, les bras croisés sur la poitrine. Pour l'occasion, elle avait choisi son ensemble le plus chic, acheté en solde chez Hobbs à Édimbourg. Elle se sentait totalement maîtresse de la situation et prête à faire sa fête à Brodie Grant. « Elle est morte », déclara-t-elle succinctement.

Grant redressa brusquement la tête. « Qui est morte ? » Il semblait indigné.

« Bel Richmond. Est-ce que vous allez me dire après quoi elle courait ? »

Il tenta un petit haussement d'épaules nonchalant. « Je n'en ai aucune idée. C'était une journaliste free-lance, pas un membre de mon personnel.

— Elle travaillait pour vous. »

Il lui fit un geste de la main signifiant qu'il l'envoyait balader. « Je l'employais comme attachée de presse, au cas où cette enquête donnerait quelque chose. » Il osa faire une moue dédaigneuse. « Ce qui ne semble pas très probable à ce stade.

— Elle travaillait pour vous, répéta Karen. Elle faisait bien plus que l'attachée de presse. Ce n'était pas son métier. Elle était journaliste d'investigation, et c'est précisément ce qu'elle faisait pour vous. De l'investigation.

— Je ne sais pas d'où vous sortez vos idées, mais je peux vous assurer que vous n'aurez plus l'occasion de les exprimer sur cette affaire une fois que j'aurai parlé à Simon Lees.

— Ne vous gênez pas. Je me ferai un plaisir de lui raconter que Bel Richmond s'est rendue hier en Italie dans votre jet privé. Qu'elle a pris une voiture de location sur le compte de votre entreprise à l'aéroport de Florence. Et que son assassin a été dérangé par la police au moment où il essayait de donner son corps nu en pâture aux cochons à quelques centaines de mètres de la maison où Bel en personne a trouvé l'affiche qui a relancé toute cette enquête. » Karen se redressa et avança jusqu'au bureau, puis s'appuya dessus avec ses poings. « Je ne suis pas aussi stupide que vous le croyez. » Elle lui rendit son regard furibond.

Avant qu'il ait trouvé comment réagir, une jeune femme en robe noire arriva avec le café sur un plateau. Elle regarda autour d'elle d'un air hésitant. « Sur le bureau, ma petite », indiqua Grant. Karen avait dans l'idée qu'il n'allait pas lui en offrir une tasse.

Elle attendit d'entendre la porte se fermer derrière elle, puis lança : « Je crois que vous feriez mieux de me dire pourquoi Bel était en Italie. C'est probablement pour ça qu'on l'a tuée. »

Grant redressa la tête et avança son large menton dans sa direction. « Pour autant que je sache, inspecteur, la juridiction de la police du Fife ne s'étend pas à l'Italie. Ça ne vous regarde absolument pas. Alors pourquoi vous n'allez pas vous faire foutre ? »

Karen rit aux éclats. « Des gens bien mieux que vous m'ont dit d'aller me faire foutre, Brodie. Mais vous devriez savoir que je suis ici sur la demande de la police italienne.

— Si la police italienne veut me parler, elle n'a qu'à venir. Je parle aux responsables, pas à leurs sous-fifres. C'est comme ça avec moi. D'ailleurs, si votre visite était vraiment officielle, vous auriez votre petit boy avec vous pour prendre des notes. Je connais le droit écossais, inspecteur. Et maintenant, comme je vous l'ai fait comprendre plus tôt, foutez le camp.

— Ne vous en faites pas, je m'en vais. Mais pour votre information, je n'ai pas besoin de corroborer une déclaration de témoin pour la police italienne. Et je vais vous dire autre chose, à titre gratuit. Si j'étais votre épouse, je serais vraiment inquiète de voir tous ces cadavres de femmes dans votre sillage. Votre fille. Votre femme. Et maintenant votre émissaire. »

Un rictus reptilien contracta les lèvres de Grant. « Comment osez-vous ! »

Malgré la détermination de Karen, Grant lui avait tapé sur les nerfs. Elle s'empara de son sac et en sortit un plan à l'échelle des lieux de la remise de rançon. « Voilà pourquoi j'ose, rétorqua-t-elle en l'étalant sur le bureau de Grant. Vous pensez pouvoir tout obtenir grâce à votre argent et votre influence. Vous pensez pouvoir enterrer la vérité comme vous avez enterré votre femme et votre fille. Eh bien, monsieur, je suis là pour vous prouver que vous vous trompez.

— Je ne vois absolument pas à quoi vous voulez faire allusion. » Grant dut forcer les mots à franchir ses lèvres serrées.

« La version officielle, exposa Karen en écrasant le doigt sur la carte. Cat prend le sac à votre femme, les ravisseurs tirent une balle qui la touche dans le dos et la tue. La police tire un coup qui part complètement à côté. » Elle jeta un coup d'œil vers lui. Son visage était immobile, comme pétrifié de fureur. Elle espéra être aussi impressionnante que possible. « Et puis il y a la vérité : Cat prend le sac à votre femme, elle se retourne pour le ramener aux ravisseurs. Vous vous mettez à agiter votre arme, les ravisseurs plongent les lieux dans l'obscurité, vous tirez. » Elle le regarda droit dans les yeux. « Et vous tuez votre fille.

— C'est la pire des inventions, siffla Grant.

— Je sais que vous la niez depuis toutes ces années, mais c'est la vérité. Et Jimmy Lawson est prêt à la révéler. »

Grant frappa la table de la main. « Un meurtrier condamné ? Qui voudrait le croire ? » Ses lèvres frémirent de mépris.

« D'autres personnes savent que vous aviez une arme cette nuit-là. Elles sont à la retraite maintenant. Vous n'avez plus rien pour les menacer. Vous pourrez peut-être vous arranger pour que Simon Lees m'empêche de parler, mais les chiens sont lâchés désormais. Vous feriez mieux de commencer à coopérer avec moi concernant le meurtre de Bel Richmond.

— Sortez de chez moi, ordonna Grant. La prochaine fois que vous viendrez, vous avez intérêt à avoir un mandat. »

Karen lui fit un petit sourire pincé. « Comptez sur moi. » Il lui restait encore plein d'as dans sa manche, mais ce n'était pas le moment de les sortir. Mick Prentice et Gabriel Porteous attendraient bien un autre jour. « Ce n'est pas fini, Brodie. Ce n'est pas fini tant que je ne l'aurai pas dit. »

Le futur ex-Gabriel Porteous n'eut aucun problème à entrer au Royaume-Uni. Arrivé à l'aéroport d'Édimbourg, l'agent de l'immigration passa son passeport dans le lecteur magnétique, le compara à la photo et lui fit signe de passer.

Il dut aussi utiliser son ancienne pièce d'identité pour louer une voiture. Ce conflit entre passé et avenir était dur à supporter. Il voulait se détacher de Gabriel et de tout ce qu'il avait fait. Il voulait entrer sans taches dans sa nouvelle vie, l'esprit tranquille. Sur le plan émotionnel, psychologique ou pratique, il voulait n'avoir plus aucun lien avec sa vie d'avant. Il lui serait impossible de subir les questions pénibles des autorités italiennes. Pourvu que son grand-père accepte sa décision de rompre définitivement avec son passé. Seule une chose était certaine : il n'aurait pas à exagérer le choc et la douleur que lui avait infligés la lettre de son père.

Il dut s'arrêter à une station-service pour demander comment arriver au château de Rotheswell, mais ce n'était encore que le milieu de la matinée lorsqu'il s'approcha de l'imposant portail. Il coupa le moteur et sortit de la voiture, puis sourit à la caméra de surveillance. Quand on lui demanda à l'interphone qui il était et la raison de sa présence, il répondit : « Je suis Adam Maclennan Grant. Voilà pourquoi je suis là. »

On le laissa poireauter presque cinq minutes avant de lui ouvrir le portail extérieur. Dans un premier temps, ça le mit en rogne. Son angoisse avait atteint un degré intolérable. Puis il lui vint à l'esprit qu'on prenait seulement de telles précautions quand on avait quelque chose d'important à défendre. Il attendit donc, puis il s'avança dans le sas entre les deux grilles. Il toléra qu'on le fouille au corps. Il ne se plaignit pas quand on inspecta son véhicule et qu'on lui demanda d'ouvrir son sac de voyage et son sac à dos pour y farfouiller. Lorsqu'on le laissa enfin franchir le portail intérieur et qu'il entrevit pour la première fois ce dont on l'avait privé, il eut le souffle coupé.

Il avança lentement, en s'assurant qu'il contrôlait ses émotions. Il avait trop envie de ce nouveau départ. Finies les emmerdes. Il se gara sur le gravier près de la porte d'entrée, descendit de sa voiture et s'étira voluptueusement. Il avait passé trop de temps coincé sur un siège. Il redressa les épaules et sa colonne vertébrale, puis se dirigea vers la porte. Celle-ci s'ouvrit alors qu'il approchait. Une femme vêtue d'une jupe en tweed et d'un pull en laine apparut dans l'embrasure. Elle se mit involontairement la main devant la bouche et s'écria : « Oh, mon Dieu ! »

Il lui adressa son plus beau sourire. « Bonjour. Je suis Adam. » Il lui tendit la main. En un coup d'œil sur cette femme, il sut le genre de manières coincées qu'on attendait dans cette maison.

« Oui », répondit la femme. L'expérience reprit le dessus sur l'émotion, et elle empoigna sa main, qu'elle serra fermement. « Je m'appelle Susan Charleson. Je suis l'assistante personnelle de votre gran…, je veux dire, de sir Broderick. C'est un tel choc. Une telle surprise. Un vrai coup de théâtre. » Elle éclata de rire. « Écoutez. Je ne suis pas comme ça d'habitude. C'est juste que… en fait, je n'ai jamais cru que ce jour arriverait.

— Je comprends. Ça me fait un assez grand choc à moi aussi. » Il retira délicatement sa main. « Mon grand-père est-il chez lui ?

— Suivez-moi. » Elle ferma la porte et le fit pénétrer dans un hall.

Il avait été dans des maisons luxueuses en Italie grâce au travail de son père, mais cet endroit lui était totalement étranger. Avec ses murs en pierre et son décor épuré, il paraissait nu et froid. Mais ça ne coûtait rien d'être gentil. « C'est une belle maison, dit-il. Je n'ai jamais rien vu de tel.

— Où vivez-vous ? demanda Susan en tournant dans un long couloir.

— J'ai grandi en Italie. Mais j'ai l'intention de revenir à mes racines. »

Susan s'arrêta devant une lourde porte cloutée en chêne. Elle frappa et entra, puis fit signe à Adam de la suivre. La pièce lui apparut seulement comme une niche indistincte bourrée de livres. Toute son attention était portée sur l'homme aux cheveux blancs qui se tenait près de la fenêtre, le regard indéchiffrable, les traits immobiles.

« Bonjour, monsieur », dit Adam. À sa surprise, il avait du mal à parler. Une émotion inattendue montait en lui, et il dut avaler sa salive pour retenir ses larmes.

Le visage du vieil homme sembla se désintégrer sous ses yeux. Une expression de joie mêlée de tristesse le submergea.

Il fit un pas vers Adam, puis s'arrêta. « Bonjour », répondit-il, d'une voix également étranglée. Il regarda derrière Adam et fit signe à Susan de quitter la pièce.

Les deux hommes se dévisagèrent avidement. Adam parvint à reprendre contrôle de lui-même et s'éclaircit la voix. « Monsieur, je suis sûr que d'autres personnes ont déjà prétendu être le fils de Catriona. Je veux simplement vous dire que je ne veux rien de vous et que je suis disposé à faire tous les tests que vous voudrez – ADN, quoi que ce soit. Jusqu'à la mort de mon père il y a trois mois, je n'avais aucune idée de qui j'étais vraiment. J'ai passé ces trois mois à me demander si je devais vous contacter ou non... Et donc, eh bien, me voici. » Il sortit la lettre de Daniel de la poche intérieure de son unique belle veste. « Voici la lettre qu'il m'a laissée. » Il tendit le bras vers Grant, qui saisit les feuilles froissées. « Je veux bien attendre dehors que vous la lisiez.

— Ce n'est pas la peine, répliqua Grant d'un ton bourru. Assieds-toi là, que je puisse te voir. » Il prit une chaise en face de celle qu'il avait désignée et se mit à lire. À plusieurs reprises, il marqua un temps d'arrêt et scruta le visage d'Adam, qui s'efforçait de garder son calme. À un moment donné, il se couvrit la bouche avec la main, les doigts visiblement tremblants. Il arriva au bout et fixa voracement Adam. « Si tu es un imposteur, tu es vraiment très fort.

— Il y a aussi ceci... » Adam sortit une photo de sa poche. Catriona était assise sur une chaise de cuisine, bien enceinte, les mains jointes sur la courbe prononcée de son ventre. Derrière elle, Mick se penchait par-dessus son épaule, également une main sur son ventre. Ils arboraient tous deux un grand sourire. Il y avait quelque chose d'un peu forcé, comme s'ils avaient posé pour le minuteur. « Ma mère et mon père. »

Cette fois, Grant ne put retenir ses larmes. Sans un mot, il ouvrit les bras à son petit-fils. Adam, les yeux humides, se leva et accepta son étreinte.

Celle-ci parut durer une éternité, et en même temps à peine une seconde. Ils s'écartèrent finalement l'un de l'autre et se frottèrent les yeux. « J'ai l'impression de me voir il y a cinquante ans, dit Grant d'une voix accablée.

— Vous devriez quand même faire le test ADN, avertit Adam. Il y a des gens malintentionnés au-delà de ces murs. »

Grant le regarda longuement. « Je ne crois pas qu'ils soient tous au-delà de ces murs, dit-il d'un air mélancolique. Bel Richmond travaillait pour moi. »

Adam s'efforça de ne pas montrer qu'il avait reconnu ce nom, mais il vit sur le visage de son grand-père qu'il avait échoué. « Elle est venue me voir, expliqua-t-il. Elle ne m'a jamais dit que vous étiez son patron. »

Grant eut un léger sourire. « Je ne dirais pas que j'étais son patron. Mais en effet, je l'ai engagée pour une mission. Elle s'en est si bien sortie qu'elle en est morte. »

Adam secoua la tête. « Ce n'est pas possible. Je lui ai parlé pas plus tard qu'hier soir.

— C'est pourtant vrai. La police est venue tout à l'heure. Apparemment, son assassin a essayé de la donner en pâture aux cochons juste à côté de la villa où ton copain Matthias squattait jusqu'aux environs de la mort de ton père, poursuivit Grant d'un air sévère. Et la police enquête également sur un meurtre présumé dans cette maison. Celui-ci a eu lieu à peu près au moment où Matthias et sa petite troupe de marionnettistes ont disparu. »

Adam haussa les sourcils. « C'est bizarre, dit-il. Qui d'autre est censé être mort ?

— Les policiers ne sont pas sûrs. Les marionnettistes se sont dispersés. Bel avait prévu d'essayer ensuite de les retrouver. Mais elle n'en a jamais eu l'occasion. C'était une bonne journaliste. Elle avait du flair.

— C'est ce qu'il semble.

— Mais alors, où est Matthias ? demanda Grant.

— Je ne sais pas. La dernière fois que je l'ai vu, c'était le jour où j'ai enterré mon père. Je suis retourné à la villa pour qu'il me donne la lettre. Ça m'a retourné quand j'ai compris qu'il avait toujours connu ma véritable identité. J'étais furieux que lui et mon père aient comploté pour m'empêcher de vous connaître pendant toutes ces années. Quand je suis parti, je lui ai dit que je ne voulais plus jamais entendre parler de lui. Je ne savais même pas qu'ils avaient quitté Boscolata. » Il haussa délicatement les épaules. « Ils ont dû se brouiller. Je sais que les autres s'énervaient parfois parce que Matthias prenait une plus grosse part des recettes. Les choses ont dû dégénérer. Quelqu'un s'est fait tuer. » Il remua la tête. « C'est dur.

— Et Bel ? Quelle est ta théorie à son sujet ? »

Adam avait eu une nuit de route et un trajet en avion pour préparer la réponse à cette question. Il hésita un instant, comme s'il évaluait les différentes possibilités. « Si Bel interrogeait les gens de Boscolata, ça a pu parvenir aux oreilles du tueur. Je sais qu'au moins un membre de la troupe couchait avec quelqu'un du village. Peut-être que sa petite amie lui a parlé de Bel et qu'ils l'ont tenue à l'œil. S'ils ont découvert qu'elle était venue pour me voir, ils se sont peut-être dit qu'elle fouinait trop et qu'il fallait s'en débarrasser. Je ne sais pas. Je ne sais vraiment pas comment ce genre de gens réfléchissent. »

Grant resta aussi impassible que dans les premiers instants où Adam l'avait vu. « Tu es très convaincant, dit-il. D'aucuns diraient que tu es bien le fils de ta mère. » L'espace d'une seconde, une expression de douleur lui tordit le visage. « Tu as raison pour le test ADN. On doit faire ça le plus tôt possible. En attendant, je pense que tu devrais rester ici avec nous. Qu'on apprenne à te connaître. » Son sourire était d'une ambivalence inquiétante. « Les gens vont s'intéresser à toi, Adam. Il faut qu'on se prépare à ça. On ne doit pas forcément être tout à fait francs. J'ai toujours attaché une grande importance à la vie privée. »

Adam avait connu un moment de malaise quand le vieil homme lui avait révélé que Bel était à sa solde. Ses questions avaient été plus difficiles que ce à quoi il s'attendait. Mais il comprenait à présent qu'une décision avait été prise, la décision d'opter pour la complicité. Pour la première fois depuis que Bel avait franchi le seuil de sa porte, l'insoutenable tension commença à se dissiper.

Vendredi 13 juillet 2007 ; Glenrothes

La dernière convocation de Karen au bureau du Macaron n'était pas tout à fait inattendue. Elle lui avait tenu tête depuis qu'elle avait reçu un e-mail laconique de Susan Charleson annonçant le retour de l'enfant prodigue. Elle crevait d'envie de parler à Brodie Grant et à son petit-fils meurtrier, mais Lees l'avait évidemment découragée avant même qu'elle puisse lui présenter ses arguments. Elle savait que mettre Grant face aux actes qu'il avait commis sur la plage tant d'années auparavant entraînerait des répercussions. Comme on pouvait s'y attendre, Grant avait pris des mesures de représailles anticipées : il l'avait accusée de chercher à tout prix à inculper quelqu'un dans une affaire où tous les criminels étaient morts. Karen avait dû écouter le Macaron la sermonner sur l'importance d'entretenir de bonnes relations avec le public. Il lui avait rappelé qu'elle avait élucidé trois affaires non classées, même si personne n'allait être jugé pour aucune d'entre elles. L'Eranc avait bonne presse grâce à elle, et ça n'avancerait vraiment à rien qu'elle pousse sir Broderick Maclennan Grant à écorner leur réputation.

Lorsqu'elle avait évoqué l'implication potentielle d'Adam Maclennan Grant dans deux meurtres en Italie, le Macaron était devenu vert et lui avait dit de ne pas se mêler de cette affaire qui ne la regardait absolument pas.

Pendant les dernières semaines, elle avait été en contact régulier avec Di Stefano, par téléphone et par e-mail. Il y avait de très nombreuses traces d'ADN sur le corps de Bel, lui avait-il dit. Un ado de Boscolata avait identifié Gabriel alias Adam comme étant l'homme qu'il avait vu avec Matthias le jour présumé du meurtre supposé de la villa Totti. Son équipe avait trouvé près de Greve la maison où un homme répondant à cette description avait vécu. Elle avait relevé des traces d'ADN correspondant à celles présentes sur le corps de Bel. Tout ce qui leur manquait pour engager une procédure devant un juge d'instruction, c'était un prélèvement ADN de l'ex-Gabriel Porteous. Karen pouvait-elle leur rendre ce service ?

À la Saint-Glinglin, oui.

Et maintenant, pour finir, le Macaron l'avait convoquée. Rassemblant ses idées, elle entra sans frapper dans son bureau. Cette fois-ci, ce fut elle qui eut un choc. Assis d'un côté du bureau, de biais par rapport au Macaron mais face à la chaise visiteur, se trouvait Brodie Grant. Il sourit en voyant son trouble. Vendredi treize, à n'en point douter.

Sans attendre qu'on l'y invite, Karen s'installa. « Vous vouliez me voir, monsieur, dit-elle en ignorant Grant.

— Karen, sir Broderick nous a gentiment apporté le témoignage authentifié de son petit-fils concernant les récents événements survenus en Italie. Il a pensé – et je suis d'accord avec lui – que ce serait la manière la plus satisfaisante de procéder. » Il lui tendit quelques feuilles de papier.

Karen le dévisagea, incrédule. « Monsieur, la manière de procéder, c'est de faire une simple analyse ADN. »

Grant se pencha en avant. « Je pense qu'une fois que vous aurez lu ce témoignage, il vous paraîtra évident que ce serait une perte de temps et d'argent de faire une analyse ADN. Il n'y a aucun intérêt à faire subir un test à quelqu'un qui est manifestement un témoin, pas un suspect. Quelle que soit la personne recherchée par la police italienne, ce n'est pas mon petit-fils.

— Mais…

— Et autre chose, inspecteur. Mon petit-fils et moi ne voulons pas discuter avec les médias de ce qu'il a fait pendant les vingt-deux dernières années. Il est évident que nous allons rendre public le fait extraordinaire que nous nous soyons retrouvés après tout ce temps. Mais pas de détails. Je compte sur vous et votre équipe pour respecter ce choix. S'il y a des fuites, soyez certaine que je poursuivrai les responsables en justice et que je m'assurerai qu'ils répondent de leurs actes.

— Rien ne sortira de ce bureau, je peux vous le garantir, déclara le Macaron. N'est-ce pas, Karen ?

— Oui, monsieur. » Pas de fuites. Rien qui puisse nuire à son équipe ou à la promotion imminente de Phil.

Lees agita les documents sous le nez de Karen. « Tenez, inspecteur. Vous pouvez faire suivre ceci à votre homologue italien, puis nous pourrons tirer un trait sur ces affaires que nous avons classées. » Il sourit à Grant d'un air engageant. « Je suis heureux que nous soyons parvenus à clarifier tout cela de manière aussi satisfaisante.

— Moi aussi, répondit Grant. Quel dommage que ce soit la dernière occasion de nous voir, inspecteur.

— En effet. Faites attention à vous, monsieur, dit Karen en se levant. Faites bien attention à vous. Et à votre petit-fils. Ce serait tragique si Adam devait subir d'autres pertes. » Bouillonnant de rage, Karen quitta la pièce avec raideur. Elle retourna à toute vapeur dans son secteur, prête à exploser. Mais Phil n'était pas là, et personne d'autre n'aurait pu l'aider. « Merde, merde, merde », marmonna-t-elle en entrant dans son bureau juste au moment où le téléphone sonnait. Pour une fois, elle ne répondit pas. Mais la Flèche passa la tête par la porte. « Il y a une dénommée Gibson qui veut vous parler.

— Passez-la moi, soupira-t-elle. Bonjour, Misha. Qu'est-ce que je peux faire pour vous ?

— Je me demandais juste s'il y avait du nouveau. Quand le sergent est venu il y a deux semaines pour me dire que vous étiez pratiquement sûrs que mon père était mort plus tôt cette année, il m'a dit qu'il avait peut-être eu des enfants qu'on pourrait soumettre à des analyses pour voir s'ils sont compatibles. Mais depuis, je n'ai pas eu de nouvelles de vous… »

Merde, merde, merde et encore merde. « Ça ne s'annonce pas très bien, expliqua Karen. L'homme en question refuse de faire un prélèvement pour qu'on l'analyse.

— Comment ça, il refuse ? Il ne comprend pas que la vie d'un enfant est en jeu ? »

Karen sentit l'intense état émotionnel de Misha à l'autre bout du fil. « Je crois qu'il cherche plutôt à ne pas se faire inculper.

— Vous voulez dire que c'est un criminel ? Je m'en fiche, de ça. Il ne comprend pas ? Je ne donnerai son ADN à personne d'autre. On peut faire ça de façon confidentielle.

— Je lui transmettrai votre demande, dit Karen d'un ton las.

— Vous ne pouvez pas me mettre directement en contact avec lui ? Je vous en supplie. La vie de mon petit garçon est en jeu. Chaque semaine qui passe voit ses chances diminuer.

— Je comprends bien. Mais je suis pieds et poings liés. Je suis désolée. Je lui transmettrai votre demande, je vous le promets. »

Misha eut l'air de sentir le malaise de Karen et changea d'attitude. « Excusez-moi. Je vous suis reconnaissante de tout ce que vous avez fait pour m'aider. C'est juste que je désespère. »

L'appel terminé, Karen resta immobile, le regard dans le vide. L'idée que Grant protégeait égoïstement un meurtrier dans le seul but de servir ses intérêts affectifs la mettait hors d'elle. Ce n'était pas vraiment une surprise, vu la manière dont il avait dissimulé sa propre culpabilité par rapport à la mort de sa fille. Mais il devait exister un moyen de contourner l'obstacle. Pendant les deux dernières semaines, Phil et elle s'étaient si souvent creusé la cervelle pour trouver une solution qu'elle avait l'impression d'y avoir fait un trou. Ils avaient parlé de filer Adam pour récupérer une canette de Coca ou une bouteille d'eau jetée dans la rue. Ils avaient songé à voler les poubelles de Rotheswell et les faire analyser par River jusqu'à ce qu'elle trouve une correspondance avec l'ADN relevé en Italie. Mais ils avaient dû admettre que tous ces projets tenaient plus de la chimère que du possible.

Karen se laissa aller dans son fauteuil et réfléchit à la manière dont tout cela avait commencé. Misha Gibson attendant éperdument un espoir et prête à faire n'importe quoi pour son enfant. Tout comme Brodie Grant pour son petit-fils. Les liens entre parents et enfants… Et puis, tout à coup, la solution lui sauta aux yeux. Une solution magnifique, astucieuse et d'une ironie délicieuse.

Manquant de basculer, Karen se redressa et attrapa le téléphone. Elle composa le numéro de River Wilde et tambourina des doigts sur son bureau. Quand River décrocha, Karen put à peine former des phrases. « Écoute, je viens de penser à quelque chose. Si tu as des demi-frères, tu serais capable de voir leur lien de parenté au niveau de l'ADN, non ?

— Oui. Ce ne serait pas aussi marqué qu'avec des vrais frères, mais on verrait une corrélation.

— Si tu avais l'empreinte génétique d'une personne et qu'on te donnait un prélèvement montrant une telle corrélation, et que tu savais que cette personne avait un demi-frère, tu crois que ça suffirait à obtenir un mandat pour faire des prélèvements sur le demi-frère ? »

River resta songeuse un instant. « Possible, dit-elle. Je crois que ça suffirait. »

Karen prit une profonde inspiration. « Tu te rappelles quand on a reçu l'empreinte génétique de Misha Gibson pour la comparer à celle du squelette de la grotte ?

— Oui, répondit prudemment River.

— Tu l'as toujours ?

— Ton dossier est encore ouvert ?

— Si je disais oui, qu'est-ce que tu répondrais ?

— Si ton dossier est encore ouvert, je suis toujours légalement en droit d'avoir cette empreinte en ma possession. S'il est clos, elle doit être détruite.

— Il est encore ouvert », assura Karen. Ce qui était vrai, en théorie, puisque la culpabilité de Mick Prentice concernant la mort d'Andy Kerr était seulement fondée sur des présomptions. Ce qui aurait certainement suffi à clore le dossier. Mais Karen ne l'avait pas remis au greffe, donc il n'était pas véritablement clos.

« Alors j'ai toujours cette empreinte.

— Il faut que tu m'envoies une copie par e-mail le plus vite possible », dit Karen en levant le poing. Elle se leva d'un bond et fit une petite danse dans son bureau.

Un quart d'heure plus tard, elle faisait suivre la copie du relevé ADN de Misha Gibson à Di Stefano, accompagnée d'un mot :

Merci de demander à votre expert en génétique de comparer cette empreinte à celle que vous avez relevée. Je crois qu'il s'agit de la demi-sœur de l'homme connu sous le nom de Gabriel Porteous. Tenez-moi informée de vos résultats.

Les heures qui suivirent furent un vrai supplice. À la fin de sa journée de travail, elle n'avait toujours aucune nouvelle d'Italie. Lorsqu'elle rentra chez elle, Karen fut incapable de lâcher son ordinateur. Toutes les dix minutes, elle bondissait pour vérifier ses mails. « C'est fou comme les choses déclinent vite, lança Phil depuis le canapé pour la taquiner.

— C'est ça. Si je ne le faisais pas, ce serait toi. Tu tiens autant que moi à pincer le petit-fils de Brodie.

— Je m'incline, chef. »

Il était neuf heures à peine passées quand la réponse attendue de Di Stefano apparut dans sa boîte de réception. Karen retint son souffle et ouvrit le message. « Aucune corrélation ? fit-elle. Aucune putain de corrélation ? Comment c'est possible ? J'étais tellement sûre… »

Elle se laissa tomber sur le canapé et se blottit dans les bras de Phil. « Je n'arrive pas à y croire non plus, dit-il. On était si sûrs qu'Adam était l'assassin. » Il poussa d'une pichenette le témoignage insipide que Karen avait ramené pour lui montrer. « Peut-être qu'il dit la vérité, aussi bizarre que ça puisse paraître.

— Sûrement pas, rétorqua-t-elle. Des marionnettistes meurtriers qui auraient traqué Bel en Italie ? J'ai vu des épisodes de *Scoubidou* qui étaient plus crédibles. » Elle se pelotonna, inconsolable, et glissa sa tête sous le menton de Phil. Puis tout à coup, quand une nouvelle idée lui vint à l'esprit, elle se redressa si brusquement que Phil faillit se mordre la langue. Alors qu'il râlait, Karen répétait : « Nul ne sait par lui-même qui est son père. »

« Quoi ? finit par demander Phil.

— Et si Fergus avait raison ?

— Karen, de quoi est-ce que tu parles ?

— Tout le monde pensait qu'Adam était le gosse de Fergus. Fergus en est persuadé. Il a couché avec Cat à peu près au bon moment, juste une fois. Peut-être qu'elle s'était disputée avec Mick. Ou peut-être qu'elle en avait ras le bol parce que c'était samedi soir et qu'il était avec sa femme et sa fille et pas avec elle. Quelle que soit la raison, c'est arrivé. » Karen s'était mise à genoux et faisait des bonds sur le canapé, de nouveau excitée comme une enfant. « Et si Mick s'était trompé pendant toutes ces années ? Et si Fergus était vraiment le père d'Adam ? »

Phil la prit par les épaules et lui donna un baiser sonore sur le front. « Je t'ai dit dès le début que j'aimais ton esprit.

— Non, tu as dit qu'il me rendait sexy. C'est pas tout à fait pareil. » Karen frotta son nez contre sa joue.

« N'importe. Tu es si intelligente que ça m'excite.

— Tu crois qu'il est trop tard pour l'appeler ? »

Phil grogna. « Oui, Karen. Il est une heure de plus là où il vit. Remets ça à demain matin.

— Seulement si tu me promets de me changer les idées. »

Il la coucha sur le dos. « Je vais faire de mon mieux, chef. »

Mercredi 18 juillet 2007

Karen s'étendit dans son bain et savoura la double sensation que lui procuraient la mousse et l'eau sur sa peau. Phil jouait au cricket, ce qui consistait, elle l'avait maintenant compris, à faire une rapide partie suivie d'un apéro prolongé avec ses copains. Il dormirait chez lui ce soir-là, après être rentré bourré à la lager à la fermeture du pub. Ça ne la gênait pas. D'habitude, elle retrouvait les filles pour manger un curry et papoter. Mais ce soir-là, elle avait envie de rester seule. Elle attendait un coup de fil, et elle ne voulait pas y répondre dans un pub bondé ou dans un resto bruyant. Elle voulait être sûre de bien entendre.

Fergus Sinclair s'était méfié lorsqu'elle l'avait appelé à l'improviste pour lui demander un échantillon de son ADN. Elle lui avait présenté un topo simple : un homme était sorti du bois en prétendant être Adam, et Karen était bien décidée à vérifier ses dires par tous les moyens. Sinclair s'était montré tour à tour cynique puis excité. Mais dans ces deux états, il avait soutenu que le meilleur test possible, c'était lui. « Je saurai, avait-il affirmé. C'est un instinct. On reconnaît ses propres gosses. »

Ce n'était pas le moment de lui faire part des statistiques de River selon lesquelles entre dix et vingt pour cent des enfants n'étaient en fait pas la progéniture des pères qui leur étaient attribués et, dans la plupart des cas, ces derniers n'en avaient aucune idée. Karen avait insisté sur le besoin de se montrer pertinents. Et Fergus avait finalement accepté de se rendre au commissariat du coin pour faire prélever son ADN.

Karen avait réussi à persuader l'agent de service de la police allemande d'envoyer l'échantillon directement à River en express. Le Macaron perdrait la tête en voyant la facture, mais elle n'en avait plus rien à faire. Pour accélérer les choses, elle avait convaincu Di Stefano d'envoyer par e-mail à River l'empreinte génétique du meurtrier italien.

Et ce soir, elle saurait. Si l'analyse montrait que Fergus était le père de cet assassin, elle pourrait obtenir un mandat pour faire prélever l'ADN d'Adam. Selon le droit écossais, elle aurait pu le placer en détention et faire ce prélèvement sans l'arrêter ni l'inculper. Mais elle savait que sa carrière serait terminée si elle tentait de traiter Adam Maclennan Grant comme n'importe quel autre suspect. Elle ne l'approcherait pas sans un mandat du juge. Mais une fois que son empreinte génétique serait enregistrée, même le pouvoir de Grant ne pourrait l'empêcher de tomber sous le coup de la loi. Il devrait payer pour les vies qu'il avait écourtées.

Elle s'interrompit dans ses réflexions quand le téléphone sonna. River avait dit neuf heures, mais il était à peine sept heures et demie. C'était sans doute sa mère ou une de ses amies qui voulait la persuader de changer d'avis et de les rejoindre. Karen poussa un soupir et tendit le bras pour décrocher le téléphone posé sur un tabouret près de la baignoire.

« J'ai l'empreinte génétique de Fergus Sinclair sous les yeux, déclara River. Et j'ai aussi celle envoyée par le capitaine Di Stefano.

— Et ? » Karen pouvait à peine respirer.

« Il y a une étroite corrélation. Probablement père et fils. »

Jeudi 19 juillet 2007 ; Newton of Wemyss

La voix est douce, comme la lumière du soleil qui entre à flots par la fenêtre. « Tu peux répéter ?

— L'ex-femme du cousin de John. Elle a déménagé en Australie. Près de Perth. Son deuxième mari, il est ingénieur minier ou quelque chose comme ça. » À présent, les mots se bousculent et tombent dans un même mouvement.

« Et elle est revenue ?

— C'est ce que je suis en train de te dire. » Des mots agacés, un ton exaspéré. « Pour la vingt-cinquième édition d'une réunion d'anciens élèves. Sa fille, Laurel, qui a seize ans, est venue en vacances avec elle. John l'a vue chez sa mère il y a deux semaines. Il ne m'a rien dit parce qu'il ne voulait pas me donner de faux espoirs. » Un éclat de rire. « De la part de Monsieur Optimisme…

— Et c'est bon ? Ça va marcher ?

— Ils sont compatibles, maman. Luke et Laurel. C'est la meilleure chance possible. »

Et c'est comme ça que tout se termine.

Remerciements

Tout a commencé quand Kari Furre dite « Mme Shapiro » a fait une étrange découverte à la casa rovina située au bas de la colline. La famille Giorgi, de la Chiocciola contrada à Sienne, m'a présenté ses suggestions ; la merveilleuse Mamma Rosa nous a nourris comme des rois et fascinés comme des petits enfants par son savoir ; Marino Garaffi continue d'élever les meilleurs cochons, même s'ils finissent égorgés. Leur amitié, leur gentillesse et leur grandeur d'âme illuminent mes étés.

Dans le Fife, je tiens à remercier ma mère pour son témoignage ; les nombreux mineurs et musiciens dont les chansons et histoires parsèment mes souvenirs d'enfance ; cet autre supporter du Raith Rovers qui m'a soufflé qu'il était temps pour moi de récrire un livre dont l'action se déroule au Royaume-Uni ; et les communautés parmi lesquelles j'ai grandi et qui ont été anéanties par la grève de 1984 et ses conséquences.

Le professeur Sue Black m'a fait partager ses compétences avec sa générosité habituelle et me rappelle que les erreurs viennent de moi.

Ma reconnaissance envers certaines des personnes qui ont permis à ce livre de voir le jour est inexprimable. Mon père Jim McDermid, mes grands-pères mineurs Tom McCall et Donald McDermid, et mon oncle « honoraire » Doddy Arnold m'ont tous ouvert les portes du monde des ouvriers, un monde dont les exigences ont écourté leurs vies.

Enfin, je salue avec gratitude l'équipe qui me pousse toujours vers l'avant pour que je produise le meilleur livre possible : mon éditrice Julia Wisdom, ma secrétaire d'édition Anne O'Brien et mon agent, Jane Gregory. Sans oublier Kelly et Cameron, dont la patience est tout à fait remarquable.

Mise en page par Meta-systems
59100 Roubaix

CET OUVRAGE
A ÉTÉ ACHEVÉ D'IMPRIMER
SUR ROTO-PAGE
PAR L'IMPRIMERIE FLOCH
À MAYENNE EN MARS 2011

N° d'édition : L.01ELHN000240.N001. N° d'impression : 78991.
Dépôt légal : avril 2011.
(Imprimé en France)